# CIVILISATIONS
# MYSTERIEUSES

IVAR LISSNER

# CIVILISATIONS MYSTERIEUSES

BIBLIOTHÈQUE
DES
GRANDES ÉNIGMES

# REMERCIEMENTS

Je tiens à remercier ici les archéologues, les spécialistes et les savants qui ont bien voulu me prodiguer leurs conseils et qui ont accepté de vérifier les chapitres de mon livre et de me guider dans les palais, les temples et les ruines. Je cite en particulier :

Le professeur ANTONIO BLANCO FREIJEIRO, de l'Université de Séville, Conservateur du Musée du Prado, à Madrid, qui a relu les chapitres sur Tartessos.

Le professeur Carl W. Blegen, grand archéologue, qui a découvert la Troie contemporaine d'Homère et qui m'a guidé dans les ruines du Palais de Nestor à Pylos, que douze années de travail lui ont permis d'excaver.

M. SOTIRIS DAKARIS, Ephoros Archeotiton au Musée archéologique de Janina, qui m'a montré les restes du temple et les autres ruines de la vallée du Dramessos et qui a relu les chapitres consacrés à l'Oracle de Dodone.

Le Dr HANS-DIETRICH DISSELHOFF, connu pour ses recherches sur les civilisations paléo-américaines, Conservateur du Musée ethnologique de la ville de Berlin qui m'a aidé de ses conseils au cours de mes travaux au Musée de Berlin.

M. William P. Fagg, M. A., Deputy Keeper of the Department of Ethnography du British Museum, qui a relu le chapitre consacré au Bénin.

Le Dr Martin Gusinde, ethnologue, spécialiste des civilisations préhistoriques, des tribus indiennes et, surtout, fuégiennes des Twides d'Afrique et d'autres peuples primitifs, professeur à l'Université de Vienne, à la Nanzan University de Nagoya, à la Universidad de Chile, à la Catholic University Washington D. C. qui a bien voulu répondre à mes questions et qui m'a initié à de nombreux problèmes non encore résolus.

Le professeur Dr William Koppers †, spécialiste d'ethonologie et de préhistoire à l'Université de Vienne, qui m'a souvent aidé et soutenu dans mes efforts. Je lui suis redevable de nombreux renseignements.

Le Dr Gerdt Kutscher, Directeur de la Bibliothèque ibéro-américaine de Berlin qui a bien voulu relire les chapitres sur les Mayas et qui m'a fourni de précieuses indications au sujet de Bénin.

Le professeur Dr Siegfried Lauffer, de l'Université de Munich, à qui je dois de nombreuses précisions pour les chapitres consacrés à Mycènes et à Delphes.

Le professeur Giovanni Lilliu, titulaire de la chaire d'archéologie sarde de l'Università degli Studi de Cagliari, qui m'a fourni de nombreuses explications orales sur la civilisation sarde.

Le Dr Karl J. Narr, préhistorien chargé de cours à l'Université de Göttingen, qui a revu les chapitres relatifs à la civilisation mégalithique.

Le professeur Dr Adolf Schulten †, archéologue spécialisé dans l'Histoire ancienne et la Paléo-géographie, et notamment, celles de la Péninsule Ibérique, qui m'a donné de nombreuses explications et indications.

Le professeur Dr Ernst Sittig †, qui m'a initié aux problèmes que pose l'écriture linéaire B.

Le Dr Herbert Tischner, Conservateur et Directeur du département indo-océanien du Musée d'Ethnologie et de Préhistoire de Hambourg, qui a relu les chapitres consacrés à la civilisation Sepik.

Mme Conception Blanco de Torrecillas, Directrice du Museo Archeologico de Cadix, qui m'a montré les remarquables vestiges de la civilisation tartessienne.

# Des hôtes
# passagers
# sur la terre

T OUT ÉVÉNEMENT historique est immortel. Son action en nous peut être invisible, inconnue, imperceptible. Une civilisation « passée » peut dormir par moments, elle peut rêver dans l'océan illimité des millénaires, de ses souvenirs. Elle peut être ensevelie sous le poids d'énormes couches de terre et de rochers. Elle vit néanmoins en nous, même si ses vestiges matériels sont encore enfouis et se cachent loin de nous. Toutes les vieilles civilisations vivent en nous et nos racines plongent profondément dans les civilisations lointaines, mystérieuses, anciennes. Il s'agit de les redécouvrir. Car elles ont tendance à se taire et à nous tromper en faisant semblant de nous quitter, de quitter notre être intime. Une fois placées au milieu du monde, leur action se poursuit. Un souvenir, une trouvaille, une exposition nous rappellent soudain leur présence muette parmi nous. C'est pourquoi nous avons parfois envie de pleurer un quelque chose qui se trouve tout près de nous et que nous avons perdu.

La civilisation embrasse beaucoup de choses. Elle est la synthèse de tous les travaux humains, de la technique, des constructions, de l'habitation, des voyages, des métiers et des outils, des symboles, des sciences. La civilisation est un ordre moral et religieux. Elle est le comportement de l'individu. Les aspirations spirituelles de l'homme en font partie tout aussi bien que l'art, que les mœurs, le sens des valeurs, la religion.

Par sa malencontreuse initiative de diviser toutes les manifestations vitales de l'homme en « civilisation » et « culture », Oswald Spengler, ce disciple de Darwin qui n'a jamais bien compris son maître, a semé beaucoup de confusion. Rien n'est plus naïf que d'appeler « civilisation » tous les produits techniques en réservant le terme de « culture » à l' « art exposé dans nos musées ». Qu'est donc une hache de pierre, un coin de l'époque paléolithique moyenne que nous avons déterré quelque part ? Est-ce un fragment de « civilisation » ou de « culture » ? Dans quelle catégorie ranger des vêtements vieux de 2 700 ans découverts en Russie méridionale dans une région habitée par les Scythes ? Dans quelle catégorie ranger leurs selles, leurs harnachements ? Est-ce de la « culture » parce que c'est fait à la main, parce que c'est vieux ? On a connu des usines dans des temps très reculés. Songeons à la fabrication de la pourpre par les Phéniciens et aux splendides vêtements « de pourpre » ! La confection des habits en Crète relevait de la « haute couture », on y connaissait également quelque chose comme des usines. A Mohenjo-Daro et à Harappa sur les rives de l'Indus on a trouvé des matrices vieilles de 3 500 ans qui avaient permis de fabriquer des milliers d'amulettes. Que dire des grandes installations balnéaires de Mohenjo-Daro, construite 3 000 ans avant notre ère et qui comportaient des conduites d'eau souterraines, des bains de vapeur, des douches, des cabines, des salles de gymnastique ? Est-ce de la « culture » ou de la « civilisation » ?

Une nette distinction entre « culture » et « civilisation » n'est pas possible pour la bonne raison que les Français et les Anglo-Saxons utilisent le terme de « civilisation » pour ce que nous entendons communément par « culture ». Français, Anglais, Américains orthographient ce mot de la même façon mais ont des prononciations différentes. Le mot de « civilisation » désigne donc chez eux notre « culture ». Même dans le domaine des réalisations modernes, la distinction n'est pas facile à établir. Le Rockefeller Center à Manhattan, cette construction hardie qui semble emporter le regard jusqu'au ciel, le Pont du « Golden Gate », faut-il les compter parmi les œuvres de « culture » ou de « civilisation » ? Et le Pont du Gard, près de Nîmes, construit en l'an 12 avant J.-C. sur l'ordre d'Agrippa — cet aqueduc représente-t-il la « culture » ? Pourquoi ? Le Pont du « Golden Gate » est incontestablement une œuvre d'art par l'harmonie de ses lignes. Le Rockefeller Center fait penser aux pyramides d'Égypte. Quand les Américains terminent leurs émissions du soir par l'exhortation : « Soyez bon pour vos voisins et pour vous- même », je n'y vois ni plus ni moins qu'une manifestation de « culture ».

Toute espérance, toute pensée humaine vise plus haut que le monde sensible, aspire à l'éternel. C'est la particularité de l'homme d'être bien plus esprit que chair. Lorsque l'homme réalisa le bond de la pensée orientée vers les choses visibles — de la pensée concrète — à la pensée abstraite, il vit s'ouvrir l'ère ineffaçable de son commencement. Depuis cette heure créatrice qui remonte à 600 000, à un million d'années, la spiritualité est devenue la marque de l'homme, sa caractéristique, sa croix. Les hommes de toutes les époques d'un bas niveau culturel sont partis en guerre contre cette marque de l'esprit, ont essayé de la nier, de l'effacer, de la moquer. La matière n'est pas seulement dépourvue de vie, elle est irréelle. L'homme seul peut lui insuffler esprit et vie, « l'animus » que nous reconnaîtrons dans tant de créations, telles les œuvres des artistes du Bénin. Ce qui nous menace et nous effraie n'est pas l'accroissement du nombre des humains mais l'accroissement de la matière inerte, l'abondance, la *convoitise* qui doit pallier l'absence de l'être. Plus sera grand le nombre d'objets qui nous entourent, moins serons-nous capables de leur insuffler la vie. D'autre part, la surabondance d'objets manufacturés — dépourvus d'âmes — efface le souvenir. Elle tue la nature spirituelle dans l'homme. L'Occident ne mourra que lorsqu'il aura assassiné l'esprit, pas plus tôt.

Il s'agit donc de bien saisir que la faim de nourriture spirituelle sera toujours plus grande que la faim d'objets et que c'est la connaissance de cette vérité qui nous permettra de sauver le monde dans lequel nous vivons. Comme la spiritualité a toujours culminé dans la pensée religieuse, toutes les grandes choses en ce monde sont nées de la croyance en Dieu ou dans les dieux. Elle est également la base de toutes les civilisations. En les examinant on s'imprègne toujours davantage de cette vérité.

Notre époque a soif d'une meilleure connaissance du passé enseveli. Les hommes sentent que même les civilisations les plus mystérieuses font partie de leur présent. C'est un jeu très instructif de glaner la vérité dans les phénomènes étranges, de creuser la terre, de briser le roc, d'exhumer des villes et de se rendre compte ainsi comment les hommes ont vécu, comment ils ont pensé et de se dire que *leur* esprit a passé dans le *nôtre*. Nous sommes des hôtes passagers sur la terre.

Je crois que l'homme a toujours consacré à la vie de l'esprit la plupart de ses forces vives, qu'il a toujours essayé de dépasser le monde perceptible par les sens pour atteindre à la sphère surnaturelle, à la sphère divine. Il est remarquable qu'on n'ait jamais tenté de contester ce trait aux grandes civilisations anciennes. Mais les cataclysmes qui se sont abattus sur le genre humain ont eu pour conséquence l'effroyable erreur qui consiste à croire que l'humanité pourrait améliorer son sort par des acquisitions scientifiques et techniques, par des conquêtes sociales, par l'autorité de l'État et surtout par l'argent seul.

Je crois que l'homme devrait se pénétrer de la vérité formulée au 4ᵉ chapitre de saint Matthieu qui dit que le « pain seul » ne suffit pas à le nourrir, qu'il a le droit de vivre en toute liberté par l'esprit et dans l'esprit et qu'il doit insister sur ce droit. « Tout homme individuel porte en lui de par ses dispositions et de par sa destinée un homme idéal », déclare F. Schiller. Le domaine du goût est le domaine de la liberté. Je crois que les masses s'égarent et que l'individu, même le « sauvage » qui en réalité n'a jamais existé, a une vocation spirituelle. Gardons-nous bien de considérer comme peuples « incultes » les peuples vivant au sein de la nature sur un haut niveau culturel que nous sommes incapables de comprendre.

Je crois à la vie de toutes les civilisations et je crois que leur vie était tributaire de l'esprit humain, de l'esprit libre et non de la nature.

Je crois à l'unité de l'histoire et de l'histoire des civilisations, car je ne connais — sur aucun continent — des civilisations isolées comme des arbres, nées d'aucune semence, issues du néant, sans nulle racine. Cette semence a existé un jour, semence d'où est sortie une civilisation mystérieuse pour peu qu'elle ait vécu. Des racines secrètes, souterraines, ont pu plonger dans d'autres civilisations.

Je crois que la civilisation ne naît pas de ce que nous avons, ni de ce que nous présentons, mais uniquement de ce que nous *sommes*. Je ne crois pas à la subdivision des époques, toute division étant œuvre d'homme, en réalité le temps est une unité, une œuvre d'art cosmique et divine. Je crois que notre idée du temps est une des plus grandes erreurs de l'humanité, qu'en réalité il n'y a ni commencement ni fin, et que seul Dieu voit le temps comme il est en réalité, en diagonale.

Ainsi dans le *véritable* espace de ta vie, tu te trouvais peut-être sur le mur haut de cinq mètres de Jéricho ou bien sur la première tour construite sur cette terre quatre mille ans avant les premières pyramides. Tu te souviens peut-être de Tyr, ville phénicienne établie sur une île, forteresse puissante sur les rivages de la Méditerranée. 25 000 humains y habitaient, alimentés en eau par un aqueduc. Tu as peut-être travaillé dans les hauts fourneaux du roi Salomon, comme esclave, sur le bord du désert, dans la chaleur accablante. Vues dans la perspective infinie de ton passé, les 8 000 tours mystérieuses des Sardes construites dans l'esprit de l'art du bronze au VIIIe siècle avànt J.-C. te paraîtront familières. Ainsi tu portes peut-être en toi la sagesse de l'oracle de Delphes ou la vie de l'Atlantide. Les obscures notions des temps anciens ont constitué le fond de ton être. Replonger le regard dans les grottes et chambres mystérieuses, dans les temples des hommes qui avaient — bien avant nous — foulé cette terre, est une évocation de la vie éternelle, puisque le travail, l'art, la foi de nos ancêtres continuent à vivre en nous et ne s'éteindront jamais.

JORDANIE

# Jéricho,
# la ville la plus ancienne
# du monde

*Lorsque Josué conquit en 1300 avant J.-C. la forteresse de Jéricho, la ville était déjà vieille de 7 000 à 8 000 ans. Les crânes soigneusement recouverts d'argile que Kathleen Kenyon y découvrit, constituent les premiers portraits de la figure humaine. « Nous avons derrière nous cinq années de fouilles. Tous les ans, nous poussons plus loin nos puits et nos galeries, nos ouvriers sont obligés de descendre par des escaliers toujours plus longs que nous établissons sur le bord de notre chantier. A quelques endroits, nous touchons le rocher. Nous sommes à une profondeur de 153 mètres à compter de la surface. »* (Kathleen Mary Kenyon, *Digging up Jericho*, London, 1957, p. 50.)

L A VILLE était très vieille. Elle était si vieille que les Patriarches Abraham, Isaac et Jacob eux-mêmes en ignoraient les débuts. On peut parcourir les quatre coins du monde à la recherche des villes les plus anciennes. On retournera toujours dans le Proche-Orient. Car c'est là que l'homme, qui habite cette terre depuis 600 000 ans environ comme nomade ramassant des fruits sauvages et chassant le gibier, se mit à entasser des pierres et à construire des villes. L'homme ne put songer à établir des cités permanentes que lorsqu'il eut appris à semer et à récolter, à capturer des animaux sauvages pour les domestiquer.

On a trouvé des traces de civilisations d'un très haut niveau sur les rives du Hoang-Ho, de l'Indus, du Nil et dans les vallées de l'Euphrate et du Tigre. Mais les récentes trouvailles des archéologues dans la région du Jourdain sont extraordinaires puisqu'elles reculent la construction de forteresses, de maisons, de temples presque jusqu'à la fin de la dernière période glaciaire.

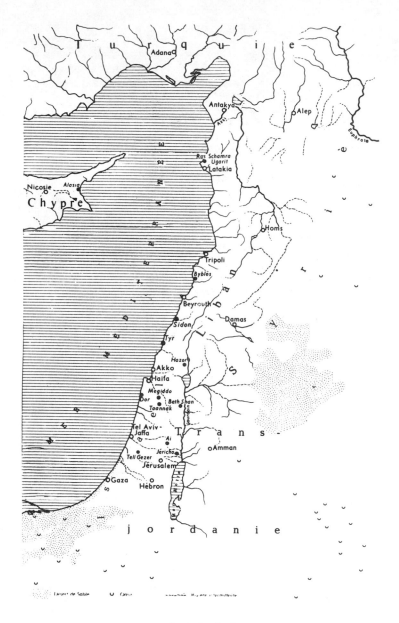

*Syrie-Jordanie*

# JORDANIE

L'homme a survécu à quatre périodes glaciaires dans l'espace de 600 000 ans ainsi qu'à trois périodes intermédiaires plus tempérées. La dernière période glaciaire se termina vers 1200 avant J.-C. Bien que les glaces du Nord ne soient pas descendues jusque dans le Proche-Orient, la construction d'une ville dans cette région n'en est pas moins un miracle. Car la période glaciaire était en même temps l'âge de la pierre où l'homme étant encore nomade disposait de moyens techniques très limités.

*Prise de vue à grande altitude : la vallée du Jourdain; en haut, à droite, la mer Morte. Les taches sombres sont des oasis. La flèche à droite indique les collines en contrebas desquelles se trouve Jéricho. La flèche sous l'hélice désigne Gilgal, base de départ de Josué pour sa campagne contre Jéricho. La flèche à gauche, enfin, indique le mont Nébo du sommet duquel Moïse, avant de mourir, aurait aperçu le pays de Canaan. Sur notre photo, le sud se trouve en haut et le nord en bas (photo Grollenberg).*

Pendant 600 000 ans on ne fabriqua des outils qu'avec de la pierre, des os, du bois. C'est la période la plus longue de l'activité humaine. Plus tard on commença à se servir d'argile et de terre glaise. Plus tard encore on inventa la fonte du bronze et du cuivre. A l'heure actuelle nous vivons à l'âge du fer. La ville de Jéricho fut construite alors que l'homme ne connaissait même pas les récipients de terre. A Jéricho, les hommes vivaient dans une ville puissante tout en appartenant encore au Mésolithique (10 000-7 500 avant J.-C.) auquel succéda le Néolithique (7 500-4 000 av. J.-C.). Jéricho n'est pas seulement la forteresse la plus ancienne qu'on ait trouvée. C'est aussi la ville la plus basse du monde située à 250 mètres *au-dessous* du niveau de la mer. Il y fait très chaud en été puisque l'endroit est entouré de montagnes hautes de 1 100 mètres.

A 23 kilomètres au nord-est de Jérusalem, à 15 kilomètres de l'embouchure du Jourdain dans la mer Morte s'élève la colline de Tell Es-Sultan sous laquelle sont enfouies les nombreuses villes qui furent entassées les unes sur les autres au cours des millénaires. La vie refleurissait toujours sur les ruines. Les Anglais furent les premiers à y entreprendre des fouilles en 1865. Une expédition austro-allemande s'y rendit entre 1908 et 1911. Enfin le professeur John Garstang, de la « Liverpool University », découvrit les couches profondes et constata que des hommes y habitaient dans des maisons à l'époque néolithique déjà. En 1956 les fouilles de Kathleen Kenyon permirent la conclusion étonnante que Jéricho était déjà une véritable ville à l'époque antérieure à la poterie, bien avant 5000 avant J.-C.

On supposait autrefois que l'homme en adoptant un genre de vie sédentaire se mit à fabriquer des coupes, des cruches et autres récipients en argile. Tous ces objets sont fragiles et ne se prêtent pas à la vie nomade. Jéricho nous a révélé un fait entièrement nouveau : pendant des millénaires, l'homme habitait une ville fortifiée sans pour autant s'entourer de poteries. Entre le nomadisme et la fabrication d'objets en terre cuite s'étendit une période très longue qui vit des villes florissantes dont les habitants se contentaient d'ustensiles et d'outils en os et en bois. L'époque antérieure à la poterie de Jéricho remonte à 9 000 ou 10 000 ans jusqu'aux environs de 7 800 avant J.-C. Les ruines de constructions élevées sur les débris des générations précédentes s'élèvent à 15 mètres. C'est ensuite seulement qu'on constate la trace d'objets en terre.

Les maisons les plus anciennes étaient rondes avec des murs recourbés. Les maisons de ce genre avaient probablement la forme d'une demi-sphère ou d'un œuf coupé en deux. Les planchers étaient en terre battue, les murs en briques. Les briques étaient de forme oblongue et ovale avec une base plate et un profil bombé. Les maîtres briquetiers avaient fait avec le pouce des coches dans leurs briques. Comme le niveau des rues dans ces anciennes villes s'élevait du fait de l'accumulation, au long des siècles, de déchets et d'ordures, les planchers des maisons finissaient par se trouver plus bas que le niveau des rues. On discerne encore les marches et on sait que ces marches étaient garnies de planches de bois. On a trouvé un peu partout des morceaux de bois carbonisés.

*7 800 ans avant J.-C. on construisit cet immeuble à Jéricho. Les trous de forme circulaire indiquent sans doute l'emplacement de poutres de soutènement. 2 000 ans après la fin de l'époque glaciaire, les hommes vivaient déjà dans des habitations raffinées. Jéricho est la seule ville de cette époque qui ait été remise au jour (photo Kathleen Kenyon).*

Cette époque ancienne fut suivie d'une autre, également avant l'an 5000 avant J.-C., pendant laquelle on construisait de grandes maisons carrées. Les coins de ces pièces étaient bien arrondis, comme dans un appartement moderne, pour éviter l'accumulation de la poussière. Les appartements étaient pourvus de garde-manger et d'un certain nombre de dépendances. On faisait la cuisine dans les cours intérieures. On y avait installé un âtre. Des couches multiples de cendres prouvent qu'on y a préparé des repas pendant des dizaines d'années, peut-être des siècles.

Les murs de ces maisons qui possédaient peut-être un étage supérieur étaient construits en briques séchées au soleil. Mrs Kenyon raconte à quel point elles sont bien assemblées. Aujourd'hui encore, 8 000 à 9 000 ans après leur construction il est difficile de démolir ces maisons ou d'en extraire des briques.

Le sol était garni d'un enduit de terre cuite. En lavant un tel revêtement — comme avaient fait sans doute les femmes de Jéricho il y a des millénaires — les ouvriers constatèrent à leur grand étonnement qu'il était soigneusement poli. Les murs intérieurs étaient également garnis d'un enduit dur et lisse comme un miroir. Les habitants de Jéricho tenaient à des intérieurs soignés, ils aimaient avant tout le confort. On avait posé sur le sol des chambres des tapis faits de joncs qui ont disparu au cours des années, non sans laisser des traces sur le revêtement. On reconnaît même le trajet d'une fourmi sur le tapis.

Il est intéressant de noter qu'on ne trouve dans des maisons aussi bien construites et d'un si haut niveau culturel que des coupes, assiettes et autres récipients en pierre. Il est possible toutefois qu'on ait utilisé aussi le bois et l'os, mais ces objets ne se sont pas conservés. Les outils, lames, forets, grattoirs et les très belles scies des hommes de Jéricho sont en silex ou en obsidienne. On se demande pourquoi on n'a pas trouvé d'outillage de grande taille alors que la construction d'une telle ville ne se conçoit pas sans crochets, sans haches, sans outils pour le travail des poutres de bois. Rien de tel n'a été découvert. On a par contre trouvé des pointes de flèches en silex qu'on a peut-être utilisées aussi bien pour la défense de la ville que pour la chasse.

On ignore l'usage qu'on faisait de coins minuscules en pierre verte qui ne servaient apparemment pas d'ornements. Il est possible qu'ils fussent des objets de culte. On a trouvé, dans une des maisons, quelque chose comme un autel ou un sanctuaire. Une petite colonne en rocher volcanique, une niche et un socle de pierre pouvaient être interprétés dans ce sens. La colonne pouvait se placer sur le socle et les deux s'encastraient facilement dans la niche. Il est évident que ces objets avaient été dispersés par l'écroulement de la maison. Mais pour découvrir des cultes anciens on est obligé de suivre les moindres traces et on peut supposer que les hommes de Jéricho avaient un Dieu ou des dieux qu'ils vénéraient.

La construction la plus importante découverte au cours des fouilles avait sans doute également une destination religieuse. Il s'agit d'une bâtisse rappelant un temple au milieu de laquelle se trouvait un bassin. Deux figurines minuscules représentent peut-être des déesses de la fertilité. Nous connaissons déjà de l'Aurignacien de petites statues de femmes qui servaient à un culte de la fertilité ou qui avaient une signification religieuse plus directe. Ce sont les célèbres statuettes de Vénus découvertes à Willendorf, à Lespugue, à Brassempouy, et même à Gagarino sur le Don et au nord-ouest d'Irkoutsk près de Malta. Quelques-unes des statuettes européennes de Vénus remontent à 30 000 ou à 50 000 ans. La ville était entourée d'une muraille très large haute de 5 mètres. Lorsque la muraille s'écroula elle fut reconstruite. Détruite, on l'éleva à 6,5 mètres. Une grande énigme reste la tour d'un diamètre de 9 mètres, d'une construction si solide en pierres naturelles que maintenant encore, après les fouilles, elle se présente comme un bastion médiéval. C'est la tour la plus ancienne de notre globe! Elle se dressait déjà là avant que des murailles aient protégé la ville de Jéricho. Elle a été conçue par des hommes vivant là il y a 9 000 ans ou davantage. Elle est de 4 000 ans plus ancienne que la plus vieille des pyramides. A l'intérieur de la tour se trouve un escalier fait de plaques de pierre de 75 centimètres qui débouche sur une plate-forme supérieure. A l'autre extrémité, cet escalier conduit dans une galerie garnie de moellons de 95 centimètres de long. Dans cette galerie, les membres de l'expédition découvrirent 21 squelettes, posés les uns contre les autres. On a dû y enterrer des morts en grande hâte. La tour est entourée de deux couches extérieures de pierres qui prouvent qu'elle a été élargie. L'enveloppe extérieure seulement touche la muraille, ce qui montre que celle-ci a été construite après la tour.

Quelle était donc la destination de cette construction préhistorique à l'époque où elle ne servait pas encore, reliée à la muraille, à des fins défensives? Elle était vraisemblablement un lieu de culte, peut-être un sanctuaire, au sommet duquel on offrait des sacrifices à des dieux ignorés de nous.

Kathleen Kenyon pensait que les hommes des maisons rondes devaient se défendre contre un autre peuple qui a fini par conquérir la ville et qui a construit les maisons au sol recouvert d'un enduit finement poli. Ces conquérants n'étaient certainement pas des nomades puisque les constructions très étudiées qu'ils élevèrent présupposaient un haut niveau de l'habitat et une longue expérience dans ce domaine. L'exploratrice en conclut que ces architectes expérimentés devaient venir d'autres villes. Ces villes devaient se trouver à proximité de Jéricho. Il doit donc y avoir quelque part, probablement dans la vallée du Jourdain, d'autres vieilles forteresses construites en pierres. Elles attendent les fouilles!

La trouvaille la plus importante de Jéricho est celle de 10 crânes humains découverts sous les maisons. Cette découverte est tellement

Ci-dessus et ci-dessous :

*La découverte la plus étonnante de Jéricho est une série de crânes humains sur-modelés d'une couche d'argile. Les yeux sont représentés par des coquillages. Le tout est colorié aux couleurs naturelles. Ces crânes remontent à 10 000 ans environ ; ils servaient sans doute au culte des ancêtres (photo British Museum et photo Kathleen Kenyon).*

importante que rien ne l'égale au monde. Car elle témoigne de la lutte de l'homme en vue d'une spiritualité plus élevée à une époque reculée et avec des moyens qui semblent tout à fait inadéquats. Car les crânes ont été soigneusement enduits d'une couche d'argile. Les yeux sont marqués par des coquillages. On a essayé, par ces moyens, de leur rendre les traits des vivants. Chaque partie de la figure est travaillée avec une grande finesse. On a même découvert des traces de peinture, car les habitants de Jéricho étaient poussés par le désir de reconstituer le teint, l'expression, et même la vie de leurs morts grâce à un savoir artistique remarquable. L'homme s'efforce ici de vaincre la mort par l'art.

Nous avons ici affaire aux portraits les plus anciens de la terre; car les statues en ivoire de mammouth et en os de l'âge de la pierre, les dessins muraux des grottes du midi de la France et du nord-ouest de l'Espagne n'ont jamais la moindre ressemblance avec un portrait. On a trouvé sous presque toutes les maisons de Jéricho des squelettes dépourvus de têtes. Le fait même que les têtes aient été ensevelies sous le plancher permet peut-être de conclure à une sorte de culte des ancêtres.

Il est toutefois certain que les hommes de Jéricho croyaient en une force spirituelle, à une action spirituelle de leurs ancêtres, peut-être même à une survie après la mort, dans l'au-delà. Car l'homme de Jéricho ne déployait tant d'art et tant de soin que parce qu'il était persuadé que le monde de la mort, le monde invisible de l'au-delà répondait aux sollicitations des vivants et intervenait dans les événements de cette vie.

Le niveau artistique, l'idéalisation, la maîtrise étonnante qui s'exprime dans ces crânes à une époque où nous ne supposions même pas l'existence de villes sur la terre sont absolument inconcevables.

Jéricho est un lieu dont les ruines portent témoignage de millénaires. De nouveaux conquérants supplantaient les anciens. Un jour, on vit s'y établir des hommes qui connaissaient l'art de la céramique. Comme l'ancienne ville était tombée en ruine, ils établirent leurs demeures sur les gravats. Ils ne nous ont pas laissé de maisons. En arrivant, ils possédaient l'art de la poterie. On a découvert des monceaux de poteries brisées. Mais la vie citadine n'a pas laissé de trace de cette période obscure. Une seule découverte est d'un très grand intérêt. Le professeur Garstang a mis à jour les restes de trois statues en calcaire de grandeur naturelle représentant un homme, une femme, un enfant. La tête de la statue masculine était intacte. Ainsi les fouilles de Jéricho nous révèlent un deuxième miracle : il s'agit, de l'avis de Kathleen Kenyon, de la première représentation préhistorique de la Sainte Famille. Avant l'invention même de l'écriture, des milliers d'années avant la rédaction des livres de l'Ancien Testament nous avons ici la première prophétie messianique muette, la première manifestation d'un peuple religieux, qui, dans la nuit des temps, possédait peut-être une pensée religieuse proche de la nôtre!

Vinrent ensuite des conquérants qui savaient fabriquer les poteries plus fines, mieux cuites, ornées de dessins gravés. On constate pour la première fois chez ce peuple, en comparant ces trouvailles à celles découvertes près de Sha'ar ha Golan, sur les bords du Yarmouk, près de Byblos et ailleurs, une certaine parenté culturelle. Nous voyons dans le Jéricho de cette époque — vers 4750 avant J.-C. — l'apport d'inventions faites en d'autres lieux. Ensuite, c'est le silence! Les vestiges de l'activité humaine s'effacent; nous tombons sur une période intermédiaire qui ne donne aucune indication aux archéologues. La vie reprend ses droits vers 3220 avant J.-C. — dans la profondeur des caveaux. Les constructeurs mésolithiques de Jéricho avaient enterré leurs morts sous le plancher de leurs maisons. Les peuples de céramistes nous ont laissé très peu de vestiges de leur genre de vie. Mais les hommes après 3200 nous ont laissé de véritables caveaux dans les collines de leur ville. Le professeur Kathlen Kenyon appelle cette époque, dont elle a elle-même découvert les vestiges, l'âge « proto-urbain ». Les caveaux se présentent la plupart du temps en forme de galeries arrondies creusées dans le roc conduisant dans une excavation. Le caveau lui-même est fermé par une grande pierre ou par plusieurs pierres. Le plafond des caveaux s'était souvent effondré. Dans une de ces cavités plus grandes que les autres on avait soigneusement dressé 113 crânes humains dont les orbites semblait viser le milieu de la pièce. Les morts de cette tombe, qui porte la désignation scientifique « A 94 » étaient accompagnés de récipients d'argile, de coupes, de grands brocs et de cruches à vin. L'archéologie moderne a pu dégager les faits suivants : les crânes ont été déposés dans leur sépulture à l'état de squelette. On conservait donc les morts quelque part jusqu'à leur décomposition. On détachait ensuite les têtes du tronc. Les squelettes étaient transportés dans le caveau et brûlés au milieu. Les crânes, en revanche, étaient disposés en cercle pour leur permettre d'assister à l'incinération de leurs propres os. On sait que les crânes y assistaient puisqu'on y a décelé des traces de brûlures. Les urnes n'y furent portées que plus tard, puisqu'elles ne portent aucune trace de feu. On a découvert 251 urnes dans le caveau « A 94 ». La méthode du carbone 14 dont on a fait un grand usage ces derniers temps permet d'établir que cette sépulture fut construite en 3260 avant J.-C. Les archéologues pensent que les hommes de ces caveaux étaient des nomades.

Nous débouchons sur le premier âge du bronze. Il s'étendit à Jéricho de 2900 avant J.-C. jusqu'aux environs de 2300. On construisit de nouveau des murailles épaisses. Des sentinelles gardaient la ville. L'activité y régnait. Une fois de plus, comme dans les débuts de Jéricho, on craignait l'assaut des nomades. Tout au long de l'histoire connue de l'humanité, des peuples qui s'étaient établis dans les vallées fertiles, au bord des rivières, qui vivaient d'une civilisation plus raffinée, étaient menacés par des nomades affamés et assoiffés. Ces nomades doivent être également les premières figures de notre Bible.

Les réminiscences historiques de l'Ancien Testament remontent jusqu'en 1700 avant J.-C. environ. C'était l'époque des patriarches. Abraham était originaire de la région de Harran au nord-ouest de la Mésopotamie, comme l'ont montré C. H. Gordon, E. A. Speiser et W. F. Albright. Abraham quitta son pays pour s'approcher d'un milieu spirituel dont il ne faisait que deviner l'existence. Sorte de cheik d'une petite tribu de pasteurs nomades, vivant sous la tente, il alla du nord au sud en parcourant la Palestine et le pays de Canaan. A sa mort, Isaac, Esaü et Jacob se disputent violemment. Jacob a douze fils. Tout comme son père et son grand-père, il mène la vie des nomades. Joseph était parvenu jusqu'en Egypte où il devait revêtir une charge importante à la cour royale lorsqu'il obtint la permission de s'établir avec son père et ses frères dans la province de Goshen. Mais sous les pharaons suivants et avec la chute de la monarchie sémitique des Hyksôs, les Israélites furent réduits à l'état d'esclavage. La délivrance de ce peuple et le retour des tribus de Jacob sous la conduite de Moïse sont parmi les entreprises les plus géniales de l'histoire humaine. La Palestine proprement dite fut occupée peu à peu par les Israélites; cette conquête est attribuée en partie à Josué, le successeur de Moïse.

Les Israélites étaient encore des demi-nomades. Mais ils ressentaient le vif désir de s'établir dans un pays civilisé. Ils se répandirent dans les plaines fertiles, en passant près des villes se trouvant toujours aux mains des anciennes populations cananéennes. Un beau jour, Josué se trouve avec son peuple sous les murs de Jéricho. Nous connaissons l'histoire de l'arche d'alliance qui est portée par sept prêtres six fois autour de la ville jusqu'à ce qu'au septième jour les murailles s'écroulent au son des trompettes et sous les cris des guerriers. Ces événements que nous raconte le livre de Josué eurent lieu, selon le célèbre archéologue américain Albright, entre 1375 et 1300 avant notre ère. Le récit en fut rédigé aux environs de 620.

Jéricho était la ville la mieux fortifiée dans la vallée du Jourdain. Jéricho dominait les cols conduisant sur le plateau central du pays, Jéricho était le point stratégique le plus important. Pour se rendre maître de Jéricho, il fallait connaître ses fortifications, sa puissance militaire, les obstacles et difficultés d'une telle entreprise. C'est pourquoi Josué envoya deux espions à Jéricho. Ils s'établirent dans la maison de la prostituée Rahab. Lorsque le roi de Jéricho en eut connaissance et voulut s'emparer des espions, Rahab les cacha et dit : « Des hommes sont bien entrés dans ma maison, mais j'ignorais d'où ils étaient venus. Avant la fermeture des portes de la ville, au crépuscule, ils se sont échappés. » En réalité Rahab cacha les espions, les aida à s'enfuir et demanda qu'on épargnât ses parents si jamais Jéricho devait tomber aux mains des Israélites. Rahab était fermement convaincue de la chute de la ville. Elle ne se confiait à personne, elle avait connu à satiété l'ennui qu'éprouvait le peuple cananéen au milieu du bien-être dans la forteresse de Jéricho, à l'abri de ses murailles.

Nous trouvons un détail intéressant dans le récit du deuxième livre de Josué. La maison de Rahab s'appuyait à la muraille de la ville et Rahab habitait également sur cette muraille. Les fouilles de Jéricho ont mis à jour certaines habitations dont les fortifications remplaçaient un mur. Nous ignorons pourquoi les murs de Jéricho s'écroulèrent. Il est possible que les habitants aient été pris d'une peur panique en entendant le son des trompettes. Ils ouvrirent sans doute les portes de la ville puisqu'ils avaient entendu parler de la puissance des conquérants et de l'assistance dont Yahweh les gratifiait, puisque les Cananéens avaient peur et que Jéricho manquait de courage. Les fouilles ont également montré que les maisons et les fortifications de la ville ont été détruites à plusieurs reprises par des tremblements de terre. On peut s'imaginer que la terre a tremblé en ce fameux septième jour!

Tous ces événements eurent lieu lorsque Jéricho était déjà une ville très ancienne. Elle avait 7 000 à 8 000 ans d'existence. Beaucoup de villes s'étaient écroulées à l'intérieur de ses murs. On les avait toujours reconstruites...

Lorsque les enfants d'Israël entendaient parler, en 1330 avant J.-C., de ces crânes que l'homme voulait conserver pour l'éternité grâce à sa main d'artiste et à la couche d'argile, ils s'écriaient sans doute : « Personne ne saurait se souvenir de faits aussi anciens! Tout cela a dû se passer dans des temps fort reculés! Ce sont probablement des contes de fées inventés par des esprits imaginatifs vivant à une époque où les hommes n'étaient même pas encore des hommes! »

Pourtant, la ville légendaire, les crânes ont été mis à jour récemment.

Ils sont authentiques, on peut les palper, on ne peut douter de leur existence. Ils portent témoignage de la spiritualité profonde de ces hommes des temps jadis. Trois millénaires nous séparent de Josué et des enfants d'Israël qui conquirent Jéricho. Mais six millénaires séparent Josué de ces images authentiques de l'homme!

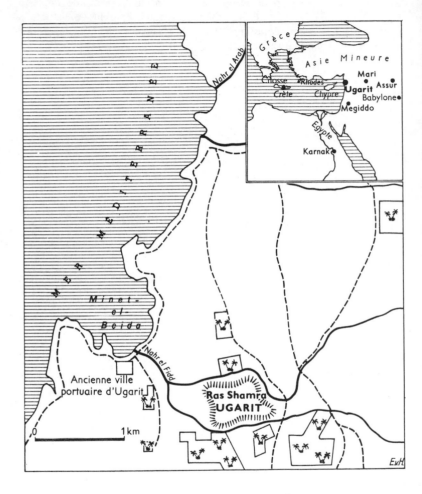

*Ugarit sur les bords du bassin oriental de la Méditerranée.*

# On vivait bien
# à Ugarit

*Il y a trente ans, on ignorait tout du peuple des Cananéens. En 1929, l'explorateur français Claude Schaeffer mit à jour, près de Ras Shamra, la vieille ville d'Ugarit. Il mit ainsi en évidence l'une des civilisations les plus intéressantes de l'histoire humaine.*

*« Quoique le palais d'Ugarit ne soit encore que partiellement dégagé, il est dès maintenant possible de dire qu'il se classe parmi les demeures royales les plus grandes et les plus somptueuses jusqu'ici connues dans le Proche-Orient au second millénaire. »* (Claude F. A. Schaeffer, *Le palais royal d'Ugarit*, Paris, 1955.)

IL Y A une colline qui ne fut découverte qu'il y a trente ans. On y mit à jour une civilisation qui exerce une influence obscure sur notre conception de la vie et de la mort, de Dieu et de l'Au-delà. Au fond de notre pensée religieuse se profile, secrètement et presque invisible, dans un lointain historique, un peuple qui avait occupé long-temps avant les Israélites les terres bibliques.

Parfois, un souvenir de ce peuple vient jusqu'à nous, comme une lumière au crépuscule. Car l'époque est avancée, le peuple mystérieux est déjà sur son déclin lorsque se passe l'événement suivant : le Christ rencontre une femme lors d'un voyage dans la région de Tyr et de Sidon. Sa fille souffre de troubles mentaux. La mère infôrtunée supplie le Christ de venir en aide à son enfant. Jésus se tait. Mais la femme n'aban-donne pas la partie : « Seigneur, aidez-moi! » On croirait entendre les cris et les lamentations du psalmiste. Ce sont les manifestations les plus élémentaires de la prière. Elles s'élèvent au milieu d'un monde païen. C'est la lutte avec Dieu. Le Christ cède aux implorations d'une païenne : « Femme, ta foi est grande. » La fille guérit.

Ce récit étrange, plein de force et d'intensité, exprime une vérité profonde : il montre que la foi en Dieu pouvait être particulièrement vivante au milieu des païens, qu'elle le sera toujours, qu'elle est vieille comme le monde, que la Cananéenne en était animée.

Le peuple dont on a ainsi découvert la civilisation il y a 30 ans est le peuple des Cananéens. La femme qui, selon l'évangile de saint Matthieu et de saint Marc, se tient devant le Christ est une descendante de ces authentiques chercheurs de Dieu tant calomniés qui vécurent longtemps avant les premières figures de notre histoire biblique. Ce peuple, les Grecs l'appelaient plus tard les Phéniciens. C'est à eux qu'appartenaient les villes maritimes puissantes de Tyr et de Sidon. Ils étaient les navigateurs les plus hardis de l'Antiquité. En 814 avant J.-C. les Phéniciens fondèrent la ville de Carthage connue pour ses immeubles élevés. Annibal, son fils le plus célèbre, tenta par les guerres puniques de renverser l'Empire romain.

Les Phéniciens se firent navigateurs aux environs de 1250 avant J.-C. seulement. Leur renommée est grande comme navigateurs, comme inventeurs de la pourpre, comme commerçants, comme fondateurs de villes, comme dangereuse puissance maritime. Leurs ancêtres sont les Cananéens.

Ce n'est qu'en ces derniers temps qu'on commence à s'intéresser à la civilisation si intéressante de ce vieux peuple. Depuis 3000 avant J.-C. environ les Cananéens s'étaient établis en Syrie et en Palestine. Ils édifièrent leurs villes sur les ruines des villes anciennes. Ils mirent au point un style de vie et un ordre social qui semblaient très raffinés aux yeux des bergers israélites qui arrivèrent plus tard dans le pays. Ils appréciaient les avantages de leur civilisation très évoluée et regardaient avec mépris du haut de leurs murailles les immigrés des déserts environnants jusqu'à ce qu'ils succombassent aux Patriarches bibliques.

On observe partout la fin tragique de peuples raffinés établis dans des villes florissantes et de civilisations parvenues à un haut degré de perfection sous les coups de boutoir de nomades qui s'acharnent contre eux. Sur le plan spirituel, la victoire des armes ne constitue nullement une victoire sur la civilisation d'un peuple. C'est ainsi que les Toungouses, rude peuple de chasseurs, avaient conquis, au XIIe siècle de notre ère, Pékin et toute la Chine jusqu'au Yang-tsé-Kiang, mais la dynastie des Mandchous, fondée plus tard par leurs descendants, fut conquise comme en dormant par la civilisation chinoise. Les Romains

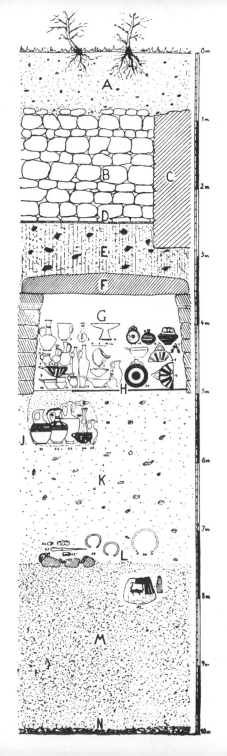

Couches superposées (stratigraphie) de la ville d'Ugarit mise à jour par M. Claude F. A. Schaeffer. Ce schéma montre les couches superposées de la vieille cité.

A : La couche récente de terre qui recouvre la colline d'Ugarit ; B-C : La ville et les murs de maisons ; D-E : Les murailles de la ville entre 1415 et 1365 avant J.-C. avant sa destruction par un tremblement de terre ; F-H : Un caveau avec des dons offerts aux morts datant d'entre 1450 et 1365 avant J.-C. Les offrandes sont de style minoen qui fut introduit dans la ville venant de Crète entre 1900 et 1750 avant J.-C. ou créé à Ugarit même sous la direction de maîtres crétois ; K : Couche de terre ; L : Différents bijoux datant de 2900 à 1900 avant J.-C. ; L-M : c'est ici à 8 mètres au-dessous de la colline que furent découverts les vases décorés les plus anciens d'Ugarit.

conquirent la Grèce. Mais les Grecs restaient vainqueurs dans beaucoup de domaines de la vie culturelle; les conquérants portèrent l'esprit grec en Europe et jusqu'au Proche-Orient. Ainsi, les Cananéens sédentaires étaient sans doute très supérieurs aux Israélites en ce qui concerne la civilisation spirituelle. Les conquérants israélites couraient toujours le danger — jusqu'à l'époque du roi Salomon, vers 950 avant J.-C. — d'être séduits et envoûtés par le peuple cananéen, soumis depuis longtemps. Les fortifications, les immeubles, les rues, les villes entières des Cananéens entre 3000 et 1200 avant J.-C. étaient de vrais prodiges. Ces populations avaient inventé des canalisations extrêmement pratiques. Elles possédaient des potiers très qualifiés, le premier âge du bronze fut inauguré par elles. Il est encore difficile de se faire une idée de leurs apports intellectuels et spirituels. La Grèce, Rome, l'Europe et avec elle la moitié du monde doivent aux Cananéens non seulement l'alphabet mais une partie de leurs cultes, de leurs contes et folklores, les bases mêmes de l'urbanisme.

Les Cananéens construisirent des forteresses puissantes telles que Megiddo, Beth-shean, Taanak, Gezer, Beth-shemesh, Hazor. On a découvert à Beth-shean quatre temples cananéens, datant de 1300 à 1000 environ avant notre ère. A Taanak furent trouvés les vestiges d'un palais royal cananéen. A Gezer, dont la muraille extérieure avait 4 mètres d'épaisseur, se trouvait, à 40 mètres sous le niveau actuel du sol, une source. Les Cananéens avaient construit une galerie pour qu'ils ne souffrissent pas de pénurie d'eau en cas de siège. A Megiddo, Gordon Loud examina en 1937 un palais sous les fondations duquel se trouvait un trésor de 200 tablettes d'ivoire gravées. Une de ces tablettes représente le Prince de Megiddo en train de poursuivre des prisonniers avec son char de combat. Sur la même tablette on le voit assis sur son trône buvant dans une coupe alors qu'un chantre joue devant lui de la harpe, comme David fit devant Saül. A Megiddo également furent découverts par P. L. O. Guy des écuries pour 300 chevaux et des garages pour chars de combat. Les écuries datent de l'époque du roi Salomon. Nous apprenons dans le premier Livre des Rois (9, 15-20) que Salomon fit construire des villes pour ses chars et ses chevaux et qu'il fit fortifier la ville de Megiddo. Ainsi l'archéologie de ces derniers temps confirme de plus en plus l'authenticité des récits de l'Ancien Testament — c'est là le côté positif d'une époque de recherches continuelles et de la science atomique.

En 1929 l'archéologue français Claude F. A Schaeffer fit une découverte extrêmement intéressante. Il mit, en effet, à jour sur la côte septentrionale de la Syrie, face à l'île de Chypre, à Ras Shamra, près de la ville moderne de Lattakie, la très vieille cité d'Ugarit. Depuis des millénaires, des hommes y avaient vécu. Leurs traces remontent jusqu'au paléolithique. La couche inférieure où l'on a découvert des outils en silex se trouve à 18 mètres de profondeur. A cette époque, il n'y avait pas de pots, pas de récipients faits en une matière assez solide pour durer pendant des millénaires. Très probablement, ils étaient en bois ou en cuir et le temps les a réduits en poussière. A 16 et à 17 mètres, on trouve des écuelles de pierre. Quels sont les hommes qui vécurent ici? Nous l'ignorons. Mais ils n'étaient pas tellement différents de nous par l'esprit et par l'aspect extérieur. D'une manière générale, les humains du type de « l'Homo sapiens » qui peuplent la terre depuis 3 000 ans et probablement depuis bien plus longtemps nous ressemblaient bien plus que nous sommes enclins à le croire. On a découvert près de Kanjera, au nord-est du lac Victoria, en Afrique orientale, des restes de crânes du type « sapiens » remontant à 300 000 ans, ce qui prouve que l'homme de Pékin et de Neandertal ne sont plus les points de départ de l'évolution du genre humain.

6 000 ou 5 000 ans avant J.-C. un lien semble avoir existé entre les habitants de Ras Shamra (de l'âge de la pierre) et de Jéricho ce qu'on peut conclure de certaines ressemblances entre les premiers récipients de pierre. De 16 à 12 mètres, on trouve encore des outils en silex, en obsidienne, en os, Mais à une époque aussi reculée l'homme commença ici à fabriquer des objets de céramique relevés de décorations d'une rare qualité. Le roi Sargon l'Ancien, maître de l'Empire akkadien, l'un des plus grands hommes d'État sémitiques de l'histoire du monde, qui avait réuni les Sumériens et les Akkadiens sémitiques, a traversé vers 2300 avant J.-C. le pays d'Ugarit. Il est possible qu'il ait également visité la ville d'Ugarit elle-même.

Combien de millénaires, quelle Histoire grandiose, sont enterrés sous la colline de Ras Shamra! L'archéologue français A. Parrot qui mit à jour la ville de Mari, sur le cours moyen de l'Euphrate, sous le Tell Hariri, trouva dans les archives royales une tablette d'argile, une lettre du roi Hammurabi (vers 1750 avant J.-C.) célèbre législateur. Il écrit que le roi d'Ugarit lui avait fait savoir qu'il aimerait visiter le palais de Zimri-Lim, dernier roi de Mari.

Nous abordons une époque dont les vestiges se trouvent à 7,5 mètres environ sous le niveau du sol. On a découvert dans les tombeaux de cette époque les premiers bracelets, des aiguilles à coudre munies d'un trou, des colliers et d'autres bijoux de bronze ainsi que des vestiges d'Européens venus des Balkans, du Danube, des bords du Rhin, du

*Cette statuette de cuivre a été découverte en 1937 à Ugarit par l'archéologue Français Claude Schaeffer. Elle date de 1800 à 1600 avant J.-C. (photo Services des Antiquités, Paris).*

Caucase. Ou bien ils avaient envoyé à Ugarit les produits de leur industrie, puisqu'on y a trouvé des objets similaires.

La puissante Egypte entretenait des relations avec Ugarit. C'est certainement au cours d'une fête solennelle qu'on transporta la statuette de la princesse égyptienne Shnumit dans la ville d'Ugarit. Le pharaon Sésostris (1906-1887) lui-même épousa cette jeune fille particulièrement gracieuse qu'on appelait la « belle couronne ». A la même époque l'île de Crète connut le plus bel épanouissement de la civilisation minoenne. Une fois de plus, le sol nous renseigne sur les relations commerciales entre l'empire maritime des Crétois et Ugarit, car on y découvre des fragments de magnifiques vases crétois. Dans un caveau, on peut admirer une coupe minuscule en terre cuite, certainement importée de Crète entre 1900 et 1750 avant J.-C.

Il est difficile de savoir ce qui se passa ensuite : Une puissance inconnue détruisit les statues égyptiennes qui se trouvaient à Ugarit. Le peuple sémitique, d'un goût raffiné et large d'esprit n'était certainement pas l'auteur de ces actes de vandalisme. Mais la ville se reconstruisit assez vite, nous trouvons dans les objets donnés aux morts un grand déploiement d'art et de savoir-faire. Des hommes venus de Chypre, des marchands d'Égypte, des savants de Mésopotamie, des artisans du monde entier vivaient ensemble à Ugarit.

Finalement le plus puissant et le plus capable des pharaons d'Égypte, l'un des plus grands génies de l'antique Orient, Thutmosis III fait main basse sur Ugarit. La momie de ce puissant autocrate nous a été conservée. Nous contemplons une face royale au nez aquilin, à la bouche expressive, à l'occiput fort développé. La statue de ce roi du temple impérial de Karnak nous donne une idée de l'énergie indomptable qui habitait cet homme. Le pharaon Thutmosis III avait besoin de points d'appui pour ses campagnes et pour le ravitaillement de ses troupes. Il fit d'Ugarit son port le mieux équipé au nord de son royaume. Cypriotes, Egéens, Crétois, Egyptiens, les Ugarites eux-mêmes, tous ceux qui vivaient à Ugarit vers 1500 avant J.-C. tirèrent profit de la politique expansionniste du pharaon. La « paix égyptienne » apporta à la ville cet « Age d'Or » dont l'architecture est vraiment étonnante.

Les quartiers résidentiels étendus étaient parcourus de rues droites se coupant à l'angle droit. Les maisons comportaient de nombreuses chambres, des salles de bains, des installations sanitaires complètes. Les eaux d'écoulement étaient rejetées par des canalisations. L'eau de pluie était amenée en ville par des canaux de pierre exactement ajustés. Dans les cours on trouve des puits pourvus de margelles, recouvertes de dalles de pierre avec un trou au milieu. Le trou était protégé par un toit monté sur quatre supports. Près du puits il y avait de grands bassins de granit, dans lesquels on versait l'eau du puits. Il est probable que les salles de séjour et les chambres à coucher se trouvaient à l'étage supérieur. On y accédait par des escaliers confortables et relativement larges.

Si on prenait ainsi soin des vivants, on se souciait aussi du bien-être des morts. Sous chaque maison se trouvait un caveau. Un couloir conduisait dans le souterrain surmonté d'un toit voûté en pierres de taille. Là, directement sous la maison, les morts participaient pour ainsi dire à la vie de famille. On leur donnait également de précieux ustensiles et bijoux pour l'au-delà. On peut dire qu'à Ugarit, tous les morts avaient droit à des funérailles vraiment royales. C'est pourquoi la plupart de ces caveaux ont été pillés par la suite. Mais les voleurs ne s'emparaient en général que des objets précieux et des bijoux en or. Ils ne touchaient pas aux belles faïences, aux bijoux en ivoire, aux vases d'albâtre, à la splendide céramique de Mycène, qui provenaient pour la plupart des ateliers de Rhodes et de Chypre. Certains vases minoens à base pointue ornés de peintures sont d'une beauté unique. Claude Schaeffer, qui mit à jour cette ville extraordinaire, constata qu'on déposait même des boissons fermentées dans ces caveaux. On entoura donc les morts d'Ugarit d'un grand luxe et nous verrons plus tard ce qui nous permet de dire qu'on croyait à une vie dans l'au-delà.

Le port se trouvait dans la baie de Minet-et-Beida. Là encore, les Ugarites avaient construit des maisons pourvues de confort. On y trouva également des tombeaux, des magasins, des entrepôts d'une allure tout à fait moderne. Schaeffer dénombra dans un de ces entrepôts plus de

*Déesse cananéenne, découverte à Ugarit. Cette sculpture d'ivoire date de 1350 avant J.-C. et se trouve aujourd'hui au Musée du Louvre, à Paris. Le dessin du visage, la coiffure, la bande frontale, le collier prouvent que l'artiste était originaire de Grèce ou avait été influencé par l'art grec de la première période (photo Musée du Louvre).*

80 cruches de terre remplies d'huile ou de vin pour les habitants d'Ugarit ou bien destinées à l'exportation. L'importance de ce port de transbordement apparaît quand on considère les dimensions d'une bâtisse qui contenait plus de mille récipients à anses, d'origine cypriote, destinés aux huiles parfumées qui étaient expédiées en Palestine et en Égypte. Ugarit était devenu le centre d'une industrie cosmétique particulièrement développée. De coquettes petites fioles pour parfums, des boîtes en ivoire pour fards, certaines en forme d'un canard qui se retourne d'un air étonné, de minuscules faucons de bronze avec des plumes d'or prouvent que l'art égyptien y avait pénétré. Mais les Ugarites ne voulaient pas renoncer, pour autant, aux produits égéens ou minoens. Des artistes venus de Crète et de Grèce, des statuaires, des orfèvres, des fondeurs de bronze recevaient dans leurs ateliers les dames de la ville, fort bien habillées, poudrées, fardées — il y a 3 500 ans! Sur une coupe d'argile vitrifiée dans une tombe à Minet-et-Beida se trouve le relief d'un masque féminin qui représente la figure soignée d'une dame crétoise qui était à cette époque également le modèle d'un monde élégant d'Ugarit. La coupe ne mesure que 16 centimètres de haut. Elle se trouve au Musée du Louvre à Paris et est une pièce de choix de ce musée si riche de trésors inestimables.

Claude Schaeffer constata lors de ses fouilles qu'un tremblement de terre détruisit la ville vers le milieu du XIVe siècle avant J.-C. Il a pu trouver des maisons écroulées, des murs lézardées, dont les blocs de pierre s'étaient disloqués, des traces d'incendie. Abimilki, roi de Tyr, annonça au pharaon Aménophis IV la catastrophe : « La ville royale d'Ugarit a été détruite par le feu. La moitié de la ville a été la proie des flammes. L'autre moitié n'existe plus. » On se demande encore à la suite de quels événements du XIVe siècle Ugarit, la ville de Cnossos en Crète, Troie et d'autres métropoles ont subi au même moment de vastes destructions. Un tremblement de terre peut-il toucher simultanément tant de centres fort éloignés les uns des autres?

Une fois de plus Ugarit se relève de ses cendres. On reconstruit maisons et palais. Une fois de plus, les dames de la ville portent les beaux vêtements de mode égyptienne et surtout mycénienne, car les Crétois comptent parmi les habitants les plus riches et ce sont eux qui déterminent le goût du jour.

Soudain, vers 1200 avant J.-C. la catastrophe finale éclate : Telle une marée, les peuples du Nord, venant de Grèce, d'Asie Mineure, font irruption en Syrie par terre et par la mer. Ils possèdent quelque chose de tout à fait nouveau : ils ont des armes miraculeuses en fer. Ugarit ne put résister à l'assaut de ces « peuples de la mer ». La ville fut effacée de la carte du monde. Elle disparut avec l'âge du bronze. Les commerçants cessèrent de calculer ; les écrivains déposèrent leur style. Les tablettes d'argile furent dispersées à tous les vents par les destructeurs de cette ville prestigieuse. Les grandes dames arrêtèrent de rire. L'herbe se mit à pousser sur la colline où les fouilles se poursuivent à l'heure actuelle.

*Œuvre d'art cananéenne de 1300 avant J.-C. : c'est une plaque d'ivoire fixée au panneau d'un lit royal. Elle montre le roi d'Ugarit menaçant de son épée un roi ennemi (photo Services des Antiquités, Paris).*

# C'est un Cananéen
# qui a inventé
# l'alphabet

*Il y a trente ans seulement on a réussi à déchiffrer les tablettes d'Ugarit. On a pu se faire une idée ainsi de la vie intellectuelle et spirituelle d'une ville dont on avait perdu la trace pendant plus de 3 000 ans. La bibliothèque de tablettes d'argile d'Ugarit est une des découvertes les plus importantes que l'on ait faite dans le domaine de la recherche biblique.*

*« Hiram, Roi de Tyr, envoya ses serviteurs chez Salomon lorsqu'il apprit qu'il avait été oint roi à la place de son père ; car Hiram avait toujours été l'ami de David. Salomon envoya donc quelqu'un chez Hiram et lui fit dire : Tu sais que mon père David a été empêché de construire une maison consacrée à Yahweh, son Dieu, à cause des guerres que ses voisins lui faisaient jusqu'au moment où le Seigneur les écrasa sous la semelle de ses pieds. Maintenant Yahweh, mon Dieu, a établi le calme autour de moi si bien qu'aucun ennemi ni aucune attaque sournoise n'est plus à craindre. Ainsi j'ai songé à construire une maison consacrée au nom de Yahweh, mon Dieu... » ( Rois, 5, 15-19.)*

Q
UAND on désire mettre à jour des villes et des civilisations, on ne doit pas creuser n'importe où. On est mieux avisé de fouiller d'abord les livres avant de fouiller le sol.

Un exemple magnifique nous montre que les sources littéraires d'avant l'ère chrétienne fournissent souvent des renseignements très sûrs, qu'on ne doit jamais écarter les récits incroyables en les traitant de rêveries, que même les mythes contiennent presque toujours une part de vérité. Nous ferions bien de nous rendre à l'évidence que la puissance de pensée, la sagesse et le souci de vérité des hommes n'a guère augmenté dans le cours des millénaires. L'un des pires maux de notre époque est notre tendance fâcheuse à nous fier plus à la recherche scientifique qu'à la parole des grands dépositaires de vérités spirituelles tels que Bouddha, Confucius, Euripide, Socrate qui vécurent tous à la même époque, il y a 2 500 ans environ. En 485 avant J.-C. naquit à Halicarnasse, comme fils d'une famille distinguée, l'homme que l'on appela plus tard le « Père de l'Histoire ». Hérodote parcourut en tous sens le monde méditerranéen de son époque. C'était un savant, un observateur sagace, un homme qui écoutait ce qu'on lui disait, toujours intrigué et même fort curieux, plein de compassion pour ses semblables. Il prenait toujours au sérieux les récits qu'on lui faisait, mais il aimait également la plaisanterie et la satire. Il respectait la tradition, mais les aspects nouveaux de l'existence le fascinaient. Il nous a brossé un tableau impressionnant d'une guerre décisive, de la lutte des Perses contre la Grèce, sans pour autant être un expert en matière militaire. Il ne détestait aucun peuple, aucune race ; il était surtout convaincu — à l'encontre d'Oswald Spengler — que l'homme, fort de son intelligence et des expériences passées, a la liberté de déterminer l'avenir, qu'il n'est donc pas le jouet des forces de la nature et d'une destinée aveugle. Pour cette même raison, Hérodote n'essaya jamais — comme Oswald Spengler — de prédire le déclin de l'Occident ou l'avenir des peuples, puisque personne ne peut savoir ce que les hommes feront...

Hérodote raconte au cinquième livre de son Histoire de qui les Grecs tenaient l'écriture. Sous la conduite de leur roi Cadmos, écrit-il, les Phéniciens arrivèrent en Grèce et y apportèrent beaucoup de sciences, y compris l'alphabet « que les Hellènes ne connaissaient pas auparavant, à ce qui me semble ».

Hérodote, premier historien, tenait donc les Phéniciens pour les inventeurs de l'alphabet. L'alphabet grec — tous les alphabets européens — dérivent donc de l'alphabet phénicien. Hérodote, dont l'exactitude a souvent été mise en doute par les historiens modernes, a trouvé une confirmation éclatante à l'âge des sciences atomiques. Notre siècle a fourni la preuve de ce qu'Hérodote a écrit au V$^e$ siècle avant J.-C. Car l'archéologue Claude F.-A. Schaeffer a mis à jour, entre 1929 et maintenant, un monde disparu dans la nuit des temps dont Hérodote nous a fourni des descriptions précises et sûres.

Schaeffer constata la présence de cinq couches successives en mettant à jour la ville d'Ugarit, sous la colline de Ras-Shamra. Ces couches représentent cinq civilisations de l'humanité, de l'âge de la pierre jusqu'à 1100 avant J.-C. environ, date de la disparition d'Ugarit. La cinquième couche est la plus ancienne et se trouve de ce fait, tout en bas. La couche supérieure contient les ruines d'une ville qui avait prospéré entre 1500 à 1100 avant J.-C. environ. C'est à ce niveau que Schaeffer découvrit les restes d'une grande bâtisse : autour d'une cour centrale dans laquelle on pénètre par une porte puissante du côté nord se groupent des salles assez spacieuses. Un escalier mène à l'étage supérieur. Ce bâtiment qui ressemble à un palais avait dû être une véritable université de l'art d'écrire. On étudiait dans la ville cananéenne les langues akkadienne, sumérienne, hurrite et surtout l'alphabet protophénicien des ancêtres des Phéniciens, l'alphabet des Cananéens. L'art d'écrire, autrement dit l'art d'imprimer des signes dans les tablettes d'argile, était à l'époque un art difficile et demandait des études approfondies.

*Tablette d'argile des Archives d'Ugarit. Le texte est rédigé à l'aide de l'alphabet le plus ancien de l'humanité inventé par les Cananéens, il y a 3 400 ans environ. La tablette porte en tête le cachet de la dynastie royale (photo Service des Antiquités, Paris).*

Tout comme les archives de Ninive et de Babylone, la bibliothèque de la ville d'Ugarit se composait de tablettes d'argile où étaient imprimés des deux côtés des signes qu'on appelle des signes cunéiformes, à cause de leur forme de coins. Mais l'écriture découverte à Ugarit possédait une particularité qui sauta aux yeux avant même qu'on ait réussi à la déchiffrer. Les écritures de Mésopotamie se composent de plusieurs centaines de signes, chaque signe représentant une syllabe ou un mot. Mais les textes d'Ugarit ne comportaient que 29 à 30 signes. On savait donc d'emblée qu'on avait trouvé le premier alphabet du monde.

Virolleaud avait publié les premières tablettes d'Ugarit, un an après les fouilles, en avril 1930. Un professeur de l'Université de Halle, doué de génie, du nom de Hans Bauer, eut l'intuition qu'il devait s'agir d'une langue sémitique, comportant des analogies avec l'hébreu et le phénicien. Il entreprit donc des recherches pour identifier, dans la suite des lettres quelques mots et noms sémitiques. Il réussit enfin à déchiffrer les nombres « 3 » et « 4 » ainsi que des noms religieux tels que « Asherat », « Ashtart », « Baal », « El », « Elah ».

Tout cela a l'air fort simple. Mais il faut se rappeler qu'on n'écrit pas, dans cette langue, comme dans aucune langue sémitique, les voyelles qu'il faut donc compléter. Il faut avoir une grande connaissance en matière mythologique pour deviner le sens des mots. Ainsi, on lit « 'STRT » pour le nom de la déesse « Ashtart ». Il faut connaître les inscriptions égyptiennes pour deviner que « 'STRT » remplace le nom de la déesse Astarté. De la même manière le signe « BL » désigne le dieu « Baal ».

Bauer réussit à déchiffrer ainsi 14 lettres sur 28, 9 furent mal interprétées par lui. 5 gardaient leur secret. Aux Français revient le mérite d'avoir poussé très en avant le déchiffrement de cette écriture et la connaissance de la civilisation cananéenne. Dhorme, en effet, parvint à interpréter 4 autres signes; Hans Bauer s'appuyant sur les travaux de Dhorme trouva la clef de l'alphabet entier, moins une lettre restée obscure. Le professeur Virolleaud se mit alors à examiner un grand nombre de tablettes cananéennes. En 1948 on découvrit un alphabet entier. Il remonte à 1400 avant J.-C.; c'est l'alphabet le plus ancien que nous possédions. Ainsi, les inscriptions de Ras-Shamra-Ugarit ne cachent plus de secrets pour nous. Nous ne saurons jamais le nom de l'inventeur de l'alphabet. C'était à n'en pas douter un Phénicien. Un peuple qui créa une telle merveille mérite, selon M. Virolleaud, notre reconnaissance et occupe une place à part dans l'histoire de l'humanité.

La vieil alphabet cananéen d'Ugarit se compose de 28 signes. L'alphabet hébreu a 23 signes, l'alphabet phénicien classique en a 22. Notre alphabet a 26 lettres, l'alphabet russe en a 33. Nous somme en état de déchiffrer n'importe quel texte cananéen écrit en lettres cunéiformes pour peu que le temps ne les ait pas effacées.

On a trouvé deux sortes de tablettes d'argile. Les plus grandes contiennent des légendes et des mythes, les plus petites des lettres, des inventaires, des comptes, des instructions, des listes de marchandises telles que huile, vin, pourpre, des arrangements juridiques tels que adoptions, donations, ventes.

Il est très intéressant de se pencher sur la vie d'une ville qui nous a donné l'une des inventions les plus importantes, l'alphabet, avant de périr, il y a 3 000 ans environ. Un certain Yasiranu a adopté Ilkuya. Il en a fait son fils adoptif en présence du roi d'Ugarit. Le document établit que la séparation n'est plus possible sans certaines conditions. Si le père adoptif désire un jour se séparer de son fils, il est obligé de lui remettre 100 sicles d'argent. Mais si le fils désire se séparer de son père adoptif, il doit lever ses mains et se rendre dans la rue. On voit la valeur symbolique de ces stipulations : le fils infidèle ne doit rien emporter de la maison. C'est la signification du geste « lever les mains ».

On nous renseigne sur des donations royales, sur des affaires de troc, sur des achats et des ventes. Des maisons, des olivaies, des bœufs, des ânes, des moutons changent de propriétaire. Nous possédons l'inventaire complet de la dot de la reine Ahatmilku. On nous parle de 4 paires de pendeloques d'or et de pierres précieuses, de cercles et de bracelets en or, de coupes d'or, de plats et de carafes en or, de deux ceintures d'or, de 20 vêtements en tissu hurrite, et d'autant en tissu amurrite, de capes et de manteaux, de trois lits en marqueterie d'ivoire, de chaises plaquées d'or, de grandes bassines, de cruches, de creusets, de gobelets, de flambeaux en bronze, de récipients remplis « d'huile douce », de 20 boîtes à fard et de mille autres choses. La reine Ahatmilku devait être riche, exigeante, gâtée.

On nous fournit des précisions sur le commerce des esclaves, nous apprenons que certains esclaves ont été recédés à leurs propriétaires, l'acheteur ne disposant pas des fonds nécessaires de 400 sicles d'argent. Il se fait avancer les 140 sicles manquants par son mandataire. La somme totale doit être remise seulement à la livraison des esclaves. Un sicle avait un poids de 16,37 grammes. Les esclaves coûtaient donc 13 livres d'argent ce qui nous semble peu. Mais l'argent était bien plus rare à l'époque et de ce fait plus précieux. En comparaison, le cheval que le grand écuyer du roi de Karchemisch vend au roi d'Ugarit est sensiblement plus cher. Une tablette portant le numéro 16 180 nous apprend que ce cheval probablement de grande race valait 200 sicles, la moitié de toute la livraison d'esclaves.

Nous apprenons encore qu'Ulmi, une dame de très noble descendance, implore le secours de sa fille, la reine d'Ugarit : « Que les dieux d'Ugarit et les dieux d'Amurru te gardent en bonne santé ! Est-ce que vous vous portez bien, le roi d'Ugarit et toi-même ? Réponds ! » La femme qui écrit cette lettre raconte que sa maison a été la proie des flammes, que tout est brûlé, qu'elle a un urgent besoin de secours. La reine d'Ugarit est sans doute originaire d'Amurru, ce qui explique pourquoi sa mère Ulmi mentionne aussi les dieux de son pays. Elle pouvait le faire sans crainte, car on était large d'esprit et tolérant à Ugarit. Pour cette même raison, les dieux des Cananéens ont sans doute disparu à l'exception de ceux qui continuaient à vivre dans d'autres religions.

Grâce au déchiffrement des tablettes d'argile de Ras-Shamra nous connaissons depuis 30 ans les mythes des Cananéens. Les chercheurs français Virolleaud, Dussaud et Nougayrol ont pénétré dans les secrets des croyances de ce peuple étonnant. Le fait suivant est aussi intéressant qu'important : Alors que les poèmes datent du XIVe siècle avant J.-C., leur contenu est beaucoup plus ancien. Ils furent soit transmis oralement de génération en génération soit transcrits par des signes non-alphabétiques encore plus anciens. Comme Cananéens et Israélites habitaient le même pays, comme ils vivaient selon les mêmes habitudes, comme ils adoraient le même Dieu El, on doit en conclure qu'ils ont aussi la même origine. C'est pourquoi les tablettes d'Ugarit nous permettent d'aborder l'histoire la plus ancienne du peuple israélite. La découverte de ces tablettes est de ce fait l'événement le plus important dans le domaine de la recherche biblique. Le chercheur René Dussaud est d'avis qu'on ne saurait en surestimer l'importance.

La religion des Cananéens était rien moins que primitive. Un clergé bien organisé assurait le service dans les temples. Il y avait de nombreux sanctuaires. Le dieu qui tenait la tête du panthéon avait nom El. El signifie « dieu » en phénicien comme dans toutes les langues sémitiques. Le dieu El cananéen est à l'origine du nom de Dieu « Elohim » que nous trouvons dans l'Ancien Testament.

Le dieu El des Cananéens planait très haut au-dessus de la vie de tous les jours des misérables humains et ne s'intéressait guère à leurs problèmes quotidiens. Il était le « Père des Années », sa main était « grande comme la mer ». Il séjournait cependant sur la terre ferme, sur la côte, là où les rivières se déversent dans l'Océan. Les Cananéens s'étaient sans doute représenté leur plus grand dieu comme de nos jours encore beaucoup de peuples primitifs, surtout dans les régions circumpolaires. Plus on remonte dans la préhistoire, plus on constate que l'Être Suprême ne se souciait guère d'affaires humaines et surtout ne punissait pas. On a trouvé à Ugarit, une stèle, au sommet de laquelle trône El alors que le roi d'Ugarit lui apporte son offrande.

L'épouse du dieu El est Asherat que nous retrouverons dans la Bible bien des siècles plus tard sous le nom d'Aschéra. Son symbole y est l'arbre sacré ou le pieu qui s'appelle également Aschéra et qui, chez quelques peuples primitifs, remonte à l'âge de la pierre.

*Statuette de bronze, du XIVᵉ au XIVᵉ siècle avant J.-C., représentant le dieu Baal. La haute coiffure et la tête sont recouvertes d'une feuille d'or, alors que le reste du corps est plaqué d'argent. Cette figurine d'une rare valeur a été découverte dans l'ancien port d'Ugarit, aujourd'hui Minet-el-Beida ; elle se trouve actuellement au Louvre (photo Musée du Louvre).*

Le dieu qui s'intéresse vraiment à la vie des Cananéens, le héros d'une grande épopée mythologique, inscrite sur les tables d'Ugarit s'appelle Baal. Nous connaissons ce Baal contre lequel les prophètes de l'Ancien Testament s'élèvent puisqu'il représente un grand danger pour les Israélites qui menacent de retomber toujours de nouveau dans le culte religieux des Cananéens. Baal dominait à ce point la vie des Cananéens qu'on l'adorait même après la prise des villes cananéennes par les Israélites. Les deux plus grands temples d'Ugarit étaient consacrés au dieu Baal et à son père le dieu Dagon. Le nom du diable « Beelzebub » témoigne également de la lutte acharnée contre un culte qui avait la vie dure. « Baal », en effet, veut dire « propriétaire », « époux », ou bien « dévorant » et « zébub » signifie en hébreu « mouche ».

Les anciens mythes qui entouraient ce dieu nous ont été révélés seulement par les découvertes de Ras-Shamra si bien que les dessous des traditions du dieu Baal de la Bible ne nous sont connus que depuis une trentaine d'années.

Les tablettes nous apprennent que la sœur du dieu Baal s'appelle Anat. Comme cela se produisait si souvent dans l'antique Orient et surtout en Égypte, frère et sœur s'épousèrent. La virginité, la fertilité, la sauvagerie sont étrangement réunies dans cette déesse. Ainsi, depuis des temps immémoriaux, on associait l'innocence, l'enfantement sacré à la dégradation de l'amour jusqu'aux cultes sensuels.

Lorsque l'humanité commence à oublier Baal et que le zèle religieux diminue, Anat organise un grand massacre chez les infidèles. Au nord du pays, dit-on, il y a une montagne d'or. En langue phénicienne, l'or se dit « harous ». Les Grecs changèrent le mot en « Khrousos ». Anat se rend sur cette montagne et y fait le récit de ses victoires. Elle a tué un puissant serpent du nom de « Litan » ou « Lotan ». C'est le « Léviathan » de notre Bible. Sauf à Ugarit, on ne cite jamais le nom de Léviathan avant que l'Ancien Testament ne le fasse sien au livre de Job. Le dragon gardien d'or, le serpent veillant sur un trésor remontent à la plus haute antiquité.

Les célèbres cèdres du Liban sont cités sur les tablettes d'Ugarit longtemps avant leur apparition dans les Livres des Rois de notre Ancien Testament. Lorsque Anat se plaint auprès du dieu suprême El que son frère Baal ne possède pas de temple comme les autres dieux, les architectes célestes sont chargés de construire un temple en briques et en bois des cèdres du Liban. Le 1er Livre des Rois (6, 9) raconte que Salomon a également fait couvrir le temple de poutres et de planches de bois de cèdres. Le roi cananéen Hiram de Tyr lui-même aide le sage Salomon à édifier son temple. Hiram régna de 969 à 936 avant J.-C.,

Salomon de 972 à 932. Mais les tablettes ugarites mentionnent la construction du temple de Baal 500 ans plus tôt, l'histoire est probablement bien plus ancienne.

La bibliothèque d'Ugarit nous parle aussi de l'espérance indéracinable de l'homme qui veut rappeler des enfers un mort bien-aimé. Pendant une partie de chasse, Baal est trompé par ses ennemis et tué dans un guet-apens. Baal meurt, et avec lui périt son fils Aleyn. Anat descend aux enfers et y pleure ses chers morts. Elle sacrifie ensuite 70 bœufs, 70 buffles, 70 moutons, 70 bouquetins, 70 antilopes. Ce sacrifice est en même temps une offrande aux morts destinée à assurer le bien-être au fils et à l'époux décédés. Mais tout cela ne ramène pas le mort.

Le coupable, l'assassin n'est autre que Môt, la mort elle-même. Anat seule connaît le lieu de sa demeure. Aidée par la déesse du Soleil, Anat tue Môt avec une faucille. C'est alors que Baal et Aleyn remontent à la lumière. Nous retrouvons le même motif dans la mythologie grecque où Héraclès arrache Alceste à la mort.

Longtemps avant les premières tablettes d'argile, on considérait à Ugarit la mort — comme le fit plus tard le christianisme — comme un état provisoire. Charles Virolleaud explique que les Cananéens n'étaient pas toujours très sûrs que le printemps allait succéder à l'hiver. Il est possible que ce souci fût la conséquence de souvenirs ancestraux remontant à la dernière période glaciaire qui ne se termina qu'en 12 000 avant J.-C. Il y avait tous les ans une brève période d'inquiétude et d'angoisse surtout si les pluies se faisaient attendre. On prévoyait pour chaque année la fin du monde. C'est à Anat qu'on devait la renaissance du printemps et la victoire de la vie sur la mort.

On convie à un repas les âmes des morts qui s'appellent en langue cananéenne comme en langue hébraïque « rephaïm » C'était la déesse Anat qui préparait le banquet. Ainsi, on lit textuellement sur une des tablettes : « Aujourd'hui et demain, mangez, ô rephaïm, et buvez... et continuez de même jusqu'au septième jour. » Le banquet des morts dura donc une semaine jusqu'à ce que le dieu suprême El dit, en s'adressant aux âmes : « Allez maintenant dans ma maison, rephaïm, et entrez dans mon palais! » Qui était cette Anat qui sauva le dieu Baal, qui vainquit le dragon et qui donnait à manger aux âmes des morts? C'était la même Astarté en l'honneur de laquelle le pharaon d'Égypte Thutmosis III au xvᵉ siècle avant J.-C. fit construire un temple à Thèbes. C'était la déesse Asthoret que les enfants d'Israël adoraient lorsque leur foi en Yahweh faiblissait.

Comme les tablettes d'Ugarit n'ont été déchiffrées qu'il y a trente ans seulement, Astarté, le nom grec de la déesse, est devenue célèbre alors que Anat restait enfouie pendant plus de 3 000 ans sous la colline de Ras-Shamra.

Il est probable que la déesse cananéenne Anat a également déterminé l'idée que se faisaient les Grecs de la déesse de l'amour Aphrodite. Il est, en effet, remarquable qu'on trouve deux célèbres sanctuaires d'Aphrodite, Paphos et Amathus, dans l'île de Chypre, habitée par des navigateurs cananéens, où se trouvait également la ville phénicienne d'Alasia. De même, pour Homère, Aphrodite était une déesse cypriote. La tradition grecque remonte sans doute à une origine orientale et sémitique. Aphrodite est chez les Grecs, comme Anat chez les Cananéens, en même temps la déesse de la fertilité et de l'amour.

Nous voyons donc que les idées mythologiques et culturelles de la vie cananéenne et phénicienne ont pénétré, par le canal des Grecs, jusque dans notre religion. C'est un des grands mystères de l'humanité que non seulement toutes les civilisations mais que les dieux eux-mêmes soient reliés entre eux par des liens de parenté.

# Tyr et Sidon,
# voulez-vous me résister?

*La ville de Tyr était entourée de murailles de 50 mètres de haut. Elle était construite sur la mer, sans lien avec la terre ferme. L'île ne comportait aucun point d'eau. Malgré cela ses 25 000 habitants survécurent à un siège de 13 ans.*

*« La conquête de la mer est l'exploit le plus remarquable de l'humanité. Horizons nouveaux et étoiles nouvelles ont eu de tous temps un attrait irrésistible sur l'imagination de l'homme. La mer a permis à des insulaires obscurs de conquérir de vastes contrées et d'établir à l'étranger une durable suprématie. A une époque lointaine, où personne n'avait encore possédé une marine de guerre, un petit peuple, qui vivait sur la rive orientale de la Méditerranée, découvre l'art de naviguer d'après l'étoile polaire et exerce pendant près d'un millénaire un empire de la mer, une thalassocratie, sur laquelle les armées n'avaient guère de prise. Mille deux cents ans avant l'ère chrétienne, et tandis que la grandeur de l''Égypte déclinait, lentement, les Phéniciens entraient sur la scène méditerranéenne, où ils devaient durant plusieurs siècles, comme princes de négoce et grands seigneurs, donner le ton aux activités économiques des peuples étrangers — tout cela quand l'Italie attendait encore son aurore. »*
(A. Poidebard et J. Lauffray, *Sidon,* Beyrouth, 1951.)

L E PHARAON Ramsès II était un roi dynamique. Aucun autre monarque égyptien ne s'est imposé à la postérité avec autant de force que cet homme extraordinaire. Son enthousiasme dans le domaine architectural engloutit des sommes énormes. Il fit construire des douzaines de temples et élever des obélisques. Il acheva à Thèbes le célèbre temple consacré à la mémoire de son père. Il destina à son culte mortuaire personnel le sanctuaire connu sous le nom de

« Ramesseum ». Il fit achever à Louqsor le portique grandiose du temple de Karnak. Aucun autre pharaon ne laissa de plus grands monuments faits d'une seule pierre. A Tanis, on érigea une statue le représentant, taillée dans un monolithe de 900 tonnes. Un wagon à marchandises moderne peut transporter de 50 à 60 tonnes. La statue avait 27 mètres de haut.

Ramsès II, qui désirait toujours fixer sa gloire dans la pierre, n'en était pas moins un autocrate aimant la vie. Son portrait colossal près du temple d'Abu Simbel ou taillé dans le granit au temple de Karnak montre, autour de la bouche, le fin sourire d'un homme amoureux de l'existence. On sent que ce pharaon était gâté et jouisseur. Ses multiples mariages lui laissèrent 79 fils et 59 filles qu'il fit reproduire, avec fierté, sur les longs reliefs aux murs de ses temples. L'homme régna pendant 67 ans, de 1290 à 1223 avant J.-C. Il mourut à l'âge de 90 ans. La mort elle-même était incapable de détruire son corps résistant. Sa momie s'est conservée jusqu'à nos jours.

On ne s'étonnera pas d'apprendre que les Israélites établis en Égypte étaient soumis à de pénibles corvées sous ce pharaon maniaque de la construction. Ce n'est donc pas le fait du hasard si Moïse et Aaron se présentèrent devant Ramsès pour lui demander la permission de mener leur peuple dans le désert. Le pharaon voulait savoir qui était le dieu dont on lui recommandait d'écouter la voix : « Je ne sais rien de ce Seigneur et je ne veux pas laisser partir les Israélites », dit-il. Comme il avait de nombreux projets de constructions et comme il savait que beaucoup d'Israélites vivaient dans le pays, il ne songeait même pas à les libérer. Tout au contraire : le pharaon exigeait qu'ils missent les bouchées doubles, puisqu'il voulait perpétuer son souvenir sur la terre alors qu'il s'adonnait à tous les plaisirs de l'existence. Il donna donc l'ordre suivant : « Chargez ces Israélites des travaux les plus pénibles pour qu'ils n'aient pas le temps de poursuivre de mauvaises pensées. » Les surveillants poussaient les ouvriers au travail : « Faites le travail que vous devez faire! » Les surveillants israélites furent frappés par les prévôts du pharaon : « Pourquoi n'avez-vous accompli votre tâche ni hier ni aujourd'hui? » Le pharaon lui-même déclara : « Vous êtes des paresseux! »

Ces faits historiques nous sont rapportés dans le deuxième livre de Moïse, Exode, au cinquième chapitre. Après les dix fléaux qui frappèrent le peuple d'Égypte, le pharaon laissa enfin partir les enfants d'Israël qui quittèrent le pays. Cet « exode » a donné le titre au deuxième livre de Moïse.

Qu'on se représente cette époque vers 1300 avant J.-C., donc 330 ans en arrière. Sur l'une des plus hautes montagnes de la presqu'île de Sinaï, sur le Djebel Musa, Dieu se révéla à Moïse et lui remit les tables de la Loi. Cette montagne s'élève à 2 244 mètres. A ses pieds se trouve aujourd'hui, au milieu d'un désert de pierres, le monastère de Sainte-Catherine, entouré d'une haute muraille.

Revenons à l'époque de l'exode du peuple d'Israël, au temps de Ramsès II. Le pharaon regrette d'avoir laissé partir les enfants d'Israël et fait appeler ses 600 meilleurs chars pour rattraper ce peuple qui est parti sous la conduite de Moïse. Un homme du nom d'Hori, administrateur des écuries du pharaon, écrit une lettre à son collègue Aman-appag, l'un des chefs de l'armée. Cette lettre est très intéressante puisque nous y voyons d'un côté le pharaon désireux de remplir le monde entier de son esprit, de ses monuments, de sa race, alors que Moïse organise l'une des migrations de peuples les plus difficiles de toute l'histoire, et que nous y trouvons d'autre part quelques villes cananéennes florissantes que les Israélites devaient conquérir par la suite. Cette missive est aujourd'hui à Londres, au British Museum, et connue sous le nom de « papyrus Anastasi I ».

L'écuyer appelle l'homme auquel il écrit « Mahir ». C'est un mot cananéen qui désigne un homme habile. Le mahir a traversé la Syrie, il a vu les villes cananéennes et phéniciennes. Hori se moque de lui dans sa lettre. Il est intéressant de lire une telle lettre datant de 3 300 ans : « Lorsque tu t'arrêtes le soir, ton corps est moulu, tes membres sont rompus. Tu es obligé de harnacher seul tes chevaux, car personne ne vient à ton secours. Quelqu'un a pénétré dans le camp. Ton cheval a été détaché. On a tout pillé. On t'a volé tes vêtements. Ton valet d'écurie a pris ce qui restait et s'est sauvé. En te réveillant, tu n'as pu retrouver ses traces. Ils ont emporté tous tes biens. Tu touches de la main ton oreille... » Par ce terme, les Égyptiens exprimaient d'une façon pertinente et précise un geste d'embarras.

La lettre continue. Il semble que les observations du mahir, au cours de son voyage, aient été insuffisantes : « Je te parle aussi d'une ville. Son nom est Byblos. Comment est-elle ? Est-ce que tu n'y as pas mis les pieds ? Renseigne-moi sur Berytos (Beyrouth), sur Sidon et Sarepta. Comment est la ville d'Uz ? On parle également d'une autre ville, située en pleine mer, du nom de Tyr. On y apporte l'eau sur des vaisseaux et elle est plus riche de poissons que de sable. »

On apprend beaucoup de choses quand on soulève ainsi le voile sur une époque révolue depuis des millénaires. Paul Claudel a dit qu'il y a quelque chose de plus inaccessible que l'avenir : le passé. Mais le passé n'est-il pas notre présent, notre présent n'est-il pas l'avenir ? Nous avons le moyen de nous renseigner sur la vie des peuples de notre terre, des peuples primitifs en particulier, qui ont transporté leur passé à notre époque, en étudiant les découvertes de l'archéologie, l'esprit des grandes civilisations tel qu'il se révèle dans la tradition écrite. Hori nous brosse un tableau très vivant et moqueur de l'Egyptien qui voyage en Syrie.

*Cette tête en terre cuite rouge munie d'une jugulaire et d'un chapeau surélevé était le col d'un vase phénicien. On peut supposer que des hommes d'une physionomie aussi expressive vivaient à Byblos (photo Maurice Dunand).*

Et nous nous rendons compte que l'angoisse a toujours été un sentiment prédominant chez l'homme : « La peur te saisit, tes cheveux se dressent. Ton âme est dans ta main. L'abîme s'ouvre à tes côtés. De l'autre s'élève une montagne. Tu poursuis ton chemin en conduisant ton char et tu as peur. Ton cœur frémit. Tu voyages à pied. Le ciel est ouvert. Tu crois que l'ennemi te talonne. Tu trembles... » Rarement on a mieux dépeint les angoisses d'un voyageur solitaire.

« Lorsque tu arriveras à Joppé, tu verras des champs verdoyants. Tu entres dans un vignoble entouré de murs. Tu y trouves la jolie fille qui veille sur les grappes. Elle te prend pour compagnon et t'accorde les attraits de sa tendresse. On te prend sur le fait. Tu avoues. On te tance. Tu donnes rapidement ton tablier en beau lin de l'Égypte supérieure. Tu t'endors de nouveau et tu continues de paresser. On vole ton arc, le couteau à ta ceinture, ton carquois. Ton cheval s'égare en terre marécageuse. Le chemin te paraît long. Ton char se brise. Tu perds tes armes dans le sable. Donnez-moi à boire et à manger, dis-tu, car je suis arrivé. Mais ils font semblant d'être sourds et ne t'écoutent pas. »

Existe-t-il au monde une lettre qui dépeigne avec plus de précision et de moquerie les mésaventures d'un serviteur de l'État qui rentre d'un voyage malheureux ? L'homme a peu changé depuis l'époque de Ramsès, de Moïse, des hautes civilisations syriennes !

A l'époque où le mahir traverse les villes phéniciennes, celles-ci ont déjà derrière elles une histoire de plus de mille ans. L'Asie, l'Égypte, la Crète les ont modelées. Les fouilles de Montet (1921- 1924) et de Dunand (1925-1957) ont montré que l'Égypte entretenait d'excellentes relations avec des villes comme Byblos. Pierre Montet y réalisa en 1923 l'une des trouvailles les plus intéressantes de notre siècle. Il découvrit, en effet, dans une crypte mortuaire, le sarcophage du roi Ahiram. A l'intérieur se trouvaient à côté d'autres offrandes deux vases d'albâtre du roi Ramsès. Ahiram était un contemporain du pharaon ; Byblos était à l'époque la ville la plus importante de Phénicie soumise à l'influence égyptienne dans le domaine politique, commercial et artistique. Sur l'une des parois du sarcophage, on voit le roi Ahiram assis sur son trône de sphinx, les pieds posés sur un escabeau, une fleur de lotus dans la main gauche. Le roi porte la barbe. Dans sa droite, il tient une coupe. Devant le roi se tiennent six hommes. Le premier chasse, à l'aide d'un tue-mouche, les mouches de la table d'offrande. Deux hommes apportent des mets et des gobelets. Les quatre autres saluent le roi en élevant le bras, la paume tournée en avant. Sur l'autre paroi du sarcophage, on voit huit hommes en deuil, deux femmes, deux porteurs de cruches, un homme conduisant un bouc, et, pour finir, trois serviteurs barbus qui lèvent les mains pour saluer. Sur le couvercle du cercueil on remarque une représentation grandeur nature du puissant monarque. Ce couvercle nous a, en outre, permis de faire une découverte très importante. Car sur les deux côtés, on a gravé une inscription. C'est le texte phénicien le plus ancien précédant les textes écrits en écriture alphabétique. Les Phéniciens étaient donc, en 1300 avant J.-C., déjà sur la trace de la plus grande découverte littéraire de l'histoire de l'humanité, l'alphabet.

Cette découverte est très importante puisqu'elle permet d'élucider l'un des mystères les plus impénétrables de l'histoire. On suppose que les Grecs avaient repris leur alphabet d'un peuple étranger au x$^e$ siècle avant J.-C. D'après Hérodote, ce peuple c'était les Phéniciens. On était forcé d'en conclure que les Phéniciens possédaient eux-mêmes l'alphabet quelques siècles plus tôt. Le sarcophage d'Ahiram chasse tous les doutes. Selon l'estimation de René Dussaud qui découvrit le sarcophage, celui-ci date du xiii$^e$ siècle. Les Phéniciens possédaient donc déjà à cette époque leur écriture alphabétique.

Des voleurs avaient pillé la crypte et enlevé les pièces les plus précieuses. Le cadavre du roi Ahiram a disparu. Quant au sarcophage, il se trouve au Musée national de Beyrouth.

Comme les papyrus égyptiens étaient particulièrement bien préparés à Byblos, les Grecs empruntèrent le terme de « livre » (biblos) à la ville au bord de la mer. Ce terme s'est conservé jusqu'à nos jours sous la forme de « bible ».

Tyr était l'une des plus célèbres villes phéniciennes. La forteresse, située sur une île, avait deux ports, le port sidonien au nord, le port égyptien au sud. Le port sidonien existe encore de nos jours et est toujours en exploitation, le port égyptien a disparu. Depuis 1934, Poidebard y a fait des recherches pour le compte de l'Académie des Inscriptions et Belles-Lettres de Paris.

Depuis vingt ans, on sait que plusieurs villes disparues sur la terre et en mer ne redeviennent visibles que vues de très haut, puisque la distance permet de mieux en définir les contours. Poidebard a donc pris des photos aériennes. Il envoya ensuite des scaphandriers. Ils virent à leur grand étonnement les archaïques murailles de Tyr. Sur le côté sud de la ville, ils découvrirent un môle long de 750 mètres, large de 8 mètres environ, immergé au fond de l'eau. Ils reconnurent même l'entrée du port, située au milieu et solidement renforcée. Le port égyptien disparu n'avait donc pas été un port naturel mais une construction de main d'homme, pourvue de quais, de brise-lames, de rampes de chargement et de tous les accessoires d'une métropole maritime.

La ville était bâtie sur une île. Elle aurait eu, selon les indications de l'historien Arrien qui vécut au ii$^e$ siècle de notre ère, des murailles hautes de 50 mètres et se dressait sur un sol rocheux. Comme sa surface était limitée, ses habitants vivaient dans des immeubles de quatre ou cinq étages. Face à la ville, sur la terre ferme, s'étendait, sur treize kilomètres, la grande ville de Palaetyros. De nos jours, Tyr, qui s'appelle Sour, couvre le bout d'une langue de terre qui s'avance loin dans la mer. La raison en est qu'Alexandre le Grand n'avait pas seulement conquis la terre mais changé jusqu'à la géographie des lieux. Pour prendre Tyr, il fit construire en 332 avant J.-C. une digue de 600 mètres de long pour atteindre d'un pied sec la ville maritime. Il utilisa pour cette construction les décombres de la ville du littoral. La digue de pierre était large de 60 mètres. On peut s'imaginer combien de milliers d'ouvriers durent s'atteler à la tâche pour réaliser les plans grandioses d'Alexandre. Dans le courant de 2 000 ans, la digue s'agrandit sans cesse du fait d'alluvions de sable. Ainsi, Tyr ne peut plus que rêver de son existence insulaire, du temps où elle était la forteresse maritime la plus puissante du monde. De nos jours, 6 000 habitants peuplent la ville de Sour, mais la ville antique hébergeait 25 000 hommes dans ses murs!

*Voici ce qui reste de la puissante forteresse maritime de Tyr. Autrefois, la célèbre cité phénicienne était une île. Pour s'en emparer, Alexandre le Grand fit construire, en 332 avant J.-C., une digue entre l'île et la terre ferme. Par l'effet de dépôts de sable, cette languette de terre s'est agrandie depuis. Le port sud de la ville a été complètement englouti (photo A. Poidebard).*

# CIVILISATIONS MYSTÉRIEUSES

Le littoral en face de l'île appartenait aux rois de Tyr et fournissait à la ville des céréales, des fruits, des légumes. On est étonné d'apprendre que les Phéniciens érigèrent il y a 3 000 ans un aqueduc pour approvisionner la ville en eau. Sur la terre ferme, à 7 kilomètres au sud de Tyr, se trouve une fontaine, Ras el-ain. Elle jaillit encore de nos jours. Les Phéniciens établirent une conduite d'eau jusqu'à un point en face de l'île. Ils irriguèrent de cette manière les champs qui les approvisionnaient en vivres. Un service de bateaux transportait régulièrement l'eau fraîche jusqu'à l'île. C'était un « pont d'eau potable » pour 25 000 individus. Les réserves d'eau de la ville, les citernes ne servaient qu'en cas de siège. Les habitants de Tyr étaient si bien pourvus d'eau potable que Nabuchodonosor assiégeait la ville en vain pendant treize ans, de 585 à 572.

Dans la plaine s'étendant au littoral, dans la région plus accidentée, vers l'est, qui appartenait également à la ville de Tyr, les archéologues modernes ont partout découvert la trace d'habitations. On y a trouvé des tombeaux, des sarcophages, des ruines de maisons, des pressoirs à huile, des citernes, des sculptures dans le roc. Notre imagination est incapable de se représenter la vie millénaire d'une ville comme Tyr. Quand Hérodote s'y rendit en 450 avant J.-C., il apprit que le temple d'Hercule-Melkart avait déjà 2 300 ans d'existence. On l'avait donc construit en 2750 avant notre ère. La ville elle-même était beaucoup plus ancienne. Qui peut dire quand le dieu Melkart commanda la première robe de pourpre pour sa bien-aimée, la nymphe Tyro ? Le tissage, la fabrication du verre, le travail des métaux et surtout la pourpre étaient les sources de la richesse de Tyr.

Les débuts du christianisme y remontent à l'époque de la vie de Jésus. Vers le milieu du Iᵉʳ siècle, on y trouve déjà une communauté chrétienne. Cinquante-sept ans après la naissance du Christ, Paul, de retour de son troisième voyage missionnaire, se promena dans les ruelles étroites de la ville. Le prophète Ezéchiel, qui s'élevait contre le culte païen des Phéniciens, prédit déjà la fin de la ville : « Comme tu es déserte, ville célèbre au bord de la mer, toi qui étais si puissante sur la mer avec tes habitants. Qu'y a-t-il de plus muet sur la mer que toi, ô Tyr ! » Ezéchiel savait sans doute ou avait le pressentiment que le port sud allait s'engloutir dans la mer : « J'enverrai une grande marée pour que les eaux te recouvrent. » Mais le récit d'Ezéchiel nous montre aussi combien les Phéniciens se sentaient fiers, inaccessibles, couverts de gloire dans leur ville de Tyr : « Je suis Dieu, pensaient-ils, je suis assis sur le trône de Dieu au milieu de la mer ! » Ezéchiel ajoute : « Tu es devenue riche et somptueuse... »

# LIBAN

Le peuple mystérieux des Phéniciens a mené une vie vraiment étrange!
Au début du III<sup>e</sup> siècle avant J.-C., 40 bateaux chargés de bois de cèdre
accostèrent en Égypte. C'était du bois des cèdres du Liban. Ils étaient
partis de Byblos. Les décorations murales du temple du pharaon Sahure
à Abousir nous montrent ce que rapporta, en l'an 2700 avant J.-C.,
une flotte de guerre retour d'une expédition en Phénicie. Des ours,
beaucoup d'autres animaux, des prisonniers et surtout une quantité
incalculable d'esclaves. Du temps du pharaon Thutmosis III, 1504
à 1450 avant J.-C., les grandes villes maritimes phéniciennes étaient,
comme si souvent au cours de leur histoire, de sages vassales. Tyr,
Sidon, Beyrouth, Byblos envoyaient du blé, de l'huile, de l'encens au
roi d'Égypte et mettaient à sa disposition des vaisseaux. Les « peuples
maritimes » assaillirent la Syrie entre 1200 et 750 avant J.-C., ce qui
entraîna beaucoup de destructions pour les villes au bord de la mer.
Sidon faillit être effacée. Plus tard, elles payèrent d'énormes tributs aux
rois assyriens. A Tyr, nous voyons le roi Hiram — à ne pas confondre
avec Ahiram de Byblos — agrandir la surface de la ville insulaire par
des apports de terre, construire de nouveaux temples dédiés à Melkart
et à Astaté, ériger une colonne d'or dans le sanctuaire de Baal. Ce
Hiram était, comme nous avons vu, l'ami du roi Salomon; il est probable
qu'il connut personnellement le roi David.

Les murs de Tyr ont vu se dérouler d'innombrables drames où alter-
naient l'espoir, le malheur, l'amour, ainsi que des régicides sans nombre.
Abdastartos, qui régnait de 918 à 910, fut assassiné. Les assassins
étaient les quatre fils de sa propre nourrice.

Les Phéniciens sont les descendants des Cananéens; ils appelèrent
leur pays « Canaan ». Cela, nous le savons. Mais nous ne savons pas
pourquoi ils se sentaient attirés par les horizons inconnus. Il se peut
qu'ils aient hérité de leurs prédécesseurs, les Crétois navigateurs, la
nostalgie des lointains, le désir des voyages à travers le monde. C'est
ainsi qu'ils se mirent en route pour atteindre Cadix, en Espagne. Dans
le delta du Guadalquivir se trouvait la ville de Tarschisch (Tartessos).
Les marchands tartessiens voyageaient jusqu'en Angleterre, jusqu'à
la Baltique. Tarschisch n'était probablement pas une ville phénicienne.
Mais les Israélites avaient dû entendre parler de cette ville par des
navigateurs phéniciens. C'est pourquoi on appelait les grandes galères
des « bateaux de Tarschisch ». Les bateaux que Salomon envoya avec
la collaboration du roi Hiran I de Tyr à Ophir, pays de l'or, avaient ce
nom bien qu'ils ne se rendissent nullement à Tarschisch. Les Phéniciens
fondèrent des colonies dans les îles de Thasos, Cythère, Melos, Rhodes,
Malte, Sicile, de même que sur la côte septentrionale d'Afrique. Leur

dernière colonie était Carthage, fondée en 814 avant J.-C. C'est là que la vie phénicienne, c'est-à-dire « punique », s'était maintenue à une époque où les villes-mères avaient sombré depuis longtemps dans l'Empire gréco-latin.

*Figurine en céramique rouge, haute de 14,5 cm, représentant un Phénicien habillé d'un pagne. Cette pièce, vieille de plus de 3 000 ans, a été découverte à Byblos par Maurice Dunand (photo Maurice Dunand.)*

Les Phéniciens avaient légué au monde de l'Antiquité la découverte de la pourpre. Les coquillages à pourpre étaient capturés à l'aide de filets aux mailles très fines. On y déposait des moules qui attiraient sous l'eau les mollusques. En retirant les filets de l'eau, on s'emparait des précieux coquillages. Les plus grands pesaient 340 grammes. On brisait les coquillages, extrayait les glandes à pourpre des mollusques, les salait et laissait cette masse au repos pendant trois jours. On la versait ensuite dans une bassine de plomb. Nous savons qu'on employait 26 litres d'eau pour 500 livres de pourpre. La bassine était chauffée par de la vapeur d'eau amenée d'une chaudière par un tuyau — 3 000 ans avant notre ère! Lorsque la pourpre était en ébullition, on enlevait avec une écumoire les parties de chair qui remontaient à la surface. Au bout de dix jours, le bouillon était clair. On passait de la laine dans un bain de mordançage. On la plongeait à titre d'essai dans le bain colorant. Si l'essai était concluant, on gardait la laine pendant cinq heures dans la solution pourprée. L'exposition au plein soleil augmentait l'éclat des tissus ainsi traités. Mais la teinture s'accompagnait d'une odeur nauséabonde. Le papyrus « Sallier 2 », qui date de l'époque de Ramsès II, nous relate le travail fort désagréable des teinturiers de pourpre. Nous y lisons : « Les mains des teinturiers sentent le poisson pourri, et l'homme finit par se détourner avec dégoût de tout tissu.» Au soleil, la pourpre prenait d'abord une teinte vert foncé, ensuite violette, parfois mauve ou pourpre. D'une manière générale, la pourpre était toujours violette dans l'Antiquité. Les Juifs qui apprirent l'art de la pourpre en Égypte sont passés maîtres dans la fabrication des vêtements de pourpre. Plus tard, le rideau devant leur sanctuaire sera un tapis de pourpre. La pourpre était utilisée pour le culte religieux. Les quatre couleurs liturgiques, blanc, violet, pourpre, écarlate, y ont leur origine. Des tissus de pourpre couvraient la table des offrandes et les objets sacrés. Les Égyptiens, qui faisaient venir la pourpre de la proche Phénicie, enveloppaient les momies des morts illustres dans des bandelettes de pourpre. Ils donnaient aussi à leurs morts des vêtements de pourpre. Ils se servaient même de cette couleur pour écrire sur du papyrus. Pour mieux conserver des objets vestimentaires, on mélangeait du miel avec de la pourpre. Les Lydiens payaient la pourpre avec son pesant d'argent. Clément d'Alexandrie, qui naquit 150 ans avant J.-C., raconte qu'une femme au bord du Nil paya 10 000 talents pour un vêtement de pourpre, alors qu'elle ne demandait que 1 000 drachmes attiques pour ses faveurs. Transposé en notre monnaie, cela signifie qu'elle paya une robe 900 francs alors que ses amants ne lui remettaient que 2 francs.

Tout passe en ce monde. Ainsi la pourpre authentique s'est également éteinte un jour. A l'époque de la conquête de Constantinople par les Mahométans en l'an 1453, la fabrication de la pourpre s'arrêta complètement. A-t-on le droit de découvrir le passé? On est saisi d'un sentiment étrange en lisant l'inscription gravée sur le sarcophage du roi sidonien Echmounazas : « Je conjure tous les rois et tous les hommes de ne pas ouvrir cette tombe pour y chercher des joyaux ; car il n'y en a pas auprès de moi. Qu'on ne prenne pas mon lit de repos pour le transporter ailleurs ! Je conjure les rois et les hommes de ne pas me découvrir, de ne pas me dénuder. »

Le sarcophage est vide. Tout le monde peut l'admirer à Paris, au Musée du Louvre. Pendant un bon moment, je suis resté devant cette relique du passé et j'ai médité...

# AFRIQUE DU NORD

# Carthage
# au bord de la mer
# était une ville puissante

*C'est à Carthage que vivait un peuple de navigateurs qui aimait la vie et qui détestait la guerre. Carthage était le New York de l'Antiquité, la forteresse maritime la plus étonnante de la côte africaine.*

*« Je décrirai la plus étrange de toutes les guerres, la guerre que les Carthaginois faisaient sous le commandement d'Annibal au peuple romain. Jamais des nations et des peuples plus puissants n'avaient croisé les armes. La fortune de la guerre était tellement changeante que les vainqueurs se trouvaient en plus grand danger. Ils luttèrent avec plus d'acharnement que de force ; les Romains indignés de ce qu'ils avaient été attaqués en tant que vainqueurs par les vaincus ; les Carthaginois, parce qu'ils croyaient avoir été traités en vaincus par des maîtres outrecuidants et rapaces... »* (Tite-Live, *Histoire Romaine*, 21, 1.)

L'ANTIQUITÉ a connu peu de villes plus riches que Carthage et qui aient pris une fin aussi tragique! En effet, les aristocrates de la mer vivaient dans des maisons de six étages, buvant les meilleurs vins grecs, envoyant leurs bateaux dans le monde entier, décidés qu'ils étaient à ne jamais prendre les armes.

Carthage est une fondation phénicienne : les Phéniciens étaient, comme nous savons, de race sémitique, descendants de la branche cananéenne. Partant de Tyr, les Phéniciens se répandirent à l'ouest, fondant des colonies, établissant des comptoirs commerciaux et des villes, jusqu'à Gibraltar, et — plus loin que Gibraltar — jusqu'à « Gadir » que les Romains appelaient « Gades », le « Cadiz » moderne (Cadix) sur la côte atlantique espagnole. En langue phénicienne, Carthage se disait « Kart-Hadatch », « ville nouvelle ». On peut supposer

*On peut admirer au musée de Tunis de telles œuvres d'art en céramique : visages rappelant une ville mystérieuse, qui était la plus grande métropole commerciale de l'Antiquité (photo Rauchewetter).*

que Carthage était aux yeux des Tyriens la fondation la plus importante, le « nouveau Tyr ».

Carthage aurait été fondée 38 ans avant la première Olympiade, donc en 814 avant J.-C. L'histoire de la fondation de la ville est considérée la plupart du temps comme une simple légende, mais nous savons aujourd'hui que de telles légendes cachent toujours un noyau de vérité historique. Timée, qui vécut de 356 à 260 avant J.-C. environ, a écrit une Histoire en 38 livres qui contient quelques précisions sur la fondation de cette ville. Nous trouvons d'autres détails chez le premier et plus célèbre poète du temps d'Auguste, Publius Virgilius Maro (Virgile), qui travailla onze ans, jusqu'à sa mort, à son poème, l'*Enéide*, épopée nationale romaine qui chante les voyages d'Enée.

Elissa était la fille du roi de Tyr. Son époux Sychée fut assassiné par son frère Pygmalion. Pygmalion se proclama roi de Tyr. Elissa dut s'enfuir. Un certain nombre de Tyriens quittèrent la ville avec elle; c'étaient les adversaires de Pygmalion. Les fugitifs débarquèrent d'abord en Chypre. Parmi eux se trouvait également un grand prêtre de la déesse Astarté. Il avait demandé que sa famille fournît les prêtres dans chaque nouvelle fondation. Quatre-vingts jeunes filles étaient également venues qui devaient se mettre au service des voyageurs et des étrangers dans les temples d'Astarté. Les réfugiés fondèrent donc la ville de Carthage sur la côte nord-africaine, là où celle-ci s'avance vers l'île de Sicile. Pour s'emparer du territoire de manière pacifique, ils payèrent un loyer à la population autochtone. Le roi de Libye essaya d'épouser par la force Elissa. Elissa fit alors ériger un bûcher comme pour préparer un sacrifice et se précipita dans les flammes. A Carthage on donna à Elissa le nom de « Didon ». Dans le poème de Virgile, Enée fait naufrage près de la côte libyenne et est transporté au palais de Didon. Elle tombe amoureuse de lui. Lorsque Enée la quitte, elle se suicide dans les flammes.

L'histoire d'Elissa est en même temps l'histoire de Carthage. Nous voyons sa fondation, ses jours de bonheur, sa destruction par le feu. Les Carthaginois, que les Romains appelaient « Poeni », avaient perdu dans trois guerres « puniques » — entre 264 et 146 — leur suprématie sur la Méditerranée. A la fin, leur ville fut complètement détruite. Pourtant Annibal, fils de Carthage, était avec Alexandre le Grand, César et Napoléon l'un des chefs d'armée les plus géniaux de l'histoire de l'humanité. Il était sans doute l'adversaire le plus dangereux que les Romains aient eu — et en même temps leur maître en matière stratégique.

*Petites sculptures en verre coulé polychrome, qui avaient peut-être une destination cultuelle ( Musée des « Pères Blancs » de Carthage) (photo Rauchewetter).*

Carthage était située à 10 km à peine de la ville moderne de Tunis. Un peu en retrait, se trouve la colline de Byrsa. Sur sa hauteur avait été construit un temple dédié au dieu carthaginois Echmoun. Les Carthaginois avaient élevé un mur autour de la colline : ainsi, la colline du sanctuaire était une citadelle. Aujourd'hui on y trouve le monastère français des Pères Blancs et la cathédrale Saint-Louis. Ce n'est pas par hasard que l'endroit le plus riche du monde antique a donné son nom aux bourses de toutes nos villes. Le mot actuel de « Bourse » dérive, en effet, du nom de la colline carthaginoise de « Byrsa ».

La ville de Carthage avait deux ports, un port carré et un port rond. Ces deux ports étaient reliés entre eux, un seul accès permettait de rejoindre la haute mer. Le port extérieur était réservé aux bateaux marchands, le port intérieur, de forme circulaire, servait aux vaisseaux de guerre. Au milieu du port intérieur, il y avait une île où se trouvait le quartier général de la marine, 220 bateaux de guerre pouvaient y jeter l'ancre. Il y avait des arsenaux, des chantiers navals, des quais, des entrepôts. En cas de besoin on verrouillait la seule sortie à l'aide de chaînes. La ville entière était protégée par des murailles d'une longueur totale de 35 kilomètres.

Ce lieu fortifié qu'était Carthage permettait de dominer toute la côte africaine d'Égypte jusqu'à Gibraltar, des galères à cinq rangs de rameurs en partaient vers l'Espagne, la Sardaigne, la Corse; on maintenait toujours le contact avec la cité mère de Tyr. Les bateaux de Carthage s'avançaient loin dans l'océan Atlantique. Il est probable qu'ils ont poussé jusqu'en Bretagne en passant par Cadix. Ils ont sans doute abordé également les Açores.

C'est ainsi que Carthage s'enrichissait, car cette flotte immense ne servait qu'à faire du commerce. Les commerçants avisés de Byrsa exigeaient des pays étrangers qu'ils échangeassent des marchandises seulement avec eux mais non avec les colonies de Carthage. Les bateaux qui ne se conformaient pas à cette loi étaient sans pitié arraisonnés ou coulés.

Carthage faisait surtout le commerce des denrées alimentaires en provenance du riche hinterland africain. Des métaux précieux, de l'étain, du cuivre, de l'argent étaient importés d'Espagne et d'Angleterre et transbordés à Carthage. Les commerçants carthaginois vendaient des textiles, des fourrures et des milliers d'esclaves dans le monde entier. C'est ainsi que les caisses des comptoirs de cette ville miracle se remplissaient : tel un New York de l'Antiquité, elle travaillait sans arrêt en mettant sans cesse au point de nouvelles méthodes commerciales. On exposait sur les marchés de Carthage de l'or, des perles, des pourpres tyriennes, de l'ivoire, de l'encens d'Arabie, du lin d'Egypte, de beaux vases de Grèce. Il devait y avoir également des ateliers et des usines. Les premières sociétés par actions virent le jour à Carthage. C'est là aussi qu'on inventa les premières pièces de monnaie, les premiers emprunts d'État, c'est là qu'on construisait des machines et la première artillerie du monde. Il y avait des blockhaus souterrains avec des parcs pour 300 éléphants de guerre! Carthage fournissait à Rome, à Athènes, en Espagne et jusqu'au Bosphore les esclaves noirs africains les plus vigoureux et les plus belles filles brunes. Il y avait dans la ville des aristocrates qui possédaient jusqu'à 20 000 esclaves. On avait établi à Carthage une constitution qui participait de la monarchie, de l'aristocratie, de la démocratie : un système qui convenait bien au monde de ce temps mais qui recelait peut-être les germes de la catastrophe finale. A la tête de l'État, il y avait deux hommes à qui les Romains donnaient le nom de « suffetes », du terme sémitique « shopet ». Dans la Bible, le mot est traduit par « Juge ». Ces deux chefs de la ville régnaient avec un parlement de 300 membres choisis pour la vie parmi les hommes

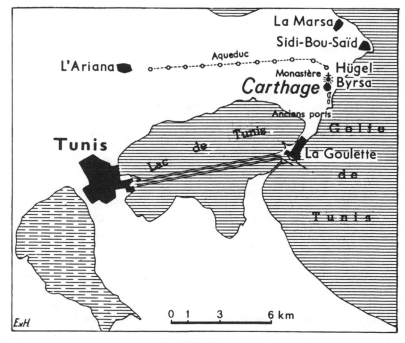

*Tunis-Carthage.*

les plus riches de l'État. De plus, il y avait un « Conseil de 100 Juges ». En réalité, il y en avait 104 qui prenaient des décisions d'ordre juridique et parfois politique.

Les affaires militaires étaient confiées à un chef suprême de l'armée. L'aristocratie financière de la ville avait imaginé une solution, sur le plan militaire, qui paraissait très astucieuse mais qui comportait aussi de très grands dangers. Le chef suprême de l'armée était obligé de gagner toutes les guerres. Si une expédition échouait, il était mis en accusation et crucifié, le cas échéant. Les fils des riches Carthaginois ne songeaient pas à se faire soldats. D'une manière générale, chaque Carthaginois était fier de ne pas participer aux campagnes. On entretenait, en revanche, en permanence une grande armée de mercenaires. On engageait des soldats venus des quatre coins du monde.

On ne connaît pas avec précision le nombre d'habitants de la ville de Carthage au moment de son plus grand rayonnement. Le géographe grec Strabon cite le chiffre de 700 000. En tenant compte des étrangers et des esclaves vivant dans la ville, il ne semble pas trop élevé. On peut se faire une idée de la vie dans cette cité en étudiant soigneusement les sources anciennes. On avait construit des temples grandioses en marbre, il y avait sous le soleil d'Afrique des colonnes d'or et d'argent, des statues et des statuettes : la déesse Tanit y était vénérée avec un grand éclat. Dans son sanctuaire que les archéologues ont mis à jour, on a découvert des milliers d'urnes remplies d'ossements brûlés d'enfants. Car à Carthage on sacrifiait des enfants, probablement des garçons issus des familles de la haute noblesse. Diodore nous parle d'un sacrifice qui avait coûté la vie à 500 enfants. Cela se passa en l'an 310 avant J.-C. La déesse Tanit était considérée comme plus puissante que Baal bien que les généraux fissent de Baal une partie de leur nom. Ainsi Astrubal veut dire « Baal est mon secours » et Annibal « favorisé par Baal ».

Les trois guerres puniques qui s'étendirent sur un espace de 119 ans étaient, à l'échelle de cette époque, des conflits mondiaux. Quand Annibal essuya sa première défaite à Zama, quand Carthage dut payer à Rome la somme fantastique de 10 000 talents, quand les aristocrates jurèrent dans leurs gratte-ciel de ne plus jamais faire la guerre sans l'accord préalable de Rome, la fin d'une des puissances maritimes les plus étonnantes du monde était virtuellement arrivée. Rome attendit encore 50 ans. Ensuite, elle détruisit la ville, maison par maison, temple par temple, terrasse par terrasse, tout fut brûlé, incendié, démoli, rasé. Les murs tombèrent, les quais furent disloqués, les phares bousculés, les survivants vendus comme esclaves.

Est-ce que les Carthaginois étaient des lâches ? Ce peuple sémitique d'origine phénicienne s'était risqué sur toutes les mers, ce qu'aucun peuple n'avait fait avant lui. On s'aventurait dans des pays inconnus, sur des mers dangereuses ; seuls des hommes courageux pouvaient venir à bout de telles conquêtes. Les Carthaginois n'étaient pas des artistes, ni des poètes. Ils ne succombaient jamais à la civilisation grecque ou latine, ni au style de vie despotique de l'Orient. Ils défendirent leur ville et leur genre de vie rue par rue, avec le seul rempart de leurs poitrines.

Ce qu'ils défendaient. c'était une métropole au bord de la mer comme le monde n'en avait jamais vu auparavant.

*Pierre tombale punique d'une grande beauté. Quelques historiens pensent que les Carthaginois ne croyaient pas à la survie de l'âme après la mort. Quand on regarde attentivement cette sculpture, on se rend bien compte que le créateur d'une telle œuvre d'art croyait dans la survie en l'autre monde (photo Rauchewetter).*

EUROPE OCCIDENTALE

# Les pierres
# silencieuses
# de Malte

*Il y a 5 000 ans, la petite île méditerranéenne de Malte connut
une riche civilisation dont les secrets n'ont jamais pu être élucidés.
C'est là qu'on a construit les plus grands monuments d'Europe faits
d'un seul bloc de pierre.*

*« Bien que le niveau artistique d'un peuple n'égale pas toujours
ses acquisitions morales et civiques, on peut néanmoins supposer que
la population néolithique des îles maltaises possédât à côté de ses
performances artistiques un système religieux raffiné tel qu'on le rencontre en général seulement chez les générations ultérieures. »* ( Sir
Themistocles Zammit, *Prehistoric Malta*, Londres, 1930, p. 16. )

L ES PAYSANS de Malte ont horreur des pierres. Car l'île est petite.
Il n'y a guère d'endroit sur terre où tant de gens s'entassent sur
un territoire aussi étroit. Les villes, les faubourgs, les villages se
confondent, grouillant de monde. Les pierres gênent l'avance de la
charrue. Elles sont tellement volumineuses qu'elles rognent les terres
fertiles des Maltais. Ces pierres cachent également le plus grand mystère de l'île...

Cette île a 27 kilomètres de long et 14 kilomètres de large; elle abrite
les meilleurs paysans et planteurs de la région méditerranéenne;
on y trouve d'innombrables champs minuscules entourés de basses
murailles de pierre, on y trouve les plus belles chèvres, les plus beaux
ânes, le meilleur miel d'Europe. L'archipel de Malte — les îles de Malte,
de Gozo, de Comino, de Filfla — est le vestige d'une langue de terre qui
reliait autrefois l'Afrique à l'Italie. C'est pourquoi on y a trouvé les
squelettes d'éléphants d'une race depuis longtemps éteinte, des fossiles
d'hippopotames et de nombreuses espèces de cerfs. Il est possible que

les hommes y vécussent depuis plus de 100 000 ans. Car on a trouvé à dix kilomètres de la capitale de l'île, La Valette, dans « l'antre de la nuit » : Ghar Dalam, huit dents humaines ensemble avec les fossiles d'un hippopotame de race aujourd'hui éteinte. L'anthropologue Arthur Keith suppose que deux de ces dents proviennent de l'homme de Neanderthal qui pratiquait la chasse il y a 130 000 à 30 000 ans. Il est néanmoins téméraire d'attribuer ces dents à l'homme de Neanderthal puisque rien ne permet de le prouver avec certitude. Pour vraiment bien dater ce genre de découvertes, il faut s'appuyer sur les outils accompagnant de tels fossiles. Mais on n'a trouvé aucune trace de civilisation paléolithique. Ainsi, ces dents appartiennent peut-être au néolithique précéramique.

Il est toutefois possible que les habitants de ces îles aient vécu de nombreuses époques du paléolithique, bien que nous ne disposions pas de preuves remontant à l'an 30 000 ou à l'an 130 000. Ils ont dû assister à une catastrophe épouvantable le jour où la langue de terre qui les reliait au continent s'est effondrée. Car si la séparation de Malte s'était produite progressivement, pendant des millions d'années, la plupart des animaux se seraient probablement réfugiés en Sicile ou en Afrique. Malte est l'île où s'échoua le bateau qui devait mener à Rome l'apôtre Paul. « Une fois sauvés, nous apprîmes que l'île s'appelait Malte », nous racontent les Actes des Apôtres. On commémore encore aujourd'hui avec grand éclat le jour où saint Paul aborda dans l'île.

On ne trouve nulle part autant de monuments de la plus haute antiquité que dans cette petite île méditerranéenne. Dans le cours des millénaires, l'homme y a mis au point une architecture qui confine au miracle. Chaque mètre carré de sol arable est très précieux dans cette île dont la population est la plus dense de la terre. C'est pourquoi les paysans se sont appliqués depuis des millénaires à la débarrasser des pierres et des monuments de pierre. Il n'en reste pas moins un véritable paradis pour les archéologues. En examinant de plus près cette terre étrange, on traverse, en esprit, des époques vieilles de 4 000 ou de 5 000 ans pendant lesquelles les hommes maniaient les pierres comme feraient des titans...

Un « mégalithe » est une grande pierre, une « construction mégalithique » est un ensemble architectural composé d'énormes blocs de pierre. Nous ne saurons jamais avec précision pourquoi les hommes de l'Antiquité se sont mis à ériger, dans les temps préhistoriques, d'immenses mégalithes, car, les maîtres d'œuvre étant morts depuis longtemps, nous ne savons même pas à quelle race ils appartenaient. Essayons cependant d'approfondir ce mystère.

Le 20 juillet 1915, Thémistocle Zammit commença à explorer des mégalithes près du village de Tarxien, à trois kilomètres au nord de La Valette. Deux années plus tard, on avait mis à jour les vestiges de l'époque la plus rayonnante de ces habitants inconnus. Quand on regarde d'un œil superficiel ces énormes amas de pierres, on a de la peine à y reconnaître un plan organisé. Et pourtant, chaque pierre y fut déposée à bon escient. Deux chambres de forme ovale sont toujours disposées de façon que leurs axes suivent des lignes parallèles. Ces chambres sont reliées au milieu par un couloir. Pour mieux se représenter le plan d'une telle construction, il suffit de considérer deux D majuscules accolés l'un à l'autre par le côté droit : ᗡD. La porte d'entrée mène dans le couloir qui relie les deux chambres ovales. Les parois sont faites d'énormes dalles de pierre, le sol, de même. Le tout étant entouré d'une muraille extérieure.

Pendant des lustres, on s'imaginait que ces chambres ovales avaient été construites par les Phéniciens. En effet, les Phéniciens abordèrent dans l'île vers 1660 avant J.-C. et y fondèrent une colonie qu'ils perdirent en 736 environ au bénéfice des Grecs. Mais les mégalithes de Malte remontent à des temps bien plus reculés.

Les archéologues se sont demandés si les constructions mégalithiques représentent des habitations, des palais, des monuments funéraires, des sanctuaires. Dans toutes les constructions, on a trouvé des installations qui indiquaient un usage culturel. Le grand couloir central conduisait presque toujours à une niche située au fond. Cette niche semble avoir été le lieu le plus important de toute la bâtisse, comparable à l'abside de nos cathédrales. Des niches de moindres dimensions, des tables de pierre, des récipients pour os d'animaux indiquaient un usage cultuel. Certains monolithes ont pu servir d'autels. On a trouvé des dalles de pierre préparées pour recueillir de l'eau ou pour faire office de foyer. Sous quelques blocs de pierre, on a découvert des débris de récipients, des outils en pierre ou en os, des moules, des cailloux soigneusement amassés de main d'homme avant l'érection des mégalithes à destination cultuelle. Tout cela semble prouver que les constructions ovales n'étaient ni des habitations ni des palais, mais des sanctuaires. L'homme a toujours agi sous l'impulsion de motifs religieux quand il s'agissait d'édifier les plus beaux monuments de la terre, de briller en tant que créateur et artiste. C'est ainsi que les puissants mégalithes étaient destinés au culte des dieux.

On a mis à jour dans la région de Hal-Tarxien la partie inférieure d'une statue représentant une femme. Elle se tenait assise sur un bloc de pierre orné de reliefs et était de dimensions énormes. On a découvert de même quantité de statuettes en argile et en pierre, la plupart représentant des femmes, qui avaient eu également, selon toute vraisemblance, une signification religieuse. Nous savons par ailleurs que les hommes préhistoriques de l'âge de la pierre vénéraient, dans l'île de Malte, une divinité féminine. Le directeur du Museum de La Valette, le professeur Zammit, a établi, grâce à de vastes recherches, qu'on rendait des oracles dans les sanctuaires de Malte. Pour arriver à de telles conclusions, il faut avoir une connaissance approfondie des sanctuaires similaires dans le bassin méditerranéen.

*Art tarxien, déesse de la prospérité et de la fertilité, provenant du temple Hagan Kim (40 cm), 3000 ou 3500 av. J.-C. (photo Roger-Viollet).*

A l'intérieur de plusieurs temples, on a trouvé encastrés dans le sol des blocs de pierre carrés de 3,5 sur 2,5 m environ. Les blocs étaient entourés de murs sur les trois côtés et encadrés d'une dalle de pierre. Dans le bloc se trouvaient cinq trous, dans le coin droit de la dalle on avait aménagé un sixième trou. Devant la dalle se dresse un récipient en forme de tonneau, creusé dans le sens de la longueur. Zammit s'efforça d'expliquer ces objets étranges. On a peut-être conservé dans les trous de la farine ou du pain destinés à l'usage du temple. Il est possible aussi que ce bloc ne fût pas sans rapport avec les innombrables billes de pierre que l'on a trouvées quelques mètres plus loin. On peut donc se demander si nous n'avons pas affaire à un oracle. Les billes de pierre étaient peut-être jetées, d'une certaine distance, dans les trous. Leur répartition dans les trous constituant l'oracle.

D'étranges chambres en dalles de pierre, trouvées non seulement à Tarxien, mais également à Hagiar Kim, à Mnaidra, à Gigantija, des niches et des fenêtres permettent de supposer que les sanctuaires mégalithiques servaient à des rites sacrificiels.

Il est intéressant de noter que toutes les dalles de pierre n'avaient été travaillées qu'avec des outils de pierre. La fonte du cuivre avait été inventée en Mésopotamie, sur les rives de l'Euphrate et du Tigre, au IVe millénaire avant J.-C. En supposant qu'elle se répandit vers 3000 avant J.-C., en Afrique du Nord et en Sicile, on peut s'étonner que les créateurs des constructions mégalithiques de Malte n'aient pas utilisé ce métal. Leur époque, le Néolithique, dura de 4000 à 2000 environ avant J.-C. Alors qu'on connaissait déjà la fonte du cuivre et du bronze, on n'admettait aucun métal et aucun contact avec des métaux dans la construction de ces monuments. Nous ignorons s'il y avait, à la base, des raisons d'ordre religieux. Une telle interprétation est possible et même vraisemblable.

On n'a pas trouvé de squelettes humains dans les constructions mégalithiques, mais des ossements d'animaux domestiques, et plus spécialement de bœufs et de moutons. Le professeur Zammit estime qu'il s'agit des restes d'animaux offerts en holocauste. Sur les blocs de pierre, on a représenté une grande quantité de chèvres, également des victimes.

En 1902, on a découvert près des ruines de Tarxien, à proximité de Hal-Saflieni, l' « Hypogée » que le public peut visiter depuis 1907. Comme le nom latin « hypogeum » dérivé du grec « hypogeion » l'indique, il s'agit d'une petite construction souterraine. Ce sont des excavations, des couloirs, des petites chambres taillées dans le roc. Certaines constructions s'appuient contre le roc. Pour mettre à jour l'Hypogée, il a fallu creuser un puits de 10 mètres de profondeur, à l'aide duquel on a pu évacuer la terre de ces « catacombes » d'origine mystérieuse. Plus tard, on y a installé la lumière électrique, ce qui permet aujourd'hui de les visiter sans difficulté.

Primitivement, l'Hypogée a dû être un sanctuaire. On peut tirer cette conclusion du fait qu'on a trouvé au plafond d'une de ces grottes des

*Paola, « Chapelle des prêtres » taillée dans le rocher il y a 3000 ans (photo Roger-Viollet).*

spirales peintes en ocre — symbole cultuel bien connu de la préhistoire. L'explorateur italien Luigi Ugolini tient cette chambre pour un lieu d'oracle. Lorsqu'on parle d'une voix grave contre une des niches creusées dans le roc, l'écho renvoie les paroles de paroi à paroi, si bien qu'on les perçoit partout dans la grotte. C'est là un véritable prodige.

L'Hypogée de Hal-Saflieni et les temples de Tarxien sont plus anciens que tous les oracles connus à ce jour. C'est là l'avis de l'archéologue Zammit. « Ils ont rempli les visiteurs d'un sentiment religieux et les ont sensibilisés pour le mystère et la puissance des esprits invisibles. Les grottes de Hal-Saflieni et les temples de Tarxien ont peut-être attiré les hommes de tous les coins du monde qui croyaient à la puissance de cet oracle. »

A la fin de l'âge de la pierre, l'Hypogée était utilisé comme crypte mortuaire. Les chambres disposées en deux étages étaient remplies de terreau rouge. On y a trouvé 7 000 squelettes humains. La plupart de

CIVILISATIONS MYSTÉRIEUSES

ces morts n'avaient pas été enterrés tout de suite en ce lieu. On les a très probablement inhumés d'abord ailleurs et transportés par la suite à l'Hypogée. Ceci ressort du fait qu'on n'a presque pas trouvé d'os longs. L'usage d'enterrer les morts quelque part et de recueillir les restes après leur décomposition a été constaté dans plusieurs pays méditerranéens.

On a également trouvé dans l'Hypogée des fragments de statuettes et de récipients. Des statues d'argile portent des vêtements en forme de cloche pliés de façon curieuse. L'une de ces femmes est couchée sur le ventre dans un lit, l'autre dort sur le côté. Cette femme corpulente est une des plus belles sculptures de l'époque néolithique. Les sculpteurs de Malte qui vécurent 4 000 ou 5 000 ans avant notre ère dépassaient dans le domaine des arts plastiques tous les autres artistes de l'Occident méditerranéen.

La disposition générale de l'Hypogée, le creusement des chambres et des voûtes sont des réalisations tout à fait remarquables. Les hommes qui ont pu mettre en œuvre des travaux de ce genre formaient, sans doute possible, des communautés supérieurement organisées et d'un haut niveau culturel. Autrement, de telles œuvres eussent été impossibles!

On sait qu'on sacrifiait des animaux à Dieu ou à plusieurs dieux. On sait également qu'on les tuait et les brûlait devant une image taillée dans la pierre. On a reconstitué des rites prophétiques compliqués en interprétant le langage muet des pierres; les chambres et les figurines de Hal-Saflieni ont même permis d'établir qu'on y interprétait des rêves d'origine divine. Nous avons là un exemple d'un niveau spirituel élevé, d'un système compliqué de pratique religieuse! L'Europe ne se familiarisa avec ces cultes raffinés qu'à l'âge du bronze. Les îles maltaises nous fournissent l'exemple le plus intéressant de la recherche spirituelle à une époque qui ignorait encore l'usage des métaux. On a trouvé des montagnes de récipients néolithiques au sanctuaire de Mnaidra, qui se compose de deux bâtisses puissantes de forme ovale. Ce miracle de pierre ressemble, vu du ciel, à quelque jouet de géant que l'on aurait renversé. Il n'a jamais livré tous ses secrets!

On a la même impression quand on regarde la « Gigantea » : ce sont les ruines de deux temples autrefois puissants construits sur l'île de Gozo. Les blocs de pierre et les dalles y furent apportés d'une distance de plusieurs kilomètres, puisque ce matériau n'existait pas dans le voisinage. Plusieurs blocs de la « Gigantea » ont 5 m de haut, près de 8 m de long et 4 m de large!

La taille de quelques colonnes monolithiques et de quelques dalles de pierre dans les ruines de Hajar Kim (ce qui signifie d'ailleurs « pierres dressées ») est tout à fait étonnante. L'une des colonnes a plus de 5 m de haut. L'une des dalles, d'une épaisseur de 65 cm, mesure 3 m de haut et 7 m de long. Il serait impossible à l'heure actuelle, malgré tous les moyens techniques modernes, de transporter une telle charge sur un wagon de chemin de fer. On ne peut s'expliquer pareille performance il y a plus de 5 000 ans qu'en supposant que de nombreux ouvriers se sont attelés à la tâche pendant plusieurs années en s'aidant de leviers, de boules de pierre, de rouleaux en troncs d'arbre.

Sont aussi témoins de ces efforts, de ces grands travaux des Maltais préhistoriques, les profondes ornières de « chariots » qui sillonnent en lignes sinueuses, sur des kilomètres, le sol calcaire. Ces ornières nous content les travaux gigantesques d'une grande population, les transports de lourds matériaux, peut-être même l'histoire des premières roues de pierre, les cahots, au long des siècles, des boules de pierre. Car on a découvert, dans les ruines mégalithiques de Malte, de grandes boules de pierre qui ont probablement servi au transport de matériaux particulièrement pondéreux.

Il est très intéressant de constater que les créateurs de ces monuments géants connaissaient certainement l'art de la navigation. La civilisation néolithique de Malte a dû entretenir des relations suivies avec tous les horizons du monde d'alors. Ceci ressort du fait qu'on a trouvé dans l'île, et datant de ces temps reculés, certains objets en obsidienne, amphibole et nephrite, minéraux qu'on ne rencontre pas à Malte. L'ivoire a très probablement été importé également, puisque l'espèce d'éléphants d'où provient cet ivoire était éteinte depuis longtemps quand les architectes construisent leurs monuments.

La civilisation mégalithique florissait à Malte à une époque où partout ailleurs dans le bassin méditerranéen on connaissait depuis longtemps l'usage des métaux. A la fin, une population nouvelle s'empara de l'île et les sanctuaires mégalithiques tombèrent en ruine. Ce peuple qui a su entasser d'énormes blocs de rochers n'a pas laissé de textes écrits, de tradition orale, de sculptures ou peintures représentant des portraits. La forme des crânes et des ossements retrouvés ne permet aucune déduction quant à l'aspect et à la race de ces hommes.

Partout c'est donc le règne du silence. Des milliers d'individus ont entassé des rochers grâce à des travaux et à des souffrances sans fin. Les hommes de Malte n'eurent qu'un seul but, il y a cinq mille ans : construire des sanctuaires pour l'éternité. Mais quelle fut la signification de ces ouvrages ? Quelle langue parlaient ces hommes ? Quels étaient leurs dieux ?

Les pierres seules le savent!

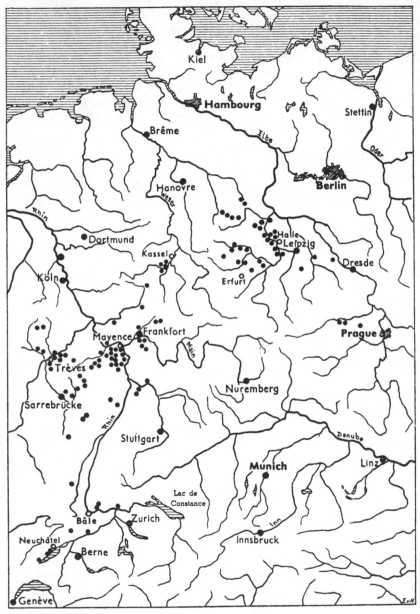

*Les points noirs indiquent les endroits où se trouvent les menhirs allemands.*

# Leur foi
# déplaçait
# des montagnes

*On a dénombré, dans le nord et à l'ouest de l'Europe, 40 000 à 50 000 tombeaux mégalithiques. Deux cents cromlechs ont été trouvés dans les seules îles Britanniques Il est possible aujourd'hui de percer le mystère de ces monuments géants. On a même expliqué la destination de ces grandes pierres dressées de main d'homme que nous appelons « menhirs ».*

*« Avebury et Stonehenge comptent parmi les constructions Préhistoriques les plus étonnantes non seulement des seules îles Britanniques mais du monde entier. On peut les comparer à juste titre à des cathédrales. »* (V. Gordon Chile, *Prehistoric Communities of the British Isles*, London, 1949, p. 101.)

S I TU te promènes sur une colline couverte d'herbe, de broussaille, d'arbres et que tu aies le sentiment que cette élévation est l'œuvre d'hommes, arrête-toi! Car il est possible que l'homme préhistorique ait érigé un tombeau géant sous cette colline. « Mégas » veut dire « grand », « lithos « veut dire « pierre » en grec. Un mégalithe est donc une « grande pierre ». Les hommes utilisèrent d'énormes pierres non taillées pour construire, entre 3000 et 1500 avant J.-C., des monuments dont l'existence était connue de tout temps, mais dont la signification est restée mystérieuse durant des millénaires. Ces monuments étaient parfois quelques grandes pierres couvertes d'une grande dalle : ce type de tombeau s'appelle « dolmen ». Ailleurs, on trouve des chambres mortuaires, des pierres érigées en cercle ou en allée. Ailleurs encore, on dressait des pierres isolées. Ce sont les « menhirs », bien connus, qui datent de 4 000 ans. Le mot menhir dérive du celte « maen » « pierre » et « hir » « long ». Ces blocs isolés s'appellent aussi « llech » du mot breton et gaélique pour « pierre ». Tous ces monuments, les pierres

*De tels vestiges de tombeaux mégalithiques se rencontrent par milliers dans les plaines et les collines du Portugal (photo Archives).*

isolées et les cromlechs, la pensée qui les a créés et les travaux gigantesques nécessaires à sa matérialisation, tout cela constitue ce qu'on appelle la « civilisation mégalithique ». Son mystère embrasse le monde entier : qu'y a-t-il de plus intéressant que de pénétrer la pensée d'hommes qui rêvèrent de s'emparer de l'éternité en érigeant les monolithes ? Les traces de cette civilisation mystérieuse s'étendent de la Norvège, du Danemark, de la Suède méridionale en passant par l'Irlande, l'Angleterre, le nord-ouest de l'Allemagne, la Bretagne française, l'Espagne, le Portugal, jusqu'aux îles de la Méditerranée occidentale sous la forme de tombeaux de géants, de groupes de monolithes, de cromlechs, de chemins bordés de blocs de grès, de monuments faits de fragments de rochers, destinés à braver les temps. En Europe occidentale, il y a de 40 000 à 50 000 monuments monolithiques. On a essayé d'expliquer pourquoi on rencontre ces monuments sur le littoral ou à l'intérieur du pays, mais toujours à proximité de la mer. La raison en est peut-être le fait que les régions maritimes ont toujours eu une certaine avance sur le plan culturel. La mer et la navigation ont toujours été les éducatrices de choix de l'humanité. Les mers ont activé les énergies des hommes, elles leur ont donné l'esprit d'invention, elles ont permis de promouvoir les échanges spirituels et intellectuels avec les peuples étrangers. Il n'est donc pas étonnant que les plus évoluées aient pris naissance dans le bassin méditerranéen, que l'alphabet ait été découvert sur la côte orientale de la Méditerranée, que l'architecture y ait ses origines, que les grandes religions soient issues de ces régions. Sur les vastes continents, les grandes civilisations se sont développées bien plus tard que dans les régions maritimes d'Amérique centrale, que sur les côtes de la Chine, qu'en Grèce, qu'en Italie, qu'en Espagne, que dans les îles de la Méditerranée. Dans les pays de la mer Égée, l'homme apprit à tailler les rochers, à les entasser par couches, à bâtir des tombeaux en forme de coupoles. Dans les autres régions, dans les pays de la Méditerranée occidentale et de l'océan Atlantique on construisait des chambres mortuaires à l'aide de blocs de pierre ramassés dans les champs, on dressait des menhirs à une époque où on savait déjà tailler des pierres à bâtir entre l'Euphrate et le Tigre, en Syrie et en Egypte.

Les monuments les plus anciens faits par les hommes de l'Europe préhistorique nous frappent par les dimensions gigantesques des matériaux mis en œuvre. A proximité de Carnac et du village de Locmariaquer, tous deux dans le département du Morbihan, se trouvent les réalisations mégalithiques les plus intéressantes de France et probablement du monde. C'est là qu'on rencontre les plus beaux monuments de pierre qu'on ait découverts à ce jour.

◄ « *Tholos da Fariosa* » : *ce tombeau fut découvert à l'ouest de la Péninsule ibérique. On distingue très nettement l'entrée (au fond, au milieu) (photo Archives).*

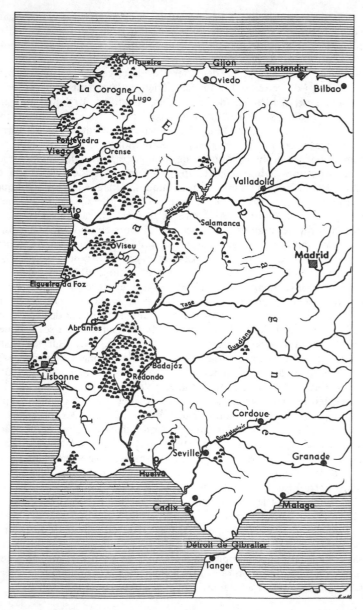

*Tombeaux mégalithiques dans la partie occidentale de la presqu'île Ibérique.*

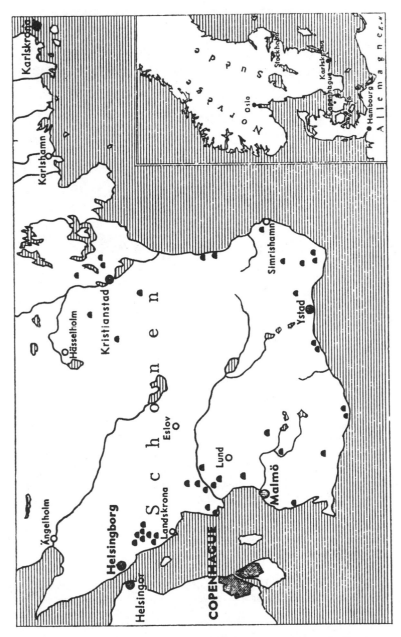

*Constructions mégalithiques découvertes dans la province de Scanie, en Suède méridionale.*

*Les alignements de Kermaria en Bretagne (photo Centre Culturel de France).*

La disposition des mégalithes, les trois séries d'alignements comportant 2 935 menhirs qui s'étendent sur 4 kilomètres, les galeries couvertes avec leurs parois parallèles, les plans et le choix des pierres, tout indique une civilisation ancienne d'un très haut niveau. L'archéologue Z. Le Rouzic pense que les alignements sont des lieux de culte, sorte de temples de plein air, alors que le cromlech de Ménéac constitue le sanctuaire principal. Les cromlechs sont des mégalithes disposés en cercles ou en carrés. Il est possible que les alignements jalonnaient les itinéraires des convois funéraires. Ce qui fait supposer qu'il y a un lien entre le culte des morts et les alignements est le fait que ceux-ci conduisent généralement vers un endroit entouré d'un cercle de pierre, près d'un monument mortuaire géant.

Les recherches du commandant Devoir ont montré que l'orientation des rangées de pierre dans les alignements en Bretagne correspond au lever et au coucher du soleil, à certains moments astronomiques bien déterminés. L'ensemble se présente donc comme une sorte de « calendrier géant » qui indique les dates des fêtes religieuses du culte du soleil, en relation avec les semailles et les récoltes. On prétend même avoir décelé une telle orientation astronomique dans les vieux chemins traversant la Bretagne. Ces hypothèses ne sont nullement prouvées avec une rigueur scientifique, elles apparaissent même souvent comme le fruit d'une imagination particulièrement fertile.

Les alignements de Ménéac s'étendent sur une longueur de 1 167 mètres, ils ont 110 mètres de large et comprennent 1 099 menhirs. Ce sont 11 rangées parallèles qui s'étirent dans le sens ouest-sud-ouest ou nord-nord-ouest.

Les alignements de Kermario, d'une largeur de 110 mètres, s'étendent sur 1 120 mètres; ils se composent de 1 029 menhirs disposés en 10 rangées.

Les alignements de Kerlescan ont 880 mètres de long, ils ont 13 rangées, composées de 594 menhirs.

Alors qu'à Carnac les mégalithes frappent par leur nombre, à Locmariaquer ce sont les dimensions et la puissance des pierres qui nous étonnent. Un certain menhir appelé Mané er H'rolk, c'est-à-dire « pierre des fées », mesurait lorsqu'il était encore debout 20 m 30. Mais un jour — et pour une cause inconnue — il se renversa et se brisa en quatre morceaux. Ce monolithe a 3 à 4 m d'épaisseur, on en estime le poids à 347 tonnes. Cinq plates-formes ultra-modernes seraient capables, de nos jours, de déplacer un tel poids, sur les rails. Non loin de là se dresse un dolmen impressionnant, la célèbre « table des marchands ». Cette table de pierre gigantesque faisait partie d'une chambre enfouie sous une colline. Grâce à une galerie, on peut maintenant accéder à cette chambre et admirer la grandeur de ces géants de pierre.

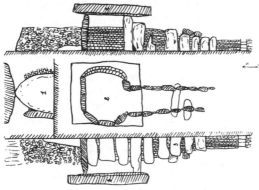

*La « Table des Marchands » est un « dolmen à galerie ». Les signes gravés ont été découverts par Z. Le Rouzic.*

A plus d'un endroit on est saisi d'étonnement devant la puissance et les dimensions des matériaux. La pierre la plus importante de Stonehenge a 8,85 mètres de long. Une pierre du dolmen du Mount-Browne, au Comté de Carlow, Irlande, pèse 100 tonnes environ. Une pierre du tombeau géant de Bagneux, près de Saumur, a une longueur de 18,6 mètres et une largeur moyenne de 5 mètres. Une dalle de ce tombeau pèse 86 tonnes. On n'a pas encore tout à fait éclarci la question de savoir par quels moyens les hommes d'il y a 4 000 ans ont pu déplacer de tels fardeaux. En 1840, on a utilisé l'un des mégalithes les plus puissants de Saumur comme pont sur un fleuve. Pour déplacer cette dalle, on a eu recours à 36 bœufs de trait en se servant de troncs de chêne comme rouleaux. Chacun de ces troncs avait un diamètre d'un mètre. Avec un matériel primitif, tel que rouleaux, cordes, en faisant appel à de nombreux ouvriers, on était certainement à même, en des temps préhistoriques, de déplacer et même de dresser des mégalithes géants.

Il y a quelques années, on a procédé à de nouvelles recherches à Stonehenge, dans la plaine de Salisbury, à 3,5 km à l'ouest d'Amesbury, Wiltchire. Des pierres renversées furent redressées, l'Institut de recherches nucléaires de Harwell rechercha, à l'aide de méthodes ultramodernes des fissures internes.

Stonehenge est un des ensembles mégalithiques les plus intéressants de la terre. Stuart Piggot déclara en 1954 : « Stonehenge est la création unique et individuelle d'un architecte, dont le savoir en matière de planification et de proportions dépassait de loin la science des hommes primitifs du nord-ouest de l'Europe de cette époque Si nous voulons découvrir quelque chose d'équivalent, nous sommes obligés de nous pencher sur le monde de la mer Egée. Les trouvailles archéologiques ne nous permettront jamais, à elles seules, de nous faire une idée de l'assemblage des pierres, du plan d'ensemble et de la maîtrise avec laquelle on sut appliquer les règles de l'art. Mais nous pouvons déterminer la suite chronologique des différentes constructions et leurs limites dans le temps. »

Au milieu de l'ensemble se trouve une pierre oblongue, appelée « dalle d'autel » dont le rôle dans le sanctuaire ne peut plus être déterminé. Tout autour on a dressé, en forme de fer à cheval, des pierres de 2 à 2,5 m de haut. Cinq puissants trilithes forment un fer à cheval extérieur. C'est pourquoi on a dressé en cercle 30 pierres de 4,5 de hauteur qui portaient une couronne de dalles. L'ensemble est entouré d'un remblai de terre rond d'un diamètre de 110 mètres.

Une route très large conduisait vers cet ensemble. L'axe central de cette route d'accès coupait en deux la dalle de l'autel. Dans l'axe de

cette route, mais à l'extérieur du cercle, se dressait une pierre appelée
« heelstone », pierre astronomique entourée d'un petit fossé. Il est
possible que la dalle sacrificielle se soit trouvée là. On prétend que l'axe
central désignait le 21 juin l'endroit précis où le soleil se levait en l'an
2000 avant J.-C. Si cette hypothèse se révèle exacte, il n'en est pas moins
erroné d'en conclure que Stonehenge était un « temple du soleil ». La
plupart des sanctuaires du monde, les tombeaux les plus anciens comme
encore nos cathédrales modernes sont orientés à l'est au lever du soleil,
parce qu'il y a un lien symbolique entre le lever du soleil, la naissance,
la création, Dieu.

*Stonehenge est la construction monolithique la plus célèbre et la plus intéres-
sante qui soit conservée de la fin du néolithique et du début de l'âge du bronze.
On suppose que cette construction servait à des fins religieuses (photo Camera
Press, London).*

Stuart Pigott nous apprend que l'ensemble de Stonehenge date du début du II$^e$ millénaire avant J.-C. ou plus exactement qu'on *commença* la construction du sanctuaire au début du II$^e$ millénaire avant notre ère. Les vestiges des incinérations et les objets retrouvés dans le tombeau seraient caractéristiques de cette époque, appelée en Grande-Bretagne « Secondary Neolithic Culture ». Des traces de charbon découvertes en 1950, examinées par la méthode du radio-carbone, indiquent entre 2123 et 1573 avant J.-C.

Stonehenge est partiellement construit en blocs de grès tertiaire qu'on trouve dans la plaine de Salisbury. Les Britanniques appellent ces pierres « Sarsens », « pierres des Sarrazins ». On utilisa également les pierres dites « pierres bleues », dont on faisait le cercle intérieur et le petit fer à cheval. Le savant anglais H. H. Thomas a établi que ces « pierres bleues » sont originaires des zones orientales des montagnes Presly, au sud du Pays de Galles, à 213 km à vol d'oiseau de Stonehenge. Comment a-t-on fait pour transporter ces pierres dans la plaine de Salisbury? Par la voie maritime, la distance est de 609 km, sur terre on aurait dû traîner ces géants sur 274 km. L'archéologue anglais Glyn Edmund Daniel dit à juste titre que le transport des pierres bleues est une performance technique étonnante, qu'il constitue le premier transport sur une si longue distance en vue de la construction d'un monument monolithique, vérifié par la science.

On a découvert environ 200 cercles de pierres dans les îles Britanniques. Mais les réalisations grandioses de Stonehenge et d'Avebury les dépassent tous par la hardiesse de leurs conceptions et les travaux mis en œuvre.

Avebury, à 22 km de Stonehenge, est un ensemble mégalithique plus impressionnant encore. Primitivement, on y avait dressé plus de 650 blocs de pierre en cercles et en rangées. Mais beaucoup de ces blocs ont été emportés par la suite. On s'en servait parfois pour d'autres constructions, on les enlevait et les enterrait au Moyen Age par suite d'un zèle chrétien mal avisé.

Il est difficile de nos jours de se faire une idée précise de l'organisation générale de l'ensemble d'Avebury puisque le village du même nom s'est implanté en plein cercle de pierres. Au milieu de la plaine, on avait établi une couronne de dalles naturelles de dimensions gigantesques. Chaque monolithe a 4 m de haut, 4 m de large et a une épaisseur de 75 cm. Ce cercle était entouré d'un remblai et d'un fossé, le fossé se trouvant toujours à l'intérieur, le remblai à l'extérieur. A l'intérieur du grand cercle il y avait deux cercles plus petits dont les pierres se touchaient presque. On a retrouvé cinq pierres de l'un, quatre de l'autre de ces cercles. Au centre du cercle intérieur méridional il y avait un monolithe particulièrement élevé, dans le centre du cercle septentrional se dressaient trois pierres.

A quel usage servaient ces réalisations compliquées d'une époque aussi reculée? L'histoire de ces hommes préhistoriques semble obscure, mais deux faits ont pu être dégagés : alors que l'homme avait vécu des centaines de milliers d'années comme chasseur et ramasseur des fruits de la nature, il se mit à l'époque néolithique et mégalithique à domestiquer des animaux, à s'établir, à cultiver le sol. En même temps il eut aussi le désir d'offrir des sépultures plus riches et plus sûres à ses morts. C'est ainsi qu'on voit se dresser dans toute l'Europe les grands tombeaux de géants. L'Égypte s'était acquis, en matière architecturale, une importante « avance » sur les autres humains. L'idée de construire des monuments de pierre pour les morts se répandit dans toute la région. Ces monuments étaient destinés à un certain nombre de morts appartenant peut-être à la même famille ou à la même tribu. Il est concevable que des grottes eussent précédé ces blocs de pierre. En effet, les archéologues ont découvert des grottes mortuaires datant de millénaires.

Le fait même que les hommes préhistoriques se soient donné tant de peine à ériger des tombeaux mégalithiques prouve qu'ils comptaient conserver autre chose, dans l'au-delà, que les ossements des morts. Les dimensions des tombeaux indiquent qu'ils servaient également de lieux de culte, qu'on croyait à la survie d'une partie de l'homme. Une conversation, un ensemble de relations ne sont possibles qu'entre vivants. On doit donc supposer que la civilisation mégalithique croyait à l'âme humaine et à la survie de l'âme après la mort.

Certains tombeaux mégalithiques plus récents montrent, dans la dalle de fermeture, un trou rond ou parfois ovale par lequel l'âme du mort pouvait maintenir le contact avec le monde extérieur. Ce « trou pour les âmes » servait peut-être aussi à donner à manger aux âmes des morts. Aujourd'hui encore, on trouve dans les maisons du haut Valais de langue française des « trous pour les âmes »! Mais la population ne se souvient plus de leur signification archaïque.

Stonehenge, Avebury, les mégalithes de la civilisation de Windmill-Hill, d'autres constructions mégalithiques pouvaient être seulement des tombeaux. Si ç'avait été là leur seule et unique destination, le plan d'ensemble de ces créations eût été inutilement compliqué. Il est bien plus probable que ces lieux ont été des sanctuaires, nés du culte des morts et d'une pensée religieuse ayant des rapports avec ce culte. On réunissait dans ces sanctuaires le culte des morts et le culte religieux.

Les constructions géantes de l'île de Malte sont, de l'avis de quelques explorateurs, le point de départ de toutes les réalisations mégalithiques. On peut cependant se demander si Malte était vraiment un tel point de départ. Comme les constructions de Malte servaient sans doute possible de temples, on peut en déduire qu'on a édifié dans toute l'Europe occidentale des sanctuaires destinés aux tribus.

Un grand mystère humain trouve son expression dans le fait que les tombeaux étaient des lieux de culte, que les lieux de culte — nos églises comprises! — ont toujours accueilli des morts. En effet, nous savons que la mort procède de la vie, que toute la vie procède de la mort!

Le mystère des menhirs est également de nature magique et religieuse. Les hommes qui se sont établis à proximité de ces constructions ont toujours cru à l'effet miraculeux des pierres, à une sorte d'émanation miraculeuse. Le professeur Horst Kirschner, de l'Université de Berlin, a rassemblé un grand nombre de ces traditions anciennes. Une paysanne bretonne a déclaré qu'elle avait eu un beau garçon après avoir touché le menhir de Saint-Cado. D'autres femmes, qui allaient vers ces pierres en pèlerinage, assurèrent la même chose. La « longue Pierre » de Tiengen, district de Waldshut, s'appelait autrefois le « Chindlistein » (pierre des petits enfants ) puisque les nourrices y allaient chercher la nuit des enfants nouveau-nés. On raconte du « Kindstein », près de Unterwiddersheim, district de Büdingen, qu'on entend le vagissement de nouveau-nés en posant son oreille contre la pierre. Le « Langstein », près de Sulzmatt (haute Alsace), se serait retourné sur son axe, un Vendredi Saint, pendant le carillon de midi, et les jeunes filles qui ont assisté à ce miracle se marièrent dans le courant de la même année. Les menhirs allemands qu'on appelle « Brautsteine » (pierres des fiancées) sont des porte-bonheur lors d'un mariage. Les menhirs ont été souvent choisis comme lieu de pèlerinage par des malades. Certaines de ces pierres étaient autrefois les symboles de lieux de supplice du Moyen Age, tels le « lange Stein » de Tiengen dans le Klettgau, le « lange Stein » de Ober-Saulheim (Rheinhessen), la « Speckseite » (flèche de lard) près de Aschersleben. Il est donc permis de supposer que les hommes croyaient, il y a des millénaires, que quelque chose de vivant était emprisonné dans ces pierres.

Dans quelques chambres mortuaires monolithiques, on a trouvé des pierres dressées isolées. L'archéologue Evans, le même qui mit à jour la civilisation crétoise, est d'avis que les stèles grecques se trouvaient d'abord dans des chambres mortuaires avant d'être placées sur les tombes. Elles avaient gardé une signification magique du temps de leur séjour souterrain, puisque l'esprit des morts les habitait.

Raison de plus pour supposer que les menhirs n'étaient pas des monuments mortuaires mais qu'ils représentaient un symbole magico-religieux. Lorsque l'âme quitte le corps, elle cherche un autre abri, un autre corps. Ce corps était le menhir. Il servait à accueillir l'âme d'un mort inhumé à proximité ou bien ailleurs. C'est pourquoi on rencontre des menhirs qui représentent grossièrement des corps humains.

En méditant devant le géant de pierre de Sulzmatt, devant la pierre de Meisenthal, surmontée plus tard d'une croix, devant le menhir d'Alberschweiler ou devant le plus grand mégalithe d'Europe centrale dressé sur la pointe, la pierre de Blieskastel, devant les menhirs de Carnac et de Locmariaquer, en méditant devant ces muettes demeures d'âmes humaines, dis-je, une pensée s'empare du spectateur : les hommes des civilisations mégalithiques qui ont dressé, il y a 4 000 ou 5 000 ans, ces « demeures d'âmes », étaient possédés d'une foi qui réellement « déplaçait des montagnes »

# EUROPE OCCIDENTALE

# Les signes gravés
# sur les mégalithes
# du Morbihan

« *Il est évident qu'en matière de gravures dolméniques nous voguons en plein inconnu, avec pour seul guide notre sens d'observation ou de déduction et pour seul objectif notre ardent désir de savoir. Malgré l'insuffisance de ces moyens nous aurions voulu essayer de pénétrer dans le domaine intellectuel et mystique de nos lointains ancêtres et tenter de saisir la pensée qui a guidée leur main.*» (Marthe et Saint-Just Péquart et Zacharie Le Rouzic, *Corpus des Signes Gravés des Monuments mégalithiques du Morbihan*, Paris, 1927, p. 92.)

L
A PLUS grande énigme des monuments mégalithiques réside sans conteste dans les signes étranges gravés dans la pierre. Les puissantes dalles de pierre et les pierres porteuses des dolmens du Morbihan, sur la côte sud de la Bretagne, ont attiré depuis des lustres les archéologues du monde entier. Il est aujourd'hui certain que ces signes sont authentiques et appartiennent réellement à l'époque mégalithique. Pendant des siècles, on en ignorait l'existence puisqu'ils sont parfois très difficiles à reconnaître.

Marthe et Saint-Just Péquart, de même que Zacharie Le Rouzic, ont travaillé pendant plus de 40 ans dans le Morbihan et ont examiné les pierres. Malgré cela, certains des signes sur les monuments mégalithiques leur ont échappé.

L'anecdote suivante nous montre combien ces signes se dérobent à nos yeux : les explorateurs découvrirent sur une pierre du dolmen « Kerham » quelques signes.

L'année d'après, ils revinrent sur les lieux pour photographier leur découverte. Quel ne fut pas leur étonnement de ne plus découvrir la moindre trace de signes gravés dans la pierre. L'un des savants refusait d'abandonner la partie et observa le monolithe pendant de nombreuses heures. Soudain, les signes apparurent et devinrent évidents. Sur quelques pierres, ces signes ne sont visibles que dans des conditions d'éclairage bien déterminées. Le célèbre dolmen « Table des Marchands » est orné d'un soleil. L'existence de ce soleil a été contestée dans beaucoup de traités savants. La raison en est qu'il n'est apparent chaque jour qu'entre 16 et 17 heures.

Beaucoup de signes ont disparu par l'effet des intempéries, du vent, des changements de température, de mousses et lichens. Le jour viendra où on ne distinguera plus rien de ce que les hommes ont gravé dans ces pierres, il y a 4 000 ans.

Des gravures intéressantes ne se trouvent pas seulement sur les dolmens, mais également sur beaucoup de menhirs. Comme les menhirs se dressent souvent seuls dans le vent, les signes en sont souvent effacés ou méconnaissables. Ainsi, on voit des lignes ondulées bien gravées sur le menhir « Manio », mais il faut d'abord dégager sa partie inférieure. La partie du menhir qui dépasse le sol ne montre plus aucune trace de la main de l'homme.

Dans le Morbihan, tous les signes sont *creusés* dans le roc et non pas *taillés* comme dans le Magdalénien, civilisation mésolithique remontant à 20 000 ans. Sous les coups de marteau, les rainures inégales apparurent dans le granit, pierre dont on se servait généralement pour ces monuments. De ce fait, les signes ne sont pas toujours très faciles à déchiffrer. On a toutefois établi que les signes furent ainsi gravés avant le transport des monolithes à leur lieu de destination.

Dans les grottes des Magdaléniens en France méridionale et au nord-ouest de l'Espagne, dans l'art pariétal du Périgord, l'homme s'appliquait à représenter les dessins muraux et les sculptures d'une manière naturaliste, pour qu'il y eût identité entre l'image et l'animal représenté. On s'imaginait dominer l'animal grâce à la force qui émanait de l'image ou de la sculpture. Les gravures des monuments mégalithiques, en revanche, étaient l'œuvre d'hommes qui avaient le moyen de simplifier les représentations par des symboles. Il ne s'agit plus d'art, mais de l'expression d'idées par des symboles, par des dessins emblématiques. Comme ces symboles se présentent sous des apparences fortement schématisées, ils restent pour nous énigmatiques. La plupart du temps, nous ne saisissons pas le sens des idéogrammes.

Il n'empêche que nous connaissons la signification de quelques signes. Ainsi, nous reconnaissons des haches, des soleils, des bateaux de dimensions respectables à la proue et à la poupe arrondie. On distingue très bien des serpents, des bœufs, certaines figures géométriques, et même des insectes. Les archéologues ne sont pas d'accord entre eux sur la signification de ces symboles. On représente souvent des céphalopodes, mollusques vivant dans la mer, tels le calmar, la seiche, la pieuvre. Je crois avoir reconnu sur une pierre de l' « Allée couverte du Lufang » une « rondeletiola minor » et une « spirula spirula ». Il est intéressant de noter que les céphalopodes ne se rencontrent que dans les « allées couvertes » près de la mer. On trouve aussi des dolmens à proximité de l'Océan. On peut donc se demander pourquoi les hommes de l'époque mégalithique n'ont jamais gravé l'image des céphalopodes sur un dolmen. C'est là une question à laquelle on n'a pas encore trouvé réponse. Et l'homme ? Est-ce qu'on a gravé quelque part le symbole de l'homme ? L'homme ne figure vraiment que sur un dolmen appelé « petit mont ». Encore ne voit-on que l'image de deux pieds. Peut-être

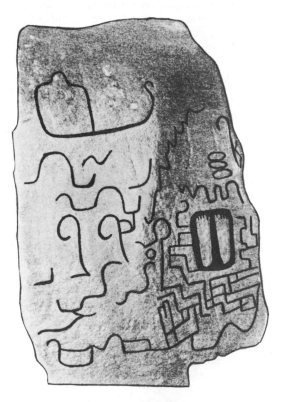

*Sur cette pierre de base du dolmen de Mané Lud on reconnaît quatre croix qui portent à leur pointe des taches rondes. Il est probable que ce signe représente l'homme. Il est rare de trouver des êtres humains sur les constructions mégalithiques du Morbihan. Dimensions de la pierre : 78 cm sur 170 cm (photo Z. Le Rouzic).*

représentent-ils les pieds de l'homme enterré sous le tertre, car on reconnaît autour des pieds des lignes pouvant être les plans de mégalithes. Sur le « Roch Priol », on voit six fois les contours de deux semelles de pied. Mais le « Roch Priol » n'est probablement pas un monument faisant partie du groupe des dolmens. Quatre hommes semblent se tenir sur le dolmen de « Mané Lud ». Il n'est toutefois pas certain qu'il s'agit vraiment de représentations de l'homme. Nous ne voyons que des croix surmontées d'un point rond. Ce point symbolise peut-être la tête.

◀ *Le dolmen du Petit Mont dans la commune d'Arzon (Morbihan) a été découvert en 1865 par Galles et Cussé. Zacharie Le Rouzic a restauré la tombe et a rendu visibles les gravures en les renforçant. La pierre de soutien, à l'intérieur du monument, montre le dessin des pieds d'un homme, chose extrêmement rare. (photo Z. Le Rouzic).*

# CIVILISATIONS MYSTÉRIEUSES

Nous ignorons tout des hommes de l'époque mégalithique, nous ne savons à quelle race ils appartenaient, s'ils étaient blonds ou bruns, blancs ou de peau colorée. Le savant anglais Daniel pense qu'ils n'appartenaient pas au groupe linguistique indo-européen mais à un ou plusieurs groupes méditerranéens. Mais il se pourrait tout aussi bien qu'ils aient ressemblé aux clients d'un café de Brest, aux pêcheurs de Saint-Jean-de-Luz, aux marins de Saint-Sébastien. Il est en effet évident que les dessinateurs des bateaux et des céphalopodes ont été de grands navigateurs, car autrement ils n'auraient pu répandre sur toutes les côtes d'Europe occidentale leur architecture et leurs idées religieuses. Ils avaient une foi « solide » dans la survie après la mort, autrement ils n'auraient pas dépensé tant d'énergie pour manier comme des jouets ces géants de la nature.

Est-ce que les signes sur les monuments mégalithiques représentent une écriture? Sont-ils la transcription symbolique d'une langue? Y trouve-t-on des signes alphabétiques?

En 1893, Letourneau a constaté une certaine ressemblance de quelques-uns de ces signes avec les lettres des alphabets les plus anciens. Letourneau s'appuya pour ses recherches sur les écritures phénicienne, néo-punique, étrusque et copte. Les explorateurs modernes, les Péquart et Le Rouzic ont rejeté l'idée « d'inscriptions sur les monuments mortuaires du Morbihan ». A l'heure présente, il n'y a pas de Pierre de Rosette pour les « inscriptions mégalithiques », on ne peut donc pas parler dans leur cas d'épitaphes.

On peut, en revanche, se faire une idée précise de ce que les sculpteurs dolméniques, si on peut les appeler ainsi, ont voulu faire : leurs dessins avaient une signification rituelle et cultuelle. Ils représentent peut-être des instructions ou bien des indications sur l'attitude religieuse à adopter. Le détail en est obscur. Des milliers de signes seront effacés par les siècles avant qu'on arrive à les déchiffrer.

# La ville-miracle de Mari

*Depuis 1933 l'archéologue français André Parrot met à jour, sur le cours moyen de l'Euphrate, une ville vieille de cinq millénaires qui était disparue et oubliée depuis plus de 2 000 ans. Les habitants de Mari étaient des Sémites, tout comme les Babyloniens et les Assyriens. Leur civilisation avait atteint un niveau qui mérite notre admiration.*

*« Rien de ce que nous venons d'esquisser n'est hypothétique, car tout est raconté, non seulement sur des tablettes d'argile, mais se trouve inscrit sur ces murs que l'incendie avait rongés et la pioche éventrés, sur ces dallages usés par des milliers et des milliers de pieds. Jamais architecture antique n'aura été aussi vivante. »* (André Parrot, *Le Palais*, Paris, 1958, p. 6.)

UNE STATUE dépourvue de tête ramassée par des Bédouins eut pour conséquence la plus grande découverte archéologique dans le Proche-Orient. La colline de Tell Hariri se dressait depuis des millénaires, intacte et déserte, sur le cours moyen de l'Euphrate. Personne ne se doutait qu'il y avait sous cette élévation l'une des villes les plus célèbres du 3ᵉ millénaire avant J.-C. L'endroit se trouve en Syrie orientale, près de la frontière irakienne, à quelque 9 kilomètres au nord d'Abou Kemal.

Les fouilles furent ordonnées à l'instigation de l'orientaliste bien connu René Dussaud et financées par les musées nationaux et le ministère de l'Éducation nationale français.

Les travaux commencèrent le 14 décembre 1933 sur le Tell Hariri. Quelques minutes plus tard, après les premiers coups de pioche, on découvrit déjà des statuettes. Le 23 janvier 1934, 40 jours après le début des

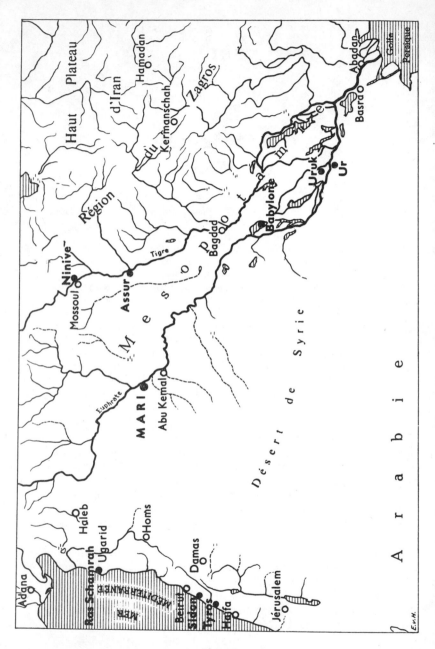

Mari.

fouilles, on mit à jour de petites sculptures représentant trois personnalités importantes. Il s'agit du roi Lamgi-Mari, d'Ebih-il, le fonctionnaire le plus important de la ville, d'Idi-Nârum à qui incombait peut-être le ravitaillement en céréales. Ces statuettes portaient des signes d'écriture et dévoilaient l'un des plus grands mystères de l'histoire orientale ancienne. On apprit ainsi qu'on avait trouvé un temple de la déesse Ishtar, on apprit beaucoup d'autres choses. Sous la colline de Tell Hariri s'étendait la ville disparue de Mari, ville presque légendaire !

La découverte de la statuette du roi Lamgi-Mari était importante puisque le souverain portait le nom de la ville inscrit pour ainsi dire sur son corps. Sur la partie droite du dos et sur la partie supérieure du bras droit on avait gravé le texte suivant : « Lamgi-Mari, roi de Mari, le grand Ensi d'Enlil, a dédié cette statuette à Ishtar. »

Entre 1934 et 1939 on mit à jour une grande partie du temple d'Isthar, 4 000 mètres carrés, jusqu'à une profondeur de 6 mètres. Pour déterrer ces ruines anciennes il faut procéder avec la plus extrême prudence. On avance dans le sol à coups de pioche, centimètre par centimètre. La terre est passée au crible et enlevée dans des paniers. Quand on songe à ces difficultés extrêmes on peut s'étonner qu'on ait déplacé 24 000 mètres cubes de terre sur le Tell Hariri en l'espace de trois ans. L'éminent archéologue qu'est André Parrot a muni de lettres les différentes couches de la ville-miracle. La couche supérieure de ruines s'appelle « a », les couches suivantes « b », « c », « d », « e », « f ». En examinant la couche « e » on se rend compte que le temple d'Ishtar s'est conservé pendant un très long laps de temps. Il avait été construit en briques grossières. Le revêtement du sol consistait en un enduit bien poli. Le noyau du temple était constitué par la « Cella » qui avait la forme d'un foyer. Dans cette pièce allongée, l'autel s'appuyait à un des petits côtés. L'entrée se trouvait sur la paroi latérale, face à l'autel. Des pièces pour les prêtres et l'administration du temple faisaient suite au sanctuaire. Le temple ressemblait à une maison orientale ouverte sur l'intérieur. Dans la cour du temple, Parrot découvrit un certain nombre de bassins appelés « barcasses », deux à gauche de l'entrée, cinq à droite de l'entrée. Ces bassins servaient à des rites de libation.

La pièce principale, la « cella » a dû jouer un rôle très important dans le sanctuaire et a dû faire l'objet d'une grande vénération. Elle était aménagée avec un soin particulier. Nous le savons puisque Parrot y a découvert dans le sol des coins de bronze dont le bout supérieur se terminait par une monture de bronze munie d'une poignée. A proximité, on a trouvé de petites dalles rectangulaires en lapis-lazuli, en pierre blanche ou en argent. De même qu'on pose aujourd'hui la « première pierre », les architectes de Mari avaient enfoncé dans le sol des coins inauguraux ». Cet ancrage dans le sol avait une signification tutélaire et religieuse. Sur les 13 coins inauguraux, 7 se trouvaient dans la « cella », ce qui marque bien le caractère sacré du lieu.

Les habitants de la ville de Mari offraient à leurs dieux des statuettes. Les prêtres rangeaient ces petites figurines sur des rayons. Elles étaient en pierre rouge, en calcaire, en albâtre blanc et d'une taille de 15 à 20 centimètres. Les plus grandes atteignaient 50 centimètres.

Est-ce que nous possédons des renseignements sur la signification de ces statuettes ?

La ville de Mari avait une population très religieuse : les citoyens de la ville faisaient tailler ces petites statues qui devaient servir leurs dieux ou leurs déesses. Ces figurines étaient rangées dans le sanctuaire où la divinité pouvait les combler de ses bienfaits. Leurs mains étaient jointes, le dieu ne pouvait ainsi manquer de les voir.

Il est très intéressant de relire les explications de Parrot sur la ressemblance de ces petites statues avec leurs donateurs. Les citoyens influents et fortunés de la ville ne se contentaient pas de sculptures approximatives qu'on pouvait confondre avec d'autres du même genre. Ils recherchaient la ressemblance physique. Il est certain qu'ils avaient l'habitude de poser dans plusieurs ateliers d'artiste. Ainsi, nous avons là devant nous le vrai portrait des hommes de Mari, hommes à la longue chevelure ou à la tête chauve, des barbus et des bien rasés, des guerriers, des gouverneurs revêtus de tuniques splendides, des jeunes filles et des femmes d'une expression très vivante. Nous voyons donc les hommes et les femmes qui ont vécu il y a 4 000 à 5 000 ans, dans l'attitude qu'ils prenaient devant leurs dieux et qui atteste une foi ardente. De leurs grands yeux, de leurs pupilles noires, ils fixent l'éternité. Nous apercevons leurs vêtements somptueux, leurs coiffures raffinées, nous reconnaissons leur sourire presque toujours confiant, nous avons là une occasion d'admirer l'un des plus grands trésors de l'humanité. C'est la représentation de la vie et de l'art raffiné d'un peuple sémitique qui avait mis sur pied dans ces temps reculés, sur les rives de l'Euphrate, une civilisation évoluée. Un homme et une femme se tiennent côte à côte, l'homme tient d'un geste presque tendre l'avant-bras de sa compagne, près de la main. Alors que ces sculptures ont perdu leurs têtes, on croit néanmoins reconnaître le grand amour qui unissait ce couple. « Des amoureux sans face et sans nom », explique André Parrot. Les habitants de Mari n'étaient pas dépourvus d'humour. Ils savaient rire et s'amuser. Deux musiciens clownesques nous font la nique, éternels comme de pieux adorateurs d'Astarté qui ont emporté leur Foi dans l'au-delà.

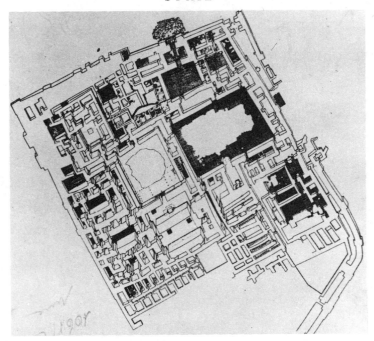

*La vue générale du palais de Mari donne une idée des dimensions grandioses de l'ensemble. Trois cents appartements étaient groupés autour d'une double cour intérieure. Le palais était une petite ville à part. Nous savons par une tablette d'argile qu'au moins 400 serviteurs et servantes travaillaient au palais (photo Mission archéologique de Mari).*

Il ne faudrait pas croire qu'un peuple sémitique d'une culture si raffinée et d'une religiosité si évoluée, 3 000 ans avant notre ère, soit la chose la plus naturelle du monde. La Mésopotamie tout entière faisait partie, dans la première moitié du IIIe millénaire avant J.-C. du pays de Sumer. Les Sumériens n'étaient pas des Sémites. Les débuts de leur civilisation remontent au IVe millénaire, leur style de vie s'est répandu dans toute la Mésopotamie méridionale. Nous savons bien quelles trouvailles étonnantes on a faites dans les villes sumériennes : Ur, Eridu, Larsa, Uruk, Lagash, Shuruppak, Kish, Eshunna, Nippur, telles sont les villes les plus célèbres de Mésopotamie. La science archéologique moderne a donné à l'histoire mésopotamienne de la première moitié du IIIe millénaire le nom de « période protodynastique ». C'est seulement à la fin de cette époque qu'on voit apparaître les Sémites.

*On a retrouvé dans la salle de bains du palais de Mari des baignoires en argile.
A gauche, le w.-c. quelque peu primitif. L'eau s'écoulait dans un puisard situé
à 17 mètres de profondeur (photo Mission archéologique de Mari).*

La civilisation sumérienne n'avait donc pas péri. Les Sumériens béné-
ficiaient d'une hégémonie spirituelle et culturelle. Mais les Sémites
étaient animés d'une force de résistance tenace. Ils avaient un tempérament plus dynamique. Vers 2 400 avant J.-C. ils prirent le pouvoir
grâce à la dynastie d'Accad. La ville d'Agadé nouvellement fondée
devint rapidement le centre du monde. On avait repris l'écriture cunéiforme des Sumériens. Les uns apportèrent donc une force vitale plus
vive, les autres un art d'un haut niveau, des connaissances artisanales
approfondies, un goût raffiné. On reconnaît toujours en filigrane, dans
toute la civilisation babylonienne-assyrienne, dans la façon de vivre des
Sémites, race douée d'un rare talent, les anciennes formes sumériennes.
C'est ainsi que la royauté sémitique de Mari avait fait d'importants
emprunts aux Sumériens. Mais elle n'en possédait pas moins un style
original. 2 500 ans avant J.-C. elle avait atteint un niveau dans le

domaine de l'architecture, de l'artisanat, de la religion, du mode de vie, qui force l'admiration.

Le plus grand miracle de Mari est son palais. Il constitue la plus grande réalisation architecturale de l'Orient au début du $II^e$ millénaire avant Jésus-Christ. André Parrot a mis à jour ce palais de conte de fées. On a découvert 300 pièces, couloirs, cours — bâtisse immense couvrant une surface de plus d'un hectare.

On a dû travailler longtemps pour construire ce palais qui se compose de plusieurs systèmes de cours. En posant la première pierre on n'avait certainement pas de plan préétabli. Ce vaste édifice est à la fois résidence royale, forteresse, magasin, siège du gouvernement, centre administratif et avant tout symbole de la puissance royale. Nous savons même le

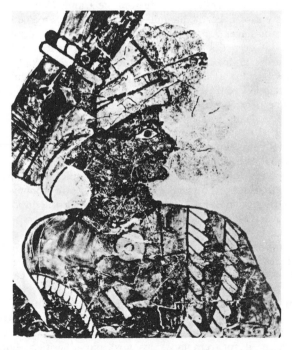

*Le palais de Mari était orné de splendides peintures murales. Nous voyons ici, sur notre reproduction, le buste d'un sacrificateur en train d'offrir un animal. Elle se trouve au mur de la « cour 106 » et est exécutée en ocre, rouge et noir. Cette œuvre d'art a 3 700 ans d'âge (photo Mission archéologique de Mari).*

nom du roi qui a fait décorer son palais de magnifiques tableaux muraux. Il s'appelait Zimri-Lim. Les fouilles entreprises dans la vallée de l'Euphrate et du Tigre au cours de ces 40 dernières années nous ont montré que la peinture murale y est un art extrêmement ancien. De très bonne heure déjà on disposait de connaissances techniques tout à fait remarquables. Les fresques de Zimri-Lim continuent une vieille tradition mésopotamienne. André Parrot souligne que des fragments de peintures murales dans le palais de Zimri-Lim montrent une procession culturelle dont les participants représentent un type étranger d'origine sémitique-occidentale.

On a mis à jour sous le Tell Hariri cinq temples en tout. On a retrouvé les restes d'une « ziggurat », c'est-à-dire d'une tour à étages telle que nous la connaissons grâce aux fouilles de Babylone. On a trouvé des vases et des cruches rituelles ornés de lions, de grands récipients d'argile, une salle de classe avec 28 banquettes en brique et même de petites plaques de coquillages dont les élèves se servaient peut-être pour compter. On a gravé sur de petits cylindres des scènes représentant des hommes luttant avec des animaux, Gilgamesch maîtrisant des monstres qui se cabrent, des bateaux et même un banquet. Dans la cour du palais on a trouvé un relief représentant une déesse qui aspire avec volupté le parfum d'une fleur. L'une des plus belles statues représente une déesse distribuant de l'eau, peut-être la déesse de la fertilité, et qui date de 1800 avant J.-C.; elle a 1,49 mètre de haut et est taillée dans une pierre blanche. Les yeux étaient formés de pierres de couleur, les cheveux disposés en nattes et colorés en rouge; elle porte six colliers.

Si l'on n'avait trouvé à Tell Hariri que les temples, le palais, les statuettes, les maisons et murailles de la ville, notre connaissance de l'antique Orient s'en serait trouvée remarquablement enrichie. Mais on a découvert à Mari un trésor absolument inépuisable qui nous renseigne sur la vie quotidienne et l'histoire de ces hommes ainsi que sur leurs rapports avec les autres royaumes de leur temps.

Il s'agit des archives d'État trouvées dans le palais du roi Zimri-Lim, 20 000 tablettes d'argile portant des textes. Parmi ces archives figure la correspondance politique et privée du dernier roi de Mari, Zimri-Lim. Une partie des lettres sont de la main de Shamsih-Addu I d'Assyrie. Il donne des instructions à son fils Yasmah-Addu. Ce Yasmah-Addu a été pendant un temps vice-roi de Mari pour le compte de l'Assyrie, et il fut remplacé plus tard par l'héritier légitime du trône, Zimri-Lim.

Nous apprenons que les rois avaient sans cesse des soucis d'ordre militaire, qu'ils faisaient assiéger des villes fortifiées, qu'ils concluaient des alliances défensives, qu'on vendait comme esclaves les populations soumises. Si une ville résistait longtemps il arrivait que toute la population fût faite esclave. A la prise de la forteresse de Sibat, les vainqueurs disposaient de tant d'esclaves que les soldats ordinaires pouvaient se faire servir par des esclaves. Quand le roi Shamshi-Addu prit la ville de Mari, il donna l'ordre de conduire les filles de Yahdun-Lim dans la maison de son fils. Il les fit élever et leur fit enseigner l'art de la musique et conseilla à son fils de les faire jouer où il voulait.

Sur une autre tablette Shamshi-Addu écrit à son fils Yasmah-Addu : « J'avais ordonné que tu prennes les fils de Wilanum dans ta maison pour conclure plus tard avec eux un traité. Comme je sais maintenant qu'il n'y aura pas d'arrangement avec Wilanum, je te demande de t'emparer de ses fils et de les faire tuer cette même nuit. Cela doit se passer sans cérémonies et sans deuil. Qu'on prépare des tombes, qu'on les tue et qu'on les y dépose! Empare-toi de leurs parures, de leurs vêtements, de leur argent et de leur or et envoie-moi leurs femmes. Garde pour toi les deux musiciennes. Fais conduire chez moi les servantes de Sammêtar. Je t'envoie cette tablette d'argile au mois de Tirum, le quinzième jour, au soir. »

Les tablettes font souvent état d'un dieu, d'un seul dieu. Il s'agit peut-être du dieu principal de Mari qui avait nom Dagan. On cite également un dieu Itur-Mêr et, dans la ville voisine de Terqa, un dieu Ikrub-Il. Nous retrouvons donc à Mari le dieu des Sémites « Il » ou « El » qui dominera plus tart l'Ancien Testament. La déesse Ishtar régnait sur la paix et sur la guerre et toute la vie des habitants de Mari. Comme on ne pouvait rien entreprendre sans l'accord des dieux on cherchait par des sacrifices d'animaux à connaître leur volonté. L'augure était consulté dans les affaires personnelles aussi bien que dans les importantes affaires d'État. Les augures partaient même à la guerre. Comme chez tous les anciens peuples civilisés de la terre, le serpent jouait également un rôle important à Mari. Pour connaître l'avenir il fallait tout d'abord se procurer une espèce de serpent appelé « Zarzar ». Le roi Shamshi-Addu remit à plus tard une campagne parce qu'il voulait d'abord offrir un sacrifice et accomplir le « culte du bain » obligatoire avant toute guerre. Il se rendit dans la ville de Terqa en amont de Mari pour y accomplir un sacrifice funéraire.

Nous apprenons toutes ces choses en lisant les lettres écrites en caractères cunéiformes qu'on a découvertes au Palais royal de Mari. Elles ne nous parlent pas seulement de maisons, de temples, de palais, mais également de canaux, de digues pour régulariser le cours des fleuves, de l'élevage des moutons et des bœufs, du danger des fauves. Il était interdit de tuer les lions puisque le roi Zimri-Lim s'intéressait particulièrement à ces animaux. Un jour, un lion s'égara dans la ville. On le trouva sur le toit d'une maison. Les citoyens nourrirent la bête en attendant que le roi Zimri-Lim prît une décision à son égard. A la fin, le lion sema la panique dans toute la ville. Mais on ne le tua pas. Le commandant de la ville l'enferma dans une cage et l'envoya à Mari. Mais les amusements du roi Zimri-Lim prirent une brusque fin. Hammurabi (1728 à 1686), grand roi et législateur de Babylone, qui régnait sur toute la Babylonie, l'Assyrie et la Mésopotamie, partit une nuit à l'attaque de Mari : Il battit le roi Zimri-Lim et dévasta la ville de Mari en 1695 si bien qu'elle ne se remit plus jamais de cette défaite. Les grands artistes de Mari déposèrent leur ciseau, leur pinceau, les architectes ne construisirent plus de maisons. Le rire des populations se tut. On oublia l'art de faire de beaux vêtements dans ce « Paris de l'Euphrate ». La vie grouillante de ce séjour enchanteur s'éteignit. Il fallut attendre le XXᵉ siècle pour en redécouvrir la trace. Les trésors enfouis sont si immenses qu'on travaille encore aujourd'hui pour les mettre à jour.

*La déesse de la fécondité a été retrouvée, en fragments, sous les ruines du palais de Mari et reconstituée. Dans ses mains elle tient un récipient d'où s'écoulait « l'eau de la vie ». Une conduite à l'intérieur de la statue amenait l'eau jusqu'au récipient. La statue a 1,42 m de haut (photo Mission archéologique de Mari).*

# Les 8 000 tours
# des Sardes

*Enfermés dans une île, exposés aux attaques de nombreuses populations, les habitants de Sardaigne construisirent d'innombrables 'ours. Ce n'est que tout récemment qu'on est arrivé à déchiffrer les secrets de cette civilisation vieille de 3 000 ans et de ce peuple remarquablement doué.*

*« De nombreuses ressemblances entre la civilisation de la Sardaigne et celle de l'Egéide attestent que bien des siècles avant l'arrivée des Phéniciens dans l'île, il y eut imprégnation effective par le monde égéen. »* (Christian Zervos, *La Civilisation de la Sardaigne*, Paris, 1954.)

L A SARDAIGNE est une grande île aride, parcourue de collines solitaires, de montagnes et de vallées. Le voyageur est saisi par la sécheresse des lieux, par le silence grandiose, par la solitude : sur de nombreux kilomètres on ne rencontre âme qui vive. Le paysage est particulièrement austère.

La Sardaigne qui formait autrefois une seule terre avec la Corse est une île très ancienne. L'île est plus ancienne que les Alpes, plus ancienne que toute l'Italie. Elle forme le vestige d'un continent qui a disparu. Cela s'est passé il y a plusieurs millions d'années, longtemps avant l'émersion de la péninsule italienne. Une terre ancienne dans la mer Tyrrhénienne que les géographes appellent « Tyrrhénis » a été submergée par les eaux.

La Sardaigne est restée. On foule donc une terre qui est un vestige de temps immémoriaux. Rien ici ne rappelle la douceur méridionale. Le soleil est d'une ardeur sans pitié. Sur cette île tragique, le soleil fait mine de tout dessécher. On est impressionné par la solitude de

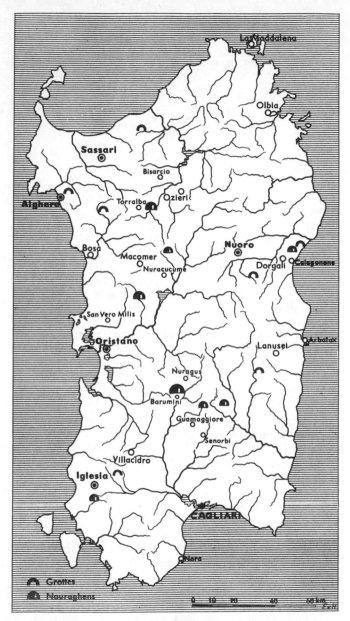

*La Sardaigne.*

ce granit, de ces basaltes, par la mélancolie qui est répandue sur tous les objets. Ici on n'a nulle part le sentiment de se retrouver en Europe!

La Sardaigne est dominée par les vents d'Afrique, car aucune terre ne fait rempart entre l'île et le Sahara. Les massifs de granit et de gneiss à l'est de l'île se dressent comme des tours, en parois qui surplombent le vide. Les vagues d'azur battent ces murailles naturelles avec le fracas du ressac. La côte est tellement abrupte qu'elle n'offre souvent pas la moindre prise pour la main d'un naufragé. Car la mer l'a creusée par en dessous. Il n'y a que des grottes profondes contre les parois desquelles les vagues se brisent. Mais on trouve aussi des plages désertes de sable blanc, parsemées çà et là des miradors de l'époque de l'occupation arabe, des forêts de chênes-liège, des fleurs exotiques, des hommes au cœur ardent comme les chevaliers des contes de fées, des femmes fières comme des reines et humbles comme des madones. On peut admirer de belles cruches qui semblent planer sur la tête des jeunes filles qui portent des jupes longues, des blouses blanches et qui se parent le dimanche de costumes folkloriques.

Beaucoup de peuples ont régné sur ces lieux : mais ce qui nous reste, ce sont les vestiges des temps préhistoriques, ces tours anciennes et mystérieuses, les « nouraghes ».

La Sardaigne a la forme d'un pied ou d'une sandale. Les Grecs l'appelaient pour cette raison « Ichnousa » = « empreinte des pieds » ou « Sandaliotis » = « Sandale ». Pendant la période glaciaire, jusqu'en 8 000 avant J.-C. l'île n'était certainement pas habitée. On n'a pas trouvé de vestiges paléolithiques. L'homme y arriva seulement à la période néolithique, autrement dit à la période moderne, qui s'étendit de 4 000 à 2 000 avant J.-C. Nous ignorons d'où vinrent ces premiers immigrants, nous ignorons tout de leur aspect extérieur. On suppose qu'ils n'appartenaient pas à la race indo-européenne. Les îles de la Méditerranée se peuplèrent lentement à partir du V$^e$ millénaire avant notre ère. Les premiers navigateurs arrivèrent de l'Est et se répandirent à l'Ouest à bord de bateaux à rames ou de périssoires. En Sardaigne, ils s'installèrent dans des grottes, des trous de rocher ou dans des huttes de paille, la plupart du temps dans la plaine et autant que possible à proximité de la mer, au bord des lacs et des rivières. Les innombrables grottes si impressionnantes de Sardaigne nous ont livré les vestiges de ces hardis navigateurs et de leurs outils.

La deuxième immigration — probablement de provenance asiatique — conduisit dans l'île l'un des peuples les plus intéressants de la terre. Nous l'appellerons les « Nouraghiens » d'après leurs tours, les « nouraghes ». Tout au contraire des hommes néolithiques, ce peuple arriva nanti de grandes connaissances dans le domaine architectural et d'une civilisation très évoluée. Les « Nouraghiens » débarquèrent sur la côte orientale de l'île au III<sup>e</sup> millénaire avant J.-C. et y érigèrent pour la première fois des tours circulaires en pierre naturelle et aux murs inclinés.

En dernier lieu, un troisième peuple s'installa dans l'île, les Sardes ou Shardena (vers 1400 avant J.-C.), peuple probablement originaire de l'Asie, qui apporta une civilisation citadine et se mélangea avec les populations autochtones. L'île était parsemé d'au moins 8 000 nouraghes. Aujourd'hui encore, nous pouvons y admirer les restes de 6 500 de ces étranges tours. Très peu sont bien conservées. Quel était l'usage de ces tours ? De quelle région du globe ce modèle a-t-il été importé ? Vient-il d'Espagne, d'Afrique, de l'Orient ?

Nous ignorons la langue des Nouraghiens. Ils ne nous ont pas laissé d'histoire écrite, car malheureusement ils n'avaient pas d'écriture. Des tours mégalithiques de cette structure ne se rencontrent qu'en Sardaigne. Les Sardes les appellent « Nurakes », « Nuraxis », « Nuraghie ». Le nom se retrouve, selon les dialectes, sous d'autres formes et variantes. Le professeur Giovanni Lilliu, l'un des explorateurs les plus connus des constructions préhistoriques de Sardaigne, pense que ce mot dérive d'une racine préindo-européenne « nura » ou « nurra » qui veut dire, à l'intérieur de l'île « tas » ou « excavation ». « Nur-aghe » signifie quelque chose comme « colonne creuse » ou « tour creuse ».

La construction est faite de pierres brutes, entassées en plans inclinés pour former des tours. Quelques-unes de ces tours n'ont que quelques mètres de haut, d'autres se dressent jusqu'à vingt mètres dans le ciel bleu de la Méditerranée. Les murs ont 2 à 5 mètres d'épaisseur. Les tours peu élevées n'ont qu'une chambre à l'intérieur, les hautes tours ont trois étages. Elles n'étaient ni des sanctuaires ni des monuments funéraires ! Elles servaient à la défense d'un peuple en proie à d'innombrables assauts. La Sardaigne n'a jamais été une unité politique. Les différentes peuplades ou tribus vivaient sous l'autorité d'un chef. Leurs tours servaient de maison et de garnison. Peu à peu, les tours ·devinrent le point de départ de fortifications plus importantes où plusieurs centaines de personnes pouvaient trouver abri en temps de détresse. Les Liguriens, les Carthaginois, et à la fin les Romains attaquèrent l'île ; sans cesse, ses· habitants devaient se défendre contre d'interminables attaques. Les Sardes se défendirent toujours et toujours ils furent vaincus...

L'ennemi qui réussissait à pénétrer à l'intérieur de la tour était néanmoins menacé de mort. Des portes conduisant dans des impasses, des trappes de toutes sortes, des galeries sans issues les accueillaient. Les

*Nouraghie (photo Pfaltzer-Viollet).*

Nouraghiens armés d'arcs et de flèches, de lances et d'épées se préci-
pitaient sur les intrus et les massacraient.

Un toit plat au sommet de la tour qui servait de poste de guet et de
base de défense, entouré d'un parapet, peut-être en bois, et plus tard
de dispositifs pour lancer des pierres et des projectiles rendait très
difficile la conquête de la tour. Les plates-formes de défense en Sardaigne
sont les premières installations militaires de ce genre dans le bassin
méditerranéen.

On reconnaît les tours les plus anciennes construites vers 1500 avant
J.-C. à l'inclinaison particulièrement prononcée de leurs murs. Les

nouraghes plus récents ont des murs plus escarpés. L'architecture des nouraghes parvint à son point culminant entre 1 000 et 500 avant J.-C. Les Sardes finirent par ériger de puissantes forteresses, puisqu'ils étaient menacés, près des côtes, par les attaques des Carthaginois sémitiques. Le professeur Lilliu dit que les bergers et les guerriers ont fait de grands sacrifices pour la liberté politique de l'île. Ces hommes — dont les descendants sont encore de nos jours si simples, si naturels, si héroïques — se trouvaient toujours en danger de perdre leur indépendance. Ainsi, la guerre défensive devint pour eux une sorte de religion. Les hommes, habitués depuis tout temps à une vie austère s'endurcissaient et se prêtaient réciproquement main-forte. Ils construisirent les derniers nouraghes entre 600 et 250 avant J.-C. Ils servaient de cachette, car en 231 les Romains avaient fini par conquérir l'île. Les guérilleros sardes cherchèrent abri dans les tours les plus isolées dans les régions les plus sauvages. Mais les Romains les traquèrent avec des chiens dressés.

Dans la province de Cagliari — ainsi nommée d'après la capitale de l'île — se trouvait pendant plus de 2 000 ans une colline que les Sardes appelaient « Su Nuraxi ». Dès 1940 on y entreprit quelques sondages. En 1951 enfin, l'archéologue Lilliu commença d'y mettre au jour l'un des lieux préhistoriques les plus intéressants d'Europe.

Je me suis rendu dans la plaine de Barumini et j'y ai admiré cette merveille déserte et silencieuse. C'est une puissante forteresse dont le centre est occupé par une tour primitive à laquelle se sont joints par la suite quatre tours d'angle, d'énormes murailles extérieures, un village tout entier, des ruines de maisons rondes...

J'ai été voir ensuite le professeur Lilliu. La petite université tranquille et active où le professeur occupe la chaire d'archéologie est située sur la colline la plus élevée de la ville de Cagliari : « Nous avons creusé pendant cinq ans, de 1951 à 1956. Nous avons envoyé un morceau de bois provenant d'une poutre de la chambre inférieure de la tour du milieu au laboratoire du muséum national de Copenhague. Grâce à la méthode du carbone radioactif, les Danois ont pu établir l'âge de ce morceau de bois. Ainsi, nous savons que la tour a été construite vers 1270 avant J.-C. Il faut tenir compte, dans ces évaluations, d'une erreur possible de 200 ans environ. Les quatre tours extérieures ont été réalisées pendant une deuxième phase; les murailles ont été renforcées ultérieurement. Ces travaux visaient probablement à braver les béliers d'assaut des Carthaginois. Nous avons trouvé des guérites de défenses, des âtres, des galeries pour holocaustes, de grands pétrins en pierre, des boules de pierre qu'on lançait sur les assaillants, des meules, des récipients carrés pour conserver le blé broyé, des pierres pour s'asseoir, des fours à pain et des vestiges de toutes sortes de métiers datant d'une époque plus récente de cette ville-forteresse. »

« La mise au jour, lui dis-je, de cette forteresse et de ce village enfouis sous une couche de 5 mètres de pierrailles, de ruines, de terre, a dû vous coûter de grands efforts physiques, surtout si l'on tient compte de la chaleur qui règne en ce lieu. »

Lilliu examina un travail étalé devant lui et ne répondit rien.

On peut se faire une idée des travaux gigantesques des archéologues quand on a vu une fois Barumini dans la vaste plaine où il ne reste que des vestiges de la vie passée, où le sol est dur, le vent brûlant, l'atmosphère mélancolique.

Un jour, en plein VI<sup>e</sup> siècle avant J.-C., après un siège prolongé par les armées carthaginoises, Barumini fut conquis, la garnison nouraghienne massacrée, les habitants chassés du village en feu. Mais les Sardes ne se découragèrent pas : quelques siècles plus tard, ils revinrent à Barumini, s'établirent sur les ruines et vécurent selon les habitudes ancestrales, comme au temps de la grande civilisation nouraghienne.

Comme les Nouraghiens n'avaient pas d'écriture, les savants se sont efforcés de reconstituer l'ancien langage par certains termes qui se sont conservés pendant des siècles et mêmes des millénaires. Il s'agit la plupart du temps de noms d'endroits, d'animaux, de plantes, de montagnes, de rivières. C'est ainsi qu'on pense que les Nouraghiens sont d'origine asiatique, car on a trouvé des termes qui pourraient très bien venir de l'Altaï, de Mésopotamie, de l'Azerbaïdjan, du Caucase, du Nuristan, du Kazakstan et même du Tibet et du Sin-Kiang.

Quant aux cours, elles ont à l'intérieur une certaine ressemblance avec les constructions égéennes, avec les bâtisses de Tirynthe et de Mycènes et, d'une manière générale, avec le style créto-mycénien. La vie intellectuelle, beaucoup d'objets de la vie culturelle des Sardes ont leur équivalent dans la civilisation égéenne de Crète, de Chypre, de Grèce.

En plus des nouraghes, la Sardaigne nous a laissé d'autres réalisations qui nous remplissent d'étonnement : ce sont les objets de bronze que ce peuple doué nous a légués. Car les Sardes n'étaient pas seulement des guerriers mais aussi des sculpteurs de statuettes d'un haut niveau artistique.

Ces sculptures sont saisissantes de vie et de présence! Elles semblent nous observer d'un œil attentif et vigilant. Elles sont uniques et incomparables. Malgré leur grande beauté, elles sont vieilles de 2 800 ans, mais elles ont quelque chose qui les rapproche de nous. D'une certaine manière on peut les qualifier de vraiment modernes.

# Une déesse-mère
# et son enfant, 800 ans
# avant Jésus-Christ

*Aucun art occidental ne saurait se comparer à la civilisation préhistorique nouraghienne que nous trouvons en Sardaigne. Les petites statuettes sont le témoignage d'une profonde pensée religieuse. Elles frappent aujourd'hui encore les visiteurs du Musée de Gagliari.*

*« A la tête du panthéon nouraghique est placée la Grande Déesse dont toutes les représentations figurées se ramènent à la fécondité et à l'eau. On la montre tantôt portant des corbeilles de fruits sur la tête, tantôt serrant un enfant dans ses bras, tantôt maintenant à deux mains une cruche sur sa tête, tantôt portant sur ses genoux le corps inanimé d'un jeune dieu mis à mort par une force ennemie. C'est toujours la représentation de la déesse qui préside à la naissance et à la croissance de tous les êtres, à la fertilité de la terre, à la sainteté de l'eau, au renouvellement perpétuel de la féconde et inépuisable nature. »* (Christian Zervos, *La Civilisation de la Sardaigne*, Paris, 1954.)

L A MONTAGNE, la fontaine, l'arbre — voilà les témoins les plus anciens de la nature aux lieux sacrés de l'humanité. Chez les Sardes, la religion a dû jouer un rôle extrêmement important dès 2 000 avant J.-C. et même dans des temps plus reculés encore. Les archéologues ont découvert des lieux de culte dispersés sur toute la Sardaigne, toujours à ciel ouvert. Ces lieux sacrés étaient situés sur des rochers, au sommet des collines, près d'une fontaine ou dans une forêt. Les autels se dressaient au sommet des montagnes, des collines, parfois dans des grottes, toujours à proximité d'une source, près d'une rivière symbole de fécondité. La montagne sacrée qui nous approche de Dieu, les lieux élevés — l'humanité a transmis cette pensée des temps

les plus reculés de l'âge de la pierre jusqu'à notre époque historique.
En Mésopotamie, la « montagne cosmique » est une notion très
ancienne. Les peuples altaïques croyaient depuis des millénaires que
certains arbres pieux nous approchent de l'Être Suprême, qu'ils forment
le centre du monde au-dessus duquel luit l'étoile polaire. Les Grecs
ont retrouvé la « Montagne Cosmique » dans leur Olympe. Dans
l'Ancien Testament, c'est le mont Sinaï. Chez les anciens Chinois les
montagnes élevées étaient des lieux sacrés, les Japonais avaient le Fuji-
no-yama; en Finlande, en Crète, chez les Phéniciens et dans tout le
bassin méditerranéen des collines jouaient le même rôle. La tour de
Babel, les « ziggurats » de Mésopotamie ne sont autre chose que les
symboles de « montagnes cosmiques ». De même, les anciens habitants
de la Sardaigne, les « Paléosardes », étaient convaincus du caractère
sacré de telles élévations du sol. Ils croyaient à la puissance magico-
religieuse qui émanait de ces lieux élevés et dressaient leurs sanctuaires
au sommet des montagnes et des collines. C'est ainsi que le sanctuaire
de Mazzani se trouve à 700 mètres d'altitude, sur les monts de Villa-
cidro; San Vittoria de Serri est à 600 mètres, Santa Lulla d'Orune à
500 mètres au-dessus du niveau de la mer. Tous ces lieux sacrés ont
une fontaine ou une source. On a découvert tout récemment un puits
sur l'Acropole d'Athènes. L'éminent savant et explorateur de la civilisation sarde, Christian Zervos, ne pense pas que la présence de fontaines
ou d'étangs sur les lieux sacrés s'explique par la seule valeur qu'on
attachait à l'eau douce dans une île où celle-ci était rare et précieuse.
En réalité, l'humanité a toujours cru dans la renaissance par l'eau,
dans le pouvoir fertilisant de l'eau — le baptême, dans la religion chrétienne, est l'expression la plus élevée et la plus noble de cette croyance.
En Sardaigne on cite une source capable de guérir les maladies des yeux.
Au fin fond de l'Asie, dans cette partie de la Mongolie qu'on appelle
« Barga » j'ai visité une fontaine qui, d'après la croyance des peuplades
nomades rend la vue aux aveugles et fait marcher les paralytiques. Les
béquilles d'innombrables malades guéris étaient plantées dans le sol,
on avait accroché aux arbres alentour des lunettes.

En Sardaigne on peut découvrir la trace d'antiques sanctuaires à
ciel ouvert. Au début de l'époque nouraghienne déjà aux XIᵉ et Xᵉ siècles avant J.-C. les sardes érigèrent des sanctuaires dont le centre était
constitué par une source miraculeuse ou une fontaine. Sardara, Mazzani, Rebeccu, Lorana, Milis sont des exemples. L'eau sacrée est entourée
d'une margelle de pierre ou d'un cercle de pierre, un chemin bordé de
pierres conduit au saint des saints. En escaladant la hauteur de S. Vittoria de Serri, en contemplant du haut de cette forteresse le vaste paysage,

on est immédiatement saisi par la grandeur sacrée et le calme majestueux de ce lieu. Serri fut mis à jour par l'archéologue Taramelli entre 1909 et 1929 ; Serri nous permet de nous faire une idée précise de la majesté d'un tel lieu saint de l'année 600 avant J.-C. Au milieu du sanctuaire on distingue un puits circulaire ; on peut en approcher en escaladant un vieux tas de pierres. On reconnaît encore les pierres carrées qui autrefois en formaient la margelle. Le lieu est désert, délabré, brûlé par le soleil. On comprend soudain quelle signification cultuelle a dû avoir l'eau jaillissant de ce puits.

Est-ce que nous avons le moyen de pénétrer plus avant dans les secrets de la religion des Sardes ? Leur mythologie gardera à tout jamais ses secrets. Mais il nous reste d'interroger les statuettes de bronze nouraghiennes, ces hérauts muets d'une vie éteinte. Elles sont, en effet, des témoins peu ordinaires d'une religion disparue. Leurs grands yeux aux lourdes paupières, leur stature délicate nous renseignent sur un peuple qui n'a aucun équivalent en Occident. L'art sarde est un livre sans caractères qui nous fournit des renseignements très variés. Grâce à lui, nous faisons la connaissance du « Sacré Collège » de cette religion.

Il y avait des grands prêtres, des prêtresses, des desservants mâles du culte, des musiciens. Les prêtres de haut rang portent un vêtement collant qui descend jusqu'aux cuisses et un manteau jeté sur l'épaule. A la main gauche, ils tiennent un bâton — sorte de sceptre religieux. Zervos suppose que les grands chefs des tribus nouraghiennes étaient en même temps les représentants terrestres de la religion.

Un rôle très important incombait aux prêtresses. Les chaînons d'une chaîne qui remonte à 30 000 ou à 40 000 ans se sont conservés en Sardaigne, île brûlée par le soleil : les premières images plastiques que l'humanité ait faites, les « statuettes de Vénus » qu'on rencontre dans toute l'Europe et qui remontent à l'époque paléolithique représentent probablement des « déesses de la fécondité ». Les statuettes de déesses et de prêtresses de l'ancienne Sardaigne sont probablement leurs héritières. Quand on examine la religion des Nouraghiens en remontant dans la nuit des temps on tombe toujours sur la « Magna Mater » originelle, la « Mère de toutes choses » et sur son culte de la fertilité. Les statues de basalte de Macomer sont de telles « déesses mères ». On a découvert à Porto Ferro et à proximité de Senorbi des idoles de marbre représentant des symboles féminins. L'idée religieuse de la divinité féminine a rarement été exprimée avec autant de simplicité et de grandeur. Cette « pensée mariale néolithique » est restée vivante en Sardaigne depuis la première immigration asiatique jusqu'aux temps réchrétiens et même jusqu'à l'époque romaine. Les Sardes ont appris plus tard la langue des Romains — et l'ont conservée en Sardaigne centrale. Mais ils ont rejeté la religion et les dieux des Romains ! Ici les hommes ont commencé très tôt à représenter leur divinité par l'art plastique. Les premières pierres, hautes de plusieurs mètres, qui se dressaient enfouies dans la terre, étaient déjà des images de ces dieux. Peu à peu, on communiquait aux pierres une expression humaine. Avant même l'invention du moulage du bronze, les vieux Sardes ont créé l'image d'un couple divin. Trois des pierres dressées — des Perdas Marmuradas — de Tamuli, près de Macomer, portent des caractères féminins. Il n'en est pas ainsi des autres pierres. On doit en conclure qu'elles représentent des divinités féminines et masculines. L'art du bronze qui s'appuie plus tard sur ces idées religieuses prend un essor si étonnant parce qu'il vise toujours à exprimer le motif éternel de la vie et de la foi. Les premières statuettes de Sardaigne, œuvres d'art incomparables, virent le jour vers 1 000 avant J.-C. pour atteindre leur plus belle éclosion au VIIIᵉ siècle. Qu'on veuille bien se souvenir que les maîtres de cet art du bronze étaient des contemporains d'Homère, du plus grand poète que l'humanité ait connu. La création de ces bronzes continue jusqu'aux Vᵉ et IVᵉ siècles avant J.-C. Les conquêtes phéniciennes et la colonisation punique mettent fin à cet art.

Les statuettes qui représentent des prêtresses portent très ouvertement les caractères du rôle qu'elles ont à jouer. Habillées d'un manteau, elles tiennent dans leur main gauche une coupe, libation ou eau bénite. L'attitude de ces prêtresses exprime également la profonde signification de l'eau dans le culte sarde. Solennelles, sérieuses, étrangères au monde, abîmées dans une profonde méditation, les statuettes fixent l'éternité dans les vitrines du musée de Cagliari.

L'office sacrificiel incombait aux prêtres. Ce sont encore les statuettes qui nous révèlent ce fait. Il y a, à la Bibliothèque Nationale de Paris, une statuette de bronze représentant un homme qui apporte des animaux dans un sac. D'autres prêtres sacrificateurs conservés au musée de Cagliari portent sur le dos un bélier, une cruche, ou tiennent dans les mains une corde bénite. Une statuette de prêtre haute de 13,5 centimètres lève la main droite jusqu'à hauteur de l'épaule droite. D'une manière générale, les Nouraghiens semblent avoir levé, pour prier, la main droite, la paume en avant.

Comme dans la civilisation minoenne de Crète et en d'autres lieux sur la rive orientale de la Méditerranée, les fêtes religieuses étaient accompagnées de jeux et de danses qui se déroulaient au son d'une musique. Les musiciens se tiennent devant nous, animés, dirait-on, d'une vie fantomatique, jouant du tambourin ou du cor, s'exerçant sur d'autres instruments dans une extase orgiaque. Les fêtes religieuses étaient également des fêtes de la fécondité.

Tout comme à Mari — ville située sur le cours moyen de l'Euphrate redécouverte par Parrot — les fidèles qui vivaient en Sardaigne il y a 2 500 à 3 000 ans, offraient également à leurs divinités des statuettes qu'ils transportaient dans les temples. Ils adressaient leurs prières à ces statuettes et croyaient que les dieux ainsi représentés exauceraient leurs prières. Si la civilisation du bronze des Nouraghiens n'avait pas été portée par un idéal religieux, elle n'eût jamais atteint une telle perfection. La religiosité des Nouraghiens qui se reflète dans la pensée créatrice des statuettes constitue une œuvre unique dans l'histoire de l'humanité.

Quelques statuettes étaient montées sur des socles de pierre, d'autres sur des tiges de bronze. Ces tiges étaient fixées, à leur base, sur des blocs de métal ou fichées dans des pierres percées de trous. La taille, la finesse, la fragilité de ces créations prouve qu'elles servaient à des fins religieuses. On en a trouvé beaucoup sur des bancs de pierre, près d'autels. Parfois, les tiges étaient montées par groupes de trois ce qui exprimait peut-être la trinité de trois êtres, la mère terre et deux divinités masculines.

L'art du bronze nouraghien a trouvé sa plus grande perfection dans la représentation de la déesse avec son divin fils. Nous pouvons admirer une telle statuette au Musée National de Cagliari. La face de la mère de dieux exprime une profonde tristesse, le divin fils qu'elle entoure de son bras gauche est mort. Ce bronze découvert à proximité d'Urzulei ne mesure que 10,2 centimètres de haut. Une autre statuette représentant une déesse mère avec son fils, haute de 10 centimètres seulement, fut retrouvée à S. Vittoria de Serri. La femme lève sa main droite dans un geste de bénédiction. Sa bouche est amère, ses yeux gonflés de larmes. Une troisième statue de 11,5 centimètres nous frappe par l'expression douloureuse du visage et par la lassitude mortelle de l'expression du fils. Dans le même musée, on voit une déesse mère très stylisée en marbre qui date d'avant l'âge de bronze. Elle fut découverte à Senorbi, a 42 centimètres de haut et représente une croix de forme très rudimentaire, croix qui date de plus de 3 000 ans. Elle pourrait être le modèle jamais égalé de beaucoup de plastiques de nos expositions d'art moderne.

On a ainsi trouvé dans le bronze la vie d'innombrables siècles, la foi, la souffrance, la lutte, l'existence de tous les jours du peuple sarde. On a également trouvé des moules, on a déterré des « trésors » entiers datant du temps des Nouraghiens. Certains de ces « trésors » contenaient des barres de cuivre ou des fragments de barres, des haches simples et doubles, des blocs de métal et de nombreux objets de bronze. Ainsi, on a trouvé à Albini 750 fragments, à Portotorres 1 976 fragments. Près de sources et d'étangs qui étaient peut-être des lieux de culte, on a trouvé des entrepôts d'offrandes votives, d'objets religieux. D'autres entrepôts ayant appartenu à des fondeurs et des bronzeurs ne recelaient ni bijoux ni statuettes mais des outils, des armes, des moules ainsi que des fragments d'objets destinés sans doute à la refonte.

On a découvert des barres de cuivre en forme de peaux de bœuf qui servaient au troc. Ces barres portaient des signes en écriture paléocrétoise (Linéaire B). « Pecus » veut dire en latin « bétail», « pecunea » désigne l' « argent » (dans le sens de monnaie). Les plaques de cuivre sardes en forme de peaux d'animaux expliquent beaucoup mieux l'expression latine que la théorie d'après laquelle le bœuf était, chez les anciens Romains, l'objet de troc par excellence. L'existence des Sardes n'était pas uniquement consacrée à la guerre. Nous voyons également leurs animaux, leur agriculture, les innombrables outils et ustensiles de leur vie de tous les jours.

On a trouvé en tout 400 à 500 statues de bronze. Mais les travaux de fouille continuent. Une seule statue nouraghienne a une valeur inappréciable. Elle n'a pas de prix car l'art qu'elle représente est unique!

Cet art est l'expression d'un peuple fier, d'une morale élevée, d'une religiosité profonde telle qu'on la remarque encore de nos jours sur la figure des femmes sardes quand elles se rendent à l'église, le dimanche, dans leurs splendides costumes régionaux.

*L'Egée.*

GRÈCE

# L'écriture
# « Linéaire B »

*La découverte des tablettes d'argile avec des inscriptions en écriture linéaire B et le déchiffrement de ces signes est une des plus grandes réalisations scientifiques de notre temps. Car elle nous a révélé brusquement l'histoire la plus ancienne de la Grèce et l'étendue de la civilisation mycéenne.*

*« Nestor, le seul survivant des douze fils de Nélée, hérita le trône et régna pendant trois générations sur le territoire de neuf villes. Il est très probable qu'il fut lui aussi un bâtisseur et qu'il fit ériger le deuxième des grands complexes du palais et peut-être d'autres constructions. En tant que compagnon fidèle, conseiller et ami intime d'Agamemnon, il récolta gloire et respect pendant la campagne de Troie... Nestor rentra de la guerre et régna sur Pylos où il reçut dix ans plus tard Télémaque. »* (Carl W. Bletgen : « The Palace of Nestor », *American Journal of Archeology*, avril 1960, p. 159.)

L ES RUINES de la forteresse la plus célèbre de l'ancienne Grèce se trouvent à une altitude de 278 mètres seulement. Mais l'histoire de ce milieu est une source intarissable pour nos poètes, nos dramaturges, pour toute notre civilisation occidentale. Aucune dynastie n'a fourni autant de matière aux auteurs de drames et de tragédies que les seigneurs de la forteresse de Mycènes. Agamemnon, roi de cette forteresse, rassembla autour de lui les peuples de Grèce et partit en guerre contre le prince de Troie, Pâris, qui avait enlevé Hélène, l'épouse de son frère Ménélas.

Mycènes est située dans la presqu'île du Péloponnèse que les Grecs considéraient dans les temps anciens comme une île. L' « île de Pélops » tire son nom d'un des ancêtres d'Agamemnon. Dans l'*Iliade*, Agamemnon est le grand antagoniste d'Achille dont la colère forme le noyau du poème. Homère a créé cette épopée au VIII<sup>e</sup> siècle avant notre ère. Mais la grande époque de Mycènes s'étend de 1400 à 1150 avant J.-C. La lutte de Troie se déroula entre 1194 et 1184. C'est à cette époque aussi que furent construits les grands remblais de la forteresse et la Porte des Lions de Mycènes, le Palais, le tombeau géant, la chambre du trésor d'Atrée; c'est probablement lui qui créa ces merveilles architecturales.

On sait que Heinrich Schielmann, qui avait pris le récit d'Homère pour un récit historique, a mis à jour Troie, en Turquie, à proximité de l'entrée des Dardanelles, ainsi que Tirynthe et Mycènes dans le Péloponnèse. Près de dix-sept restes de squelettes, Schiemann découvrit un trésor comportant des objets en or d'un poids total de 13,5 kg, trésor qui est exposé actuellement au Musée d'Athènes. Ce fut le début de recherches archéologiques en Grèce ayant pour objet l'époque d'avant les poèmes d'Homère.

Le style de vie grec du II<sup>e</sup> millénaire avant notre ère s'appelle « civilisation Mycénienne », d'après la forteresse d'Agamemnon. Les lieux les plus importants de cette civilisation préhomérique sont les forteresses de Mycènes et de Tirynthe, les ruines de Pylos, les palais de l'île de Crète.

En l'an 1851, naquit à Nash Mills l'Anglais Arthur John Evans, qui devint l'archéologue le plus important de notre siècle. Evans fit ses études à Oxford et à Göttingen, voyagea en Finlande, en Laponie, dans les Balkans, fut arrêté en 1882 par les Autrichiens parce qu'on le suspectait de favoriser une révolte en Dalmatie. En 1893, il commença des fouilles dans l'île de Crète. Il mit à jour le Palais de Cnossos et nous fit connaître ainsi la merveilleuse civilisation minoenne, la plus ancienne sur le sol européen. En 1911, Evans fut anobli. Il mourut en 1941, âgé de 90 ans, entouré d'honneurs — assez tôt pour ne jamais apprendre le débarquement des Allemands dans l'île de Crète qu'il avait tant aimée. Les Allemands établirent leur état-major dans sa villa « Ariane », près de Cnossos.

Pendant deux périodes on construisit des palais dans l'île de Crète! Deux fois presque tout a été démoli. Les premiers « grands palais » furent élevés vers 2 000 avant J.-C. à Cnossos, Phaestos et Mallia. Ces palais célèbres furent détruits au bout de quelques siècles. On suppose que cette première période d'éclosion de l'art architectural se termina vers 1700 avant J.-C. Pas plus tard que vers 1600 avant J.-C. on construisit de nouveaux palais qui marquaient une nouvelle époque. Outre des palais, on éleva des « maisons de maîtres », résidences de hauts fonctionnaires qui étaient investis probablement de charges administratives

*Bâtiment central du palais de Cnossos, en Crète. Schliemann savait déjà que le palais minoen se trouvait ici, mais il mourut avant de pouvoir entreprendre des fouilles. Sir Arthur John Evans remit au jour ce palais en 1899. Au-dessus du palais on reconnaît le village moderne de Cnossos (photo Prof. Hirmer).*

et religieuses. En 1525 et 1520 eut lieu une terrible catastrophe dont la cause n'a pu être établie avec certitude jusqu'à ce jour. Les « maisons de maîtres » et les palais nouvellement construits furent la proie d'une destruction subite et violente. On ne sait si elle fut provoquée par des conquérants étrangers ou par un cataclysme naturel. Archéologues, historiens et savants ont imaginé de nombreuses théories pour expliquer ces événements. Aucune n'est vraiment concluante...

A quelque cent kilomètres au nord de la Crète se trouve une petite île en forme de fer à cheval qui s'appelait dans l'antiquité « Théra » et à laquelle on a donné au Moyen Age le nom de « Santorin » d'après sa sainte patronne Irini. Au milieu du II$^e$ millénaire avant J.-C. une gigantesque éruption volcanique y détruisit toute vie. Marinatos calcula la date de cette catastrophe en se basant sur les poteries de Cnossos, le style des fresques, les empreintes dans les glaces du palais. Il trouva comme date probable une période s'étendant de 1550 à 1500 avant J.-C. Les pentes des monts Elie dans l'île de Théra furent couvertes, par l'éruption, d'une couche de pierre ponce, qui atteint par endroits une épaisseur de 60 mètres. Sous une telle couche on a trouvé, dans la petite île de Therasia, près de Théra, une colonie minoenne datant de 1800 à 1500 avant J.-C. L'éruption a été si terrible que le cône du volcan s'écroula et que la mer fit irruption dans le cratère effondré.

L'éminent savant grec Marinatos suppose que cette éruption déclencha un raz de marée qui dévasta les rives de l'île de Crète. D'après Marinatos, l'éruption de Théra a été quatre fois plus puissante que l'explosion de Krakatoa en Indonésie en 1887 qui coûta la vie à 36 000 personnes. « 83 kilomètres carrés dévastés et immergés dans l'île de Théra contre 23 kilomètres carrés à Krakatoa ! » Mais à la même époque ont également été détruits les palais de la deuxième période à l'intérieur de l'île de Crète, à Cnossos, à Phaestos, à Haghia Triada, à Tylissos et à Sclavocampos. Toutes ces localités, admet Marinatos lui-même, n'ont pu être touchées par le raz de marée. Mais il est concevable que de grands tremblements de terre aient suivi l'éruption de Théra et dévasté les palais de Crète qui seraient alors devenus la proie des flammes. Aujourd'hui encore on observe de trois à quatre tremblements de terre en Crète tous les ans.

La troisième hypothèse serait une attaque de l'île par les anciens Grecs et la destruction de palais par l'intervention des hommes.

Après ces désastres, pendant cent ans encore, une vie culturelle riche et florissante se maintint dans l'île; mais peu à peu la force créatrice et l'art s'étiolèrent.

On a trouvé en Crète trois sortes d'écritures différentes : une ancienne écriture figurative ainsi que deux écritures qu'Evans appela le premier « l'alphabet linéaire A et B ». La première écriture, l'écriture hiéroglyphique, fut employée entre 2000 et 1750 avant J.-C., elle se compose de symboles, tels que têtes, mains, étoiles, flèches. Entre 1750 et 1450 on se mit à simplifier ces dessins. Le résultat de cette simplication fut l'écriture qu'Evans appela « Linéaire A ». On a découvert à bien des endroits, dans l'île de Crète, des documents écrits en « Linéaire A ». Dans un palais à quelques kilomètres de Phaestos on a trouvé 150 tablettes d'argile recouvertes de Linéaire A. La localité dont nous ignorons le nom ancien tire son nom actuel d'une chapelle du voisinage « Haghia Triada ». Longtemps déjà avant qu'on ait songé à déchiffrer l'écriture « Linéaire A » on avait soupçonné qu'il s'agissait là d'une énumération de produits agricoles.

Ailleurs qu'en Crète, on a trouvé l'écriture Linéaire A dans l'île de Melos, ainsi que des traces, à Mycènes et en Chypre.

A une date inconnue — probablement vers 1400 avant J.-C. — cette écriture Linéaire A fut remplacée par une écriture nouvelle qu'Evans appela « Linéaire B ». Il est curieux qu'on n'ait trouvé en Crète l'écriture Linéraie B que dans le palais de Cnossos où elle couvre 3 000 à 4 000 tablettes d'argile. Comment expliquer ce phénomène? Des tablettes d'argile ne résistent à l'âge que si elles sont bien durcies au four. Les Minoens séchaient leurs tablettes, simplement au soleil. Des tablettes séchées au soleil ou à l'air ne sont pas assez dures pour les conserver pendant plus de 3 000 ans. Elles se désagrègent. Comme le palais de Cnossos a été la proie de plusieurs incendies, les tablettes qui s'y trouvaient se durcirent au feu. Cela n'explique pas encore pourquoi Evans n'a trouvé en Crète cette grande quantité de tablettes couvertes de l'écriture Linéaire B qu'au seul palais de Cnossos. Car d'autres palais ont été dévorés par les flammes : des tablettes d'argile s'y trouvant auraient dû se durcir de la même façon. Les incendies de Cnossos n'expliquent pas pourquoi les tablettes de Linéaire B se trouvaient justement à Cnossos!

Pour serrer de plus près le problème, nous aurions intérêt à nous poser la question de savoir s'il y avait une raison spéciale d'introduire vers 1400 cette écriture particulière au palais de Cnossos et d'y conserver les tablettes. Tâchons donc d'abord d'établir quelle langue on transcrivait en Linéaire B. Qu'y a-t-il inscrit sur ces tablettes? Peut-on les déchiffrer?

Beaucoup de savants se sont penchés sur ce problème. Les théories les plus hasardeuses ont vu le jour. On a établi des comparaisons avec les signes égyptiens, hittites, avec l'ancienne écriture de la vallée de l'Indus, avec l'écriture des Phéniciens et des Étrusques. Mais les tablettes gardaient leur mystère.

Le professeur américain Car Bletgen, de l'Université de Cincinnati, prit un jour la résolution de rechercher et de mettre à jour le Palais du vieux héros hellénique Nestor à qui les Grecs, d'après l'*Iliade* d'Homère, demandaient toujours conseil. Comme Schleimann, Bletgen partit de l'hypothèse que les figures homériques étaient en réalité des personnages historiques. Nestor avait élu domicile — comme Homère nous le rapporte — dans son palais de Pylos. Mais on ne trouva aucun palais à l'endroit où se trouve de nos jours le port de Pylos. En 1939 Bletgen étendit ses fouilles — en collaboration avec le Grec Kourouniotis — à la Messénie, dans la partie sud-ouest du Péloponnèse, à quelque 15 kilomètres au nord de Pylos, près d'Epano Englianos. Pendant la première année des fouilles déjà, il découvrit 600 tablettes d'argile recouvertes de l'écriture Linéaire B, la même qu'on avait trouvée loin de là, à Cnossos, dans l'île de Crète. Les tablettes de Pylos datent de 1300 avant J.-C. Dans les châteaux forts de Mycènes et de Tirynthe on découvrit également des tablettes en Linéaire B. On a relevé en particulier des tablettes dites « d'épices » trouvées par Wace en 1954 à Mycènes, dans la maison du « Marchand de vins », et qui contiennent des énumérations d'épices qu'on vendait sans doute à quelques clients, telles que du safran rouge et blanc, du cumin, du sésame, du coriandre, de la menthe, du fenouil, du pouliot — sorte de plante officinale.

On savait maintenant qu'une écriture énigmatique était utilisée en Grèce vers 1300 avant J.-C. avant celle bien connue empruntée aux Phéniciens vers 776 avant J.-C., époque des Jeux Olympiques. Car l'écriture grecque existe depuis 776 et les Grecs commencèrent alors à écrire leur propre histoire.

Étant donné qu'on a trouvé dans le Péloponnèse des tablettes à trois endroits différents et en Crète seulement au Palais de Cnossos, il était permis de supposer que cette écriture a été importée en Crète par des navigateurs ou des conquérants. Mais cette théorie ne résiste pas à un examen approfondi puisque les tablettes de Crète ont 100 ans de plus que les tablettes du Péloponnèse. A moins que les dates ne soient inexactes. Il est, en effet, possible qu'Evans et son collaborateur Mackenzie aient mal daté les couches de Cnossos et que Cnossos n'ait été détruit que cent ans ou davantage *après* 1400 avant J.-C.

Une troisième explication paraît la plus plausible ! Après les grandes destructions faites en Crète, des Achéens — donc des Grecs — du IIᵉ millénaire avant J.-C. y auraient débarqué et auraient donné l'ordre aux écrivains du Palais de Cnossos d'adapter l'écriture crétoise à la langue grecque. On se demandera pour quelle raison les Grecs tenaient à emprunter leur écriture à la Crète, puisqu'on connaissait, à cette époque, déjà d'autres systèmes d'écriture. L'écriture cunéiforme de Mésopotamie présupposait la connaissance de 300 signes. Pour lire et écrire les hiéroglyphes égyptiens il fallait se rendre maître de 350 signes au bas mot. L'alphabet Linéaire B se compose de 80 symboles syllabiques et de quelques abréviations. C'est une sorte de sténographie adaptée spécialement aux besoins du commerce, de la comptabilité, des inventaires.

Les écrivains du palais de Cnossos transformèrent donc l'écriture Linéaire A en Linéaire B qui fut alors introduite en Grèce, mais exclu-

# GRÈCE

sivement à l'usage des seigneurs et rois des Palais de Pylos, de Mycènes, de Tirynthe et de la Cadmée de Thèbes. Evans avait déjà remarqué que quelques brocs à anse du Palais de Thèbes portaient des signes de cette écriture préhellénique. Il en tira la conclusion qu'on y avait parlé, dans les temps préhelléniques, la même langue qu'en Crète. Mais on ne savait pas, à cette époque, de quelle langue il s'agissait. Les fouilles de Bletgen à Pylos permirent à la science un important pas en avant. On disposait maintenant de tant de tablettes en Linéaire B que les possibilités de comparaisons s'en trouvaient multipliées. Les signes gravés par d'innombrables écrivains dans les tablettes d'argile comportent toujours de petites variantes. Pour pouvoir établir des comparaisons valables on a besoin d'un grand nombre de signes. Il est plus facile de déchiffrer ces codes secrets quand on connaît la langue qui se cache derrière le code. Dans le cas de l'écriture Linéaire B on ignorait aussi bien les signes que la langue!

En 1952, l'Anglais Michael Ventris réussit à lire et à reconnaître un certain nombre de ces signes mystérieux et identifia la langue transcrite comme étant du grec. Le jeune Ventris n'était pas philologue mais architecte. Il se mit en rapport avec tous les savants qui s'étaient penchés sur ce problème. Il fut des premiers à examiner les tablettes de Pylos. Il savait à fond le grec. De plus, il était doué d'imagination et possédait le don inné de la combinaison. Ventris avait surtout trouvé dans la personne du philologue John Châdwick, professeur de langues anciennes à l'université de Cambridge, un conseiller expert qui collabora aux publications du jeune Ventris et leur conféra de ce fait la caution d'un homme de science.

Pendant des années, Ventris avait fait fausse route car il flairait derrière les signes mystérieux la langue étrusque. Mais, par la suite, il se rendit compte que les tablettes de Pylos, de Tirynthe, de Mycènes et même celles de Cnossos cachaient une forme archaïque de la langue grecque. Fort de cette connaissance on réussit peu à peu à déchiffrer tous les signes. C'est là une réalisation scientifique tout à fait étonnante, œuvre de beaucoup de savants, entre autres des Américains Alice Kober et de l'expert le plus remarquable de l'écriture linéaire B, Emmet L. Bennet, du Suédois A. Furumark, des Français Chantraine et Lejeune, des Allemands Ernst Sittig et Hans Stolzenberg, de l'Autrichien Fritz Schachermeyr, des Anglais B. R. Palmer, E. G. Turner, A. P. Treweek, des Italiens P. Meriggi, V. Pisani, C. Cappovilla et du Grec K. Kristopoulos.

Le spécialiste de l'histoire ancienne, Fritz Schachermeyr, a expliqué récemment dans un traité du plus grand intérêt pourquoi il n'est pas très

facile de comprendre les textes en linéaire B. Les tablettes de Cnossos et de Pylos contiennent presque uniquement des inventaires et des notes destinées à faciliter le travail des intendants qui établissaient les factures. De même que certaines notes en langage commercial ne sont comprises de nos jours que par les gens du métier, de même certaines inscriptions des tablettes restent obscures pour nous puisqu'elles ne constituaient que des aide-mémoire dans un domaine qui était familier aux écrivains et aux lecteurs d'alors. Schachermeyr appelle la langue grecque du linéaire B une « langue de comptables et de spécialistes de la branche ». Il suppose que l'alphabet linéaire B n'avait pas été inventé par ordre des Grecs mais que cette écriture — qui est un dérivé de l'alphabet linéaire A — était utilisée déjà avant l'arrivée des Grecs en Crète pour transcrire le crétois ancien avant qu'elle fût adaptée au grec. Nous avons déjà dit qu'il est impossible d'établir avec certitude les débuts du linéaire B en Crète.

Les tablettes contiennent des indications sur des troupeaux de béliers et de brebis, de boucs et de chèvres, de sangliers, de taureaux, de vaches. Des fondeurs de bronze sont désignés par leurs noms, de même que le poids du métal qu'ils travaillent. Nous trouvons les listes d'ustensiles, de mobilier, de toutes sortes d'objets, on parle de vin, de denrées alimentaires diverses, de chars de combat, de la vente et de l'achat d'esclaves mâles et femelles. Les tablettes de Pylos mentionnent même la quantité d'huile et de parfum que deux groupes de serviteurs et de servantes du roi pouvaient employer.

L'écriture est partout le commencement de l'Histoire. Du moment qu'on avait établi que la langue grecque était déjà écrite en 1400 avant J.-C., on pouvait reculer toute l'histoire grecque de 500 ans, d'Homère jusqu'à Nestor, jusqu'aux bâtisseurs des forteresses et palais prodigieux de Mycènes, de Titynthe, de Pylos.

Nous connaissons aujourd'hui la vie de tous les jours si variée d'hommes dont l'existence ne nous avait été révélée, jusque-là, que par les vestiges silencieux de leur architecture et de leur art...

◀ *A l'époque mycénienne, la Grèce fut le théâtre de plusieurs guerres alors qu'on ne connaît pas de forteresses en Crète. La vue de cette casemate de Tirynthe prouve qu'il s'agit d'une place forte. La forteresse de Tirynthe couvre une surface de 20 000 mètres carrés et comprend également un palais. Tirynthe se trouve à 15 km de Mycènes. Les deux places fortes ont été dominées, du moins un temps, par le même souverain (photo prof. Hirmer).*

# GRÈCE

# La vie
# à l'époque
# mycénienne

*Les dernières fouilles et recherches nous ont permis de nous faire
une idée précise de l'existence somptueuse, de la richesse étonnante,
des édifices grandioses, des riches peintures, de l'élégance, du
comportement, des costumes des hommes qui ont vécu en Grèce
et en Crète deux mille ans avant notre ère. La Crète et les villes
grecques de l'époque mycénienne ont vu la première grande civilisation européenne!*

*« Je dirais que je crois qu'Agamemnon a été une figure histori-
que ayant vécu à Mycènes vers 1200 avant J.-C. »* (Alan J. B.
Wace, Mycenae, New Jersey, 1949, p. 1.)

I L EST toujours intéressant de remonter aux origines d'un peuple,
bien que nos recherches se perdent vite dans la nuit de la préhistoire.

Les Grecs sont un peuple indo-européen. Avant eux, des peuplades
d'origine très différente habitaient la terre de Grèce. La science donne
à cette population préindo-européenne le nom de « peuplades égéennes ».
Les Égéens ne vivaient pas seulement en Grèce mais dans les îles de la
Méditerranée orientale, c'est-à-dire en Crète et dans le sud-ouest de
l'Asie mineure. Les Grecs appelèrent plus tard la population primitive
Léléges, Cariens et Pélasges. D'où sait-on qu'un peuple indo-européen
s'est emparé des terres et des îles occupées par les Égéens?

On sait en effet que les Indo-Européens ont pénétré dans toute l'Europe méridionale. La langue grecque est un des aboutissements de l'évolution de la langue indo-européenne qui se parlait peut-être dans les
grandes plaines s'étendant entre la Pologne et le Turkestan. On a trouvé
en Grèce de nombreuses traces d'une langue précédant le grec. Des
noms toponymiques se terminant pas « nthos » et « ssos » ne dérivent

pas de l'indo-européenn et ne s'expliquent pas par le grec. Les Grecs reprirent donc à la population autochtone des noms de plantes, de rivières, de montagnes, d'îles.

La Crète est le fief principal du monde égéen. La langue minoenne vient de l'égéen. Les textes de l'ancienne Crète en linéaire A sont rédigés dans cette langue. Nous savons également par l'*Odyssée* d'Homère que de « vrais Crétois, Sidoniens, Doriens et Pélasges » vivaient en Crète. Le « Père de l'Histoire », Hérodote, nous apprend que les Pélasges parlaient une langue « barbare », donc « non hellénique ».

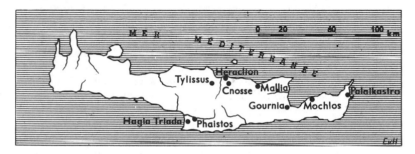

*L'île de Crète.*

La civilisation urbaine, les villes ont été introduites en Grèce entre 3200 et 2500 avant J.-C., venant de l'Orient et de la civilisation égéenne. La première grande civilisation européenne est née en Crète du fait même que la civilisation urbaine a pris pied d'abord dans le monde égéen. Le spécialiste autrichien d'Histoire ancienne, Fritz Schachermeyr, a prouvé que la « polis » hellénique, l' « état-cité » — création remarquable sur le plan culturel et politique — était due à l'introduction précoce en Grèce de l'idée égéenne de la civilisation urbaine. Le développement de l'art plastique, du tableau de genre qui a trouvé sa plus belle expression aux flancs des vases grecs, beaucoup de traits matriarcaux, et surtout l'héroïne de la mythologie grecque, doivent leur origine aux sources vivantes de l'époque égéenne.

Quand on traverse la Grèce, on ne doit donc jamais perdre de vue que la vieille civilisation égéenne se cache partout au fond de la civilisation grecque et de l'homme grec.

Les premières immigrations d'Hellènes eurent lieu entre 2000 et 1900 avant J.-C. Ils descendirent du nord. Il est très intéressant d'examiner les crânes encore conservés d'hommes qui vécurent à l'aube de l'histoire de la Grèce. Vingt-sept crânes d'Asie datant de 1900 à 1580 avant J.-C. prouvent que la population se composait d'éléments égéens et d'éléments indo-européens. On a mis à jour 21 crânes dans un lieu de sépulcre de Kalkani datant de 4 000 ans environ. Les hommes appartiennent à la race indo-européenne, les femmes sont d'origine égéenne. L'anthropologie met ainsi en évidence qu'il y a eu mélange de peuples. On peut supposer que les immigrants grecs épousèrent souvent des femmes indigènes comme cela se pratique couramment en période de guerre.

Nous ignorons si Agamemnon, Ulysse, Télémaque, Nestor savaient lire ou écrire. Mais les tablettes d'argile datant de 1300 à 1100 avant J.-C. découvertes à Pylos par le professeur Bletgen et à Mycènes par le professeur Wace rendent vraisemblable l'hypothèse que Nestor était à même de lire les « dossiers » de ses intendants. La même chose est vraie pour Agamemnon, roi de Mycènes. Il est incontestable que les héros d'Homère étaient des Grecs par leur langage, leur religion, leur genre de vie. On incline de plus en plus à croire qu'ils sont des figures *historiques*. Ils vécurent pendant une « période de Vikings » caractérisée par les grands voyages et expéditions en mer, le goût des aventures, les raids et les rapines. A l'époque des héros mycéniens, de la construction du grand tombeau à coupole — dans la chambre du trésor d'Atrée — de la Porte de Mycénes (vers 1350 avant J.-C.), on sentait dans toute la Méditerranée orientale l'influence de cette puissante royauté.

Un peu plus tôt, vers 1400 avant J.-C., les palais de Cnossos s'étaient écroulés pour la dernière fois. Cette troisième destruction — définitive — de la civilisation minoenne était d'après l'avis de plusieurs savants l'œuvre des Grecs. Aucun peuple vivant ne se rend compte de la diminution de sa force de résistance, de la perte de ses intérêts spirituels, de la décadence de son art. Mais un regard rétrospectif nous permet de constater qu'en 1400 avant J.-C. le dynamisme vital et la pensée créatrice se mouraient en Crète alors que de splendides palais naquirent dans le Péloponnèse à Pylos, à Mycènes, à Tyrinthe, à Orchomenos. Les rapports entre la civilisation mycénienne des Grecs et la civilisation minoenne des Crétois sont loin d'être aussi évidents qu'on a parfois l'air de le croire. La vie préhomérique tire son nom de la forteresse de Mycènes où Schliemann découvrit en 1876 six caveaux princiers datant du XVIe siècle avant notre ère. C'est là que furent découverts les trésors fabuleux en or et les multiples objets enterrés avec les morts. On suppose que les occupants de ces caveaux — neuf hommes, huit femmes, deux enfants — étaient les membres d'une grande dynastie, car cinq des

*Ce masque en or d'un prince mycénien a été découvert par Heinrich von Schlie-
mann dans la forteresse de Mycènes, dans la tombe V. On l'attribue à Agamemnon. On a également trouvé les restes du mort qui portait ce masque sur la figure
(photo Prof. Hirmer).*

*Ce rhyton en forme de tête de lion est en or pur. Ce vase rituel est une pièce remarquablement belle, faite d'une seule pièce en ronde bosse. Découvert dans la tombe IV de Mycènes, il date du XIV<sup>e</sup> siècle avant J.-C. (photo Prof. Hirmer).*

hommes portaient des masques d'or. L'archéologue Alan J.B. Wace, qui mit à jour après Schliemann une grande partie de Mycènes, se posa en 1949, dans son ouvrage, *Mycenae* (p. 114), la question de savoir quelle était donc la véritable source des richesses de cette forteresse. Pourquoi était-elle si puissante, si grande, si riche ? Homère lui-même n'a-t-il pas exalté les richesses de Mycènes ? Les terres environnantes ne sont pas particulièrement favorisées en ce qui concerne la culture du sol, l'huile, le vin, les céréales. Près de Némée, un peu au nord de Mycènes, on a, en revanche, découvert une vieille mine de cuivre. Wace pense que les collines dans l'arrière-pays de Mycènes sont encore mal connues et qu'on pourrait peut-être y découvrir d'autres mines de cuivre datant de l'époque préhistorique, qui furent exploitées par les seigneurs de Mycènes. Car le cuivre a été, à l'époque du bronze, une source remarquable de richesse et de puissance. Quant à l'or trouvé à Mycènes, il avait sans doute été importé de très loin. Car il n'y a pas d'or en Argolide.

Est-ce les Grecs qui ont importé la civilisation mycénienne en Crète ? Ou bien sont-ils allés en Crète pour y « chercher » leur civilisation ? Ou bien les Crétois ont-ils porté leur civilisation et leur style de vie en Grèce ?

La plupart des savants modernes supposent que les Grecs ont entrepris des expéditions guerrières et commerciales en Crète et se sont emparés de la civilisation minoenne et par la force et par des arrangements commerciaux. On sait que les modes de vie raffinés ont toujours exercé un grand attrait sur les populations indo-européennes : un niveau de vie plus élevé est toujours la porte merveilleuse où viennent frapper un jour les peuples couchant à la dure et de mœurs primitives.

A en croire l'archéologue et explorateur anglais Sir John Arthur Evans, qui mit à jour Cnossos en Crète et y trouva 2 000 tablettes couvertes de l'écriture « linéaire B », ce furent les Minoens eux-mêmes qui diffusèrent leur civilisation dans les régions septentrionales. On peut objecter que si les Minoens de Crète ont débarqué sur la terre ferme pour coloniser le Péloponnèse et y implanter leur civilisation, les anciens palais des Grecs auraient ressemblé au labyrinthe de Cnossos et n'auraient pas eu la merveilleuse architecture de Pylos et de Tirynthe. Les civilisations crétoise et minoenne ont beaucoup de choses en commun : la riche décoration des murs et des vases, le rôle secondaire de l'art plastique, les sculptures d'ivoire, la navigation sur une grande échelle l'élégance de la noblesse et sa richesse fabuleuse.

*Tête en ivoire d'un danseur au taureau découvert au palais de Cnossos (550 avant J.-C.) (photo Prof. Hirmer).*

On serre de plus près la vérité en supposant que la civilisation crétoise a pénétré en Grèce alors que la Grèce bénéficiait également des traditions importées du nord. Car c'est l'apport du nord qui distingue la civilisation grecque de la civilisation crétoise, et en premier lieu le costume. Guerriers et chasseurs, les Grecs portaient le chiton, sorte de tunique sans manches. Les femmes représentées sur un tableau mural de Tirynthe conduisant un char, en sont également revêtues. Les costumes crétois, en revanche, sont beaucoup plus raffinés et mieux travaillés. Les Crétois ignorent la fibule, « l'épingle de sûreté ». Les Grecs en faisaient un grand usage. On en a trouvé quatorze à Mycènes, quatre à Thèbes, une à Tirynthe et en d'autres lieux préhomériques. L'ambre jaune a probablement été importé par les Grecs. En Crète il est très rare. Dans les tombeaux mycéniens, on a trouvé quantité d'idoles féminines, dans les tombeaux minoens il y en a peu. Les guerres se déroulaient sur la terre ferme. C'est là qu'on trouve des places fortifiées et des forteresses. Celles-ci étaient si puissantes qu'on n'en venait à bout qu'en les affamant. La vie en Crète était plus paisible. Les Grecs importèrent du nord aussi l'idée du « mégaron ». C'est la salle princi-

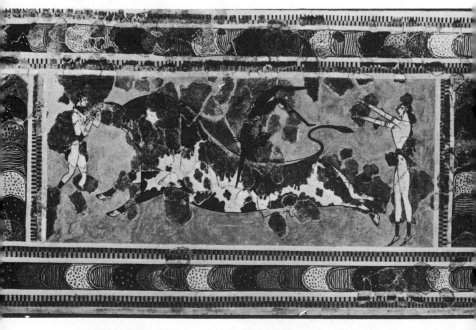

*Le saut au taureau faisait partie du culte religieux. Filles et garçons s'entraînaient à ce sport, en Crète. Comme on avait l'habitude de peindre les hommes en rouge et les femmes en blanc, les deux protagonistes de ce jeu dangereux sont ici des jeunes filles alors qu'un homme se tient au milieu. Fresque découverte dans une petite cour de l'aile est du palais de Cnossos, datant de 1500 avant J.-C. environ (photo Prof. Hirmer).*

*Aiguière à bec et coupe ornées du signe sacré crétois de la hache double. Ces deux pièces d'une rare beauté furent découvertes dans le nouveau palais de Phaestos (photo Prof. Hirmer).*

pale de la grande maison du II$^e$ millénaire avant J.-C., la salle du trône qui était chauffée par un feu au milieu. « Mégaron » vient du grec « mégas qui veut dire « grand ».

Les religions indo-européennes primitives avaient presque toutes la même divinité suprême. Le nom de ce dieu se dit chez les Hindous, les Grecs, les Illyriens, les Romains, Dyaus, Zeus, Jovis. Il est possible que le dieu germanique Ziu se rattache à la même racine. Le « dieu » français dérive également de là. Comme il portait chez les Hindous et les Grecs le surnom de « Père » — « Dyaus Pitar » — les Romains en firent « Jupiter ». De cette tradition ancestrale dérive l'idée du « pater familias » du « chef de tribu » issu d'un ordre social patriarcal commun à tous les peuples indo-européens. A cette tradition se rattache aussi le culte du foyer. La sainteté du foyer est une notion qui remonte à l'époque préhellénique. Tous ceux qui visitent le foyer des palais de l'époque mycénienne peuvent se rendre compte qu'il y avait un lien intime entre les notions de « pater familias », de dieu et de foyer. Dans les palais anciens, on reconnaît encore aujourd'hui les grands foyers de forme circulaire devant lesquels se dressait le trône.

Le niveau culturel des Crétois avait atteint, entre l'époque de la construction des vieux palais vers 2000 avant J.-C. et la décadence de la civilisation crétoise, une hauteur inimaginable. Les palais de Cnossos, de

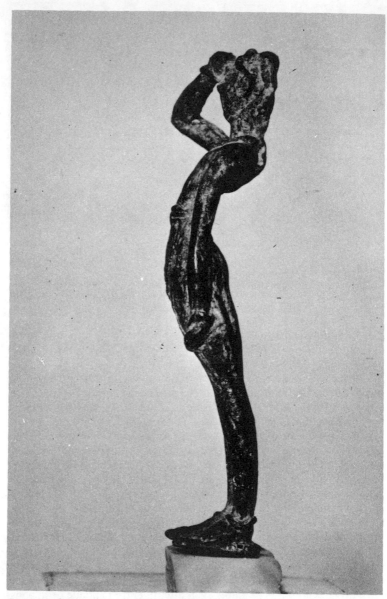

*Statuette de bronze de Tylissos représentant une personne en train de prier. Créée en 1550 avant J.-C. en Crète, elle nous montre l'attitude habituelle de ceux qui s'adressent aux dieux. Elle a 15,2 cm de hauteur (photo Prof. Hirmer).*

Phaestos, de Haghia Triada, de Mallia, les résidences seigneuriales, les villas, les fresques fantastiques, les tasses, les coupes, les brocs et les récipients à bec ornés de couleurs resplendissantes témoignent d'un goût parfait.

Il est à noter que dans la société paléocrétoise, la femme était l'égale de l'homme et qu'on s'efforçait de mettre en valeur sa beauté par les robes, les bijoux, les cosmétiques. Ce n'est donc pas un hasard qu'on ait appelé un fragment de fresque provenant d'une salle d'apparat de l'aile ouest du palais de Cnossos, et datant de 1550 avant J.-C. : « La Parisienne ». C'est la représentation d'une tête de femme aux grands yeux noirs, bien coiffée avec de longues boucles tressées tombant sur les épaules, à la bouche soigneusement maquillée. Les vêtements des Crétoises de ce temps pourraient être de notre époque, tellement ils nous paraissent modernes. Les jupes changent avec la mode. Ainsi, on voyait des jupes cloche, des jupes à crinoline, ailleurs des robes comme nos robes princesse. Les tailles très étroites étaient serrées dans un corset. Les robes n'étaient jamais fixées par des épingles ou drapées comme chez les Grecques. Elles étaient toujours cousues. Il a dû y avoir des centaines de couturières professionnelles. On est en droit de parler de « haute couture » en Crète, il y a 3 500 ans!

Les Crétoises disposaient de fards, de parfums, de lotions capillaires. A Mochlos, on a même découvert des pincettes épilatoires.

On a trouvé dans les trésors souterrains du sanctuaire central du palais de Cnossos une figurine en faïence : elle représente une jeune fille qui tient dans chaque main un serpent. La statuette a 29,5 cm de haut, elle date de 1600 à 1580 avant J.-C. Elle pourrait donner des idées à plus d'un créateur de modes moderne. Diadèmes, boucles d'oreille, colliers, bracelets, pendentifs, bagues, tout est exécuté de main de maître. Ce qui frappe chez les Crétoises, c'est la blancheur de la peau et la belle teinte noire des cheveux. Il est à remarquer que les Crétoises ne couvraient pas leurs seins. Une fresque de Tirynthe, en Grèce, nous montre également une dame de cour dont le corsage laisse les seins découverts.

Les fresques et statuettes, les célèbres sarcophages en calcaire découverts dans un caveau près du palais de Haghia Triada nous montrent les gestes gracieux des Crétoises. Fort gracieux sont aussi les mouvements des jeunes filles qui participaient au culte de la danse du taureau. Il s'agissait de prendre les cornes du taureau qui fonçait sur les jeunes acrobates, de lui sauter sur le dos et ensuite à terre. Il est probable que des jeunes esclaves apprenaient dès leur plus tendre enfance cet art difficile et dangereux, qu'on n'a jamais imité dans aucun pays du monde.

Dans la société minoenne, la femme faisait la pluie et le beau temps.

Elle assistait sans chaperon aux fêtes et aux jeux religieux. Elle était toujours le personnage principal, que ce fût comme danseuse, comme prêtresse, comme spectatrice. Le caractère ardent et passionné de la religion crétoise est probablement la conséquence du rôle qui incombait aux femmes.

*Le « tombeau du temple » de Cnossos. En dessous se trouve une crypte à piliers. A l'arrière-plan, le parvis et le vestibule (photo Prof. Hirmer).*

Nous ignorons évidemment la vraie nature de la foi minoenne, mais nous savons qu'il n'y avait pas de temples en Crète. Le culte se déroulait dans des grottes, des bosquets sacrés, sur des montagnes. Les actes religieux les plus importants avaient pour scène le palais royal. Le roi était en même temps le prêtre. C'est pourquoi on a trouvé dans les palais des autels, des tables sacrificielles, des étagères cultuelles, des rhytons et des cruches. On n'a pas encore expliqué le signe de la double hache et des cornes. L'arbre, la colonne, le serpent étaient des symboles sacrés.

Il y avait en Crète également une déesse des animaux dont le modèle remonte aux premiers temps de la préhistoire européenne.

Depuis qu'on a déchiffré l'écriture linéaire B des tablettes de Cnossos, de Pylos, de Mycènes, de Tirynthe, nous pouvons nous faire une idée de la vie quotidienne de l'époque héroïque après 1400 avant J.-C. Nous regardons derrière les coulisses de l'épopée d'Homère et nous faisons la connaissance de l'étonnant appareil administratif de cette époque. Le texte des tablettes d'argile est d'une austérité presque orientale.

Michael Ventris, mort prématurément dans un accident de voiture, et le professeur John Chadwick, de l'Université de Cambridge, nous ont ouvert un monde inconnu jusque-là en publiant une édition scientifique d'environ 300 de ces tablettes. Nous savons que le gouvernement à Cnossos, en Crète, de même qu'à Pylos, dans le sud-est du Péloponnèse, était tenu par des princes. Une tablette de Pylos cite un nom qui est probablement celui d'un de ces princes ou rois. Il s'appelait « Ekhelawon ». Il y avait des princes, des hommes de cour, des seigneurs féodaux, des bourgmestres, des esclaves. Il y avait des fonctionnaires qui gouvernaient des villes en dehors de Pylos et de Cnossos. Ils s'appellent « pa-si-re-u ». Ce titre s'est conservé dans le « basileos » d'Homère. Il se retrouve également dans notre mot « basilique ».

Le travail était organisé d'après un schéma méticuleux. Il y avait des artisans hautement spécialisés. Les tablettes mentionnent de multiples professions : sculpteurs sur bois, maçons, menuisiers, bronzeurs, fabricants d'arcs, ébénistes, potiers, bergers, chevriers, chasseurs. Il y avait aussi des orfèvres. Un métier à part était l'art de brûler de l'encens. Les femmes tissaient aussi les textiles. Il y avait des tisserandes, des fileuses, des apprêteuses. Aux femmes incombaient de multiples charges à la cour. Elles s'activaient entre autres comme baigneuses. Les hommes foulaient les tissus. Quant à la confection des vêtements, elle était confiée aussi bien aux hommes qu'aux femmes. On mentionne même un médecin.

On connaissait l'esclavage. Les enfants des serfs étaient des esclaves. Il suffisait que le père ou la mère fût serf pour que l'enfant fût esclave. On se procurait la nombreuse main-d'œuvre dont on avait besoin pour construire les palais par des expéditions guerrières. Les prisonniers étaient forcés de faire les travaux les plus pénibles. Quant aux femmes et aux enfants esclaves, on leur enseignait un métier. La plupart des esclaves de Pylos portent le nom d' « esclaves du dieu »; on ignore leur fonction exacte.

Il est intéressant de constater qu'à l'époque mycénienne déjà, vers 1 300 avant J.-C., tous les dieux grecs apparaissent sur les tablettes d'argile : Zeus, Héra, Poséidon, Arès, Hermès, Athéna, Artémis, Dyonysos, Héphaistos. Les deux savants Ventris et Bletgen sont si précis qu'ils indiquent chaque fois le numérotage scientifique des tablettes d'argile sur lesquelles on trouve le nom d'un dieu. Il n'y avait probablement pas de sacrifice d'humains ni d'animaux. On offrait aux dieux du blé, de l'orge, de la farine, de l'huile, du vin, des figues, du miel. La tablette G 866 indique qu'on offrait même de la laine. Le roi-prêtre était assisté d'une nuée de prêtres auxiliaires.

Il est certain que les tablettes d'argile ne contiennent ni histoire ni littérature, mais seulement des notes d'une portée pratique. Elles sont rédigées dans un langage fruste et succinct. Il n'en est pas moins vrai qu'elles sont extrêmement instructives. Sur une tablette, nous lisons : « 38 bonnes d'enfants, 33 filles, 16 garçons ». Sur une autre : « 8 femmes, 2 filles, 3 garçons ». Suit l'énumération de denrées alimentaires qui leur étaient sans doute allouées : « 336 litres de blé, 336 litres de figues ». Sur une autre tablette, nous lisons : « A Pylos : 37 baigneuses féminines, 13 filles, 15 garçons; 1 332 litres de blé, 1 332 litres de figues. » La tablette Ad 686 nous dit : « A Ke-re-za, Pylos : 15 fils de prisonniers; Alkawon n'est pas arrivé » ou bien « ne s'est pas présenté ». Sur la tablette Eo 02, nous trouvons une femme du nom de « E-ra-ta-ra » avec la mention « Esclave de la prêtresse ». La tablette Ae 04 indique : « Ke-ro-wo berger à A-si-ja-ti-ja garde le bœuf de Thalamatas ». La tablette An 18 : « 16 allumeurs de feu, 10 me-ri-du-ma-te (?), 3 mi-ka-ta (?), 4 gréeurs de bateaux, 5 armuriers, 3 boulangers ». Nous ne savons pas ce qu'on doit entendre par me-ri-du-ma-te et mi-ka-ta. Il s'agit probablement de métiers qui n'existent plus. Sur certaines tablettes, on mentionne nommément des commandants et des gardes-côtes travaillant sous leurs ordres. D'autres tablettes font état de propriétés rurales, de semailles, d'autres encore parlent de tributs et de sacrifices, de textiles, de récipients, de meubles. Tn 966 mentionne : « 3 baignoires avec tuyaux de décharge, 3 bassines, 3 marmites, 2 amphores, 1 hydrie, 7 brocs en bronze ». La tablette 713 est consacrée à des tables de pierre incrustées d'ivoire, des tables d'ivoire à dessins de plume, des tables d'ébène richement décorées.

L'invasion des Doriens — ou bien le retour en Argolide des descendants d'Héraclès — mit une brusque fin à la civilisation mycénienne. On démolit des anciens châteaux forts et palais. Néanmoins les dispositions artistiques des Crétois qui s'expriment dans la civilisation mycénienne ont survécu dans l'art plastique de l'époque grecque. La tradition artisanale incomparable s'est également maintenue. L'idée de château fort s'est conservée jusqu'au Moyen Age de même que le sens du style, la force créatrice, beaucoup d'éléments religieux et mythologiques, le désir d'une explication spiritualiste du monde.

Par ces canaux, la vie mycénienne agit jusqu'à nos jours : elle a été pour l'Europe un stimulant culturel extrêmement efficace.

# GRÈCE

# Le
# culte
# d'Apollon

*Les ruines de Delphes se dressent dans une solitude majestueuse :
le poète romantique Hölderlin en parle en ces termes : « C'est
que la montagne sacrée cache sa tête dans les nuages. » Des
archéologues français ont découvert le temple sous le village
moderne de Kastri. Ils construisent un nouveau village pour ses
habitants afin de mettre à jour l'oracle le plus intéressant de la
terre.*

« *Dès les plus lointaines origines, Delphes est lieu oracu-
laire par essence, par excellence. Qu'un Dieu — meneur
d'hommes — y vienne, nécessairement il y exercera ou fera exer-
cer en son nom la divination; plus précisément, il y sera venu
bien moins pour recevoir et réclamer une part d'hommages et
d'honneurs que pour présider personnellement à l'oracle : c'est
l'oracle qu'il convoite, non le sanctuaire. Maître du lieu, Apollon
ne choisit, pour y manifester sa pensée, ni la rumeur incertaine
des feuillages, ni le murmure des abeilles errantes, abandonnées au
caprice d'Hermès; il dédaigna les images confuses qui flottent
dans les songes ou se reflètent au miroir des sources. Pour parler
aux hommes, il usa du langage humain.* » (Pierre de la Coste-
Messelière, *Delphes*, Paris 1957, p. 17 et 20.)

« *On raconte beaucoup de choses sur Delphes et plus encore
sur l'oracle d'Apollon. Car dans les temps les plus anciens, l'oracle
est dit avoir appartenu à la déesse Gé.* » (Pansanias, vers 150 après
J.-C. *Description de la Grèce*, Livre X.)

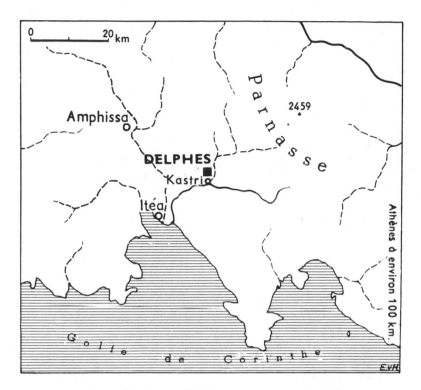

*Delphes.*

L E SOMMET de la sagesse grecque se trouve dans la phrase que nous lisons au temple d'Apollon de Delphes : « Connais-toi toi-même! » Ces quelques mots sont riches de signification. Ils nous indiquent que la recherche de Dieu ne saurait se faire qu'en notre for intérieur; qu'il suffit d'écouter la voix de l'âme pour découvrir la vérité; que le sens de la mesure est la chose qui fait le plus défaut à notre civilisation matérialiste! Ils invitent l'homme à prendre conscience de ses limites, de la brièveté de sa vie; mais ils l'invitent aussi à faire part aux autres de ses richesses intérieures pour accomplir ainsi sa vocation sur terre.

« Connais-toi toi-même! » La parole fut attribuée à l'un des Sept Sages. On appelait, en effet, les « Sept Sages » sept personnalités exceptionnelles qui vécurent dans la première moitié du VIe siècle, à savoir : Solon, l'aristocrate qui donna à sa ville natale d'Athènes sa première constitution; le tyran Périandre de Corinthe qui fonda plusieurs villes, qui contribua au développement de Delphes et d'Olympie, qui favorisa l'art, l'artisanat et le commerce tout en combattant le luxe et l'oisiveté; Bias de Priène, en Ionie, qui dut quitter sa ville natale sans rien emporter et qui déclara « *omnia mecum porto mea* (j'emporte sur moi tout ce que je possède); l'homme d'État Pittacos de Mytilène, auteur d'une loi qui punissait deux fois plus tout délit commis en état d'ivresse; Thalès de Milet, qui prédit avec précision l'éclipse du soleil du 28 mai 585 avant J.-C.; Chilon, un héros de Sparte; le poète Cléobule de Lindos, auteur d'énigmes. Nous connaissons fort bien certains de ces hommes; d'autres, tel que Cléobule, ne nous ont guère laissé de témoignages. On avait taillé dans la pierre du sanctuaire delphique sept sentences de ces grands esprits.

Avant d'approcher du dieu de Delphes, on devait donc se soumettre à l'épreuve la plus difficile et la plus pénible pour l'être humain : on devait faire un examen de conscience. En lisant la sentence « Connais-toi toi-même », on se rendait compte de la grande sagesse du Dieu des Grecs.

Delphes est située sur le versant sud du mont Parnasse, à 570 m au-dessus du golfe de Corinthe, dans un paysage grandiose, qui élève l'esprit au-dessus des contingences terrestres, dans la sphère éternelle et surnaturelle.

Delphes n'a jamais cessé d'être l'une des grandes énigmes de l'histoire humaine. On dirait que le dieu qui régna en ces lieux s'est retiré avant le déclin de la Grèce antique, avant la victoire d'autres religions, pour que personne ne pût, en toute éternité, le dégrader, le mesurer avec de misérables mesures humaines. Poètes et explorateurs, historiens, théologiens et archéologues se sont efforcés depuis près de 2 000 ans de soulever le voile du dieu de Delphes. Mais personne n'a jamais pu pénétrer ses saints mystères. En dépit de toutes les recherches, de toutes les fouilles, on n'a jamais réussi à les forcer.

En évoquant Delphes, nous songeons — presque malgré nous — à la « Pythie ». « Pythie » n'était pas un nom propre, mais un titre : « prêtresse du culte pythien ». Nous ne songeons jamais qu'à l'oracle. Mais qui était donc le *dieu* qui habitait ici? Car Delphes était un lieu *sacré* et non pas une officine d'oracles. Delphes était en effet le plus grand sanctuaire du monde hellénique. Le dieu qui régnait dans ce sanctuaire s'appelait Apollon. Bien que nous soyons les héritiers spirituels de la Grèce, que nous continuions la civilisation hellénique dans nos manières de penser et d'agir, nous savons moins d'Apollon que des grands philosophes et fondateurs de religions tels que Bouddha, Zarahtoustra ou Mahomet! Parmi tous les dieux que l'humanité a connus, Apollon est le plus insaisissable. Son oracle remonte à la plus haute antiquité. Il a toujours été une source intarissable d'élans religieux!

Seize cents ans avant la naissance du Christ, Delphes était connu « dans le monde entier ». A cette époque, le lieu ne s'appelait pas encore Delphes mais Python. Le nom dérive sans doute de « Python », être mystérieux qui gardait le lieu saint. Python était un grand serpent mâle. Il était le fils de « Ga » ou de « Gé ». Gé n'est autre que la Terre, la Profondeur, l'empire hypogéen. Gé était une déesse. Elle-même et sa parente Thémis sont les premières prophétesses à rendre des oracles sur le mont Parnasse.

Quelle est donc la signification de tout cela? Nous avons affaire à l'antique mythe du serpent adversaire de Dieu. Il personnalise la terre, le démonisme, les forces obscures, mais aussi la guérison — pour cette raison, il est aussi l'animal sacré de la médecine. Il est le monstre qui enserre la Terre comme le serpent Midgard, il cause des tremblements de terre et apporte, grâce à sa connaissance, le péché dans le monde. En tant qu'être connaissant, il rend l'oracle chez beaucoup de peuples. En grec, serpent se dit « drakon », de là le terme allemand « Drachen » (dragon). De même que le serpent est l'instigateur du premier péché au livre de la Genèse, chapitre 3, de même Apollon se rend coupable d'une faute en tuant le Python. Après son forfait, il se rend en Crète où il subit une expiation, une purification. En Crète, on pratique un culte religieux à l'époque préhistorique, vestige de la religion minoenne.

Dans l'Antiquité, le serpent n'était pas seulement un animal redouté et vénéré. On en faisait également un animal domestique qui devait détruire les souris, mission qui incombait aussi à la belette. Les enfants aimaient jouer avec les serpents, les femmes s'en entouraient le cou et la poitrine pour se rafraîchir quand il faisait très chaud.

Mais à Delphes, les serpents Python et Gé présidèrent à l'institution de l'oracle. A Delphes, c'était la terre elle-même qui ouvrait sa bouche. L'esprit de la terre parlait à ceux qui avaient besoin de l'aide de Dieu. L'archéologue français La Coste-Messelière a découvert à Delphes des traces de sacrifices préhistoriques. Au début, les prophéties étaient sans doute confiées au hasard. On lisait l'avenir dans les cailloux qu'on jetait au fond d'une bassine posée sur un trépied. Les archéologues ont trouvé sous un temple d'Apollon le bec d'une fontaine minoenne de la forme d'une tête de lion. Cette pièce date de 1400, 1500 ou 1600 ans avant J.-C. A l'endroit où s'était dressé l'autel, la terre recelait des traces d'origine organique, cendre d'o brûlés mêlée çà des débris de vases mycéniens. Ces trouvailles prouvent qu'on offrait ici des sacrifices déjà à l'époque mycénienne, donc 1 500 ans avant J.-C. environ. On fit aussi une autre découverte plus importante encore : une petite statue en terre cuite de l'époque mycénienne représentant une femme assise sur un fauteuil à trois pieds. La Pythie ne remonte pas si loin! S'agirait-il alors de la déesse Gé? De Thémis? Ou bien y a-t-il une autre explication de cette figurine datant de près de quatre mille ans?

Grâce au déchiffrement de l'écriture minoenne linéaire B, nous connaissons aujourd'hui les liens entre l'ancienne Grèce et la Crète; il est probable que la prêtrise delphique tire son origine également de la civilisation minoenne, de Crète, comme nous l'enseigne l'hymne homérique à Apollon, qui date du VIIᵉ siècle avant J.-C. Le dieu à la recherche de prêtres remarque sur la mer un bateau rempli d'hommes crétois venus de Cnossos. Prenant alors la forme d'un *dauphin*, Apollon attire le bateau à Crissa où les navigateurs construisent un autel en l'honneur d'Apollon Delphinos. D'après la légende, le nom de « Delphes » dérive également de ce « dauphin ». Il n'est pas possible de déterminer à quelle époque Apollon devint le dieu de Delphes. Il est certain, en revanche, que l'oracle existait longtemps avant que le dieu Apollon le choisît comme « résidence ». Il était le plus grec de tous les dieux. On le vénérait en beaucoup d'endroits, aussi bien en Grèce qu'en Asie Mineure; son culte était particulièrement développé à Sparte et ailleurs. Apollon était la divinité la plus rayonnante, la plus grandiose au ciel des Grecs, dans ce lieu de séjour des dieux qui avait nom « Olympe » et qui est un sommet de 2 911 m séparant la Macédoine de la Thessalie. Apollon était l'idéal de la jeune beauté mâle.

Nous ignorons les fonctions et la nature de l'Apollon primitif, mais nous savons ce que les Grecs en ont fait : il était le gardien des troupeaux, le dieu des bergers; d'une façon générale, les bergers se sentaient toujours proches de la divinité tant en Grèce qu'en Asie Mineure, à Bethléem aussi bien qu'en Perse. Il est guérisseur des malades, le protecteur des semailles, l'ami de la musique, de la vie spirituelle et de la philosophie. Il est l'ordonnateur des mesures et du temps, le promoteur des démarches raisonnées, le gardien de la morale. Mais il est avant tout le dieu de l'oracle.

A beaucoup d'endroits de Grèce et d'Asie Mineure, Apollon entretenait des oracles; la méthode de rendre un oracle différait beaucoup d'un endroit à l'autre. En Argolide, la prêtresse tirait son inspiration de l'absorption du sang de brebis égorgées. A Hysiai, on buvait à la source sacrée pour connaître l'avis du dieu. A Thèbes, on augurait en inspectant des bêtes éventrées. A Colophon, à l'oracle d'Apollon de Klaros, l'oracle n'était pas prononcé, comme à Delphes, par une femme, mais par un prêtre à qui on disait simplement les noms des fidèles en quête de renseignements. Le prêtre descendait ensuite au fond d'une grotte, buvait de l'eau sacrée et donnait son avis en forme de vers sans que les fidèles eussent besoin de poser des questions. C'est Tacite qui nous relate le fait, au livre II, 54e chapitre de ses Annales.

A Patara, en Lycie, la prêtresse s'enfermait la nuit dans le temple « quand Apollon se présentait ». C'est Hérodote qui nous en parle au chapire 182 de son livre I. Patara était quelque chose comme la « résidence d'hiver » d'Apollon. En été, il ne séjournait qu'à Delphes.

Il est difficile d'expliquer l'origine du nom d' « Apollon ». Peut-être dérive-t-il du mot dorien d' « Apella », « haie », ce qui indiquerait qu'il était au début un dieu des bergers. Wilamowitz pense qu'il pourrait être d'origine lycienne. Dans ce cas, le dieu ne serait pas grec mais d'importation étrangère. Mais un grand spécialiste de la langue lycienne, Ernst Sittig, a prouvé que le nom du dieu, en lycien, était déjà emprunté au grec, qu'Apollon était donc un dieu grec avant de passer dans la langue lycienne. Dans l'*Iliade*, Apollon est toujours du côté de Troie et non du côté des Grecs. Troie se trouve dans la Turquie d'aujourd'hui non loin des Dardanelles, en Asie Mineure, ce qui permet de supposer qu'Apollon était à l'origine un dieu asiatique.

Deux autres faits extrêmement intéressants indiquent qu'Apollon pourrait bien être d'origine asiatique : les Grecs tirèrent leur calendrier lunisolaire de Delphes, c'est-à-dire du temple d'Apollon de Delphes. Ceci se passa dans la deuxième moitié du VIIe siècle avant J.-C. Or, Babylone était le haut lieu de l'astronomie. L'historien et spécialiste de la religion grecque, le Suédois Martin P. Nilsson, fait remarquer que les fêtes d'Apollon tombent toujours sur le septième jour du mois. A Babylone, une importance particulière était attribuée au septième jour, au « sibutu »; c'est de là que notre septième jour, le dimanche, tire son origine. Quant aux Grecs, ils divisaient leur mois en trois parties — appelées décades — dont chacune correspondait à notre « semaine ». La fête du « septième jour » est donc comme un corps étranger dans un calendrier basé sur la décade; or, le « septième jour » est le jour d'Apollon, ce qui permet de supposer qu'Apollon est originaire du Proche-Orient. Enfin, le nom de la mère d'Apollon, Léto, est également d'origine asiatique. Elle était connue, en tant que déesse indépendante, sur la côte sud-ouest d'Asie Mineure. Nilsson est d'avis qu'Apollon nous vient de certaines régions d'Asie Mineure, de l'Empire hittique qui doit beaucoup à la civilisation babylonienne.

Si cette hypothèse est juste, on peut s'étonner de l'importance que les

Grecs ont donnée à ce dieu étranger. Ils l'ont enrichi d'un apport spirituel extraordinaire. Ils en firent le dépositaire de la miséricorde et du pardon humain. Ils en firent un dieu qui permettait la « purification et l'expiation » à la place de l'ancienne vengeance, qui exigeait le repentir, qui accordait la rémission même à l'assassin repentant. Si Apollon est d'origine orientale, il était à l'origine le *dieu de la vengeance*. Les Grecs en firent « le plus aimable de tous les dieux », comme dit Pindare. Ainsi, Apollon devint un dieu *européen*, un vrai médecin de l'âme!

Quelle que soit l'origine d'Apollon, dès le début il était investi du pouvoir de prédire et d'interpréter les événements grâce à certains signes. Homère déjà en fait un « voyant ». Ce dieu ne se contentait pas d'adoration, il lui plaisait de *répondre* à l'appel des fidèles. Il est vrai que le don prophétique ne fut qu'un attribut ultérieur du dieu. On appelle ce genre de prophétie la « mantique extatique ». Elle est probablement originaire d'Asie Mineure où il y avait des oracles connus du monde antique...

# L'oracle
# de Delphes

*Est-il vrai que des vapeurs s'échappaient d'une fente du sol ?*
*Quelle était la signification de l'Omphalos ? La dernière Pythie*
*a emporté dans la tombe le secret de Delphes.*
*« Pierre de la Coste-Messelière n'a pas seulement donné à ce*
*sanctuaire le meilleur de sa vie d'étude, après Théophile Homolle*
*et Emile Bourget, disparus tous deux. Fouillant très heureuse-*
*ment à son tour, il a longuement vécu dans la familiarité des*
*pierres éparses. »* (Charles Picard, *Delphes*, Paris, 1957.)

D ELPHES, sanctuaire du dieu Apollon, fut le centre religieux et
l'oracle le plus important de la Grèce. Delphes fut considéré
comme le centre de la terre, le « nombril du monde ». En grec,
« nombril » se dit « omphalos ». Au saint des saints — l' « adyton »
— ou dans la « cella » du temple d'Apollon, près de la statue en or du
dieu, se trouvait, en effet, une pierre qui représentait le nombril du
monde. Aucun dieu n'est aussi étroitement lié au culte de la pierre
qu'Apollon. Grâce à un concours heureux de circonstances, cette pierre
s'est conservée jusqu'à ce jour. Elle a la forme d'une petite élévation,
forme qui appartenait primitivement aux tombeaux des héros; elle a
28,7 cm de haut et un diamètre de 38,5 cm. Cette pierre sacrée extrêmement ancienne fut découverte en 1913 par F. Courby contre la paroi
sud de la « cella », et identifiée comme étant l' « omphalos ». Elle
n'était pas seulement le centre de la terre mais on voyait en elle également la pierre tombale du Python assassiné. Sur l'omphalos, on a
déchiffré trois lettres d'un alphabet archaïque. Ce sont les deux lettres
GA — qui est le nom de la Terre Mère qui enfanta Python — et la lettre
mystique E de Delphes dont Plutarque lui-même ignorait la signification.

Sous l'omphalos se trouvait peut-être la fente d'où s'échappaient les vapeurs. Ces vapeurs — qu'exhalaient le serpent ou d'autres dieux hypogéens — avaient, d'après la légende, le pouvoir de transporter la Pythie dans un état d'extase prophétique. Auparavant, elle allait se laver à la Fontaine Castalie, brûlait un peu de laurier et de la farine d'orge et se rendait dans sa salle du temple appelée « adyton ». Elle prenait ensuite place sur un trépied, devant l' « omphalos », buvait de l'eau de la source de Kassotis et tombait dans un état de transe religieuse.

Nous avons là l'un des plus grands mystères de Delphes. Car il existe de nombreux textes anciens qui parlent de la fente dans le rocher et de la vapeur qui s'en échappait. Mais tous ces textes ne sont pas très vieux. Est-ce qu'ils prouvent qu'il y avait vraiment quelque chose comme un souffle « sortant du sol » — en grec « pneuma » — qui mettait la pythie dans un état extatique lui permettant de prononcer des prophéties? Il est intéressant d'étudier cette tradition en remontant aux sources.

Diodore de Sicile, qui écrivit entre 60 et 30 avant J.-C., nous raconte que l'oracle de Delphes fut découvert par des chèvres. Le berger qui découvrit la vieille capitale de la Macédoine, Aegae, plus tard nommée Edessa, fut également guidé par des chèvres. A l'endroit même où se trouve le sanctuaire de l'oracle de Delphes, il y avait autrefois une grande crevasse dans le roc. Quand une chèvre s'approchait de cette crevasse, elle se mettait à faire des bonds curieux et à émettre des bruits étranges. Le berger qui remarqua ce phénomène s'approcha. Il lui arriva la même chose qu'aux chèvres, il entra en transes; dans cet état il eut une vision de l'avenir. Le bruit de ce phénomène bizarre se répandit dans la région. Beaucoup de gens visitèrent le lieu. Chacun fut pris par l'extase étrange. Mais la terre engloutit aussi tous ceux qui s'approchèrent trop près de la crevasse. C'est pourquoi les habitants de la région résolurent de ne plus admettre en ce lieu qu'une jeune fille à laquelle incombait la charge de prédire l'avenir. C'est elle seule qui rendait les oracles. On créa pour la prophétesse un dispositif lui permettant de respirer les vapeurs sans courir de risques : c'était le fameux trépied.

Justin raconte au III$^e$ siècle après J.-C. — dans le 24$^e$ livre de son *Histoire de Philippe* — qu'il y avait, à mi-hauteur du mont Parnasse, une plaine; c'est là qu'un trou profond dans la terre permettait de prononcer des oracles : poussé comme par un vent violent, un parfum froid montait du fond de l'abîme. Les gaz qui s'échappaient ainsi mettaient en transes les âmes des femmes qui — remplies de la divinité — se sentaient poussées à répondre à ceux qui leur posaient des questions.

# GRÈCE

Le célèbre géographe grec Strabon, qui vécut de 63 avant J.-C. à 19 après J.-C., est notre source la plus ancienne en ce qui concerne la fameuse crevasse. Malheureusement, Strabon ne s'est jamais rendu lui-même à Delphes et dut se contenter de récits de seconde main. « On dit que le sanctuaire est un « antron », une excavation profonde avec une ouverture étroite. C'est de là que s'élève la vapeur sacrée. Au-dessus du trou se trouve un trépied sur lequel monte la Pythie pour respirer les odeurs et prononcer l'oracle en vers ou en prose. »

L'un des meilleurs témoins est Plutarque qui connaissait fort bien l'oracle puisqu'il y avait servi, pendant quelque temps, en qualité de prêtre. Il vécut de 46 à 120 après J.-C. Il nous raconte : « L « oïkos », c'est-à-dire l' « endroit » où s'asseyaient celles qui devaient interroger le dieu se remplissait d'une fumée odorante. Le phénomène ne se produit ni souvent ni à intervalles réguliers, mais de temps en temps. L'adyton dispense — telle une source — cette vapeur comparable à un mélange de parfums précieux. » Plutarque parle ici d'un « parfum » mais ne mentionne aucune fente dans le rocher.

Lucain, écrivain romain, vécut de 39 à 65 après J.-C. De ses nombreuses œuvres, seule une épopée décrivant la guerre civile entre Pompée et César nous fournit (v. 169-174) un récit dramatique de l'excitation frénétique de la Pythie qui finit par sombrer dans la folie.

Tous ces récits ne manquent pas d'intérêt mais datent d'une époque relativement tardive. La plupart furent rédigés entre l'an 100 avant J.-C. et l'an 100 après J.-C. L'*Histoire de Philippe*, de Justin, ne fut écrite qu'au III<sup>e</sup> siècle. Mais la Pythie rendait l'oracle 700 ans avant J.-C. et Delphes atteignit l'apogée de sa gloire spirituelle au VI<sup>e</sup> siècle avant J.-C. C'est l'époque où furent construites les chambres de trésor de Corinthe, de Sikyon, de Siphnos.

Les écrivains classiques tels que : Hérodote (env. 368 avant J.-C.), Euripide (env. 450 avant J.-C.), Platon (env. 400 avant J.-C.), nous parlent souvent de l'oracle, de la Pythie, des prêtres, des questions et des réponses, mais ne mentionnent jamais la fente dans le rocher ! Une telle fente dans le sol ou dans le roc a-t-elle jamais existé ? Est-ce qu'il y avait vraiment des « vapeurs » favorisant la prophétie ? Est-ce qu'on a jamais décelé ce « pneuma » mystérieux, ce souffle, ce vent venant des entrailles de la terre ?

Écoutons ce qu'en dit un chercheur moderne, Émile Bourguet, qui a participé à ces fouilles. Il avait espéré, raconte-t-il, que les ruines lui révéleraient le fonctionnement interne de l'oracle. Il ajoute, sur un ton de résignation : « Pour nous aussi, le mystère reste entier sur ce qui se passait au cœur du sanctuaire prophétique. » Pourtant, une idée s'imposait à lui à mesure que les travaux avançaient : « Nous avions l'impression de nous trouver en face d'une œuvre de destruction systématique. » Est-ce que les païens ont démoli le sanctuaire ? Est-ce que les premiers chrétiens y ont sévi pour effacer à tout jamais les traces du dieu païen Apollon ? La dernière Pythie a emporté ce mystère dans sa tombe...

*A droite, le puissant sanctuaire d'Apollon de Delphes; à gauche l'amphithéâtre, construit au IIᵉ siècle après J.-C. Il avait 35 rangs de gradins et contenait 5 000 spectateurs. Ce n'est pas beaucoup quand on le compare au théâtre de Dyonysios d'Athènes qui comportait 16 000 places (photo Prof. Hirmer).*

S'il y a jamais eu une fente dans le rocher, les traces doivent en être visibles encore de nos jours. Delphes n'était pas construit à même le calcaire mais sur une terrasse schisteuse. Ce schiste, explique A.P. Oppé, ne peut pas être creusé par l'eau. Il est toutefois possible qu'une cavité se soit formée à l'endroit où le schiste touche le calcaire et que des vapeurs se soient levées de là. Oppé pense que la Fontaine Castalie représente la fente de la tradition ancienne. Cette fontaine est encore visible de nos jours entre deux parois rocheuses, à proximité de l'enceinte sacrée de Delphes. Quant à la vapeur et au trou sous le temple d'Apollon, Oppé les prend pour une invention des prêtres et historiens de l'Antiquité. F. Courby a fait en 1913 de minutieuses recherches sur le sol de la « cella » à l'endroit précis où l'on pense que se trouvait le « stomion », la fente dans le sol. Il constata que le rocher était absolument intact. Jamais il ne pouvait y avoir eu de crevasse dans la pierre, qu'elle fût naturelle ou artificielle. De même, il ne remarqua pas le moindre indice d'un glissement de terrain,

Robert Flacelière, de son côté, est d'avis que la tradition est tellement précise qu'on n'a pas la moindre raison de douter de l'existence du trou et des vapeurs. Un éboulement ou un tremblement de terre a très bien pu tout couvrir. On a observé de nombreux tremblements de terre à Delphes.

D'énormes blocs de rochers descendus des Phèdriades ont dévasté au VIᵉ siècle déjà la partie nord de la terrasse du temple. Flacelière émet pour cette raison l'hypothèse que la fente aurait cessé de jouer un rôle à l'oracle de Delphes depuis le temps de Plutarque, vers l'an 100 après J.-C. Ceci expliquerait le silence de Plutarque en ce qui concerne la crevasse. Nous, pour notre part, ne voyons pas dans le mutisme des biographes et des historiens une preuve de la non-existence d'un phénomène. Hérodote a bien visité les pyramides de Gizèh sans mentionner le sphinx! Pourtant il y était! A l'époque du voyage d'Hérodote, le monument colossal du lion couché avait déjà plus de 2 000 ans d'existence. Plutarque avait peut-être des scrupules d'ordre religieux de soulever le voile sur le mystère du « pneuma » puisque, en tant que prêtre delphique, il était tenu à garder certains secrets.

L'archéologue français E. Bourguet a déclaré qu'on ne saurait mettre en doute la réalité des vapeurs odorantes s'échappant par une fente du sol, même s'il ne reste plus trace, à l'heure actuelle, de ce phénomène mystérieux.

Dans cet ordre d'idées, deux faits méritent notre attention : l'ensemble du temple d'Apollon à Delphes s'est écroulé en 373 avant J.-C. La catastrophes était peut-être due à un incendie, mais l'hypothèse d'un tremblement de terre n'est pas exclue — selon Homolle. Le fait qu'on n'ait pas trouvé de traces d'incendie — en dehors de quelques cendres — milite pour l'hypothèse du séisme. Il ne faut pas perdre de vue que toute la région du massif du mont Parnasse est souvent agitée par des secousses telluriques. Des séismes répétés ont très bien pu fermer une étroite crevasse dans le sol au point qu'on n'en trouve plus trace au bout de 2 000 ans.

Un deuxième fait à retenir : dans toute la littérature sur Delphes, je n'ai pas trouvé une seule étude faite par un *géologue* vraiment au courant des formations calcaires et schisteuses du mont Parnasse! Le seul géologue qui y ait travaillé est, pour autant que je sache, le professeur Philipson. Il était d'avis que la fameuse fente n'a jamais existé et que toute l'histoire n'était qu'une duperie organisée par les prêtres. Mais ses observations sont trop anciennes pour nous convaincre! Flacelière propose — en 1938 — de soumettre le problème à quelque savant moderne. On peut vraiment s'étonner que cela n'ait jamais été fait. Mais on doit constater que toute l'histoire de l'humanité n'est souvent autre chose que l'histoire des omissions et des oublis!

Il existe une théorie fort intéressante élaborée en 1933 par le savant américain Leicester B. Holland, qui s'appuie sur un raisonnement convaincant. L'omphalos sur lequel on dressait le trépied de la Pythie est percé de bout en bout, il comporte donc dans son intérieur un canal d'environ 4 cm de diamètre. Le socle sur lequel reposait l'omphalos était lui aussi creux. Holland pense donc que cette excavation, ce canal servait à amener les vapeurs sous le trépied de la Pythie. La fumée odorante serait, d'après lui, de nature artificielle.

Le canal servant à amener la fumée est une hypothèse valable. Mais je ne comprends vraiment pas pourquoi on se serait appliqué à produire de la fumée par un artifice. Holland, de son côté, ne propose aucune explication. Il se contente de constater qu'il n'y a pas d'ouverture naturelle dans le sol.

Quoi qu'il en soit, Delphes *n'a pas été* un lieu de duperie et d'imposture. Quelle que fût la nature de l'extase de la Pythie, celle-ci ne cherchait pas à donner le change. Platon qualifie son état de « mania ». Le terme est bien choisi, car il désigne l'inspiration divine, sans aucune idée de psychopathie.

Les paroles de la Pythie se réclamaient d'une inspiration apollinienne. Des prêtres en prenaient note et les proclamaient en forme de vers. Il y avait donc à Delphes, comme le notent Nilsson et l'historien Berve, une sorte de « mantique inspirée », que dirigeait et interprétait un clergé éclairé. Le dieu de Delphes avait de nombreux esclaves, en partie faits prisonniers pendant des guerres saintes, en partie offerts par l'État ou des particuliers. Les étrangers affluaient de tous les coins du monde. On apportait de véritables trésors à titre de dons ou d'offrandes. Celui qui donnait le plus avait plus de chance d'approcher rapidement de l'oracle. Les jeux panhelléniques de Delphes — fondés en 590 avant J.-C.— en firent un point de ralliement des poètes et des artistes. Grâce à l'affluence extraordinaire des pèlerins, Delphes devint un lieu de marchés et d'échanges commerciaux. La langue et la mentalité grecques se répandirent dans le monde entier. Les prêtres avaient toujours le couteau sacrificiel à la main. Les animaux devaient trembler et frémir — raconte Plutarque — car autrement on ne prononçait pas d'oracles. Les banquets religieux ne faisaient pas défaut.

Pendant la grande époque de Delphes, on y comptait trois jeunes filles qui assuraient à tour de rôle le fonction de Pythie. On les choisissait parmi les jeunes filles de Delphes; elles devaient vivre chastement, on les surveillait étroitement à l'intérieur du sanctuaire, dans la « Maison de la Pythie », où personne ne pouvait les approcher. Xénophon raconte qu'une Pythie devait être inexpérimentée, ne devait rien voir ni entendre et offrir au dieu une âme virginale. Sa mission n'allait pas sans dangers puisque les vapeurs provoquaient des états d'excitation extrêmes. Les Pythies étaient continuellement exposées à des forces si étranges que plus d'une trouvait la mort dans l'exercice de sa fonction.

# Les réponses
# de la Pythie

« *Comme il y a eu, dans les temps anciens, des gens qui se sont plaints de l'obscurité et de l'ambiguïté des oracles, il s'en trouve aujourd'hui quelques-uns à en blâmer la trop grande netteté, attitude absolument injuste et stupide. De telles personnes ressemblent aux enfants, plus heureux de voir des arcs-en-ciel, des comètes, des parhélies, que le soleil et la lune.* » (Plutarque, 46-120 après J.-C. *De Pythiae oraculis.*)

PARMI tous les lieux de culte grecs, l'oracle de Delphes avait le plus grand rayonnement spirituel. Il n'y avait pas d'événement important, pas d'entreprise de taille, pas de guerre et pas de paix qui n'ait été influencés, en quelque manière, par Delphes. Delphes édictait des règles pour les prières, les sacrifices, lex expiations, les offices. La Pythie ne possédait pas seulement un pouvoir religieux et civique, elle était en même temps la plus haute autorité dans le domaine moral. Le rayonnement de Delphes ne s'arrêtait pas à la frontière de l'Asie. Les Lydiens eux-mêmes demandèrent à l'oracle de Delphes s'ils devaient préférer Gygès ou la dynastie ancienne. Le choix de la Pythie tomba sur Gygès, qui vécut vers 670 avant J.-C. et qui fut le premier à porter le nom de « tyran », terme probablement d'origine lydienne. Les descendants de ce roi furent les partisans les plus fervents de l'apollon pythien.

Le prêtre chargé de noter et de divulguer les paroles de la Pythie était appelé « prophète ». Ce « prophète » n'était pas un révélateur d'événements futurs, mais le porte-parole d'un dieu. On est mal renseigné sur les rapports entre le « prophète » et la « Pythie ». Si le prophète avait simplement pour mission de formuler en termes compréhensibles les réponses obscures de la Pythie, on ne peut que s'émerveiller devant les connaissances de celle-ci dans le domaine humain, politique et même géographique. L'archéologue suédois Martin P. Nilsson est d'avis que le prophète interprétait et précisait les paroles de la Pythie, ou bien qu'il suggérait à la Pythie les réponses à donner. Il est certain que les prêtres pythiens n'étaient ni des charlatans ni des imposteurs. Ils, étaient de fins psychologues, nantis d'une vaste érudition, d'éminents astronomes, ce que prouve déjà la création du calendrier de Delphes. Ils étaient au courant de l'histoire des différents pays, de la généalogie des familles célèbres, de la géographie, de la politique commerciale. Ils connaissaient les lieux de sépulture de tous les héros.

Les prêtres étaient donc parfaitement capables de fournir des réponses aux questions peu compliquées. Mais, quand un cas sortait de l'ordinaire la réponse manquait de clarté. On avait la possibilité de soumettre de telles réponses difficiles ou ambiguës à des «exégètes», qui ne manquaient pas d'émettre un avis. Les « exégètes » étaient nommés à vie, ce qui témoigne de l'importance de leur charge.

Le temple primitif de Delphes, construction modeste et simple, fut détruit par un incendie en 548 avant J.-C. On a découvert en 1939 quelques œuvres d'art qui avaient échappé aux flammes. Elles avaient été cachées sous une pierre du chemin sacré. Le deuxième temple fut achevé en l'an 510, financé par des dons volontaires. La famille des Alcméonides qui, bannie d'Athènes, vivait à Delphes, donna, pour sa part, d'énormes sommes. Crésus et le roi égyptien Amasis participèrent également à la souscription.

Sous le règne du roi Amasis, il y avait en Thrace une jeune fille du nom de Rhodopis. C'était une esclave, appartenant à un certain Jadmon. Notons en passant que le célèbre fabuliste Esope avait été un esclave de ce même Jadmon. Il paraît que cette Rhodopis fut achetée à Jadmon par un richissime marchand d'esclaves de Samos. Le nouveau propriétaire de Rhodopis s'appelait Xantros. Il fit transporter la jeune fille au centre commercial de Naucratis en Égypte, où il espérait en tirer un prix avantageux. La charmante personne trouva bientôt preneur. Charaxos de Mytilène la prit et l'affranchit bientôt. Charaxos n'était autre que le frère de la célèbre poétesse Sappho, laquelle se moqua de son frère pour son geste généreux.

Rhodopis profita de la liberté ainsi gagnée pour devenir bientôt le principal sujet de conversation de la ville et du monde grec en général. C'était une femme gracieuse et aimable, qui réussit à amasser une fortune assez coquette pour une fille de son espèce — mais de loin pas assez pour se faire construire une pyramide! Car les Grecs disaient d'elle qu'elle avait fait ériger à ses frais la pyramide de Mykerinos à Gizèh. Mais Hérodote savait parfaitement que la fortune d'une Rhodopis ne suffisait en aucune manière pour mener à bien une telle entreprise. Rhodopis, poussée par l'ambition, avait pris la décision de laisser aux Grecs un souvenir pour les générations futures : elle fit donc à Delphes un don étrange, qui consistait en quatre broches à frire géantes, assez grandes pour rôtir un bœuf. Ce don représentait le dixième de toute sa fortune! Hérodote raconte encore qu'on pouvait admirer ces broches à Delphes derrière l'autel que les habitants de Chios avaient érigé en l'honneur du dieu. C'était donc en 450 avant J.-C.

Pendant longtemps, on n'arrivait pas à s'expliquer la signification de ce don étrange, jusqu'au jour où l'archéologue et savant allemand Waldstein découvrit dans l'Héraeon un paquet de broches en fer, bien serré aux deux bouts par des cercles de fer. Cet étrange objet fut déposé dans la cave du Musée national d'Athènes et y passa de nombreuses années sans que personne s'en souciât. Finalement, l'archéologue grec Svoronos se pencha sur ce paquet poussiéreux de 32 broches de 1,20 m chacune. A l'origine, il y avait 180 broches. Rhodopis envoya donc un rouleau de fer pesant plusieurs centaines de kilos de Naucratis à Delphes. C'était sans doute, comme les 1 000 talents du roi Amasis et les 20 mines des Grecs établis en Égypte, une offrande débarquée en Grèce pour la construction du temple. L'explication du mystère est simple : il s'agit là d'une monnaie archaïque en forme de pieux, pour laquelle les habitants de Delphes n'avaient plus d'emploi. Ne sachant qu'en faire, ils déposèrent l'offrande derrière l'autel.

Comme nous l'avons vu, le temple s'écroula en l'an 373, à la suite d'un tremblement de terre. Une fois de plus, on reconstruisit le sanctuaire d'Apollon grâce à des dons volontaires. Ce temple resta debout pendant l'Empire romain et fut rénové par l'empereur Domitien. Sylla avait volé auparavant une grande partie du trésor delphique. L'empereur Hadrien s'efforça de rendre au sanctuaire son rayonnement. L'empereur Julien voulait ressusciter Delphes après avoir renié le christianisme. Mais l'oracle prédit à Julien que les jours de Delphes étaient comptés. Théodose le ferma en 390 au nom du christianisme. La bouche de la Pythie se tut dorénavant. Des décombres indiquent l'endroit dont le rayonnement avait éclairé toute la Grèce et le monde antique et qui fut pendant longtemps le lieu de pèlerinage de rois, d'hommes d'État, de sages venus des quatre vents. Un misérable village du nom de Kastri fut érigé sur les illustres ruines. Le gouvernement grec acheta le village, démolit les maisons; les Français reconstruisirent le village ailleurs. L'École d'archéologie française, sous la direction du professeur

Homolle, remit à jour les vestiges de Delphes grâce à un travail acharné de plusieurs années. On découvrit des temples, des trésors, des sculptures, et plus de 5 000 inscriptions. Quelle est la raison profonde du déclin du sanctuaire le plus important du monde grec? L'ancienne croyance s'évanouissait; la foi des ancêtres faisait place au scepticisme; les mœurs rigoureuses se relâchaient; le siècle de la science, la guerre du Péloponnèse sapaient l'autorité de l'oracle. Pendant les hostilités, Delphes se rangeait du côté de Sparte et soutenait la cité par des prêts et des dons d'argent. C'est pourquoi Périclès excita les Athéniens contre la Pythie. Pour finir, l'oracle devint la victime de discordes intérieures, des railleries des auteurs de comédie, et, d'une façon générale, de l'incroyance. En Grèce, comme autrefois en Égypte, l'incroyance marquait le commencement de la fin. Car une civilisation ne tient que pour autant que les hommes sont prêts à élever des pyramides, des temples, des cathédrales en l'honneur de leurs dieux!

Pour se faire une idée de la vénération dont on entourait l'Apollon de Delphes, il suffit de contempler les trésors que tous les peuples de Grèce — on peut même dire du monde entier — apportèrent ici. Ainsi on entassa une quantité énorme de vases de bronze à trois pieds, symbole du dieu. Les différentes cités y envoyèrent un grand nombre, d'œuvres d'art. Lorsque l'empereur romain Néron en vola 500, il n'en restait pas moins de 3 000 à Delphes.

La plupart des questions qu'on posait à la divinité de Delphes n'étaient que des demandes de conseils. Très peu s'occupaient de l'avenir. L'oracle de Delphes devait dire quand il fallait fonder une ville, reconstruire telle cité détruite. On consultait la Pythie sur la conduite d'une guerre, sur des maladies, des infirmités, des catastrophes telles que disettes, mauvaises récoltes, épidémies, défaites militaires.

Les avis que l'Apollon de Delphes émettait par la bouche de la Pythie dans le domaine religieux, avaient force de loi. On se rendait çà Delphes pour connaître la volonté du dieu en matière de sanctuaires, de sacrifices, de consécrations aux morts, de sépultures, de culte de démons et de héros. Une *seule* instance spirituelle décidait de toutes les questions importantes, litiges et difficultés du monde antique! Il y avait, à Delphes, un dieu qui n'opposait pas un mutisme glacial aux supplications, aux demandes de conseils. Il y avait, à Delphes, une bouche par laquelle la divinité elle-même se manifestait!

Un jour, les habitants de l'île de Syphnos, dans l'archipel des Cyclades — connue pour ses riches mines d'or et d'argent — demandèrent à l'oracle combien de temps leur bonheur durerait. La Pythie leur répondit « de se méfier de la cohorte de bois et du héraut rouge à l'heure où leur hôtel de ville et leur marché brilleraient d'un éclat blanchâtre ». Les Syphniens, en effet, avaient décoré leur marché et leur hôtel de ville de marbre perse. Mais ils ne comprirent pas la réponse de l'oracle. Un jour, des bateaux samiens passés au minium jetèrent l'ancre devant l'île de Syphnos. C'était la « cohorte de bois ». Lorsque les Syphniens refusèrent au porte-parole des Samiens — au « héraut rouge » — un prêt, les Samiens dévastèrent l'île.

L'oracle de Delphes avait prédit la victoire à Crésus, roi de Lydie, connu pour ses richesses fabuleuses. Crésus régna de 560 à 546. A l'automne de l'année 546, la ville de Sardes, et avec la ville le roi Crésus, tomba entre les mains du roi perse Cyrus. La chute de ce noble seigneur, imbu d'esprit grec, et de son empire ont inspiré aux générations futures l'idée de l'instabilité du bonheur, de la futilité de la fortune et de la jalousie des dieux. Dans le cas de Crésus, l'oracle de Delphes s'était trompé. Cent ans plus tard, on s'efforçait encore de trouver une explication à son erreur. Delphes était convaincu depuis cette date de l'invincibilité de la Perse. C'est pourquoi la Pythie conseille aux Grecs de ne pas s'opposer aux armées des Perses. Ce n'était pas de la part de Delphes une manifestation de pusillanimité, de crainte ou de sympathie pour les Perses. Mais — comme Nilsson le dit si bien — dans ce cas précis, le dieu en savait trop de l'avenir!

Lorsque les Spartiates furent défaits par Tégée, ils envoyèrent des prêtres à Delphes pour savoir ce qu'ils devaient faire pour vaincre les Tégéates. La Pythie leur conseilla de se procurer les restes d'Oreste. Mais les Spartiates ignoraient où se trouvait la sépulture d'Oreste. Ils consultèrent encore une fois le dieu. La Pythie répondit : « A Tégée, en Arcadie, se trouve une grande jachère. C'est là que soufflent deux vents. Le coup répond au coup. C'est là que la terre cache Oreste, fils d'Agamemnon. » Les Lacédémoniens furent incapables de déchiffrer l'oracle. Mais la Spartiate Lichas finit par trouver la tombe en question dans la cour d'une forge. Il y avait deux soufflets — les deux vents; le marteau et l'enclume — le coup qui répondait au coup!

L'oracle le plus étonnant était sans doute celui que la Pythie rendit à Chaerephon, disciple enthousiaste de Socrate, qui demanda simplement s'il y avait un homme plus sage que son maître. La Pythie répondit sans ambages : « Personne n'est plus sage que Socrate. » Socrate luimême s'étonna de cette réponse, car il savait fort bien combien il savait peu de choses! D'autres qui se croyaient intelligents et instruits en savaient donc encore moins que lui! Il passa en revue les célébrités de son temps, les hommes qu'il rencontrait au gymnase, à l'Académie, au Lycée, sur la place du Marché, dans les ateliers, et réfuta leur théorie de leur propre infaillibilité : « Dieu seul est sage! » enseigna Socrate. « Si l'oracle déclare que je suis le plus sage des hommes, moi qui sais que je ne sais rien, on doit en conclure que toute connaissance humaine n'est rien. Mais le pire est de s'imaginer qu'on sait quelque chose alors qu'on ne sait rien! »

Quelle serait aujourd'hui la réponse à la question d'un Chaerephon? Aucune institution ne saurait dire, de nos jours, qui est l'homme le plus sage de la terre! Ce n'est pas qu'il n'y ait plus de sages, mais il nous est impossible de juger du présent en fonction de l'avenir, et d'établir une échelle des valeurs. Le dieu qui se prononça en termes si clairs sur Socrate trônait au-dessus de nos mesures et contingences terrestres. Il avait reconnu la valeur de ce Sage. Mais ses mesquins compatriotes forcèrent le plus grand fils d'Athènes à boire la ciguë...

*On avait représenté sur la frise du Trésor des Siphniens, du côté nord, le dieu Apollon, la déesse Artémis et un géant qui s'enfuit. Le Trésor avait été offert au sanctuaire de Delphes par les habitants de l'île Siphnos (photo Prof. Hirmer).*

# Olympias,
# Zeus
# et Alexandre

*Passaron, ville natale de la mère d'Alexandre le Grand est aujourd'hui disparue et oubliée. La ville antique et son Acropole dorment sous une colline près du village de Gardiki. Personne n'a encore songé à les mettre à jour.*

« *On raconte que Philippe tomba amoureux, dans sa jeunesse, lorsqu'il fut initié, à Samothrace, aux saints mystères, de la princesse Olympias, très jeune elle-même et orpheline, et qu'il l'épousa, avec l'assentiment de son oncle Arymbas. La nuit d'avant le mariage, lorsque la fiancée fut enfermée dans la chambre nuptiale elle eut un rêve : la foudre sembla frapper son ventre allumant un grand feu qui se répandit de tous côtés avant de s'éteindre brusquement.* » (Plutarque, « Vies parallèles », *Alexandre*, 2.)

Nous CONNAISSONS une femme dont le rôle dans l'histoire de l'humanité ne saurait être surestimé. Elle ne prit pourtant aucune part active aux événements. Son influence est plutôt due aux intuitions de la psychologie féminine. Cette femme avait nom Olympias, fille du roi Neoptolemos. Elle fut l'épouse de Philippe de Macédoine. Elle est la mère d'Alexandre le Grand, dont le génie a traversé l'histoire à la manière d'une comète. Seule la mort prématurée — à l'âge de 33 ans — a empêché Alexandre de réaliser son projet d'union entre l'Europe et l'Asie. Mais l'hellénisme, l'esprit grec, pénétra, à la suite des campagnes d'Alexandre, jusque sur les côtes de l'océan Pacifique, jusqu'en Extrême-Orient. Dans chaque représentation de Bouddha on reconnaît encore à Gandhara les maîtres grecs.

Olympias s'appelait Myrtale pendant ses années de jeune fille. Elle naquit au royaume d'Epire, probablement dans la vieille cité royale des Molosses, Passaron. Cette ville est située parmi un paysage admirable, coupé de rudes chaînes de montagnes et d'étroites vallées en partie très fertiles. Les baies d'Alvon, de Buthroton et le golfe d'Ambracie s'avancent loin dans les terres. La frontière de l'Albanie est proche. Le vent souffle plus fort qu'à Athènes, que sur le Péloponnèse. J'ai visité le petit village de Gardiki et la région où naquit la princesse Myrtale. Tout y est silence et ruines. Plus aucune trace de l'ancienne ville royale de l'Épirote. Une colline circulaire couverte de gazon indique l'endroit d'où l'Acropole de Passaron dominait les pays environnants. Ses restes n'ont jamais été mis à jour!

Ce qui distinguait Olympias des autres femmes était sa foi ardente dans le monde surnaturel et sa conviction que son fils Alexandre était de nature divine, fruit de son union avec Zeus! Olympias transmit à son fils sa croyance dans ses origines célestes.

Trois cent cinquante ans environ avant la naissance du Nazaréen, un autre homme est né qui se proclame le fils de Dieu! Philippe, son père, évita son épouse puisqu'elle fréquentait cet être divin. Alexandre était hanté pendant toute sa vie du sentiment de la proximité immédiate de Dieu. Il était vraiment possédé par l'idée d'être le fils de Dieu. Ce fait est peu connu parce que l'histoire est écrite par des historiens et non par des psychologues!

Grâce à cette foi, un jeune homme de 33 ans a pu porter l'esprit grec en Orient, soumettre des peuples et des empires, les réorganiser et les développer, aller jusque sur les bords de l'Indus et dans les déserts d'Afrique. Alexandre a donné à l'humanité une nouvelle conception du monde, il lui a fait don de cette langue grecque qui permit plus tard à la doctrine du Christ de conquérir l'univers.

Sur la colline déserte de Passaron où grandit Olympias, la mère d'Alexandre le Grand, tout cela semble un conte de fées. On ne voit qu'un ciel immense au-dessus d'une terre marécageuse semée de quelques blocs de pierre comme répandus au hasard. Y a-t-il moyen de soulever le voile sur le mystère qui inspira à Olympias l'idée de la divinité de son fils ?

La princesse Myrtale fut envoyée, jeune fille, dans l'île de Samothrace, dans la partie nord-est de la mer Égée. Elle devait y accomplir certains rites religieux. Le culte des mystères de Samothrace était connu dans le monde entier. Dans l'île se trouvait, en effet, le sanctuaire mystérieux des Cabires. Les Cabires étaient des dieux d'origine probablement asiatique et phrygienne. On organisait en leur honneur des cultes orphiques.

Nous ignorons presque tout de ces cultes mystérieux, car les initiés n'avaient pas le droit de divulguer ces saints mystères. On sait cependant que des hommes participaient également aux cérémonies. C'est ainsi que le jeune prince macédonien Philippe fit la connaissance de la princesse Myrtale. Il en tomba follement amoureux. Myrtale était encore très jeune. Ses yeux et sa bouche semblaient avoir bu toute la beauté sauvage des paysages épirotes. La jeune fille s'abandonna avec toute la force de sa passion aux mystères, aux dieux de Samothrace.

La jeune Myrtale n'avait rien d'une personne ordinaire : elle était douée d'une grande sensibilité, elle savait retrouver le chemin des dieux comme dans un rêve, elle avait le don de vivre en union spirituelle avec eux. On peut supposer que le talentueux Philippe était vivement impressionné par la révélation, grâce à elle, du domaine surnaturel.

Le père de Myrtale, Neoptolemos, était mort en 360 avant J.-C. La belle princesse était alors sous la tutelle sévère de son oncle Arrybas, devenu roi d'Epire. Quand Philippe lui demanda la main de la jeune Epirote, Arrybas donna immédiatement son accord. Son empressement s'explique par le fait qu'il voyait dans le jeune Philippe le futur maître de la Macédoine limitrophe, pays encore peu organisé. Il est probable aussi qu'il reconnut déjà ses qualités éminentes de chef d'État.

La nuit avant le mariage, la jeune Myrtale fut enfermée, comme c'était l'usage en Grèce, dans la chambre nuptiale. C'est là qu'elle eut un rêve qui devait déterminer sa vie. Elle vit un orage. La foudre frappa son corps. Un feu violent s'éleva, puis s'éteignit. C'est Plutarque qui nous rapporte l'événement. Le dieu du temps, de l'orage, le dieu des éclairs et du tonnerre! Ce ne pouvait être que Zeus, dans l'imagination des Grecs.

A 30 km au sud de Passaron s'étend une vallée merveilleuse. C'est la vallée de Dramissis. C'est là que se trouvait l'oracle de Dodone, le grand sanctuaire du dieu suprême des Grecs. C'est l'oracle le plus ancien de la Grèce, comme nous l'apprennent Homère, Hérodote, et Platon dans son *Phèdre*, la résidence du dieu païen le plus important d'Europe, de Zeus que les Romains appelaient Jupiter. « Ju » est mis pour « Zeus », « piter » ou « pater » veut dire « Père ». Zeus est la forme grecque qui correspond au nom indo-européen du dieu. Le mot latin pour dieu « deus » et le français « dieu » dérivent de « Dios », génitif de Zeus. Le dieu germanique « Ziu », le dieu lituanien « Diewas », le dieu letton « Dews », le dieu gothique « Tius », le nom de semaine anglais « Tuesday » — le jour de Zeus — tirent tous leur forme du dieu suprême des Indo-Européens.

Malgré ces parentés linguistiques, l'origine du dieu n'est pas encore entièrement expliquée. Plusieurs arguments militent pour l'hypothèse selon laquelle Zeus est d'origine nordique et s'est répandu en Grèce centrale avant de trouver le chemin de Dodone. Il est probable que Zeus, en descendant ainsi jusqu'en Epire, a touché aussi le monde mycénien. Le symbole de la double hache en usage à Mycènes semble l'indiquer.

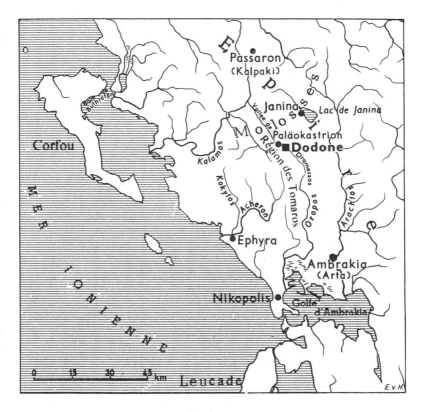

*Dodone.*

Zeus n'a jamais créé des hommes ou des êtres divins. Mais il était le père de famille, le chef patriarcal de l'Olympe. Sa fille Athénée et son fils Apollon — le dieu de l'oracle de Delphes — vivaient en étroite union avec lui. La plupart des autres dieux étaient également ses enfants.

L'oracle de Dodone rayonnait l'esprit de Zeus, déjà du temps de la préhistoire héroïque. Toutes les célébrités des époques anciennes le visitaient, malgré la longueur et les fatigues de la route. Le riche roi Crésus n'interrogea pas seulement l'oracle de Delphes, mais aussi celui de Dodone. Pindare composa un péan en l'honneur du Zeus de Dodone. Eschyle et Sophocle parlaient en termes respectueux de ce sanctuaire. Les Spartiates se tournaient également vers le dieu de Dodone quand ils avaient des problèmes importants à résoudre.

Quand on se rend de Passaron à Dodone, qu'on traverse la vallée impressionnante où se dresse ce sanctuaire, qu'on lève le regard sur le mont Tomaros, on s'imagine facilement l'impression que le site devait faire sur Olympias. Des pèlerins du monde entier venaient interroger l'oracle; le bruit des vases de bronze entrechoqués résonnait dans l'air; des prêtres allaient en tous sens; le *dieu Zeus* était partout présent en ces lieux! La jeune princesse a dû ouvrir des yeux étonnés : Zeus n'était pas pour elle un inconnu. Elle le sentait près d'elle, de jour et de nuit. Le rêve d'Olympias eut une grande importance pour la vie de Philippe, d'Alexandre le Grand, pour l'histoire de l'humanité. Sans ce rêve, Alexandre ne serait pas « le Grand », son royaume ne serait pas devenu « l'empire mondial ».

L'Epire est vraiment un pays de rois, un pays de dieux, un pays où les montagnes conversent encore secrètement avec le ciel. C'était un paysage rêvé pour Dodone, située entre le ciel et la terre!

Est-ce qu'il en reste quelque chose? Est-ce que Dodone a entièrement disparu? Deux savants de la renommée d'un Ernst Kristen et d'un Wilhelm Kraitker écrivent, en 1957, dans leur ouvrage sur la Grèce : « Il ne reste pas trace du temple (de Dodone) et du bosquet de chênes. » Pourtant, l'oracle a existé! On peut le voir encore de nos jours; approchons donc du sanctuaire, du lieu où réside le dieu qui a régné sur toute l'Europe avant de se retirer à tout jamais dans les brouillards du passé. Une foi s'est éteinte. Zeus se tait!

Le savant français Gaultier de Claubry avait déterminé avec exactitude l'emplacement de Dodone. L'Anglais Christofor Wordsworth indiqua en 1868 que les ruines de Paléokastro faisaient partie du sanctuaire disparu du Zeus de Dodone. « Paléokastro » veut dire « vieille forteresse ». C'est le nom de la ville moderne pourvue d'une Acropole et entourée d'une muraille, sur la colline du sanctuaire.

En 1876, l'archéologue grec Constantin Carapanos commença des fouilles près du sanctuaire de Dodone. Plusieurs trouvailles et surtout plusieurs plaques de plomb et de bronze portant des inscriptions permettent de supposer que l'oracle de Dodone se trouvait réellement en ce lieu. Des questions étaient gravées sur de petites tablettes de plomb, elles se rapportaient aux différentes situations de l'existence humaine. Ainsi, un certain Lysanias voulait savoir si l'enfant dont sa femme était enceinte était ou n'était pas de lui. Un autre se renseignait sur les avantages d'un domaine à acheter. Les réponses des prêtres étaient généralement transmises de vive voix. Mais il arrivait aussi qu'on les inscrivît au verso des tablettes. Cette façon de procéder nous permet de nous faire une idée plus précise de la manière dont on rendait l'oracle à Dodone. On se rend compte que les réponses étaient transmises dans un style officiel. Exemple : « Affaire domaine : elle est avantageuse. » Un homme qui se faisait des soucis au sujet de sa santé obtint la recommandation suivante : « Pour ta santé, offre des sacrifices à Zeus. » D'autres voulaient savoir comment retrouver des objets perdus, ou s'il fallait céder l'étage supérieur d'une maison.

Carapanos avait bien trouvé le vrai sanctuaire mais il ne l'avait pas interprété comme il fallait. Il avait mis à jour les ruines d'une basilique chrétienne. Comme il y avait dans une annexe de l'église des offrandes de l'époque préchrétienne il croyait avoir découvert le temple de Dodone.

Ce ne fut qu'entre 1929 et 1935 qu'on réussit à lever le voile sur le mystère de Dodone. Le professeur Evangelidès mit à jour trois petits temples, deux bâtiments romains, un tombeau et plusieurs socles d'autel.

*C'est la poterie la plus ancienne produite par la Grèce. Cette coupe minyenne en argile grise date de 1900 à 1700 avant J.-C. Les Minyens étaient le peuple qui érigea les tombeaux à coupoles d'Orchomène. La période culturelle des Minyens précède immédiatement l'âge mycénien. Ce récipient a été découvert dans les environs de Dodone. Il se trouve actuellement au Musée (photo Dr. Ivan Lissner).*

Il trouva également des statuettes de cuivre, des fragments de récipients de cuivre et d'autres objets de culte. Il découvrit des poteries faites à la main. On en déduisit que les origines de Dodone remontent jusqu'au II<sup>e</sup> millénaire avant J.-C.

Il fallut interrompre les fouilles en 1935. On se remit au travail il y a peu de temps, un jeune explorateur prenant la direction des opérations. Sotiris Dakaris, éminent archéologue qui vit le jour dans ce pays, en a examiné chaque pierre, chaque vallée depuis le temps de sa jeunesse.

Pour comprendre l'architecture ancienne du lieu, il faut tâcher d'approfondir le mystère du dieu Zeus et de son chêne. Le culte du chêne date de l'époque indo-européenne. On sait que le chêne était un arbre sacré chez beaucoup de peuplades indo-européennes. Pourquoi le chêne ?

Le spécialiste suédois de la religion grecque Martin P. Nilsson explique l'importance religieuse du chêne par l'hypothèse d'après laquelle les fruits de cet arbre auraient été la première nourriture du genre humain. Hésiode, vers 700 avant J.-C., et Ovide, du temps du Christ, parlent des glands comme des fruits de « l'âge d'or ». Ils évoquent sans doute ces glands doux qui constituaient, avant la culture des céréales, la nourriture la plus importante sur l'hémisphère Nord. Le chêne était considéré comme l'arbre originel. Pline, qui vécut de 23 à 79 après J.-C., cite dans son *Histoire naturelle* des chênes ayant l'âge de la terre. L'homme serait lui-même un descendant du chêne !

Pourtant, les raisons de la vénération dont on entourait le chêne sont faciles à comprendre : en effet, les chênes atteignent un âge élevé. A Schwanheim près de Francfort-sur-le-Main, on a trouvé un chêne avec 630 anneaux. L'âge de certains chênes de Bischofswald, à 16 kilomètres à l'est de Helmstedt, est estimé à 1 190 ans étant donné leur diamètre de 2,80 mètres. Le « Chêne d'Amélie » près de Hasbruch, en Basse-Saxe, a 1 500 ans. Près du village de Schalwasser, en Thuringe, on a trouvé, en abattant une sapinière, trois chênes dont l'âge est évalué à 2 000 ans ! Un autre fait mérite d'être relevé : les chênes sont plus souvent frappés par la foudre que d'autres essences. Dans des temps reculés on avait déjà remarqué cette particularité. Près de Lippe-Detmold, dans une forêt se composant des essences suivantes : bouleaux, 70 % ; pins, 13 % ; chênes, 11 % ; pins parasols, 6 %, la foudre a frappé dans l'espace de 16 ans 310 chênes contre 108 pins parasols, 34 pins, 33 bouleaux. Selon d'autres observations la foudre frappait 34 chênes contre 12 autres arbres à feuilles caduques, 9 conifères et 1 seul hêtre. Dans les temps préhistoriques on considérait comme sacrés des chênes touchés par la foudre.

Le chêne sacré le plus célèbre se dressait dans un bosquet à Dodone.

Comme nous savons que le culte du chêne est d'origine indo-européenne, nous pouvons supposer que les anciens Grecs, en s'établissant en Epire y introduisirent ce culte. Hérodote écrit en 450 avant J.-C. qu'on considère Dodone comme le plus ancien des oracles grecs.

Il est vrai que les religions sont toujours la résultante de plusieurs courants de civilisations, des éléments archaïques se mêlant aux apports plus récents. C'est ainsi que des usages païens se sont introduits dans le culte chrétien. Le chêne ne va pas sans la « terre ». L'ancienne déesse de la terre, Gé, fut également vénérée à Dodone. C'est pourquoi les prêtres de ce sanctuaire couchaient la nuit à même la terre, pour rester en contact intime avec elle. Une autre coutume fort étrange se rattache à cette croyance : jamais les prêtres n'essuyaient la poussière sur leurs pieds. C'eût été une sorte de profanation! Le chêne et la terre furent donc jusqu'au XIIᵉ siècle les deux pôles du culte de Dodone...

Zeus fit son entrée à Dodone seulement après le chêne : il était le « nouveau dieu », le dieu plus puissant, le dieu plus grand, il était plus puissant que la déesse Gé, plus puissant que l'arbre. Il arriva flanqué de sa compagne Dioné. C'est elle qui devint la nouvelle déesse de la terre en remplacement de Gé. « Dioné » est un dérivé féminin de « Dios ».

Zeus reçut à Dodone le surnom de « Naios » qui signifie probablement « qui habite le chêne » puisque le verbe « naio » veut dire « habiter ». L'habitation de Zeus et de sa compagne Dioné dans l'arbre est un motif qui se retrouve partout. Le dieu manifestait sa volonté par les mouvements oscillatoires de l'arbre. Du temps d'Homère, Dodone devait être un lieu déjà très ancien. Le poète raconte qu'Ulysse avait demandé au feuillage sacré du grand chêne le chemin d'Ithaque.

Quelles sont les origines du sanctuaire?

Le premier savant historien de l'Occident, Hérodote d'Halicarnasse, s'était lui-même rendu à Dodone et s'était enquis auprès des prêtresses du sanctuaire, des origines de l'oracle. Les prêtresses lui citèrent deux pigeons noirs qui, partant de Thèbes en Égypte, se seraient dirigés, l'un vers la Lybie, l'autre vers Dodone. A Dodone, le pigeon se serait posé sur la cime du chêne et aurait demandé — en langage humain — qu'on y fondât l'oracle de Zeus. Ce qu'on fit. Les pigeons sacrés de Zeus, par la suite, élirent domicile dans les branches de l'arbre. L'autre pigeon — celui qui était allé en Lybie — donna l'ordre d'installer un oracle du dieu Ammon. Cet oracle — situé dans l'oasis de Siwa, dans le nord-ouest de l'Egypte — était également consacré à Zeus. Nous l'apprenons au livre II des *Histoires* d'Hérodote (55). Ce n'était donc point par hasard qu'Alexandre le Grand voulut faire don au sanctuaire de Dodone de la somme énorme de 1 500 talents, soit 9 millions de drachmes attiques (ou 15 à 18 millions de dollars américains). Il ne recula pas devant la marche extrêmement dangereuse pour se rendre à l'oasis de Siwa pour y honorer « son père » Zeus-Ammon. Alexandre avait fait le projet de construire un temple géant à Dodone. Sa mort prématurée l'empêcha de mettre à exécution ce plan.

Comme au Parthénon d'Athènes, on oublie aussi à Dodone qu'on foule ici un sol sacré : l'antique résidence de la déesse Gé, le chêne, devint le séjour du dieu Zeus et de Dioné. Le règne de Zeus dura vingt siècles jusqu'à son déclin, en l'an 350 après J.-C.

Quel est le message de ces ruines? Elles nous révèlent un passé extraordinaire!

*Itinéraire, selon Hérodote,*
*des pigeons noirs et sacrés*
*de Thèbes en Égypte*
*vers Dodone et Siwa.*

# Ce que
# nous savons aujourd'hui
# de Dodone

*Il fallut attendre ces derniers temps avant qu'on mît à jour
Dodone : ce fut l'archéologue Sotiris Dakaris qui en explora les
mystères. Pendant près de 2 000 ans l'oracle de Dodone avait été
presque oublié. De nos jours encore, on le connaît peu.*

*« Au début, les Pélasges offraient des sacrifices et adressaient
des prières aux dieux — comme on me l'a dit à Dodone — sans
leur donner une dénomination ou un nom, puisqu'ils les ignoraient...
Après un long laps de temps, ils apprirent en Égypte le nom des
dieux... Peu après, ils consultèrent l'oracle de Dodone sur ces noms,
car cet oracle était le plus ancien des Hellènes, à cette époque même
le seul. Lorsque les Pélasges demandèrent à Dodone s'ils devaient
utiliser les noms qu'ils avaient appris des barbares, une voix leur
répondit : « Utilisez-les ! » Les Hellènes empruntèrent ces noms
plus tard aux Pélasges. »* Hérodote, II, 52 (vers 450 avant J.-C.).

L'ARCHÉOLOGUE Sotiris Dakaris a consacré toute sa vie à l'exploration du plus mystérieux des sanctuaires grecs. Il m'a montré
toute la région de Dodone. Tout ici évoque une vie éteinte depuis
de longues générations. On traverse les lieux cultuels les plus vénérables
et les plus importants de l'humanité. Et pourtant, peu de gens poussent
jusqu'en ce lieux déserts!

Soudain, on voit s'ouvrir devant son regard l'un des plus beaux et
des plus puissants amphithéâtres du monde, à côté une construction dont
la destination est mal connue et dont on a seulement sondé les murs
extérieurs. Il s'agit peut-être d'un sanctuaire sacro-saint appelé « adyton ».
A moins que ce ne fût un « enkomitirion », sorte de dortoir où les pèlerins s'allongeaient pour recevoir l'oracle du rêve. A Epidaure, nous
avons visité un tel dortoir. Tout près, à quelques mètres seulement de

cette construction, s'étalent les fondations du sanctuaire, de l'oracle du dieu le plus ancien des Grecs! On voit également par terre les ruines de quelques temples secondaires. On discerne également les restes d'une basilique chrétienne beaucoup plus récente.

*Le sanctuaire de Dodone au fond de la belle vallée Dramesso en Epire. Le rectangle entouré d'une muraille était l'enceinte sacrée. Au premier plan on reconnaît le petit temple de date fort ancienne. A gauche, se trouvait le chêne-oracle (photo Dr. Ivar Lissner).*

Toute activité terrestre est vanité! Ici, nous nous rendons compte à quel point Dieu trône au-dessus de toutes les contingences humaines. Les Chrétiens ont dépossédé Zeus — probablement vers 360 à 370. Ils ont tout dévasté. Le feuillage du chêne se tut. Ils édifièrent une basilique en l'honneur de *leur* Dieu. Mais les attaques toujours renouvelées de peuplades guerrières étouffèrent toute vie dans la vallée de Dodone. Elles rasèrent l'église vers 550 après J.-C. Les ruines offrent un tableau d'abandon et de désolation. Un jour, tout s'écroula. Les torrents rongèrent la pierre, la terre recouvrit les restes. Tous pourtant croyaient en un dieu suprême!

Le culte du chêne sacré était incompatible avec la construction d'un temple. Zeus, au début, était vénéré à ciel ouvert. Il n'y avait que le chêne. L'enceinte était entourée de trépieds de bronze. Sur chaque trépied se dressait un vase. Les parois des vases se touchaient. Quand on frappait l'un d'entre eux le son se propageait de paroi en paroi, tous les récipients se mettaient à résonner.

Il y a, en grec, une expression « dodonaion chalkeion » qui veut dire « airain de Dodone ». On désignait par ce terme le bavardage, parce que les bassines de Dodone continuaient pendant longtemps à tinter. Mais leur son n'était pas toujours le même, il variait suivant la manière dont on frappait le métal, la direction du vent, la température, l'humidité de l'air. Les prêtresses interprétaient le tintement et formulaient le message du dieu en paroles humaines.

Est-ce que l'oracle de Dodone était vraiment rendu de cette façon?

C'est fort possible! Mais nous ne sommes pas exactement renseignés, puisque Aristote, qui écrivit entre 335 et 323, déclare qu'il n'a pas vu autant de trépieds à Dodone. Aristote nous parle d'une offrande donnée par Corcyre (l'actuel Corfou). Elle se composait de deux colonnes. Sur l'une il y avait un vase, sur l'autre se dressait une statue de bronze représentant un garçon, un fouet à la main. Les lanières du fouet tombaient librement, chaque coup de vent les faisait frôler la paroi du vase. Ce frôlement produisait un son. On l'interprétait et l'on rendait ainsi l'oracle. « Korkyraion mastix », « le fouet des gens de Corcyre » était une autre expression des Grecs pour désigner le bavardage.

Au cours des fouilles de Dodone on a trouvé un grand nombre de fragments de trépieds en bronze. Ces bronzes datent du VIII<sup>e</sup> siècle avant J.-C. environ. Dakaris en conclut qu'au VIII<sup>e</sup> siècle le sanctuaire était réellement entouré de vases de bronze. Cette vue concorde avec le récit de l'historien Démon d'Athènes, qui écrivit vers 330 avant J.-C., suivant lequel le sanctuaire de Zeus n'avait pas de murs mais était entouré de trépieds.

Le poème d'Homère nous dépeint Dodone à l'époque mycénienne, au XII<sup>e</sup> siècle avant J.-C. Une fois de plus, l'archéologie nous prouve la vérité de la « poésie », car beaucoup d'objets mis à jour datent de ce temps. On a trouvé surtout des offrandes, des récipients, des haches

*Ces haches de pierre, vieilles de 3 500 ans, ont été découvertes à Dodone. Elles prouvent que l'oracle existait probablement déjà en 2 000 avant J.-C. (photo Dr. Evar Lissner).*

de pierre et des armes mycéniennes. Mais Dodone remonte jusque dans la nuit des temps : on a, en effet, découvert des objets bien plus anciens encore. Certaines trouvailles prouvent que l'enceinte sacrée existait déjà entre 2100 et 1900 avant notre ère.

Il s'agit exclusivement d'objets de culte. Les constructions, les ruines ne remontent pas au-delà du IV<sup>e</sup> siècle avant J.-C. Mais les ruines mises à jour sont d'un intérêt majeur. On dirait un livre qu'on ouvre et qui nous apprend que la légende n'est autre chose que la réalité des temps jadis...

Le temple le plus ancien date du IV<sup>e</sup> siècle avant notre ère; il a 6,45 sur 4,20 mètres. Il se composait d'une cella et d'un petit vestibule sans colonnes. Entre 350 et 325 avant J.-C. on a érigé devant ce vestibule en pierres de taille une cour assez grande entourée d'un mur peu élevé. Ce mur délimitait l'enceinte sacrée, l'aire des trépieds. Une découverte remarquable fut faite du côté sud : c'est là que se trouvait le vrai mystère de Dodone. Il y avait une excavation dans le rocher naturel. Dans l'excavation se trouvaient des pierres taillées qui provenaient sans doute d'un ancien autel. Quelques offrandes étaient déposées à ses pieds. Dans cette excavation avait pu se loger la racine du chêne qui avait donc vraiment existé. Les Chrétiens l'avaient arrachée pour exterminer l'arbre qui reliait la résidence du dieu Zeus avec la terre. Dakaris a pu déterminer avec précision l'endroit où s'était trouvé le chêne. La grande Encyclopédie grecque du Pyrsos nous fournit pour la première fois une description de ce lieu de culte mystérieux où résidait le dieu suprême des Hellènes.

Le célèbre roi d'Epire Pyrrhus, le dernier défenseur victorieux du monde grec contre les Romains fit remplacer, pendant son règne, de 297 à 272, la construction qui entourait le chêne par un mur beaucoup plus puissant formant une cour carrée de 20,8 mètres sur 19,2 mètres, dont un côté laissé libre permettait à l'arbre sacré de se déployer. A l'intérieur de la cour se trouvait une salle garnie de colonnes ioniennes.

A la même époque fut construit un petit temple dorien avec quatre colonnes, consacré probablement au culte d'Hercule, ainsi qu'un autre temple ionien avec parvis, destiné au culte de Dioné.

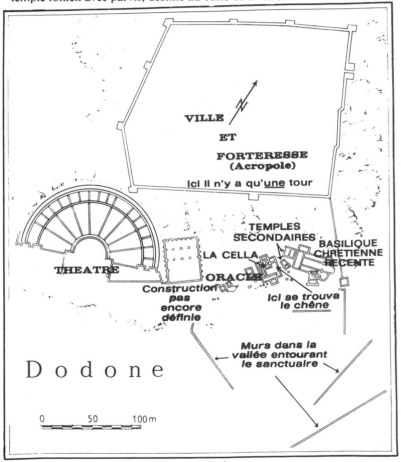

*Plan de Dodone.*

Au nord du sanctuaire se trouvait sur une colline la ville ancienne, aujourd'hui « Palaeokastri », surmontée d'une Acropole construite en pierres taillées. Dix tours et deux tours angulaires défendaient la forteresse. Pour donner un arrière-fond plus grandiose au sanctuaire, situé en contrebas à trente mètres de l'Acropole, le mur ne portait de ce côté qu'une seule tour rectangulaire. Les pèlerins jouissaient ainsi d'une vue incomparable !

Comme l'Acropole, le théâtre fut également érigé sous le règne de Pyrrhus; c'est une vraie merveille, il est plus spacieux encore que celui d'Epidaure. C'est le théâtre le mieux conservé de toute la Grèce !

*L'amphithéâtre de Dodone fut construit au IIIe siècle avant J.-C. : c'est le mieux conservé de tous les théâtres grecs. Il pouvait contenir 18 000 spectateurs (photo Dr. Ivar Lissner).*

Les architectes ont taillé à même le roc un immense demi-cercle; le théâtre est divisé en deux amphithéâtres de 21, 16 et 21 rangs de sièges de pierre, 58 en tout. Deux couloirs étroits les relient entre eux. Les gradins inférieurs étaient destinés aux spectateurs d'honneur. Ce rang s'appelait « proedria ». Entre ce rang et l'orchestre se trouvait un étroit boyau de 1,50 mètre de large avec une rigole qui permettait à l'eau de pluie de s'écouler. Sous la rigole, dans les cavités d'écoulement, on a découvert des stalactites de 20 centimètres de long, formées au cours de 2 200 ans.

Dix escaliers conduisent de l'orchestre dans l'enceinte des spectateurs. Si l'on alignait tous les sièges ils couvriraient une distance de 7,1 kilomètres. Le théâtre contenait 18 000 spectateurs. Ils voyaient devant eux l'orchestre et, par-delà le théâtre, l'une des plus belles vallées du monde. Derrière la scène se trouvait une vaste salle soutenue par 13 piliers octogonaux. Plus tard, on installa une avant-scène portée par 18 colonnes ioniennes. Au milieu de l'orchestre se trouvent encore de nos jours les fondations de l'autel appelé « thymélé ». Au début, le théâtre était à la fois action culturelle et tragédie. On chantait et on dansait autour de l'autel. « Choros » est le mot grec pour « danse »

Les Romains ont transformé le théâtre pendant le règne d'Auguste. Qu'en ont-ils fait? Comme cela arrive toujours aux époques moins brillantes, ils l'ont transformé en cirque! Mais ils ont été incapables de dégrader la beauté de la pierre, la puissance de l'architecture. Pour élargir l'orchestre ils supprimèrent les cinq premiers rangs. On éleva entre l'orchestre et l'amphithéâtre un mur de 2,80 mètres de haut pour la protection des spectateurs. Ainsi, l'on pouvait assister sans danger aux duels, aux combats de gladiateurs, aux luttes contre les fauves. Sur les côtés de la scène on reconnaît encore les cages de pierre où l'on enfermait les animaux, avant les combats et les massacres. On a trouvé de grandes quantités d'os. Toute la couche karstique, sous l'orchestre, est trouée de cavités naturelles dont l'usage n'est pas connu.

L'immense architecture du théâtre taillé en plein rocher est soutenue par deux puissants murs de soutènement renforcés par trois tours monumentales. En passant par la première tour on monte par un escalier dans la partie moyenne et supérieure de l'amphithéâtre. Ainsi l'on arrive à la hauteur de l'Acropole. L'Acropole, le théâtre, le sanctuaire formaient une perspective impressionnante protégée au sud par une gigantesque cour extérieure. C'était une enceinte fortifiée, de dimensions grandioses, qui n'avait pas manqué de susciter au IIIe siècle avant J.-C. l'admiration et la jalousie du monde entier.

Je suis monté sur les hauteurs vertigineuses de ce théâtre, je me suis assis sur les différents gradins, j'ai partout admiré l'élégance des lignes, l'harmonie des perspectives. Vus d'en bas les gradins semblent monter à l'assaut du ciel dans une fuite éperdue et angoissante! Sotiris a fait remettre en place les énormes blocs qui formaient les gradins des spectateurs. C'était un travail très pénible à cause des masses à déplacer, même avec les moyens techniques modernes. Les gradins avaient été bousculés par quelque événement naturel, peut-être par une forte secousse sismique.

L'amphithéâtre de Dodone ne manque jamais de produire un effet saisissant sur le spectateur moderne. Nous savons que notre propre théâtre est fondé sur les thèmes et motifs inventés voici quelques millénaires par le petit peuple grec. Notre apport n'est pas tellement important, après tout! Nos scènes et nos théâtres n'ont pas fait de progrès sur le plan esthétique. Ils ne sont que de lamentables masures en comparaison des amphithéâtres grecs.

Lorsque l'historien et géographe Pausanias visitait Dodone vers 150 avant J.-C. le chêne était encore en place, l'oracle fonctionnait encore. Les empereurs romains avaient fait remettre en état ce que leurs propres légionnaires avaient détruit lors de la conquête d'Epire. Mais 200 ans plus tard le lieu de pèlerinage le plus ancien du monde était déserté, la population s'était retirée à Janina.

Comme un rêve, alanguie par la destinée tragique de tant de belles femmes, la petite ville blanche et distinguée de Janina s'étend, à quelques kilomètres au nord de Dodone, avec ses toits gris, sur la rive du lac du même nom! D'habiles artistes, des fabricants de tapis, des tisserands, des brodeurs, les meilleurs orfèvres de Grèce ont élu domicile dans cette localité travailleuse, bavarde, aimable. En visitant la forteresse au-dessus de la ville, ou bien la mosquée Aslan Aga, aujourd'hui musée, on revit encore une fois, grâce aux trouvailles des archéologues, le miracle de Dodone.

Si nous pouvions voir le monde dans la perspective des dieux nous nous rendrions compte que la vie passe sur terre à une allure d'escargot. Elle s'est retirée de Dodone pour s'installer dans la petite ville florissante de Janina. Janina devint la capitale d'Epire, le siège d'un archevêché; les Serbes l'ont conquise, les Sultans occupée. Elle a vu les révoltes désespérées des chrétiens. Sous le pacha Ali de Tébélen, elle acquit une renommée universelle et devint un centre des sciences grâce à ses écoles célèbres où l'on enseignait la littérature grecque, le latin, le français et d'autres disciplines. L'histoire de cette ville est très agitée. A un moment donné elle tenta d'étendre son hégémonie sur toute la Grèce. Des ambassadeurs de France, d'Angleterre, de Russie s'y rendirent et admirèrent — tout comme lord Byron — la beauté du site.

Le gouvernement turc, prenant ombrage de la puissance croissante d'un pacha, assiège la forteresse d'Ali qui capitule. Quelque temps après, il est assassiné dans l'île du lac, le 22 février 1822. En mourant il ordonne qu'on tue sa femme pour qu'elle ne tombe pas entre les mains de l'ennemi. Sa tête est exposée à Janina. Le peuple défile en silence. Quatre-vingt-onze ans plus tard, le jour même de l'assassinat de l'autocrate, Janina est reconquise par les Grecs.

La vie continue à battre dans les artères de la ville. Mais à 21 kilomètres de là, dans la vallée silencieuse de Dramissis, tout est silence et interrogation. Qui a donc déraciné le chêne vieux de 2 000 ans ? Pourquoi les vases de bronze ne tintent-ils plus, pourquoi leur plainte s'est-elle tue ? Où sont les prêtres, les prêtresses ? Pourquoi le dieu Zeus, dans la langue duquel est écrit notre Nouveau Testament, a-t-il dû évacuer à tout jamais le ciel et la terre ?

*Cette empreinte ne mesure que 3,8 cm de haut. Elle date de l'an 420 avant J.-C. au sud de Janina, pas très loin de l'oracle de Dodone. Le relief représente Oreste et sa mère Clytemnestre. Frappée au cœur par un poignard, elle s'est réfugiée sur l'autel du dieu. Oreste tente de l'en retirer pour venger sur elle le meurtre de son père Agamenmon (photo Dr. Ivar Lissner).*

# L'Atlantide

*Depuis plus de 2 000 ans l'humanité se demande où se trouvait l'Atlandide dont parle Platon. Plusieurs indices indiquent la province espagnole d'Andalousie et plus spécialement la vallée du Guadalquivir. C'est là que vivent encore de nos jours les descendants de l'empire légendaire de Tartessos.*

*« La basse plaine marécageuse et l'estuaire du Guadalquivir nous indiquent que Platon situait son île d'Atlantide sur la côte de l'Océan occidental. Il est assez aimable pour nous fournir la réponse à notre question de savoir s'il s'agissait de la côte ibérique, celte ou libyenne. Car il dit que le deuxième fils de Poséidon, Eumelos, s'appelait aussi Gadeiros, et que la partie (orientale) de l'Atlantide, qui avait été départie à Gadeiros, s'étendait jusqu'aux colonnes d'Hercule et jusqu'aux abords de Gadès (Cadix). C'est la seule indication topographique que nous ayons sur l'Atlantide, mais elle est d'une valeur inappréciable. » — Adolph Schlutz Tartessos, p. 98, Hamburg, 1950.*

P ARMI les civilisations disparues, l'Atlantide représente un cas particulièrement fascinant. Dans l'Antiquité déjà on discutait beaucoup de la question de savoir si l'Atlantide était le simple fruit de la légende ou si elle cachait un fond de vérité historique. Aristote prenait l'Atlantide pour une création des poètes. Posidonius, en revanche, y voyait un fait historique.

L'attrait que l'idée de l'Atlantide exerçait de tous les temps sur l'humanité, réside dans la nostalgie d'un pays lointain, agréable et fertile, et aussi dans le rêve d'un monde meilleur indépendant des contingences quotidiennes. Le poète grec Hésiade (700 avant J.-C.

environ) fut le premier à parler de l' « île des bienheureux ». Après la longue période de guerres civiles, le célèbre poète romain Horace conseillait à ses contemporains de partir pour les « arva beata », pour les « régions bienheureuses ». Sertorius, qui fut en 83 avant J.-C. préteur romain en Espagne, apprit de la bouche des marins stationnés à Gadès (aujourd'hui Cadix) qu'il y avait, dans l'océan Atlantique, des « îles bienheureuses », probablement Madère et les Canaries. Nous possédons une belle description de Madère par Diodore de Sicile, lequel s'inspire peut-être des récits de Pythéas de Marseille. Ce Pythéas était un navigateur et explorateur qui parcourut, vers 325 avant J.-C., le nord européen. Pythéas poussa jusqu'aux îles Shetland et Orkney, et rédigea un livre intitulé *l'Océan*, qui est malheureusement perdu. C'est lui sans doute qui avait parlé du climat merveilleux et de la végétation luxuriante de Madère. D'Homère jusqu'à Daniel Defoe, l'auteur de Robinson Crusoé, et jusqu'à Heyerdhal, poètes, explorateurs et navigateurs ont toujours rêvé d'îles heureuses ou dangereuses, et avec eux leurs lecteurs...

Est-ce que l'Atlantide était vraiment une île?

Est-ce qu'elle était un continent?

Est-ce qu'elle était une terre ferme qui apparaissait seulement comme une île?

Grâce à la science moderne nous avons réussi à retrouver les traces de l'île légendaire et à pénétrer le mystère de ses habitants. Depuis 1492, date de la découverte par Christophe Colomb d'un continent dans l'océan Atlantique, on avait tendance à prendre l'Amérique pour l'Atlantide. Après des milliers d'ouvrages consacrés à ce mystère, il vaut la peine d'examiner à la lumière de la science moderne le cas de l'Atlantide et sa civilisation disparue. Car personne ne saurait plus douter de l'existence d'une Atlantide. Troie serait encore de nos jours une « Atlantide » si on n'avait pas fini par la mettre à jour!

L'indication la plus connue concernant la ville et l'île nous est fournie par Platon, qui naquit en mai 427 avant J.-C. Il était le fils d'une famille de l'ancienne noblesse d'Athènes et bénéficia d'une éducation étendue et approfondie. Il est possible que Platon eût choisi la carrière d'un brillant homme d'État; mais la situation politique en Grèce lui fit comprendre qu'il était impossible d'améliorer le niveau social et politique d'un pays si les hommes d'État ne sont pas des philosophes, si les philosophes doués d'aptitudes politiques ne prennent pas en main les rênes de l'État. Dans ce contexte, il ne faudrait pas donner au terme de « philosophe » son sens le plus restrictif. Platon était simplement d'avis que la direction des affaires publiques n'exige pas seulement des connaissances spécialisées, mais au premier chef un grand trésor de sagesse humaine.

Platon se mit donc à écrire poèmes et épigrammes, dithyrambes et tragédies. Mais son immortalité est due à son amitié avec le philosophe Socrate. Platon a précisé et approfondi la doctrine de ce génie incomparable. Après l'exécution de Socrate en l'an 399 avant J.-C., Platon se rendit à Mégare, en Italie du Sud et à Syracuse. Il se lia d'amitié avec Dionysios Iᵉʳ jusqu'à la mort du tyran.

Platon fut le fondateur de toutes les écoles supérieures du monde occidental. Par son « Académie », école de philosophie, aux portes d'Athènes, qui tire son nom d'un héros grec, Académos, Platon posa la première pierre de toutes nos universités. L'enseignement qu'il y dispensa jusqu'à sa mort en 347 avant J.-C. était gratuit, animé par le vrai amour du prochain et par la recherche continuelle de la vérité. Platon est — pour simplifier un peu les termes — l'inventeur de « l'idée ». Il avait reconnu que le centre de gravité de notre existence ne se trouve pas tellement dans les acquisitions matérielles que dans l'apport des idées, il découvrit l'existence d' « idéaux ». Cette découverte du philosophe Platon est à la fois grandiose et simple. Platon crut à l'immortalité de l'âme et il s'efforça d'en fournir les preuves. Ce n'était nullement une chose naturelle de considérer la vertu comme quelque chose de réel et d'éternel. Ce philosophe hors série savait, 400 ans avant la naissance du Christ, que les choses matérielles passent, que seules les valeurs impalpables et idéales perdurent. Il savait également que les valeurs morales ne sont pas laissées à la discrétion de chaque individu, mais qu'elles constituent un monde plus parfait, face aux apparences, aux illusions, aux mensonges des choses visibles. C'est ainsi que Socrate et Platon se dressent aux côtés des plus grands génies de l'humanité, aux côtés d'un Confucius, d'un Bouddha, d'un Paul, d'un Mahomet, dépassés seulement par la figure transcendante du Christ.

A côté de l'apologie de Socrate, d'un livre sur l'enseignement de la vertu, « Protagoras », d'un ouvrage sur la piété, d'un autre sur l'amour, sur l'immortalité, Platon nous a laissé deux écrits qui nous dépeignent l'île perdue, une ville engloutie, un pays introuvable, l'Atlantide. Ces deux écrits s'appellent *Timée* et *Critias*. Primitivement, l'ouvrage devait comporter trois livres mais pour des raisons inconnues, le philosophe n'a jamais pu écrire la troisième partie, la conclusion. Le deuxième livre déjà, « Critias » est resté inachevé. L'ouvrage a été composé dans une période difficile pour Athènes. Platon voulait sans doute consoler ses concitoyens par l'évocation d'un monde lointain et heureux. L'entreprise était hardie. L'ouvrage dépeint les premiers débuts de l'humanité, sa nature profonde tant morale que physique — projet vraiment colossal. *Timée* et *Critias* ne se comparent guère aux brillants traités de Platon tel que le *Banquet*. Il ne s'agit pas ici de compositions, de créations d'allure dramatique. Ces deux livres ont parfois un côté aride et didactique. Ce sont les écrits les plus mystérieux de l'Antiquité!

On y découvre des trésors de sciences, de vues profondes, de connaissances de l'âme humaine! On en admire la précision de style, la puissance du verbe. On nous y offre de grandes richesses ramassées sur quelques pages. Des générations ont médité sur le sens de cet ouvrage inachevé. Albert Rivaud, professeur à la Sorbonne, déclarait en 1956 que ce livre ne contient pas seulement des connaissances fort anciennes mais résume aussi tout le savoir du temps de Platon. Cette opinion d'un des spécialistes les plus éminents des écrits de Platon confère un poids nouveau au contenu géographique et ethnographique de ceux-ci.

Il est possible que Platon ait voulu, dans sa vieillesse, se transporter en esprit dans l'Ile des Bienheureux. Mais l'Atlantide de Platon était-elle seulement une vision poétique? Ou bien le récit de cette île heureuse qui avait dominé le monde se fonde-t-il sur quelque tradition de la préhistoire? Ou bien Platon était-il en possession d'informations précises sur l'empire disparu, sur la civilisation atlantique engloutie par les flots? Les disciples de Platon qui succédèrent au maître ont pris pour vérité historique le récit du grand philosophe. Crantor, qui vécut de 335 à 375 avant J.-C., était philosophe à l' « Académie » et l'auteur d'un commentaire de *Timée*. De même, nous apprenons de la bouche du célèbre philosophe, naturaliste et historien Posidinius (100 avant J.-C.) que les récits de Platon s'appuient probablement sur des faits authentiques.

Par la suite, des savants et des aventuriers de toutes les nations ont toujours de nouveau essayé de déterminer la situation de l'Atlantide. Sur tout le globe terrestre on a cherché l'île, en Amérique, en Australie, au Spitzberg, en Grande-Bretagne, en Héligoland, sur les côtes méridionales de l'Afrique, en Inde et en Extrême-Orient...

Le dominicain italien Thomas Campanella décrivit en 1611 une ville-soleil qui — avec ses cercles séparés par des murailles et des fossés — rappelle fortement la métropole de l'empire atlantique de Platon. Campanella paya ses « idées hérétiques » de trente années de prison. Francis Bacon remarque que l'Atlantide de Platon n'était autre chose que le continent américain. Il mourut en 1628 avant d'avoir terminé son ouvrage *Nova insula Atlantis*. Le Suédois Olf Rudbek expliquait en 1675 que les indications de Platon ne s'appliquaient à nul endroit aussi bien qu'à la Suède et plus spécialement à Upsal et à ses environs.

Rudbek était recteur à l'Université d'Upsal. L'Allemand Georg Caspar Kirchmaier énonçait en 1685 à Wittenberg l'avis que l'Atlantide se serait trouvée en Afrique du Sud. Jean Sylvain Bailly déclara en 1779 à Londres qu'une île nordique, le Spitzberg, était l'antique Atlantide. Bailly ne s'embarrassait pas du fait que l'Atlantide de Platon avait été engloutie par la mer. Le Spitzberg serait simplement une Atlantide « gelée ». Jean-Baptiste Claude Delisle de Sales place l'Atlantide, la même année, en Sardaigne. Vers 1762, F. C. Bär prétend avoir trouvé l'Atlantide en Palestine, et Bartoli en Afrique. Gottfried Stallbaum, exégète de Platon, annonce en 1838 que les Égyptiens et peuples voisins de l'Asie possèdent depuis des temps immémoriaux des récits se rapportant à un continent occidental qui ne pouvait être que l'Amérique. Cadet croit avoir trouvé des traces d'une ville engloutie sur les Canaries ou sur les Açores.

L'Américain Augustus Le Plongeon fut l'auteur d'une hypothèse où le fantastique le dispute au légendaire. Il déclare, en effet, que le peuple des Mayas possédait des récits écrits de la fin de l'Atlantide, 2 500 ans avant J.-C. déjà. L'Atlantide aurait été submergée il y a 11 500 ans. Le célèbre explorateur des terres africaines Leo Frobenius croyait pouvoir déduire de ses travaux scientifiques que l'île disparue d'Atlantide avait dû se trouver dans la région de Bénin au Nigéria. Le professeur Dr H. H. Borchardt plaçait l'antique Atlantide en Tunisie. Le professeur Albert Hermann entreprit des fouilles au Schott el-djerid en Tunisie méridionale et y découvrit les restes d'une cité « qui rappelle de façon étrange l'Atlantide de Platon ».

Mentionnons encore le professeur Hermann Wirth, de Marburg, qui tient l'Atlantide pour un empire hautement civilisé du Nord datant de l'âge de la pierre et situé en Islande. Le pasteur Jürgen Spanuth, de Bordelum, en Frise septentrionale, est convaincu que l'Atlantide se trouvait en mer du Nord, dans la région d'Héligoland. Lors d'expéditions de plongées de 9 à 12 mètres au-dessous du niveau de la mer, il croyait avoir reconnu, au nord-ouest de l'île, les restes de l'ancienne forteresse royale. L'institut géologique de l'Université de Kiel examina douze blocs de silex ramenés par Spanuth où celui-ci avait cru reconnaître la trace de mains d'hommes. Le département maritime de cet institut universitaire constata que les silex n'avaient pas été travaillés à la main mais clivés par l'action de l'eau.

Pour sonder le mystère de l'Atlantide il importe de s'en tenir rigoureusement au texte de Platon. Solon, dit-il, lors d'un voyage en Égypte, s'arrêta à Saïs et y constata avec étonnement à quel passé lointain remontaient les connaissances historiques des Égyptiens. Un prêtre lui révéla

sa science occulte. Nous lisons dans le *Timée*, chapitres 25 et 26 :
« A cette époque on pouvait naviguer sur cette mer. Devant le détroit
des Colonnes d'Hercule (aujourd'hui Gibraltar), se trouvait une île.
Cette île était plus grande que la Libye et l'Asie prises ensemble. Les
voyageurs de ce temps pouvaient atteindre les autres îles en passant
par cette île, et en partant de ces autres îles, tout le continent sur l'autre
rive de la mer, qui mérite vraiment le nom (d'Atlantique). D'un côté,
à l'intérieur du détroit dont nous parlons, il ne semble y avoir qu'un
seul port avec un goulet étroit. De l'autre côté, à l'extérieur, s'étend la
mer véritable, La terre qui l'entoure doit être appelée au sens propre du
terme, un continent. Sur cette île d'Atlantide des rois avaient installé
un royaume immense et merveilleux. Il domina toute l'île et beaucoup
d'autres îles ainsi que des parties du continent. Il posséda en plus, de
notre côté, la Libye (l'Afrique à l'ouest de l'Egypte) et l'Europe jusqu'en Tyrrhénie (Italie du Sud). Plus tard, l'Atlantide fut dévastée par
de terribles tremblements de terre et des inondations. Au cours d'une
seule journée et d'une seule nuit l'île d'Atlantide fut engloutie par les
flots et disparut. En raison des fonds limoneux et des débris de l'île
submergés l'Océan y est de nos jours encore difficile à traverser et à
explorer. »

Dans son *Critias* (chapitre 114) Platon explique que le roi le plus
ancien de l'île s'appelait « Atlas » et qu'il avait donné à l'Océan tout
entier et à l'île le nom d'Atlantide. Son frère jumeau obtint le bord
extrême de l'île, près des Colonnes d'Hercule, en face de la région de
Gadire. Il s'appelait dans la langue du pays « Gadiros ».

Il ressort de ce récit qu'il faut chercher l'Atlantide uniquement *devant*
les Colonnes d'Hercule, donc à l'ouest de Gibraltar, dans la région
de Gadès, aujourd'hui Cadix, et non dans la Méditerranée.

La poésie antique n'a presque jamais utilisé des indications géographiques imaginaires sans aucun rapport avec les faits, puisque le sens
qu'avaient les Anciens de la réalité géographique était très développé.
L'archéologie moderne, depuis la mise à jour de Troie par Schliemann
et de la Crète par Evans, a confirmé qu'il faut suivre le plus strictement
possible les indications des auteurs puisque même les descriptions de
lieux agrémentées d'accessoires poétiques ne sont jamais inventées.
On sera donc bien inspiré de rejeter en bloc l'opinion d'après laquelle
Platon aurait simplement « inventé » ses idées géographiques. D'ailleurs,
il est rare qu'on assigne à un pays « inventé de toutes pièces » des coordonnées géographiques précises. La région de Gadès, les Colonnes
d'Hercule et l'expression : « La véritable mer se trouve en dehors »,
voilà ce qu'on peut qualifier d'indications précises. Pour toutes ces

raisons, des explorateurs et savants aussi sérieux que le professeur Richard Hemming et le professeur Adolf Schulten ont déclaré que « le récit de Platon sur l'Atlantide était fondé sur des faits positifs ».

Feu le professeur Schulten, d'Erlangen, avait consacré cinquante années de ses recherches historiques et archéologiques à la presqu'île ibérique. Pour son soixante-dixième anniversaire, en 1940, l'Université de Barcelone lui décerna le titre de docteur *honoris causa*. Il reçut la décoration la plus élevée que l'Espagne confère dans le domaine culturel, la grande croix de l'Ordre d'Alphonse X. Il obtint également le titre d'excellence et toute la presqu'île ibérique rendit hommage à ce personnage extraordinaire.

Une nuit d'hiver 1901-1902, Schulten lut à Göttingen l'*Iberica* d'Appien. Il fut frappé par la description détaillée du siège de Numantia par Publius Cornelius Scipion, en l'an 133 avant J.-C. Schulten se rendit aussitôt sur les rives du Douro et regarda avec attention une certaine colline. Le 12 août 1905, à 14 heures, il commença avec six ouvriers à creuser le sol. Quatre heures plus tard il avait découvert la ville ibérique disparue, Numantia, qu'on avait cherchée pendant des siècles. En automne 1908, Schulten avait également mis à jour les sept camps du chef d'armée romain Scipion. Il a publié les résultats de ses travaux archéologiques en cinq volumes. D'une activité débordante, il a rédigé, en outre, une géographie, une ethnographie, une histoire de la presqu'île; il édita, en douze volumes, tous les documents antiques sur l'Espagne, accompagnés d'un commentaire espagnol, ainsi qu'une étude sur la ville étrusque de Tarragone et d'innombrables autres œuvres. Ce grand savant allemand a également identifié la ville d'Atlantide avec Tartessos — ou, du moins, il en a cerné de très près le mystère.

Pour prouver que Tartessos est Atlantide il s'agit tout d'abord d'examiner ce que nous savons de Tartessos, où cette ville ou ce pays auraient pu se trouver.

Toutes les sources indiquent que Tartessos était située au sud ou au sud-ouest de l'Espagne, donc dans la province d'Andalousie. L'Andalousie a toujours été la région la plus opulente d'Espagne. Dans l'Antiquité on la considérait comme la plus riche de la terre. La Bétique — c'est le nom romain de l'Andalousie — est citée par Pline, vers l'an 100 après J.-C., pour sa grande fertilité. Posidonius — le penseur le plus universel de l'époque préchrétienne — voyageur et historien, nous parle de Tartessos. Sa description se retrouve aux 1er et 2e chapitres du troisième livre de Strabon. « Sur les rives de Bétis » — c'est l'ancien nom du Guadalquivir — il y a une nombreuse population. Le fleuve est navigable jusqu'à 1 200 stades (216 km) en aval, de la mer jusqu'à

Cordoue, et même un peu plus loin. La vallée du fleuve se signale par de riches cultures. Posidonius nous cite des olivaies et autres plantations. Toute la « Turdétanie » serait très riche. Elle exporte de la cire, du miel, de la poix et de l'écarlate.

Les bateaux sont construits dans le bois du pays. On cite encore des huîtres, des moules, du thon ainsi que des gisements de métaux. Aucun autre pays ne surpasse la Turdétanie en richesses minérales. Nulle part on ne rencontre autant d'or, d'argent, de cuivre, de fer ni en pareille qualité. Posidonius décrit par le détail la préparation de l'or, de l'argent, du cuivre, de l'étain. Son récit si vivant transparaît encore à travers les citations de Strabon, bien qu'il ne s'agisse là, comme nous avons vu, que de rapports de seconde main. Les richesses de Tartessos résidaient surtout dans les gisements métalliques de la Sierra Morena, qui ne sont pas encore épuisés de nos jours. Strabon nous parle en termes enthousiastes du « pays de l'argent » qu'est Tartessos. Les Phéniciens y avaient troqué leurs ancres de plomb contre des ancres d'argent. Le minerai tartessien pénétrait jusque dans les trésors d'Olympia et de Delphes. C'est dans le sud de l'Espagne qu'on trouve la plus ancienne industrie métallurgique de l'Occident. Dans la vallée de Béris, près de laquelle se trouvent les mines de cuivre du Rio Tinto, on fabriquait pour la première fois du bronze en ajoutant de l'étain au cuivre en fusion. Tartessos était une métropole, enrichie par les apports de l'Océan, quelque part dans l'estuaire du Guadalquivir, l'ancêtre de Séville, port ouvert au monde au même titre que Lisbonne, Bordeaux, Anvers, Hambourg ou Londres!

Tartessos fut fondée vers 1150 avant J.-C. par des navigateurs partis de la vieille ville lydienne de Tursa.

Il ne faut pas confondre « Tursa » avec « Tyros » ou Tyr. Tyr est la célèbre métropole des Phéniciens sur la côte de la Syrie d'aujourd'hui. Gadès, aujourd'hui Cadix, est un comptoir phénicien sur la côte sud-ouest de l'Espagne, sur l'Atlantique.

Tursa, en revanche, était la patrie originelle des Étrusques. La ville a disparu et on n'en a jamais retrouvé la trace. Si nous pouvions mettre à jour cette ville de Tursa, nous serions du coup mieux renseignés sur les origines des Etrusques. Car les Tyrsiens ou Tyrrhéniens sont le peuple que nous connaissons sous le nom d' « Etrusques », nom que les Romains leur donnèrent plus tard. Les Tyrsiens sont d'origine lydienne d'Asie Mineure. La Lydie se trouvait au centre de la côte occidentale de la Turquie d'aujourd'hui, sur la mer Égée. Tartessos était donc une colonie de ces Tyrsiens et se rattachait à la souche *étrusque*. Un roi bien connu de Tartessos s'appelait Arganthonios. Selon le professeur Schulten ce nom dérive de l'étrusque « arcnti ». Nous trouvons en Andalousie quantité de toponymes d'origine étrusque qui viennent de Lydie, la patrie des Tyrsiens. Dans l'Ancien Testament on nous parle des rois de Tarshish, de bateaux de Tarshish : « Les vaisseaux de Tarshish te servaient pour tes marchandises. Tu es devenue extrêmement opulente et glorieuse au cœur des mers », lisons-nous au 27ᵉ chapitre du livre d'Ezéchiel, v. 25.

Un poète et aristocrate romain, Rufus Festus Avienus, rédigea vers l'an 400 après J.-C. un ouvrage extrêmement important. Il y décrivit pour un ami les rives de la Méditerranée, de l'Espagne jusqu'à la mer Noire. Il dressa le tableau des côtes, des pays et îles, non pas dans leur état d'alors, mais en s'appuyant sur les sources les plus anciennes qu'il pût trouver. Avienus était tout simplement un amateur de géographie ancienne. Pour sa description de la côte espagnole cet homme étrange utilisa le rapport d'un navigateur grec originaire de Massalia (Marseille). Ce navigateur avait entrepris le voyage de Tartessos à Massalia en 530 avant J.-C. Son récit est d'une valeur inappréciable, car il nous fournit une description de cette côte de l'Ouest européen s'étendant de Gibraltar jusque dans le Grand Nord, et qui était, à cette époque très lointaine encore, très peu connue. Ce navigateur cite l'Angleterre pour la première fois sous le nom d' « Albion ». Il parle de la Bretagne qu'il appelle Oestrymnis et il décrit ses voyages dans le Nord vers l'île d'Ierne (l'Irlande) et en mer du Nord où il trouva de l'ambre jaune.

Ce même navigateur grec décrit aussi la ville légendaire de Tartessos. Nous apprenons par lui que Tartessos se trouvait sur la côte occidentale d'Espagne là où le Guadalquivir se jette dans l'océan Atlantique. La rivière Tartesse — c'est le Guadalquivir — nous est représentée de son embouchure jusqu'à sa source sur la « Montagne d'Argent ». Tartessos dominait une grande partie de la côte occidentale d'Espagne. L'influence de la ville s'étendait jusqu'à la Sierra Morena et à ses trésors minéraux. Les Tartessiens possédaient sans doute, entre l'an 500 et 100 avant J.-C., la civilisation la plus évoluée de l'antique Occident.

Quand on traverse aujourd'hui l'Andalousie, on se rend compte du passé brillant des villes du Sud espagnol, de la richesse d'un pays où la civilisation tartessienne survit dans d'innombrables trouvailles conservées dans les musées.

Est-ce que l'ancienne ville de Tartessos — qu'on n'a jamais pu retrouver — était vraiment située à l'embouchure du Guadalquivir ?

Est-ce que Tartessos est identique à la Séville d'aujourd'hui ?

Est-ce que Tartessos était la métropole légendaire et riche que Platon nous dépeint sous le nom d'Atlantide ?

# La ville disparue au bord de l'Océan

*Le grand savant allemand Adolf Schulten s'efforça pendant quatre ans à mettre au jour la ville de Tartessos, mais il ne la trouva pas. Sa théorie d'après laquelle Tartessos pourrait être la ville légendaire d'Atlantide est une des découvertes les plus aventureuses de l'archéologie et de l'histoire ancienne. Quelque part, près de l'embouchure du Gaudalquivïr, dort sous les marécages la ville la plus riche de l'antiquité européenne.*

*« Ainsi, recueillant sur le sol toutes les richesses, les habitants de l'Atlandide construisirent les temples, les palais des rois, les ports, les bassins de radoub, et ils embellirent aussi le reste du pays, dans l'ordre que voici. Sur les bras de la mer circulaire, qui entouraient la vieille cité maternelle, ils jetèrent d'abord des ponts et ouvrirent ainsi une route vers le dehors et vers les demeures royales. Ce palais des rois, ils l'avaient élevé, dès l'origine, dans la demeure même du Dieu et de leurs ancêtres. Chaque souverain recevait le palais de son prédécesseur, embellissait à son tour ce que celui-ci avait embelli. Il cherchait toujours à le surpasser autant qu'il le pouvait, au point que quiconque voyant le palais était saisi d'étonnement devant la grandeur et la beauté de l'œuvre. »* (Platon, *Critias* 115. c.)

A PROXIMITÉ de l'embouchure du Guadalquivir se trouvait autrefois — jusqu'à 500 avant J.-C. environ — un lac appelé « Lacus Ligustinus ». A cette époque, le fleuve s'écoulait du lac par trois émissaires qui formaient des îles ou une grande île. Un peu plus tard, entre 500 et 100 avant J.-C., le fleuve n'avait plus que deux bras dont nous parlent les géographes Strabon et Pausanias dans leurs récits de voyage. Le bras du milieu s'était ensablé.

*Tartessos.*

Aujourd'hui l'ancien « Lacus Ligustinus », n'est plus qu'un terrain marécageux appelé « marisma ». L'embouchure septentrionale du Guadalquivir a également disparu. Mais on en reconnaît encore l'emplacement grâce à une chaîne de lagunes. Si l'île formée par les bras du Guadalquivir a été l'Atlantide dont parle Platon dans ses livres du *Critias* et du *Timée*, beaucoup de choses s'expliquent aisément : les inondations, le fait que l'Atlantide ou une partie du pays a disparu « au fond de l'Océan », les « bancs de vase », les « débris de l'île engloutie ». On comprend également pourquoi on a cherché l'île pendant plus de 2 000 ans, puisqu'à l'endroit où le Guadalquivir quitte les marécages, il n'y a plus d'île aujourd'hui.

Le professeur Adolf Schulten eut l'idée géniale que l'ancienne Atlantide n'était autre que la ville de Tartessos qu'on n'a jamais pu retrouver. A son avis, la ville construite sur une ancienne île formée par les bras du Guadalquivir devait se trouver, non pas sur l'Océan, mais à l'intérieur des terres, à deux ou trois kilomètres du bord de la mer, là où se trouve aujourd'hui le terrain de chasse connu sous le nom de « Coto de Doña Aña ». Schulten crut en effet reconnaître dans ce site nombre de précisions fournies par Platon. L'Atlantide, selon Platon, s'étendait jusqu'à Gadès, aujourd'hui Cadix. La capitale des Atlantidiens se trouvait, d'après la description du *Critias* dans une île entourée d'un triple anneau d'eau. Or, Tartessos se trouvait au milieu d'une île entre les trois embouchures du Bétis — aujourd'hui le Guadalquivir.

La capitale des Atlantidiens ne se trouvait pas à proximité immédiate de la côte, mais sur les bords d'un canal de liaison ou d'un estuaire, à 50 stades — 9,2 kilomètres — de la mer. Tartessos était située sur une île, à 10 kilomètres au nord de Sanlucar. Sanlucar, localité de l'embouchure du Guadalquivir, est aujourd'hui un port spécialisé dans l'exportation du célèbre cru de Manzanilla. Il est possible que l'ancienne île se soit étendue plus loin dans l'Océan et avancée davantage à l'intérieur des terres. Quoi qu'il en soit, la ville disparue a très bien pu se trouver à 9,2 kilomètres de la mer, dans une région aujourd'hui marécageuse.

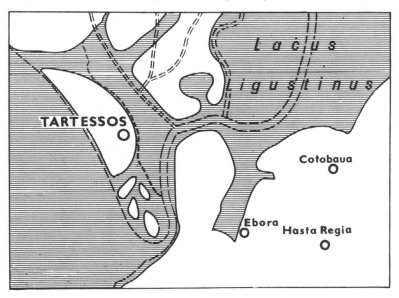

*C'est ainsi que l'antique Tartessos se trouvait autrefois sur une île.*

Nous lisons, dans le *Critias*, qu'un « fossé » large d'un « stade »,
soit 185 mètres, se scinde en deux bras qui enserrent une plaine « plus
longue que large ». Le Guadalquivir, qui a en moyenne 200 mètres de
large, se divisait en deux bras aux abords de Tartessos et se jetait
ensuite dans la mer. Toujours selon le *Critias* (118 *d*), la plaine était
parcourue de canaux. Strabon fait état d'un système de canaux trans-
versaux dans la vallée du Guadalquivir. La description est très précise
et ne semble donc pas une simple vue de l'esprit. Les anciens États
situés à l'embouchure des fleuves — en Occident comme en Orient —
n'avaient que rarement procédé à la mise en place d'un tel réseau de
canaux. Mais on en trouve aujourd'hui au bord de l'Atlantique.

L'opulence de l'Atlantide était si grande (*Critias* 114 *d*, 115 *c*)
qu'on n'en vit jamais de pareille, ni avant ni après. Tartessos était la
ville la plus riche de l'Occident, l'une des villes les plus riches du monde
antique, et ses trésors de métaux étaient fabuleux. Nous savons par
le *Critias* (114 *e*) que la source principale de richesses de l'Atlantide
étaient l'argent, l'or, le fer, le cuivre. La description s'appliquerait
donc très bien à l'ancienne ville au bord de l'Océan. Platon évoque
également l'étain (*Critias* 116 *b*). Or l'Espagne possédait de nombreuses mines de ce métal. Schulten se trompe en affirmant que l'étain
y était rare du temps de Platon.

Les taureaux sacrés, dont parle Platon, cadrent parfaitement avec
les mœurs du pays, car sur la péninsule ibérique le taureau était dans
l'Antiquité déjà un animal sacré. On peut supposer que le culte du taureau parvint en Espagne en venant de Crète; les « danses au taureau »
crétoises seraient ainsi à l'origine des corridas.

L'Atlantide était un grand empire maritime, dont la puissance s'étendait jusqu'en Egypte et en Thyrrhénie, donc en Italie occidentale. Tartessos a dû être la puissance maritime la plus forte de l'Occident. Les
bateaux de Tarshish s'aventuraient jusqu'en Écosse et peut-être plus
loin encore, ils sillonnaient toute la Méditerranée.

Selon le *Critias* les Atlantidiens utilisaient comme port la rivière
qui reliait leur ville à la mer. Les Tartessiens accédaient par la côte
intérieure de leur île au Bétis, qui conduisait leurs bateaux à la mer;
aujourd'hui encore le Guadalquivir est navigable jusqu'à Séville, à
60 kilomètres de la côte.

L'Atlantide était en rapport avec les « îles de l'Océan » et avec « le
continent en face » (*Timée*, 24 *e*). Nous ignorons si Platon désignait
par là la Bretagne, l'Angleterre ou peut-être le continent américain.
Mais il est évident que les vaisseaux de Tarshish mentionnés dans l'Ancien
Testament abordaient sur les îles et les continents de l'Atlantide. Le

sanctuaire le plus important de l'Atlantide était le temple de Poséidon, au bord de la mer. Dans ce temple se dressait une colonne d'« oreichalkos » (laiton) sur laquelle étaient gravées les lois du Dieu de la mer, ainsi que d'autres documents. Le géographe Strabon nous parle de textes tartessiens en prose, de poèmes et de lois vieux de 6 000 ans. Niebuhr et Schulten avaient reconnu le niveau culturel extraordinaire de Tartessos. Il est probable que les Tartessiens ont été le peuple intellectuellement le plus actif en Europe entre 1100 et 500 avant J.-C. L'Atlantide était un royaume. C'étaient des rois qui régnaient sur cette grande métropole, le joyau du monde antique avec son industrie, son commerce, sa vie active, ses docks, ses bronzes, ses silos, son temple de Poséidon. La ville disparue de Tartessos était également administrée par des rois, puisque nous connaissons deux noms de ces monarques : « Géron » et « Arganthonios ». D'après Avienus, Tartessos avait possédé autrefois un château royal appelé « Arx Gerontis ». Platon évoque également une forteresse.

Nous apprenons encore par Platon (*Timée*, 25 *d*, et *Critias*, 108 *e*) que l'île devint la proie d'un tremblement de terre et disparut dans les flots. On peut expliquer cette remarque de deux manières : ou bien Platon veut parler de la destruction de la ville mystérieuse par les Carthaginois vers 500 avant J.-C., ou bien il évoque l'ensablement de toute la région et l'assèchement de deux des bras du Guadalquivir.

Adolf Schulten était convaincu que l'Atlantide n'était autre que Tartessos. Lorsque je rendis visite au vieux savant à Erlangen, en 1956, il me conseilla d'entreprendre des fouilles dans l'ancienne île, au « Coto de Doña Aña » ou d'y faire faire des fouilles. Sa voix avait l'accent de la tristesse. A 86 ans, il ne sentait plus la force de se lancer lui-même dans pareille entreprise. Ses propres fouilles n'avaient pas été couronnées de succès. Il avait la nostalgie de son Espagne bien-aimée, mais il ne pouvait plus voyager. Avec le général Dr. Lammerer, il avait exploré de 1922 à 1926 les vastes terrains de chasse du Coto de Doña Aña. Lammerer devait écrire, à la fin de ces travaux : « Il n'y a pas de doute que dans l'embouchure élargie du Guadalquivir se trouvait dans la plus haute antiquité une longue lagune de sable. Il a été impossible de déterminer avec une assez grande précision le tracé des bras par lesquels les eaux du Guadalquivir se jetaient dans la mer. »

Schulten était le premier qui explorât cette région pour y découvrir Tartessos. En 1910, déjà, il se promenait le long du rivage en examinant les sables. En 1922, il découvrit près du Cerro de Trigo, à 6 kilomètres au nord de Marismilla, une colonie romaine. Il mit à jour des murailles et quantité de vases romains. Des fouilles systématiques entreprises entre 1923 et 1926 montrèrent que la colonie romaine avait couvert un rectangle de 700 mètres sur 200 mètres. Le 4 octobre 1923 Schulten trouva sous une maison romaine une pierre sur laquelle il y avait un anneau de cuivre portant une inscription grecque à l'extérieur et à l'intérieur. L'inscription disait : « Propriétaire, sois heureux » ou « garde bien l'anneau ». Schulten, ainsi que le professeur Rehm, étaient d'avis que cette inscription datait du VIᵉ sinon du VIIᵉ siècle avant J.-C. C'était l'époque des expéditions grecques à Tartessos !

La colonie romaine était probablement habitée par des pêcheurs de 200 à 400 après J.-C. ; on y découvrit 20 tombeaux, des poteries romaines, des amphores pour transporter du vin et de l'huile. Tous les objets étaient d'origine romaine, à l'exception de l'anneau. Comme la nappe d'eau souterraine affleure à 1,50 mètre, il est impossible de creuser plus profondément. Quelques forages de 6 mètres n'ont pas révélé d'autres ruines. Schulten pense que les pierres du village de pêcheurs romains proviennent en partie d'Huelva, en partie de Cadix. Comme la ville de Sanlucar existait à l'époque où les Romains construisirent le village on peut se demander pourquoi ils ne cherchèrent pas leurs pierres à Sanlucar. Il s'ensuit qu'il y avait beaucoup plus près, des pierres de plus grande taille — ce ne pouvait être que dans les ruines de Tartessos. Quant aux Tartessiens, ils avaient transporté leurs pierres par bateaux et les pêcheurs romains s'en étaient de nouveau servi pour construire leur village, alors que Tartessos était tombée en ruine depuis plus de 700 ans !

Schulten est d'avis que ce village correspond comme emplacement à l'ancienne ville de Tartessos, qu'une partie de ses éléments a servi à la construction du village. On a trouvé de très nombreuses villes anciennes bâties à l'aide d'éléments provenant d'établissements préhistoriques. Quoi qu'il en soit, la description de Platon s'applique à merveille à l'endroit où Schulten a fait ses recherches, hélas en vain !

Tartessos était une ville prospère pendant plus de 600 ans, de 1100 avant J.-C. jusqu'à sa destruction en l'an 500. Depuis plus de 2 000 ans on en cherche l'emplacement exact. Schulten me confia qu'on avait, d'après lui, beaucoup de chances de découvrir des ruines en faisant des forages de 5 mètres de profondeur. Il faudrait des moyens techniques modernes pour chercher Tartessos sous la nappe d'eau souterraine. Malheureusement ce genre de travaux est onéreux, et il faut mettre en place de puissantes stations de pompage pour assécher les lieux. Tartessos, affirmait Schulten, est enfouie quelque part sous les dunes de Marismilla. Si les dunes ont couvert la ville détruite depuis l'Antiquité on peut espérer en mettre au jour de vastes quartiers dans un état de conservation exceptionnelle.

A l'heure présente, la région est d'un silence lugubre, un vrai désert de pins, de dunes, de vastes marécages. On y trouve des chevreuils, des sangliers, des lapins. Un vrai paradis pour les chasseurs espagnols qui en sont les propriétaires. Quelque part dans la solitude des marécages se cache Tartessos, enfouie depuis 2 500 ans. Le Guadalquivir roule ses flots jaunâtres dans l'immense Océan. Les dunes rousses s'étendent à perte de vue...

On connaît d'autres villes célèbres qui se sont perdues dans l'embouchure d'un fleuve. Ainsi, Sybaris, sur la côte lucanienne, ensevelie sous les alluvions de la vieille rivière Krathis. Là aussi il est difficile de creuser le sol car la nappe souterraine affleure à 2 mètres. Pourtant, cette ville était si riche, les Sybarites étaient des gens tellement gâtés et difficiles, que leur genre de vie est encore de nos jours le symbole du luxe et du confort.

Il est regrettable que Schulten n'ait pas réussi à arracher Tartessos à son sommeil de Belle au bois dormant. Car Schulten était un grand savant qui n'avait rien d'un pêcheur de lune. Il avait mis au jour en Espagne Numantia, les camps de Scipion, et plus d'un site historique. Mais Tartessos n'était pas seulement une ville, mais la capitale d'un puissant empire. L'empire tartessien, la civilisation tartessienne, voilà les deux grandes découvertes de ces vingt dernières années. L'empire tartessien englobait tout le sud de l'Espagne, l'Andalousie, Grenade, la Murcie. Le professeur Schulten apprit toutes ces choses encore avant sa mort! L'empire tartessien et sa culture étaient « des phénomènes historiques miraculeux ».

Tartessos est la seule cité antique de l'Occident préromain; Tartessos régnait sur des villes peuplées d'Ibères qui furent les prédécesseurs des anciens Phéniciens et des Etrusques. Les aristocrates de Tartessos appelaient leurs sujets des « Turdétains ». Les Tartessiens étaient sans doute de vrais aristocrates, à la manière des ducs espagnols de la région. Ils aimaient la chasse, les vins, les voyages en mer. Ils avaient des serfs, tout comme leurs frères italiques, les Etrusques. Justin nous apprend que le roi tartessien Gargoris fut l'inventeur de l'apiculture.

Quand on traverse l'Espagne méridionale, Xérès, Cadix, Séville, Cordoue, Grenade, Cartagène, on peut encore respirer de nos jours l'esprit de ce peuple fier qui régna sur les mers! Ibères, Etrusques, Phéniciens, Celtes, Grecs et Romains y ont créé une civilisation très particulière. L'art tartessien révèle toujours la force créatrice de l'un ou de l'autre de ces peuples. Mais l'ensemble porte bien l'empreinte tartessienne. On en sent l'influence encore de nos jours. La vie de cette partie de l'Espagne est caractérisée par la proximité de la mer, par une activité où semble se décanter la tradition des millénaires. L'héritière de Tartessos, Séville, est la ville des étés les plus chauds, des printemps les plus aimables, des automnes les plus doux, des hivers ombragés de palmiers. En octobre encore, les jardins y sont en fleurs. Les cours intérieurs, appelées « patio », cachent de petites fontaines et des recoins somnolents. Séville héberge l'une des cathédrales gothiques les plus riches du monde dont l'intérieur est d'une majesté insurpassable. Le minaret d'une mosquée mauresque a été transformé en clocher chrétien : c'est la Giralda, haute de 93 mètres ! C'est là aussi que se trouve la tombe d'un des plus grands explorateurs de l'Occident, Christophe Colomb. On dit que le sarcophage contient les restes de celui qui découvrit l'Amérique. Ce sarcophage a été transporté de Cuba à Séville après la sécession de l'île de 1898.

On trouve dans les vieilles ruelles des magasins et des ateliers d'artisans qui doivent ressembler à ceux de la Rome antique ou de Carthage. Les « bodegas » et les halles de Xérès débitent des vins âpres dont le goût a dû être le même il y a 3 000 ans. On offre les meilleures langoustes, poulpes, moules et autres fruits de mer inconnus que les Tartessiens ont préparés de la même manière il y a 2 500 ans.

Le ressac de l'Océan bat sans cesse les rivages ainsi que la ville de Cadix, autrefois lieu de transbordement d'étain et d'argent, dont les murailles s'élèvent à 15 mètres de hauteur. La mer y chante encore le chant de l'Atlantide engloutie...

*Sculpture de taureau provenant de la vallée du Guadalquivir entre Cordoue et Séville (photo Rogier-Viollet).*

# La civilisation
# tartessienne

*Il existe une civilisation tartessienne que les archéologues
espagnols s'efforcent en ce moment de mettre à jour avec beaucoup
de soin et de méthode. Les trouvailles faites récemment dans le sud
de l'Espagne font partie des objets archéologiques les plus énigmatiques et les plus intéressants de l'Antiquité. Quelques objets dont
nous donnons ici la reproduction ne sont pas encore connus du grand
public.*

*« Les documents font état des richesses de la ville de Tartessos
pour expliquer l'attrait des longs voyages qu'entreprenaient les
commerçants de l'Antiquité jusqu'à la péninsule Ibérique ; Tartessos
était la porte du Sud ibérique de l'Algarve portugais, jusqu'au
pays des Mastiens où les Carthaginois fondèrent la ville de
« Nova Carthago ». Tartessos était le centre d'une région riche de
mines, de bétail, d'exploitations agricoles. L'attrait qu'exerçait dans
l'Antiquité la ville de Tartessos est illustré par la situation des
colonies phéniciennes sur la côte andalouse et par la tentative des
Grecs de s'installer à Mainake, près de la ville actuelle de Magala.
Les découvertes de ces dernières années — l'amphore de Valdegamas.
le bronze de Carriazo et d'autres — nous placent devant des problèmes passionnants dont la solution viendra confirmer les déclara-
tions des auteurs de l'Antiquité qui nous parlent de Tartessos.
Ceux-ci considèrent les Tartessiens et les Turdétains, leurs descendants, comme un peuple possédant une civilisation ancienne et riche
qui s'exprime dans leur littérature, leurs villes, leur ordre social. »*
(Antonio Blanco Freijeiro, Madrid.)

Un savant suédois, Johan Podolyn, nous raconte, en 1761, une histoire étrange. Lors d'un séjour à Madrid, il fit la connaissance d'un homme fort versé en matière de numismatique. C'était le révérend Père Florez, qui s'adonnait à cette science avec beaucoup de compétence et de zèle. Le Père montra au savant suédois des pièces de monnaie qu'on avait découvertes aux Açores, et lui fit même cadeau de quelques raretés. Podolyn obtint des renseignements fort intéressants sur la navigation vers 400 avant J.-C.

Ce fut en novembre 1749. Une tempête sauvage battit les côtes des Açores en plein océan Atlantique. Sur une plage de la petite île de Corvo (18 kilomètres carrés) les vagues détruisirent une petite construction de pierres et mirent ainsi à jour un récipient d'argile noir. Ses flancs brisés contenaient une grande quantité de pièces de monnaies. Ces pièces furent amenées à Lisbonne. Le Père Forez étant à l'époque déjà un spécialiste de renommée, on lui envoya quelques pièces à Madrid.

Or, à une époque où l'archéologie n'était pas encore une science aussi précise et aussi universellement reconnue qu'aujourd'hui, la plus grande partie de ce genre de trouvailles se perdaient le plus souvent. Des collectionneurs privés pourraient remplir aujourd'hui encore des musées entiers. Neuf pièces seulement atteignirent Madrid, deux pièces d'or carthaginoises, cinq pièces de cuivre également carthaginoises et deux pièces de cuivre cyrénéennes.

On sait que les Açores furent découvertes entre 1430 et 1460 par les Portugais. Mais l'archipel était sans doute déjà connu à cette époque, puisqu'il était inscrit sur certaines cartes datant du début du Moyen Age. Il est probable que des navigateurs d'avant l'époque d'Alphonse le Magnanime (1416 à 1458) y avaient abordé. Mais on est étonné d'apprendre que des bateaux puniques venus de Carthage avaient déjà atteint les Açores.

Les Carthaginois faisaient partie du peuple des Phéniciens; nous savons que les Phéniciens étaient les navigateurs les plus intrépides des millénaires préchrétiens. Mais les Açores se trouvent à plus de 1 800 kilomètres à l'ouest de Gibraltar en plein océan Atlantique. Le fait que des navigateurs de cette époque aient pu aller si loin à bord de leurs bateaux primitifs nous donne une idée nouvelle de l'étendue des explorations phéniciennes.

On s'est demandé si les pièces de monnaie n'ont pas été transportées à Corvo, au moyen âge, par des Normands ou des Arabes. C'est là l'hypothèse d'Alexandre de Humboldt. Mais nous ne possédons nul rapport faisant état d'un séjour des Normands ou des Arabes aux Açores. D'autre part, il est bien plus probable qu'on a transporté cette monnaie dans l'île à une époque où elle avait encore cours. Autrement il eût été inutile de la cacher si soigneusement. Le professeur Richard Henning a consacré en 1927 un travail fort intéressant à ce problème. Il arrive à la conclusion que les Carthaginois ont été certainement débarqué dans l'Archipel des Açores. Il n'en reste pas moins à exprimer pourquoi les navigateurs puniques ont accosté dans une île écartée du reste de l'archipel, minuscule et stérile? On peut imaginer qu'une tempête les a jetés là. Ou bien ils avaient l'intention d'atteindre, en partant de Corvo, des terres plus occidentales, l'Amérique du Nord ou l'Amérique du Sud? Nous ne le savons pas. Mais nous sommes en droit de supposer qu'ils avaient l'intention de revenir dans l'île ou d'y rester; car autrement ils n'auraient pas caché leur trésor. Comme le courant porte vers le détroit de Gibraltar, l'hypothèse d'une épave qui se serait échouée là n'est pas très vraisemblable. Le bateau qui a apporté les pièces de monnaie avait un équipage. Il venait sans doute de Madère, de Porto Santo, d'une autre ville de la côte espagnole, ou directement de Carthage. Il avait couvert la distance énorme de 2 000 kilomètres. Les pièces recueillies sur cette plage nous content l'histoire étonnante d'une expédition maritime extraordinaire.

Les pièces de monnaie étaient accompagnées d'un document mystérieux, à en croire la déclaration d'un savant hollandais, J. Mess, en 1901. Ce document a disparu, alors que nous possédons au moins une représentation des pièces dans le rapport original de Podolyn.

En 1628 paraissait à Madrid un ouvrage sur les découvertes portugaises, rédigé par Manoel de Faria e Sousa. Faria raconte que les Portugais découvrirent dans une des îles des Açores une statue équestre. Le cavalier aurait pointé du doigt vers l'ouest. On prit le monument pour une divinité païenne et on le détruisit. Peut-être les Carthaginois avaient-ils entrepris une expédition audacieuse vers l'ouest. L'inscription du socle de la statue commémorait peut-être cet événement. Alexandre de Humboldt suppose qu'un promontoire des Açores ayant la forme d'un homme pointant du doigt vers l'occident aurait incité Christophe Colomb à pousser ses investigations vers l'ouest.

Nous savons que les Phéniciens arrivés de Tyr fondèrent, vers 1100 avant J.-C. la ville de Gadir — aujourd'hui Cadix (Cadiz) — mais nous ne possédons de cette région aucune trouvaille archéologique qui remonte à plus de 700 ans avant J.-C. Nous savons que le port minéralier de Tartessos, un peu plus au nord, avait à cette époque une renommée presque légendaire, que Tartessos s'énorgueillissait d'une civilisation évoluée, qu'un peuple d'artistes habitait le royaume. Mais les découvertes archéologiques touchant ce peuple originaire de Tyrsa en Asie Mineure ne remontent, elles non plus, pas au-delà du VIIe ou VIIIe siècle avant J.-C. Ce qui rend le cas de ces deux villes si passionnant est le fait que Cadix est une fondation phénicienne, alors que Tartessos est une fondation étrusco-tyrse. Ainsi, les deux grands centres commerciaux de ces deux civilisations très différentes se trouvaient très proches l'un de l'autre, car il y a à peine 100 kilomètres de Cadix à l'embouchure du Guadalquivir où l'on croit que se trouvait Tartessos.

Avant de découvrir les restes de la ville disparue, du marché ou du port, nous ne saurons pas si Tartessos, à l'embouchure du Guadalquivir, était seulement un port; si une métropole du même nom se trouvait en aval du fleuve; si le nom de Tartessos s'appliquait seulement à la ville ou à tout le royaume. Le fait que les documents seuls attestent le grand âge de la grande civilisation tartessienne et qu'aucune trouvaille archéologique n'est venue corroborer la tradition, ne prouve pas que l'empire tartessien n'ait pas existé.

Le savant espagnol Garcia Y Bellido a attiré notre attention sur un fait important : on peut faire confiance aux documents de l'Antiquité, même si les fouilles n'ont pas confirmé ceux-ci. Ainsi, on n'a pas retrouvé le palais d'Ulysse; ceci n'implique nullement qu'Homère ait eu tort en affirmant qu'il se trouvait en Ithaque. On n'a pas trouvé de preuves confirmant que les Espagnols ont traversé au XVIe siècle les Andes, la Patagonie et le bassin de l'Amazone; mais le fait n'en est pas moins authentique. Les Espagnols Loaisa, Quiros, Mendana, Torrès, n'ont laissé aucun témoignage de leur passage dans les îles de l'océan Pacifique. Et pourtant, ces intrépides navigateurs s'y étaient bien rendus. Les Vikings, ou « Normands », qui ont débarqué au XIe siècle sur le côté atlantique de l'Amérique, n'y ont guère laissé de traces archéologiques. Mais nous savons que ces voyages sont des événements historiques! De fait, une fondation nouvelle, une colonie, doit pouvoir résister à quelques tempêtes, elle doit prendre pied et s'enraciner pour résister à l'usure du temps. Un grand nombre de vestiges du passé ont été effacés. Pire encore est la situation de villes qui ont dû céder à des inondations, des raz de marée, des tremblements de terre; il n'y a que peu d'espoir d'en retrouver un jour la moindre trace.

Nous pouvons supposer que les Phéniciens se sont rendus dès avant le VIIIe ou IXe siècle en Espagne, ou même aux Açores. De même les Tyrsiens vécurent plus tôt encore dans leur ville ou leur royaume de Tartessos. Ils étaient les plus grands navigateurs de leur temps. Dans ce contexte, force m'est de citer un peuple avec lequel les Tartessiens avaient des relations suivies et dont l'empire s'étendait jusqu'au Grand Nord, en Irlande et aux fjords norvégiens. Il s'agit du peuple des Ostimiens. Ils entretenaient au même titre que les Phéniciens des rapports commerciaux avec les Tartessiens; ils sont les ancêtres des Frisons, des Saxons, des Normands, des Hanséates, des Hollandais, des Anglais. Avienus nous parle de ces Ostimiens comme d'intrépides navigateurs dont la force et l'audace avaient fait d'excellents commerçants.

Il est à noter que les Ostimiens se déplaçaient en bateaux faits de peaux d'animaux. Ce genre d'embarcation était sans doute le plus ancien du monde et on le connaissait sur toute la côte atlantique, de la mer du Nord jusqu'au Portugal. Le spécialiste de la civilisation celte, Julius Pokorny, m'a fait remarquer que les habitants préceltiques de l'Irlande se servaient déjà de bateaux faits de peaux d'animaux et que les Celtes appelaient les Irlandais les « Fir-bolg » ce qui veut dire « gens des bateaux de peaux ». Dion Cassius, historien de l'époque des empereurs romains, atteste que les habitants du littoral atlantique utilisaient encore de son temps des embarcations de peaux (livre 48, c. 18). Nous ignorons si les Tartessiens eux-mêmes se servaient de tels bateaux, car les objets de bois comme ceux de cuir se sont désagrégés au cours des millénaires. En Egypte, on a trouvé des bateaux beaucoup plus anciens. La raison en est que les bateaux des morts furent emmurés dans les chambres mortuaires comme objets cultuels. Mais les bateaux des Tartessiens, qui sillonnaient les mers sur des milliers de kilomètres, qui se brisaient dans le ressac, ont sombré à tout jamais dans les villes et ports engloutis. Ces bateaux couvraient 1 200 stades, 216 kilomètres, en 24 heures. Ce qui prouve que les Tartessiens avaient des bateaux à voile. Avienus confirme ce fait, au VIe siècle, quand il dit qu'on avait besoin, pour entrer dans la baie du Tage, d'abord du vent d'ouest et ensuite du vent du sud.

Les découvertes de ces dernières décennies concernant la civilisation tartessienne sont fort intéressantes étant donné qu'elles représentent les vestiges d'un passé riche et grandiose. Il suffit d'examiner ces objets pour se rendre compte qu'on a affaire aux dernières réalisations d'une des civilisations occidentales les plus remarquables et disparues depuis. Le 30 septembre 1958 on mit au jour au cours de travaux près de Séville, sur la colline El Carambolo, un trésor particulièrement bien garni, 21 objets en tout, comprenant des colliers, des bracelets, des pendentifs, des broches, des plaques provenant d'une couronne ou d'une ceinture, le tout en or pur. Il est facile de constater qu'il s'agit là d'objets faits par d'habiles orfèvres. Le professeur Antonio Blanco me raconta que *certains motifs* gravés sur ces objets se retrouvent sur les vases mycéniens, sur les damiers en ivoire de Megiddo, sur les peintures des palais assyriens et syriens de Khorsabad, d'Arslan-Tash et de Til-Barsib. Mais on n'a jamais découvert de telles pièces d'orfèvrerie, sauf en Espagne. Les archéologues Kuhkan et Blanco sont d'avis que les plaques d'or proviennent plutôt d'une couronne que d'une ceinture. On a trouvé des fragments analogues dans une vieille tombe de Chypre, et on en déduit que le dessin est d'origine chypriote. Sur le collier se trouve une estampille. Elle indiquerait un lien avec la civilisation phénicienne et punique. Malgré toutes ces influences, le trésor d'El Carambolo dénote un art indépendant et actif, qui s'était développé dans le sud de la péninsule Ibérique et qui témoigne de la civilisation tartessienne, laquelle — selon les paroles du grand savant espagnol Blanco — « se concrétise un peu plus tous les jours ». Les bijoux de Carambolo datent probablement du VIᵉ siècle avant notre ère. On les avait cachés dans une excavation creusée au flanc de la colline après les avoir enfermés dans un récipient. C'est là aussi l'avis du professeur espagnol J. Maluquer, qui pense qu'il y avait autrefois à cet endroit une maison ou une cabane. Celle-ci avait été détruite par un incendie.

En 1953, on découvrit près de Don Benito un pichet à vin en bronze qui — toujours selon le professeur Antonio Blanco — dépasse en beauté tout ce qu'on a trouvé du même genre dans la péninsule Ibérique. C'est un ouvrier qui heurta le récipient en labourant un champ appartenant à la ferme Valdegamas, à la limite du village de Don Benito. L'ouvrier ne se rendit pas compte de la valeur de sa trouvaille et la jeta sur un tas de bois à brûler. Mais peu de temps après on trouva à 40 centimètres dans le sol les vestiges d'une habitation comportant quatre pièces de dimensions différentes. Aux pierres des murs étaient mêlés des fragments de poterie. On se rendit compte qu'une localité avait dû se trouver là. La famille Donoso Cortès, à laquelle appartenait la ferme de Valdegamas, mit à l'abri le pichet de bronze. Le professeur Blanco reconnut sur ce récipient des éléments de style phénicien et de style grec. Il date sans doute possible du VIᵉ siècle avant J.-C. Mais quelle est son origine ? Est-ce que les Phéniciens l'ont fabriqué à Gadir (Cadix) ? Ou bien fut-il importé en Espagne d'un centre métallurgique du bronze ? Ou bien l'Etrurie, en Italie, était-elle le berceau de ce genre de récipients ?

Sur les bords du Guadalquivir à proximité de San Lucar de Barrameda se trouvent les champs d'Evora. Quelques archéologues espagnols supposent que la ville disparue de Tartessos a dû se trouver dans cette région. Nous savons, d'autre part, que le professeur Schulten d'Erlangen était d'avis que la ville devait se trouver sur le Coto de Doña Aña, à quelque 10 kilomètres au nord de ce lieu. Sous les champs d'Evora se trouve probablement aussi la ville romaine d'Ebora qui n'a jamais été mise au jour, comme mille autres localités disparues dans la nuit des temps. Un garçon de huit ans, Francisco Bejarano, trouva quelques objets en or dans la terre fraîchement labourée et les remit à son père. Celui-ci vendit ces objets d'une valeur inappréciable. Le propriétaire du champ signala le fait à la police, qui fit main basse sur ce petit trésor pour le remettre aux archéologues. Malheureusement, six des objets précieux avaient déjà été refondus et transformés en anneaux de mariage. Un marchand de métaux précieux avait acheté le reste pour 2 565 pesetas. L'archéologue espagnol Concepcion Blanco de Torrecillas raconte que le trésor comporte actuellement 47 fragments en or. Les bijoux sont richement ornés. Quelques-uns ont été déformés par leur séjour dans la terre, des pierres précieuses s'en sont détachées. Les bracelets, les boucles d'oreilles, les bagues, les fragments d'un diadème, les chaînons d'un collier, des morceaux de pendentifs, tout semble dater du $v^e$ siècle avant J.-C. Là encore, on discerne l'influence grecque et phénicienne; on ignore s'il s'agit d'objets importés ou fabriqués par un orfèvre indigène. Il est possible, explique Blanco de Torrecillas, que ces objets aient été fabriqués à la cour du roi Arganthonios de Tartessos; grâce à eux nous aurions conservé un témoignage de la splendeur de l'empire tartessien, qui était peut-être l'Atlantide...

Concepcion Blanco de Torrecillas ajoute : « Si l'on savait avec certitude que la ville inconnue de Tartessos se trouve quelque part au cœur des terres d'Evora, on pourrait sans doute y faire des fouilles fort instructives. Mais si la ville continue à se cacher, le trésor mis au jour récemment vient confirmer les suppositions antérieures d'après lesquelles la civilisation de cette métropole — qui se trouvait certainement dans les parages — se distingue par sa splendeur et par son niveau artistique élevé. »

Le 29 février 1920 des ouvriers découvrirent, à seulement un mètre au-dessous du sol, un récipient contenant un trésor de bijoux. L'endroit se trouve à La Aliseda, sur le versant nord des monts San Pedro. On avait sans doute mis la main sur la tombe d'une Ibérienne de noble descendance, car 194 paillettes d'or permettent de penser qu'elles avaient autrefois orné une robe. Un cercle d'or destiné à retenir un voile, un diadème d'or, des boucles d'oreilles en or, des bracelets, un collier de 53 chaînons, une ceinture finement ciselée en 62 parties — tout témoigne d'un art accompli. Ces bijoux feraient honneur à la vitrine de n'importe quel joaillier moderne! Mais depuis l'époque de Tartessos, on n'a plus l'habitude de faire des bijoux aussi soigneusement ciselés.

Concepcion Blanco de Torrecillas, directrice du musée archéologique de Cadix, m'a montré un sarcophage qui donne du fil à retordre à plus d'un savant. Il s'agit d'un cercueil d'un prince important, cercueil qui épouse les formes du corps humain. De tels cercueils portent le nom de « sarcophages anthropoïdes ». En Espagne ce célèbre objet archéologique porte le nom de « sarcophage Sidonien ». Il est, selon l'explorateur et savant P. Bosch-Gimpera, d'origine authentiquement phénicienne. On reconnaît dans sa facture le style des sarcophages égyptiens aussi bien que l'influence grecque de l'époque classique. La figure barbue du prince est d'une expression noble, une vraie figure de seigneur, qui dénote quelques traits sémitiques. A l'intérieur du cercueil de marbre, on a trouvé les ossements du prince. Après sa mort, aurait-il été transporté en Espagne sur un de ces célèbres « bateaux-de-Tarshish » venu de Phénicie, ou même du port de Sidon ? Ou bien était-il un des rois de Gadir, et voulait-il être enterré au milieu de son royaume ? Il est certain que cette magnifique œuvre d'art phénicienne du $v^e$ ou $vi^e$ siècle avant J.-C. nous permet de déceler les liens qui rattachaient à l'Orient l'antique forteresse de Cadix.

La découverte la plus intéressante de l'Espagne méridionale et l'œuvre d'art la plus précieuse de la péninsule Ibérique est sans aucun doute la « Dame d'Elche ». Elche près d'Alicante bénéficie d'un climat plus chaud encore que la ville d'Alicante elle-même. Les étés y sont d'une chaleur accablante. Pourtant la localité d'Elche, l'ancien Ilici, n'est située qu'à 15 kilomètres du bord de la Méditerranée. C'est là que se trouve la seule grande palmeraie d'Europe. 170 000 palmiers, plusieurs de plus de 40 mètres de haut, se dressent « les pieds dans l'eau, la tête dans le feu du ciel » comme dit un dicton arabe. L'eau d'irrigation arrive d'une distance de 5 kilomètres.

En l'an 1897, on y mit à jour la « Dame d'Elche ». Il s'agit d'un buste de 53 centimètres de haut d'une beauté exceptionnelle. Des traces indiquent que le buste était autrefois colorié. Les pupilles étaient sans doute fondues en verre. Comme on a découvert la sculpture dans un champ rempli de tombes, on suppose qu'elle représente une femme morte revêtue de tous ses atours. En Espagne même on a donné à cette plastique en calcaire crayeux le nom de « Reina Mora ». Mais le professeur Blanco pense que le buste représente plutôt une déesse. « Son expression reflète la rencontre de l'humain avec le divin », m'expliqua-t-il.

Je l'ai contemplée à mon aise, à une heure où aucun visiteur ne venait me déranger, dans la petite salle du rez-de-chaussée du Musée du Prado. C'est là qu'elle se trouve depuis son retour du Louvre. Car les Français, qui l'avaient achetée, l'ont recédée à l'Espagne. En regardant de plus près cette Madone préchrétienne, sa beauté et le calme intérieur de sa figure prennent un air quelque peu lugubre. On raconte que la parure de la tête et les lourdes chaînes sur la poitrine étaient en métal, en bronze,

*La Dame d'Elche (collection Viollet)*.

en argent, en or. Je me rendis à l' « Instituto Valencia de Don Juan » de Madrid, qui est généralement fermé, et j'y trouvai, dans une vitrine, des boucles d'oreilles et des bijoux en or. Je compris alors que les parures taillées dans la pierre de la « Dame d'Elche » avaient dû être en or pur, ce qui était digne de la splendeur de cette sculpture, la plus belle d'Espagne.

Bien qu'on reconnaisse des influences grecques et puniques, l'ensemble n'en représente pas moins la Joconde de l'Espagne, créée il y a quelque 2 500 ans : Strabon raconte, en effet, que les Espagnoles de l'Antiquité portaient de tels bijoux. Les palettes fixées des deux côtés de la tête sont, de l'avis d'Antonio Blanco, des disques d'argent à effet décoratif : il a trouvé au Musée d'Archéologie de Madrid des fragments de bijoux circulaires provenant de l'Estrémadure. Puisqu'ils font partie de la coiffure, ils étaient peut-être fixés dans les cheveux. Les jeunes filles de Valence portent encore, quand elles se mettent en costume national, une coiffure analogue aussi artistement arrangée avec, sur les côtés, ce qu'on appelle des « colimaçons ». 2 500 ans d'histoire et de préhistoire humaine sont un laps de temps bien bref. Il est possible que les danses des filles de Tartessos d'il y a 2 500 ans aient été aussi passionnées que celles d'aujourd'hui. Aujourd'hui encore leurs jupes et leurs blouses rappellent les longs vêtements des Crétoises.

Ainsi, la vie se renouvelle, mais garde ses caractères anciens. Festus Rufus Avienus nous parle, au IVe siècle avant J.-C., de l'abandon et de la décadence des localités qu'il avait vues de ses propres yeux. Il évoque la diminution effrayante des populations et la dégradation générale. J'ai compris que des villes florissantes doivent se cacher sous les plaines fertiles d'Andalousie. Tout est passé, réduit en poussière ou submergé dans l'océan Atlantique. Mais, de temps en temps, la terre nous rend — comme à regret et en hésitant — des trésors ensevelis. Ils nous parlent d'artisans qui connaissaient leur métier à la perfection, de grands artistes, de l'or, et des richesses de la ville disparue de Tartessos.

# ILES CANARIES

# Le secret
# des îles
# Canaries

*Lorsqu'on découvrit les îles Canaries on y trouva le peuple mys-
térieux des Guanches dont la langue est restée inconnue. Leur
civilisation a péri. Personne ne connaît leur origine. Les Guanches en
tant que peuple n'existent plus. Nous donnons ici un aperçu des
renseignements que les savants ont réussi à rassembler à leur sujet.*

« *Comme je désirais en savoir plus long sur les satyres, je parlais
d'eux avec de nombreuses personnes. Le Carien Euphenos me
raconta qu'en se rendant en Italie il avait été pris par la tempête
et rejeté dans la mer extérieure où l'on ne va pas, d'habitude.
Là, il y a de nombreuses îles désertes, et, sur d'autres îles, des
peuples sauvages. Ils ne voulaient pas y débarquer, parce qu'ils
s'y étaient déjà rendus auparavant et en connaissaient donc les
habitants. Mais cette fois-ci encore ils furent obligés d'y aborder.
Les marins appellent ces îles les « Satyrides ». Les habitants en
seraient rouges comme le feu, ils auraient des queues à l'ar-
rière-train, longues comme les queues de cheval. Ils s'approchèrent du bateau quand ils l'eurent aperçu, mais sans dire un
mot; en revanche, ils essayèrent de s'emparer des femmes du
bord. Intimidés, les marins finirent par leur remettre une femme
barbare. Les Satyres se jetèrent alors sur elle pour satisfaire leur
lubricité.* » — Pausanias I, chap. 23, 5 et 6 (vers 175 après J.-C.).

*Les hommes ont disparu, mais nous pouvons admirer un paysage semblable à celui que voyaient les Guanches du haut de leurs grottes (photo Rauchewetter).*

A 80 KILOMETRES de la côte hispano-africaine occidentale s'élèvent, au milieu de l'océan Atlantique, les îles Canaries, d'origine volcanique, rafraîchies par les brises du nord-est, couronnées de montagnes culminant à 3 700 mètres, couvertes de géraniums, de lis, de dahlias, de roses, de figuiers, d'oliviers, de cannes à sucre, de bananiers, chauffées par un soleil qui brille tout au long de l'année, arrosées de fontaines pures et abondantes. L'archipel des 13 îles s'étend sur une distance de 500 kilomètres, Madère se trouve à 500 kilomètres plus loin.

Dans l'antiquité, on appelait les Canaries les « Iles des Bienheureux ». Historiens, géographes et poètes chantaient les « Iles des Bienheureux ». Plutarque les confondait peut-être avec l'Atlantide, et nous ne sommes pas sûrs qu'il parlait des Canaries. Pline l'Ancien — qui naquit en 12 après J.-C. et périt lors de l'éruption du Vésuve en 79 après J.-C. —

cite les îles Canaries dans son *Histoire naturelle.* Pline tenait ses informations concernant l'archipel d'un certain Statius Sebosus, ainsi que du Numidien Juba, roi de Mauritanie (50 avant J.-C. à 23 après J.-C.), que César avait amené à Rome à l'occasion de son entrée triomphale dans la ville éternelle, après sa guerre d'Afrique, et qu'il y avait fait élever. Ce Juba rédigea de nombreux ouvrages en langue grecque sur la Libye, l'Arabie, la Syrie, sur la linguistique et la botanique, et même, à ce qu'il semble, sur des problèmes archéologiques. Hésiode, qui vécut autour de 700 avant J.-C., parle dans sa « Théogonie » — premier ouvrage religieux de la Grèce — des Gorgones de l'océan Occidental. Gorgo est un symbole archaïque pour la « civilisation de l'ouest ». Hésiode désignait par là probablement le groupe le plus oriental des îles Canaries, Lanzarote et Fuerteventura.

Pomponius Mela, de Tingentera, près de Gibraltar, rédigea, en trois volumes, vers 40 après J.-C. une géographie du monde habité, dans laquelle il mentionne également les Iles Gorgones sous le nom d'Hespérides. Il est possible qu'Homère déjà les ait choisies pour ses « Champs Elyséens », c'est-à-dire le lieu où se rendaient les âmes après la mort pour y recevoir la récompense de leur comportement moral sur terre. Où se trouvait donc pour le plus grand poète de l'humanité le bout du monde ? C'est le « Champ Elyséen » où le héros Rhadamante, où les Bienheureux vivent dans la paix, loin des neiges, dans la brise tiède qui souffle de l'Océan...

Pourquoi donc les âmes s'en vont-elles vers l'ouest après la mort ?

Les Iles des Bienheureux étaient autrefois les îles des morts. Pour les peuples anciens, ces îles se trouvaient à l'extrême ouest, au bout du monde habité, puisque les morts suivaient la course du soleil et que l'ouest est la région du coucher du soleil. Dans l'imagerie des Anciens, les Champs Elyséens se trouvaient sur des îles bien déterminées : du temps d'Homère on les plaçait à l'ouest de la côte africaine, face au Rio de Oro. Du temps de la République romaine et du début de l'Empire, on citait Madère et l'archipel des Canaries.

La toponymie des lieux indique toujours des rapports historiques très anciens et des faits démographiques. D'où vient donc le mot de « Canaria » ? Quelques savants le rattachent au nom de Canaan. Pline cite dans son livre V (15) le peuple des « Canarii » au Rio de Oro septentrional. L'auteur africain Arnobe, qui mourut en 330 après J.-C., étendit le nom à l'archipel et l'appela « Canariae insulae ». Il est intéressant de noter qu'on rattachait, d'une manière générale, le nom des Iles Canaries au mot latin « canis » (chien), parce qu'on y élevait les mêmes chiens sans poils qu'on trouve chez quelques peuples évolués d'Amérique centrale.

Il est certain que le nom de « Canaries » n'a rien à voir avec la « canne » à sucre. « Canna » en latin signifie « jonc » ou « roseau ». La canne à sucre n'était pas connue dans l'Antiquité. La canne à sucre fut introduite en Espagne méridionale seulement par les Arabes. C'est de là qu'elle parvint aux Canaries. Après la conquête de l'archipel, elle en fut bientôt la principale ressource. Les conquistadors s'enrichirent par les plantations de cannes à sucre et par les moulins à sucre. Il fallut l'intervention de quelques planteurs astucieux qui introduisirent la canne à sucre dans les Indes occidentales, pour supplanter sur les marchés mondiaux la canne des Canaries.

Il ne semble pas que des Européens aient débarqué en Amérique avant les expéditions de Christophe Colomb et des Normands. Mais un certain passage de Pausanias permet l'hypothèse que des marins aient été jetés sur les côtes du Nouveau Monde bien avant ces événements. Pausanias, un Grec d'Asie Mineure, rédigea vers 175 après J.-C. ses « Récits de voyages » en dix volumes. Il s'agit en réalité bien plus d'une « histoire de la civilisation », qui contient des indications précieuses sur la vie de l'Antiquité, sur les religions anciennes, la géographie, les arts. Où avait donc débarqué le Carien Euphenos que Pausanias cite dans son premier livre, chap. 23, 5 et 6 ( ?). La tempête avait jeté ce navigateur par le détroit de Gibraltar dans l'océan Atlantique, sur les plages des « Satyrides ». Dans ces îles lointaines vivaient des hommes « rouges comme le feu ». La description conviendrait parfaitement à des Indiens. Ou bien Euphenos avait-il fait la connaissance des habitants des Iles Canaries ? Les insulaires affichèrent une attitude hostile à son égard et s'attaquèrent plus spécialement aux femmes des naufragés. Les marins leur abandonnèrent une « femme barbare » et arrivèrent ainsi à sauver leurs peaux.

Dans les temps plus récents, ce sont probablement les Arabes qui ont abordé les premiers aux Canaries. L'amiral Ben Farroukh débarqua en 999 dans le golfe de Gando à Gran Canaria. Il y trouva un peuple tout disposé aux transactions commerciales. Les Canariens lui racontèrent que d'autres navigateurs étaient déjà venus leur rendre visite. Nous ne saurons jamais qui furent ces navigateurs. Nous ne savons pas non plus dans quel idiome l'amiral arabe se fit comprendre de ces indigènes. Il visita également d'autres îles, à en croire l'historien arabe Ebu Fathymah. Le célèbre géographe arabe Edrisi qui vécut de 1099 à 1164 raconte qu'on avait pu observer, à partir de la côte africaine, des colonnes de fumées s'élevant sur deux sommets de montagne.

Alexandre de Humboldt pense que cette information est exacte. Des marins, des explorateurs peu connus ou oubliés, ont abordé aux Canaries — tels les Gênois en 1291. Leur flotte n'a jamais réintégré son port d'origine. Un voilier français aurait atteint les Canaries en 1330. La nouvelle fut rapportée au roi Alphonse IV du Portugal. Quatre ans plus tard il y envoya des bateaux, mais les indigènes les rejetèrent à la mer. En 1341 les Portugais firent un retour offensif aux Iles Canaries et en rapportèrent de nombreux renseignements. En 1344 enfin, le pape Clément VI (qui résidait à Avignon) chargea un prince français d'origine espagnole, Louis de la Cerda, de se rendre dans ces îles mystérieuses et d'en catéchiser autant que faire se pouvait les indigènes. Vers 1360, on débarqua des missionnaires à Gran Canaria. Ils convertirent quelques indigènes et leur enseignèrent certains métiers. Mais les hommes de Dieu si bien intentionnés subirent souvent le martyre. En 1393, les Espagnols dépêchèrent une expédition militaire aux Iles. Elle se contenta de piller l'île de Lanzarote et de rentrer ensuite au pays.

L'histoire moderne des Canaries commence avec un seigneur de Normandie qui appareilla en 1402 pour les conquérir. Il avait nom Jean de Béthencourt. Il érigea au nord de Fuertaventura une forteresse, mais il ne disposait pas d'assez d'hommes pour soumettre l'île entière. C'est pourquoi il y laissa une petite garnison, rentra chez lui et demanda à Henri IV de Castille de l'argent et des marins. C'est ainsi que le roi de Castille réussit à conquérir Fuertaventura, Lanzarote, Gomera et Hierro.

Ici encore, l'histoire de cette conquête ressemblait au schéma habituel : les indigènes accueillirent les étrangers en amis et ne se comportèrent en « sauvages » que lorsqu'ils se rendirent compte que « l'homme blanc » ne songeait qu'à piller et s'enrichir. Béthencourt fut reçu très amicalement par les insulaires. Lorsqu'il quitta l'île de Gomera, les indigènes accompagnèrent son bateau à la nage et l'implorèrent de ne pas les abandonner.

Dans l'île de Hierro il y avait une ancienne légende : lorsque les restes du roi Yore seront tombés en poussière, des maisons blanches viendront sur les flots pour sauver le peuple. Quand les caravelles de Béthencourt s'approchèrent de l'île pour la première fois, les grands prêtres aperçurent au loin les voiles blanches et se rendirent à la tombe du roi Yore. Comme les restes du souverain s'étaient désagrégés depuis longtemps, ils comprirent que c'étaient les sauveurs qui approchaient sur les flots! Mais l'hospitalité des gens de Hierro se changea bientôt en hostilité. Près de la ville de Valverde — l'actuelle capitale de l'île — il y avait un arbre, appelé plus tard « El Garoe », dont l'eau tombant des feuilles suffisait à étancher la soif de tous les habitants. Peut-être y avait-il une fontaine près de l'arbre. Les indigènes couvrirent l'arbre et la fontaine de brindilles, probablement pour faire croire aux envahisseurs qu'il n'y avait pas d'eau dans l'île. Mais une jeune fille indigène tomba amoureuse d'un caballero espagnol. Elle lui vendit le secret de l'arbre. Une guerre s'ensuivit. Beaucoup d'indigènes furent vendus comme esclaves. La jeune fille fut condamnée à mort par les habitants de Hierro.

Dans l'île de La Palma, il y avait une tradition d'après laquelle le rocher d'Idafe s'écroulerait si jamais l'île était conquise par des étrangers. Les indigènes adressaient donc des prières au rocher : « Idafe, aie pitié de nous! » Lors de la conquête de l'île, les Espagnols eux-mêmes se trouvèrent à un moment donné dans une situation si périlleuse qu'ils s'exclamèrent : « Idafe, écroule-toi! » Le rocher se brisa et roula dans le précipice. Il ensevelit les derniers défenseurs de l'île. Le prince indigène Tanausu fut fait prisonnier et transporté en Espagne, où il choisit de se laisser mourir de faim.

A la suite de sanglants combats, tout l'archipel fut conquis par les Espagnols. Souvent, les habitants d'une île prêtaient main-forte pour la conquête de l'autre. Diego et Herrera, Diego de Silva, Don Alfonso Fernandez de Lugo furent les conquistadors espagnols qui, malgré de nombreux revers, conquirent les îles Canaries pour la couronne espagnole, en recourant à l' « eau de feu », à l'épée et à la croix, selon les besoins. Les indigènes étaient des guerriers intrépides et tenaces.

Lorsqu'une grande flotte anglaise, sous le commandement de sir Francis Drake et sir John Hawkins, attaqua en 1595 les conquérants espagnols, elle fut battue au large de La Palma. Le célèbre amiral anglais lord Nelson perdit un bras par l'effet d'un boulet de canon, lorsque sa flotte voulut s'emparer, en 1797 de Santa Cruz de Tenerife. Quarante-quatre de ses marins furent tués, 201 se noyèrent, 123 furent blessés. Les Espagnols, n'eurent que 32 morts et 42 blessés.

A cette époque, la guerre était encore un jeu loyal. Lorsque les Anglais durent se reconnaître vaincus, lord Nelson et don Antonio Gutierrez, chef des forces espagnoles, n'échangèrent pas seulement des salutations mais aussi de la bière, du fromage, du vin, des fruits et d'autres friandises. Chaque Anglais reçut des Espagnols un pain et une bouteille de vin. Les Espagnols pansèrent et soignèrent les marins anglais blessés.

Les indigènes des îles Canaries nous placent devant des problèmes d'anthropologie et de préhistoire qui n'ont pas encore trouvé de solution à l'heure actuelle. D'une manière générale, les Guanches étaient élancés et bien bâtis. Les habitants des îles occidentales avaient des cheveux plus clairs, plus près de la côte africaine leur chevelure était foncée et leurs lèvres plus épaisses. La beauté des femmes est sans doute le fait de l'imagination des marins, qui trouvaient toutes les filles désirables après la pénible traversée de l'Océan. La force herculéenne des Guanches doit également être reléguée au royaume des légendes.

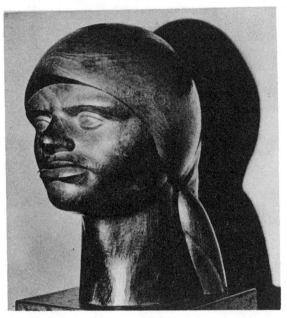

*Les Guanches ont disparu en tant que peuple. Mais le buste en bois d'une jeune fille guanche porte les caractères ethniques d'une race apparentée peut-être aux Berbères; les Espagnols décrivaient les Guanches comme des gens grands et osseux (photo Rauchewetter)*

On n'a pas exterminé la race des Guanches. Beaucoup sont morts de mort naturelle. Les femmes et les filles des indigènes se faisaient souvent les maîtresses des conquérants. Mais il arrivait aussi que des hommes guanches épousassent des Espagnoles et des Portugaises. On peut dire que le peuple des Guanches a été noyé dans le sang des conquérants. Cependant, certains Espagnols portent sur leurs visages, encore aujourd'hui, les marques de la race disparue.

Jusqu'au XVIe siècle, les indigènes vécurent selon la tradition primitive en se servant d'outils de bois, d'os, de pierre. Mais on a trouvé chez eux les vestiges d'une civilisation évoluée datant du néolithique. Je n'en veux pour preuve que les constructions souterraines de Gran Canaria, qui rappellent celles des anciennes civilisations méditerranéennes, les ruines de maisons, certaines voies de communication, les caveaux artistement décorés. Beaucoup de Guanches vivaient dans des grottes artificielles creusées dans le rocher. Mais ils s'installaient également dans des cavités naturelles. Là où la vie de troglodyte n'était pas possible, ils élevaient de petites maisons circulaires. On a même découvert des fortifications.

Les Guanches s'habillaient de peaux de chèvres ou de vêtements faits de fibres végétales. De nombreux restes d'objets vestimentaires ont été trouvés à Gran Canaria, de même que des colliers de bois, d'os, de nacre et d'autres parures portées aussi bien par les hommes que par les femmes. Ils décoraient leurs corps de dessins coloriés en se servant de tampons d'argile cuite. On a mis au jour des poteries sans ornements ou agrémentées de motifs dessinés au doigt, des haches de pierre polie, des lances, des massues, des javelots, des boucliers de bois. Le fer était inconnu. Ils ignoraient aussi la roue du potier, l'arc et les flèches. Mais les lances étaient durcies au feu ou pourvues d'une pointe en corne.

Il est étrange que les Guanches n'aient jamais appris la navigation! Bien qu'ils aient pu voir les autres îles de l'archipel, ils vivaient sans communication aucune avec leurs voisins. C'est là un fait rapporté par les Espagnols. On est en droit de penser que cet isolement n'était que temporaire, que les Guanches allaient de temps en temps d'une île à l'autre à bord de radeaux ou d'embarcations primitives.

L'Italien Léonardo Torriani, qui se dit né à Cremone, visita l'archipel des Canaries en 1585 et rédigea en 1590 un ouvrage extrêmement instructif sur les îles et leurs populations indigènes. Il était d'avis que les Guanches avaient des pirogues munies de voiles de crins végétaux et de feuilles de palmiers. Ces embarcations, à l'en croire, faisaient partie de la tradition indigène et n'avaient pas été importées par les Espagnols. Si les affirmations de Torriani sont exactes, on peut se demander pourquoi on n'a jamais trouvé de vestiges de ce genre de bateaux.

Il est certain que les Guanches se servaient d'un genre de langage d'oiseau pour communiquer sur de grandes distances. De colline à colline, ils transmettaient des signaux à l'aide de sifflets. Le « langage des sifflets » ne pouvait servir qu'à la transmission de messages concrets. Les pensées abstraites étaient exclues de ce genre de communications. Quelques Canariens connaissent encore aujourd'hui l'art de transmettre des messages et même des noms à l'aide de sifflets.

La principale richesse des Canariens consistait en troupeaux de chèvres, de porcs, de chiens, de lapins, qui servaient de nourriture. De jeunes chiens engraissés passaient pour une friandise très appréciée. La nourriture était toujours préparée au feu. On mangeait aussi du poisson capturé dans les eaux basses, près des rivages. Pour faire du feu, les Canariens, comme beaucoup de peuples à l'état naturel, frottaient deux morceaux de bois.

Les Guanches très âgés ou atteints de maladies incurables avaient le droit de demander qu'on les tue. Les parents n'avaient pas le droit de leur refuser cette grâce. Le mourant était transporté dans une caverne isolée, on lui laissait quelque nourriture. C'est là qu'il mourait seul.

Les Canariens essayaient toujours de conserver pour l'éternité les ossements de leurs morts. Ils croyaient que la décomposition du corps mettait un terme à l'immortalité de l'âme. Ils embaumaient donc leurs morts. On a trouvé de nombreuses momies, souvent dans un état de décomposition avancée. Ces momies ne pèsent jamais plus de 6 à 7 livres. Les corps des personnes décédées étaient d'abord nettoyés. C'est aux prêtres et aux prêtresses qu'incombait en général la tâche de les embaumer. Les femmes embaumaient les corps féminins, les hommes les corps mâles. On se servait, pour momifier les morts, de la résine rouge du dragonnier. Les dragonniers faisaient depuis toujours partie de la flore des Canaries. Leur âge atteint jusqu'à 3 000 ans. Les rares exemplaires qui existent encore de nos jours sont protégés par la loi. La sève des dragonniers est, en effet, un puissant antiputride dont nous ignorons le découvreur.

Les momies étaient enfermées dans des paillassons et dans six où sept peaux de chèvre ou de mouton, soigneusement cousues. S'il s'agissait d'un souverain, on cachait son corps dans une crevasse de rocher d'accès difficile ou on l'enterrait sous un tertre. Personne n'avait le droit d'assister à une inhumation, les prêtres en gardaient jalousement le secret. Les rois des Guanches étaient inhumés debout; leurs épouses gardaient, près d'eux, la posture assise. On n'enterrait un roi que lorsque son successeur était lui-même mort, souvent au bout de nombreuses années. De cette manière, il y avait toujours deux rois, le roi mort et le roi vivant. Le mort prodiguait des conseils à son successeur!

Quant aux morts ordinaires, on les embaumait et on les entassait les uns sur les autres. Les bras des hommes étaient allongés de long du corps, les bras des femmes croisés sur la poitrine. On donnait aux morts des vivres, des coupes, des brocs remplis de beurre, de lait, de figues séchées et d'autres fruits. On inclinerait à croire que l'habitude

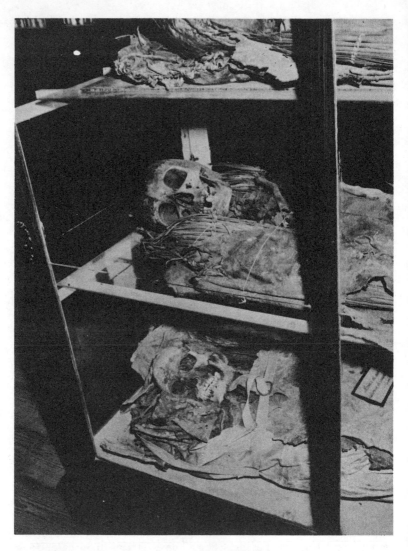

*Le peuple mystérieux des Guanches embaumait ses morts avec la sève du dragon-nier. Les momies étaient ensuite couvertes de cuir et de nattes de jonc. On ignore comment cette coutume a pu pénétrer dans les îles au milieu de l'océan Atlan-tique. (Musée Canaria à Las Palmas) (photo Rauchewetter).*

d'embaumer les morts est originaire d'Egypte. On a même pensé que les habitants primitifs de l'archipel étaient des Égyptiens qui se seraient mélangés plus tard aux Nubiens. Notons cependant que le procédé des Egyptiens était très différent de celui des Guanches. Quand les Espagnols débarquèrent aux Canaries, les Canariens ignoraient l'alphabet. S'ils étaient d'origine égyptienne ils auraient probablement importé l'écriture égyptienne. On n'a jamais découvert de ressemblances d'ordre linguistique. D'un autre côté, dans l'île de Hierro, le mariage entre frère et sœur n'était pas seulement permis, mais de pratique courante, tout comme dans les familles royales égyptiennes.

Les Canariens ont dû habiter leurs îles depuis une époque fort reculée peut-être 2 000 ans avant J.-C. ou même davantage. Leur nom de « Guanches » ou « Vanches » dérive peut-être du nom d'une colline dans l'île de Tenerife, qui s'appelait « Chinet ». « Guan » voulant dire « homme », les Guanches étaient peut-être les « fils de Chinet » les « Guan-Chinet » transformés en « Guanches » par les Espagnols. Les navigateurs sémitiques du sud et du sud-est de la Méditerranée, les Phéniciens donc, ainsi que les Carthaginois, leurs proches parents, les connaissaient, longtemps avant que les Romains étendissent leur domination à l'Espagne. Le navigateur carthaginois Hannon, qui fut envoyé vers 480 avant notre ère en Afrique Occidentale, prétend que l'archipel était inhabité. Mais il y découvrit les ruines de constructions impressionnantes. L'affirmation de Hannon ne permet pas de conclure que la population autochtone était éteinte à cette époque et que les nouveaux immigrants n'avaient pas encore occupé les Canaries. Hannon avait peut-être débarqué dans une île déserte de l'archipel, ou bien ses habitants avaient fui à l'intérieur des terres. Comme les Carthaginois avaient l'habitude — tout comme les Espagnols et les Portugais du temps des grandes conquêtes — de garder secret l'emplacement de nombreuses îles et lieux présentant un intérêt commercial, pour les exploiter à leur aise, le monde a ignoré pendant des siècles l'existence des îles Canaries. Jusqu'à leur redécouverte par les Arabes on avait perdu la trace de ses populations indigènes.

Sur le plan anthropologique, les Canariens font partie du type de Cro-Magnon. Ils sont donc de la race des hommes qui ont créé, en Europe et en Asie, la civilisation d'Aurignac, célèbre par les statuettes dites de Vénus, qui datent de 30 000 à 50 000 ans. Dans des temps plus récents, ils se sont sans doute mélangés avec les Berbères d'Afrique du Nord. Les conquérants espagnols rapportent que les Guanches étaient des hommes de haute stature, que certains hommes et femmes avaient des yeux bleus et les cheveux blonds, et qu'ils se distinguaient par leur force herculéenne. Ce genre de description romantique faisant état de « troglodytes nobles, beaux, courageux mais d'un niveau culturel inférieur », a provoqué en 1939 le scepticisme de Dominik Josef Wölfel, et, de toute façon, relève souvent de la plus haute fantaisie. Ces récits trouvent leur origine dans la tendance de beaucoup d'explorateurs, jusqu'en plein XIXᵉ siècle, à romantiser dès qu'il s'agit de pays inconnus.

Les Canariens croyaient à l'immortalité de l'âme et vénéraient un être suprême et invisible qu'on nommait « Acoran » à Gran Canaria, « Achaman » à Tenerife, « Eraoranham » à Hierro, « Abora » à La Palma.

*On peut se faire une idée de la perfection de la civilisation des Guanches en examinant cette maquette d'une construction en pierre, destinée probablement à un usage religieux. La partie intérieure était protégée par un mur puissant (photo Rauchewetter).*

On a mis au jour les vestiges de temples étendus et protégés par de puissantes murailles extérieures. D'après la tradition, il y avait un dieu mâle et un dieu femelle, qui séjournaient sur les montagnes et qui descendaient dans la vallée pour écouter les prières des peuples. La croyance en un esprit malin était également fort répandue. Ce « démon » s'appelait « Guayota » à Tenerife. Il vivait sur le sommet d'une montagne haute de 3 718 mètres, appelée Teide. Par temps de grande sécheresse les Guanches conduisaient leurs troupeaux aux lieux saints, séparaient les brebis des agneaux, espérant que leurs lamentables bêlements toucheraient le cœur de l'Être Suprême. Pendant les fêtes religieuses, il fallait interrompre toutes les luttes personnelles, et même les guerres.

Il y avait dans l'archipel tout un système de caste qui s'appuyait sur une mythologie compliquée. On distinguait de nombreuses couches sociales, à commencer par les esclaves jusqu'aux princes et aux prêtres. Le roi était un monarque absolu sur quelques îles, ailleurs les chefs de tribus et la noblesse formaient un conseil qui supervisait les décisions du souverain. Dans deux ou trois îles, il y avait une poussière de petites tribus sans chef suprême. Le titre de roi ou de prince était héréditaire, de père en fils. L'humérus du roi décédé était le symbole de la puissance royale. D'après d'autres auteurs, c'était le crâne. Lors du couronnement, le souverain prêtait serment devant une relique de ce genre; pendant les délibérations d'État le roi s'en servait en guise de sceptre.

Sur le plan linguistique, les Canariens formaient une unité malgré les différents dialectes parlés sur les différentes îles. Quelques expressions et noms propres correspondaient à des vocables berbères, d'autres avaient la même signification sur toutes les îles. « Aemon » veut dire « eau » à Lanzarote, à Hierro et dans quelques autres îles. « Aho » signifie « lait » à Lanzarote, Gran Canaria, Tenerife. « Chivato » veut dire partout « cabri ». « Cigueno » était la « chèvre » à Lanzarote et La Palma.

Dans quelques îles le danger de surpopulation était si grand que les hommes étaient punis de mort s'ils approchaient une femme étrangère ou l'abordaient sur la route. Il est à noter qu'on avait prévu dans les montagnes des petites îles de Tenerife et de Gran Canaria des chemins à deux pistes, l'une était réservée aux femmes, l'autre aux hommes. De temps en temps, on donnait l'ordre de tuer tous les nouveau-nés. Le premier-né d'une famille n'était pas touché par cette mesure cruelle. Tous ces faits prouvent qu'il y avait aux Canaries une population nombreuse lorsque les Espagnols y mirent le pied et qui autrefois avait peut-être été plus importante encore.

A Lanzarote, il y avait un puits où l'on descendait les condamnés à mort. On leur laissait le choix entre l'eau ou une nourriture sèche sans eau. On supprima ce puits de la mort après qu'un condamné eut demandé du lait, ce que lui permit de vivre assez longtemps pour qu'on lui fît grâce.

Les signes mystérieux découverts sur les rochers de La Palma et de Hierro restent de nos jours encore une énigme. On n'a jamais pu identifier une écriture dans ces signes. Il ne semblent pas dus aux Guanches, mais à un peuple plus ancien qui a disparu.

Cinq cents ans ont passé depuis qu'on a découvert les indigènes de ces îles merveilleuses au milieu de l'Océan, depuis qu'on a voulu les transformer en « gens civilisés », depuis qu'on les a exterminés. On n'a jamais pu établir combien d' « aide au développement » un peuple primitif peut supporter sans se perdre. Les peuples évolués font preuve de myopie et de primitivisme en voulant imposer aux autres leur style de vie et leurs propres solutions, qu'ils jugent seuls dignes d'être imités, en tentant d'exporter à tout prix le confort assuré par leurs machines. Aux îles Canaries les hommes menaient depuis des temps immémoriaux « une vie saine, exempte de maladies graves, sans qu'ils eussent besoin de médecins » à en croire Leonardo Torriani.

Un peuple a disparu de la surface de la terre et nous n'avons même pas eu la possibilité de l'explorer. Finies les constructions dans le rocher et à la surface de la terre, fini le travail des menuisiers, des cordiers, des tanneurs, fini l'art de fabriquer des élixirs de vie avec la sève des arbres, finies les pêches à l'aide d'une lanière de cuir et d'un os de chèvre ou de filets faits de brindilles et de feuilles de palmiers. Jamais plus les meilleurs lanceurs de pierres ne se rencontreront en duel. On ne formera plus de boules d'argile qu'on lançait au jeu et qu'il s'agissait d'éviter, ce qui demandait beaucoup d'adresse. Jamais plus les javelots des lanceurs Guanches ne vibreront dans l'air pur des îles.

Ces peuples aimaient la vie des Canaries. Ils aimaient la solitude. Ils croyaient en Dieu. Ils vivaient dans une étrange tristesse comme s'ils pressentaient leur fin. Ils aimaient la musique : leurs chansons plaintives s'en allaient au loin, sur les vagues de l'Océan.

# Les bronzes de la Vieille Chine

*Les bronzes chinois de l'époque préchrétienne nous introduisent dans les mystères des idées religieuses de l'Asie orientale. Qu'était donc le T'ao-t'ieh ? La science moderne a réussi à jeter un peu de lumière sur quelques énigmes des gens de Shang, qui vécurent il y a quelque 3 500 ans.*

*« L'étude des anciens bronzes a été poursuivie en Chine par des générations de savants. Ils avaient le plus grand respect de la parole écrite et étaient d'avis qu'elle se conservait mieux dans le bronze que dans la pierre. Tous les autres supports utilisés dans les temps anciens, tels que tablettes de bois ou rouleaux de soie, étaient beaucoup moins résistants; ils se sont désintégrés depuis longtemps. »* (Stephen W. Bushell, *Chinese Art*, Londres, 1914, p. 65.)

UN LIEN de parenté unit toutes les civilisations. Pendant 600 000 ans, pendant toute l'histoire de l'humanité l' « homo sapiens » a porté de continent en continent, de vallée en vallée ses acquisitions spirituelles. Depuis l'invention du bateau, l'échange de toutes les gloires et de toutes les misères du génie humain n'a fait que s'intensifier. On pouvait atteindre tous les continents, à l'exception de l'Australie, par voie terrestre. C'est pourquoi il n'y a plus — depuis 100 000 ans — de continent isolé, l'Australie mise à part.

Il y a pourtant un peuple qui croyait être le centre du monde et qui a vécu, en comparaison des autres civilisations très évoluées, dans un relatif isolement. Il s'agit des Chinois, qu'on désignerait mieux sous le nom de « famille de peuples », car les hommes du Hsing-kiang, du désert de Gobi, de la Mandchourie, de Hoang-ho, du Yang-tsé, de la Rivière des Perles sont assez différents les uns des autres.

*Trépied de la dynastie des Han (206 avant J.-C. à 220 après J.-C.) décoré du motif du K'hui, être fabuleux qui ressemble à un dragon.*

*Ce cheval en terre cuite blanche, avec des traces de coloriage rouge, date de la grande époque d'art de la Chine, la dynastie des T'ang (618 à 906).*

Le peuple chinois, avec ses 600 millions d'individus, ne présente plus, depuis longtemps, un danger sur le plan international. Car la force et l'avenir d'un pays ne sont pas déterminés par le nombre de ses habitants. Tout dépend de la quantité de nourriture dont il dispose, et plus encore de son pouvoir intellectuel. Dans notre siècle du progrès technique un pays est comme un bateau. Un bateau avec un équipage de 4 000 hommes ne navigue pas mieux qu'un autre sur lequel il y aurait exactement le nombre d'hommes qu'il faut. La question est de savoir s'il y a à bord des vivres en abondance! Depuis le début de la Seconde Guerre mondiale il n'y a plus lieu de considérer une masse humaine comme une puissance uniquement à cause de son nombre!

Ce qui étonne, quand on considère le peuple chinois, n'est pas tellement le nombre d'individus qu'il comporte que sa rapide croissance. En 1650, il n'y avait que 70 millions de Chinois; en 1750, 150 millions; en 1850 plus de 400 millions. Aujourd'hui leur nombre dépasse 600 millions.

Ce peuple immense possède un certain nombre de particularités que nous autres, Occidentaux, oublions sans cesse ou dont nous ne tenons aucun compte. Pendant des millénaires, les idées et les biens manufacturés ont pénétré en Chine par les pistes des caravanes ou par les chemins de la mer. Le mélange des différentes civilisations sur toute la terre, et plus particulièrement en Chine, est tellement intime qu'il nous faudra encore des siècles de fouilles avant que nous puissions comprendre certains rapports. Malgré cette accumulation de couches, on dirait que la Chine était entourée, pendant les 4 000 dernières années, d'un mur visible et invisible. Ceci est dû sans doute au pouvoir créateur exceptionnel de la Chine dans le domaine des métiers et des arts, surtout depuis l'époque des Han et des T'ang. Toute la fierté nationale de ce peuple est fondée sur l'effort culturel autochtone qui remonte à la plus haute antiquité, sur la limitation volontaire à l'intérieur des frontières sur les valeurs héritées des ancêtres, sur l'art culinaire développé à tel point que tout apport étranger dans ce domaine serait vraiment superflu.

Les Chinois étaient toujours convaincus que tous les peuples auxquels ils avaient affaire étaient leurs descendants et leur étaient inférieurs. Dans son for intérieur, chaque Chinois croit dur comme fer que Tibétains et Turkomans, que les habitants de la Mongolie extérieure ainsi que tous les peuples primitifs de Sibérie font partie de la Chine. La Chine n'a jamais reconnu à un autre peuple ou à un autre empire le droit de se considérer comme le centre du monde. De fait, sur le plan culturel, aucun pays de la terre n'a jamais dépassé la Chine, depuis 5 000 ans.

La Chine a toujours aspiré les peuplades limitrophes, elle a absorbé aussi bien ses conquérants que ses vaincus. Les Chinois ont toujours cru que leur pays est le pays le plus étendu et le plus puissant de la terre. Ils méprisaient les envahisseurs occidentaux. Ils méprisaient les Anglais, les Français, les Allemands et surtout les Russes, qui tentaient toujours de nouveau de pénétrer en Mandchourie au-delà de l'Amour, et qui menaçaient la Mongolie et le Turkestan. Ils méprisaient les Japonais et les peuples du Sud. Ceci est peut-être avant tout le fait des femmes chinoises, qui étaient toujours courtisanes ou reines, mais jamais esclaves.

Comme les Chinois n'ont jamais été de grands navigateurs, comme leurs rapports avec les autres civilisations étaient pour ainsi dire inconscients, comme ils se considéraient toujours comme une unité, ils n'avaient jamais l'impression d'appartenir à une famille de nations. Ce fait, ainsi que leur ignorance des valeurs culturelles étrangères, leur habitude de ne suivre en tout que leur propre style de vie, leur croyance dans leur propre supériorité ont toujours été interprétés par les étrangers comme de l'arrogance. C'est une arrogance qui date de longtemps et qui n'a pas sa source dans un complexe d'infériorité.

Il a toujours été malaisé de conclure des traités avec les Chinois; il a été impossible de les habituer au respect des signatures données. Les commerçants des rives du Hoang-ho et du Yang-tsé étaient — comme toutes les populations des grandes vallées — des hommes habiles et versatiles. Les Chinois ont produit de grands poètes, des auteurs de talent, des peintres incomparables. Avec les peuples de la Méditerranée, les Hindous et les Japonais, ils ont été les sculpteurs les plus remarquables de la Terre. Ils étaient d'habiles forgerons, d'excellents tisserands et fabricants de soie, des architectes de génie, des maîtres queux raffinés — d'exécrables éleveurs de bétail.

La civilisation chinoise est presque aussi vieille que les civilisations d'Egypte et de Mésopotamie. L'Egypte ancienne, Sumer, Mari et l'empire des Hittites ont disparu depuis longtemps. La Chine existe toujours, malgré les coups de boutoir des nomades! Elle a fait, de signes à base d'images inventés dans la vallée du Fleuve Jaune, son écriture actuelle.

Pendant les cinq premières dynasties, de 2205 avant J.-C. à 220 après J.-C. environ, ce peuple extraordinaire a créé une civilisation du bronze qui a abordé les mystères de la lumière et de l'obscurité, du soleil et de la lune, de l'animal, de l'homme, de Dieu. Sous la dynastie des Shang et des Chou (1766 à 256 avant J.-C.), le bronze était en usage dans toute la Chine et constituait le métal le plus important.

Comme les objets d'art en bronze se sont particulièrement bien conservés, les Chinois ont consacré des milliers de livres à l'étude de cet art. Ainsi, la *Description illustrée des Antiquités* au palais de Hsuan-ho, rédigée par Wang Fou au début du XIIᵉ siècle, comprend 30 volumes. Lu Ta-lin a rassemblé en 1092 une étude d'objets antiques en 10 livres. L'empereur Chien Lung a édité en 1751 un splendide catalogue en 42 tomes des collections impériales de bronzes. Le supplément comprend 14 volumes. Il y a toute une bibliothèque d'historiens de l'art et d'archéologues chinois consacrée aux richesses inépuisables des objets de bronze. Les explorateurs modernes de cet art difficile sont obligés de recourir toujours aux études chinoises et aux catalogues chinois.

### Tableau des premières dynasties chinoises

| | | | |
|---|---|---|---|
| Hsia | 2205 | av. J.-C. à | 1767 av. J.-C. |
| Shang | 1766 | à | 1123 |
| Chou | 1122 | à | 256 |
| Ch'in | 255 | à | 207 |
| Han | 206 | av. J.-C. à | 220 ap. J.-C |
| Les « 6 dynasties » | 220 | à | 587 |
| Sui | 581 | à | 617 |
| T'ang | 618 | à | 906 |
| Sung | 960 | à | 1279 |

*Fourneau en bronze de la dynastie des Chou (1122 à 256 avant J.-C) : 14,5 cm de haut, 46 cm de long, 24 cm de large. Sur les deux ouvertures circulaires se trouvent des récipients de forme plate. On mettait le bois dans l'orifice à droite, en bas. A gauche, ouverture pour la fumée. On a trouvé une grande quantité de fours en argile. Nous avons là peut-être le premier fourneau en bronze de l'humanité.*

Pendant la dynastie des Chou, entre 1122 et 256, les auteurs toujours très actifs de la vieille Chine rédigèrent un ouvrage célèbre sur les arts, appelé *K'ao kung chi*. Ce livre nous apprend entre autres la proportion du cuivre et de l'étain utilisée pour les objets en bronze. Les cloches, les grandes marmites, les récipients et objets sacrés se composaient de 5 parties de cuivre et d'une partie d'étain. L'alliage des haches et des pioches comportait 4 parties de cuivre et une partie d'étain. Les épées droites à deux tranchants et les instruments aratoires étaient faits de 2 parties de cuivre et d'une partie d'étain. D'autres alliages étaient destinés aux pointes des flèches et aux petits couteaux. Les célèbres miroirs chinois se fabriquaient avec un métal moitié cuivre moitié étain.

Or, les bronzes chinois ne contiennent pas que du cuivre et de l'étain mais également du zinc, du plomb, du nickel, de l'antimoine, de l'argent et des traces d'or. Tous ces alliages donnent au cours des millénaires une belle patine due à des altérations chimiques provoquées par le séjour dans la terre. Les antiquaires chinois connaissent très bien les particularités du sol de leur pays et savent comment se forment les belles teintes évoquant la malachite et la turquoise, ainsi que certains reflets rouges très particuliers. Cette patine leur permet de distinguer les bronzes authentiques des bronzes contrefaits. On essaie souvent d'imiter la patine. Mais la fausse patine cède facilement au couteau ou à l'eau bouillante alors que la vraie attaque le métal en profondeur.

On a également fabriqué en Chine de très grands objets de cuivre. Ainsi, chacune des cinq énormes cloches de Pékin que l'empereur Young Lo fit fondre entre 1403 et 1424 pèse 120 000 livres! Chacune a environ 5 mètres de haut, sa circonférence au bord inférieur mesure 11 mètres, son épaisseur est de 30 centimètres. Ces cloches portent sur les parois extérieures et intérieures des inscriptions bouddhistes en langue chinoise et des prières sanscrites. On fondait les cloches à l'endroit même auquel elles étaient destinées. On les fixait à un tronc d'arbre muni d'un puissant cadre de bois et on creusait le sol sous les cloches. Une grosse poutre de bois les faisait tinter au loin.

Les bronzes les plus anciens servaient à des fins religieuses, au culte des ancêtres, à certains rites de la cour impériale. Certains récipients étaient destinés aux sacrifices de viande, de céréales, de fruits, de vin. On a découvert et déchiffré des inscriptions anciennes sur quelques récipients. Ces inscriptions permettent de suivre l'évolution de l'écriture chinoise depuis les premières dynasties.

Les Chinois attribuent à une chance particulière le fait de trouver par hasard un vieux vase de bronze, car ils estiment que sa valeur cultuelle profite en quelque sorte à l'inventeur. C'est pourquoi c'est un devoir sacré de transmettre de génération en génération les objets trouvés et de les conserver pieusement. Au cinquième mois de l'an 116 avant notre ère, on découvrit sur la rive sud de la rivière Fen, dans la province de Shansi, un chaudron à trois pieds. Les Chinois appellent un tel chaudron un « ting ». L'événement paraissait si important que le nom de la dynastie de l'empereur de l'époque Wu ti fut changé en « Yuan Ting ».

*Cruche à vin (Hu), de la dynastie des Chou, haute de 46,5 cm. La décoration est constituée par un dragon qui se tord. A l'intérieur se trouve une inscription :* « *A conserver soigneusement, indéfiniment, par les fils et les petits-fils.* »

Pendant le règne des T'ang, en 722 après J.-C., on mit au jour une bassine de bronze dans la ville de Yung ho sur la rive du Fleuve Jaune. On changea immédiatement le nom de la ville en Pao Ting Hsien, ce qui veut dire « La-Ville-au-précieux-trépied ». A partir de 960 après J.-C. seulement, pendant le règne de la dynastie des Sung, les bronzes cessèrent d'être considérés comme des objets sacrés. On commença d'organiser des fouilles, on transporta les vases dans les palais impériaux et dans les musées, on rédigea de grands catalogues et on se mit à déchiffrer les inscriptions.

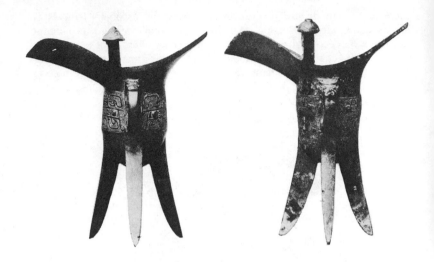

*Deux coupes à vin sacrificielles à trois pieds, de la dynastie des Chou. On appelle ce genre d'œuvre d'art « Chio ».*

*Ce vase, datant de la dynastie des Shang (1766 à 1123 avant J.-C.) a 60 cm de haut et est recouvert d'une belle patine. Le centre de la patine la plus évasée est occupé par le masque du T'ao-t'ieh. On voit que les croissants de lune se sont transformés en cornes. En haut, au milieu, la tête entière d'un animal cornu.*

Dans les listes des anciens bronzes chinois, on comptabilise d'abord les cloches — « chung » — et les bassines — « ting ». Souvent, on fixait les cloches à l'entrée des salles de fêtes ; plus tard, dans les salles des aïeux, où elles rassemblaient les ombres pour le banquet des morts. Un chaudron à trois pieds, particulièrement connu, de l'espèce des « ting », et datant de la dynastie des Chou (1122-256 avant J.-C.), se trouve à Chin-kiang, sur les rives du Yang-tsé, dans le temple de Chiao-Shan. Sur la paroi intérieure, du bord jusqu'au fond de la bassine, on a gravé une inscription. On y lit, entre autres : Moi, Wu Chuang, ose exprimer ma profonde reconnaissance pour la grande faveur et les dons honorables du Fils du Ciel. J'ai fabriqué des récipients destinés à recevoir du vin, ainsi que ce chaudron pour le sacrifice de la viande, pour mes différents aïeux d'égal mérite. Que je sois récompensé par une longue vie comportant de nombreux jours, et que mes fils et petits-fils utilisent pendant dix mille ans et tiennent en honneur ce récipient ! »

En s'appuyant sur une indication de la position de la lune ainsi que sur le style et le contenu de l'inscription, les savants chinois sont d'avis que ce chaudron date de l'année 812 avant J.-C. et que c'était le ministre personnel du roi Hsuan Wang qui fit faire l'objet et qui composa le texte de l'inscription.

Les inscriptions de la dynastie des Shang (1766-1123 avant J.-C.) sont faites dans une écriture figurative et comportent le nom de la personne décédée à laquelle l'objet était dédicacé. Les objets datant de la dynastie plus ancienne des Hsia (2205-1767 avant J.-C.) n'ont pas d'inscriptions. Une coupe sacrificielle du temps des Chou (1122-256 avant J.-C.) porte à l'intérieur plus de 500 signes aux coches dorées.

Les récipients de bronze destinés au culte des aïeux avaient des formes différentes selon qu'ils devaient recevoir du vin, des libations, de la viande. Il y a des vases à vin en forme de trompette, il y a des coupes pourvues de couvercles, il y en a en forme d'animaux, il y a aussi de grandes coupes plates. Tous ces objets datent de temps très anciens et sont d'une grande beauté, tant par la simplicité de leur exécution que par la pureté de leurs lignes. Ils ont, si l'on peut s'exprimer ainsi, beaucoup de « présence ». Parfois, ils paraissent un peu lourds, car leur forme a peu varié au long des millénaires, ils semblent conscients du mystère de leur grande vieillesse et de leur mission empreinte de gravité.

La décoration comporte soit des motifs d'inspiration géométrique, soit des représentations stylisées d'êtres vivants. Le tracé des lignes nous révèle les mystères de l'interprétation de la nature dans la Chine antique. Il est rare qu'on ait reproduit un être humain. On trouve, en revanche, sur la face extérieure des récipients, des ébauches de collines, de nuages, de tigres, de cerfs et d'autres animaux. Nous entrons dans un monde de zoologie mythologique. On nous montre des dragons, des licornes, des phénix, des crapauds, des tortues, des animaux fabuleux, dont la représentation présuppose une imagination qui dépasse tout ce qu'on peut concevoir en Occident. Les monstres fantastiques qu'a inventés le génie chinois n'ont jamais été égalés par aucun peuple de la terre.

Le plus important de ces monstres est le « T'ao-t'ieh ». Les deux signes chinois qui le représentent ne cernent qu'une particularité de cet animal. Ils signifient, en notre langue, « le vorace ». T'ao-t'ieh était une divinité, ou bien T'ao-t'ieh représentait un certain nombre de qualificatifs attribués à cette divinité probablement disparue. Le relief du T'ao-t'ieh sur les vases, relief que nous appellerons le « masque », se retrouve si fréquemment qu'il a dû appartenir à une divinité importante. Les formes et la composition de ces masques, ainsi que d'autres animaux et êtres, sont chez les Chinois les produits d'une tradition immémoriale. Il s'agit là de motifs cultuels dont l'origine se perd dans la nuit des temps. Au commencement, ils étaient faits en matière périssable, peut-être en bois, avant d'être gravés au flanc des vases de bronze.

Image se dit en grec « eikon ». Une icône est dans notre usage linguistique une image sainte. Mais sur les bronzes chinois nous trouvons toute une « iconographie », la description d'un des mondes sacrés les plus anciens de l'humanité.

Le T'ao-t'ieh ressemble à un bélier, car ses cornes sont deux fois enroulées. Une immense défense sort souvent de la mâchoire supérieure de la gueule démesurément ouverte. Il s'agit donc bien d'un fauve, peut-être d'un loup ou d'un tigre. Certains masques du T'ao-t'ieh ressembleraient plutôt à une tête de buffle. Il faut faire preuve de beaucoup de sagacité si l'on veut interpréter les animaux et les êtres fabuleux sur les parois extérieures des vases et des cloches chinois.

Carl Hentze, professeur à l'université de Gand, sans doute l'explorateur le plus éminent des antiques bronzes chinois et de l'art chinois, a réussi à déchiffrer les énigmes de ces représentations passionnantes. Tous les masques de T'ao-t'ieh ont des cornes en forme de faucilles. Les masques les plus anciens sont accompagnés de croissants de lune. Ces croissants ont plus tard été figurés par des cornes. Le couple de cornes inférieur devint la mâchoire inférieure du monstre. Les quatre cornes sont bien visibles sur les masques datant de la plus haute antiquité. Hentze et avant lui des savants japonais ont reconnu dans ces cornes le symbole cultuel de la lune. La lune est rapprochée de la nuit, la nuit s'accompagne du hibou. C'est pourquoi l'image du hibou est toujours fondue dans le masque du T'ao-t'ieh.

La partie médiane du masque est particulièrement importante. Jusqu'en 1937 on ne l'avait même pas reconnue comme unité autonome. Hentze prouva que la partie médiane correspondait également à un principe d'ordre iconographique. Il y voit le signe de la cigale. La cigale en tant que motif du sommet, entre les cornes du T'ao-t'ieh, est le symbole du renouveau. Plus extravagants encore paraissent les rapports qu'on a découverts entre le masque du T'ao-t'ieh et la civilisation de l'Indus à Mohenjo-daro, mais on ne saurait les écarter d'emblée. Il y a également une divinité ornée de cornes en forme de faucilles. Entre les cornes, on reconnaît un autre symbole. Dans le masque du T'ao-t'ieh c'est un insecte, à Mohenjo-daro une plante. Hentze interprète les deux signes comme symboles du renouveau.

Les différents masques du T'ao-t'ieh, qui nous viennent de la nuit des temps, nous révèlent les métamorphoses, les propriétés, les fonctions d'une divinité antique. Le motif de la nuit, de l'obscurité, nous est expliqué par les croissants de la lune et par le hibou. La lumière et le renouveau les complètent dans le symbole du soleil et de la cigale. Les vieux bronzes chinois nous apprennent donc que la lumière et la vie procèdent de la nuit. Le démon de l'obscurité, le T'ao-t'ieh qu'on connaissait mieux il y a 4 000 ans et dont la signification s'est perdue au cours des années, est donc un être lunaire. Il est, comme les remarquables travaux de Hentze le prouvent, la divinité centrale de l'époque des Shang, entre 1766 et 1123 avant J.-C.

Comment les hommes du temps des Shang ont-ils appris la métallurgie du bronze ? Voilà un problème insoluble, bien que, depuis des siècles, d'infatigables savants ou des pilleurs clandestins découvrent sans cesse de nouvelles merveilles de ce métal dans la région d'Anyang, sur le cours moyen du Honan, où se trouvait la capitale de la dynastie des Shang. Certains indices permettent pourtant de croire que la métallurgie du bronze s'est introduite en Chine en venant de l'Occident. C'est ainsi qu'on a redécouvert en Chine le vieux motif des boucs et de l'arbre de vie qu'on rencontre dans la vieille civilisation sumérienne. Mais le fait qu'il y avait dans le bassin oriental de la Méditerranée une civilisation du bronze avant les bronzes de Chine ne prouve nullement que les Chinois ont hérité l'art du bronze de l'Occident. Certains caractères typiques de la civilisation des Shang, d'ordre cultuel et religieux, militent plutôt contre la thèse de la reprise par les Chinois d'éléments occidentaux. La plupart des objets chinois prouvent en tout cas une évolution indépendante, en terre asiatique, de l'art du bronze.

On a noté des ressemblances entre la civilisation antique chinoise et l'art indien du Nord-Ouest américain, tout comme il y a des analogies entre l'iconographie des Shang et les symboles des Mayas et des Aztèques. Mais comment expliquer le fossé de deux à trois mille ans qui sépare l'art du bronze chinois et la civilisation des Mayas, au IV$^e$ siècle après J.-C. ou la civilisation aztèque du XIV$^e$ siècle après J.-C.?

Nous ne serons jamais à même d'expliquer entièrement l'origine et le contenu du symbolisme mystérieux de l'époque des Shang. Ce qui étonne le plus dans la métallurgie du bronze en Chine est le fait qu'elle fait une apparition subite il y a environ 4 000 ans et qu'elle atteint du coup le sommet de la perfection. Un grand spécialiste de cette civilisation, le Canadien Charles White, qui a vécu pendant des années à Honan, affirme que rien ne saurait expliquer l'origine et le symbolisme de cet art. Les objets de bronze sont d'une coulée irréprochable, équilibrés sur le plan artistique, raffinés dans leurs ornements et d'une perfection qui n'a été surpassée nulle part en ce monde et en aucune époque.

Nous savons que les prêtres Shang offraient de nombreux sacrifices humains. Nous devinons le sens de leurs monstres cultuels et nous reconnaissons les contours de leurs démons. Nous explorons la portée de leurs symboles de fertilité. Nous pouvons saisir de nos mains leurs vases sacrificiels destinés aux offrandes et aux libations. Mais *eux*, que savaient-ils? Que savaient-ils de l'origine et de la destinée des hommes? Que savaient-ils de Dieu? Quel mystère de la nature préoccupait leurs esprits? Les bronzes inertes ne livrent pas tous les secrets! Car le pâle croissant de lune n'éclaire les choses de ce monde que d'un rayon tremblant.

# Un
# certain
# Siddhartha

*Les historiens de l'Asie, tant orientaux qu'occidentaux ont essayé de se faire une idée de l'existence de Gautama-Bouddha. Mais cet homme, qui s'appelait de son vrai nom Siddhartha, échappe à toutes les théories rationnelles. La seule chose qui soit restée de ce grand esprit de l'Inde est sa doctrine, devenue l'une des trois grandes religions de diffusion mondiale.*

*« Si le Bouddha est un être fictif, issu de spéculations symboliques, s'il n'a pas prêché, pas eu de disciples se reconnaissant pour frères, on ne voit pas d'où serait surgie tout à coup la communauté, toute groupée autour de sa mémoire, tout armée de la littérature où elle veut avoir gardé le souvenir de ses actes de tous les jours, de la parole humaine, et des hommes qui ont entouré sa vie. »* (Jean Filliozat, R. Renou et J. Filliozat, *L'Inde classique*, Paris, 1953, vol. 3, p, 465.)

*« C'est là que le vénérable Sariputta dit aux moines : « Moines, ce Nirvâna est pur délice. Pur délice est ce Nirvâna, mes amis ! » Lorsque le vénérable Sariputta eut ainsi parlé, le vénérable Udayi lui adressa les paroles suivantes : « Mon cher Sariputta, comment pourrait-on ressentir dans cet état du délice, puisque toute sensation est abolie ? » — « Le délice, mon ami, consiste justement en ceci qu'il n'y a pas de sensation. »* (Maximilien Kern, *Das Licht des Ostens*, Leipzig, 1922, p. 110.)

VERS 500 avant Jésus-Christ naquit un homme dont la doctrine a embrasé tout l'Orient. Cet homme a donné son nom à la religion la plus répandue en Asie. Le bouddhisme a donné lieu à moins de guerres que l'Islam ou le christianisme. Mais les disciples du Bouddha se comptent à Ceylan, en Birmanie, au Siam, au Cambodge, au Laos, au Tibet, en Chine, en Mongolie, en Mandchourie, au Japon.

Le Bouddha n'a jamais voulu être un souverain, un maître, un chef de royaume. Mais son génie, qui n'aspirait à aucune puissance terrestre, créa un royaume de Dieu qui embrasse de nos jours encore des millions d'Asiatiques. Le Bouddha mendia sa nourriture quotidienne dans les bazars de l'Inde centrale. Aujourd'hui, l'image dorée du mendiant d'alors se dresse, calme et étrangère à l'agitation de ce monde, dans d'innombrables temples. Les volutes d'encens se lèvent devant sa face; depuis vingt siècles on prononce devant lui des prières et on se livre à des méditations.

L'Asie est la Mère universelle des grandes religions. Dans l'espace de 700 ans, Zoroastre (vers 700 avant J.-C.), Confucius (551-479 avant J.-C.), Socrate (470-399 avant J.-C.) et le Christ ont foulé le sol asiatique. La biographie des grands sages, des saints, des fondateurs de religion a partout ceci en commun que les faits historiques se perdent dans l'ombre des légendes. On ne saurait s'étonner du fait que la vie de ces hommes qui marchèrent sur la trace de Dieu soit entourée de mystère, de clair-obscur, d'incertitudes quant à leurs faits et gestes. Car leur doctrine se dresse, immense et décisive, entre notre regard et leur existence quotidienne. Ce qui reste des grands saints, c'est leur esprit! Leur vie doit se perdre, puisqu'elle ne compte pour rien, elle n'est que l'enveloppe terrestre de pensées éternelles. La sanctification, la déification, l'apothéose n'ont pas besoin de données biographiques.

C'est ainsi que notre connaissance de la vie du Bouddha est également très fragmentaire. Ses disciples étaient tellement frappés par son intelligence, par sa force morale surnaturelle, qu'il devint pour eux la personnification du monde de l'esprit, le symbole de la libération dans les souffrances et les troubles de l'existence. Ils virent des miracles, ils entourèrent sa vie de légendes, ils reconnurent en lui l'un des sauveurs de l'humanité.

Deux cents ans à peine après la mort de cet homme, son message avait déjà pénétré dans tous les coins de l'Inde; l'essentiel de sa doctrine, ses paroles furent transmises de bouche à bouche avec le zèle fidèle d'un attachement religieux. Son enseignement fit le tour du monde oriental. Mais le récit de sa vie fut bientôt submergé par des imaginations, des légendes, des poèmes, par la glorification et l'adoration, au point qu'une marée de lumière balaya l'existence terrestre de l'homme. Il convertit les jaloux et les ennemis. Il monte au ciel et redescend sur la terre. Les animaux le vénèrent, les peuples l'adorent, les dieux le consultent : les dieux eux-mêmes se font ses disciples. Les rois s'abaissent devant lui et lui offrent leurs royaumes. Voilà ce qu'a pu réaliser la force morale d'un mendiant d'un va-nu-pieds, d'un ascète! On pourrait remplir de nombreuses bibliothèques avec les ouvrages écrits sur le Bouddha. Mais la science est incapable de saisir l'essentiel du personnage. La figure du Bouddha gardera toujours son mystère.

« Bouddha » n'est pas un nom propre mais un titre qui signifie « l'illuminé ». Il était le fils d'un prince des Çakyas. Son père s'appelait Souddhodana, sa mère Mahamaya. Elle mourut sept jours après la naissance de l'enfant. Elle ne mourut pas en donnant la vie à son fils, mais elle devait mourir puisqu'elle avait accompli le haut fait de sa vie, qu'elle avait achevé sa mission sur terre. Comme tant d'autres faits dans la vie de Bouddha, la mort de sa mère est un événement historique, en même temps qu'une nécessité religieuse.

Les Çakyas s'étaient établis au pied de l'Himalaya; nous connaissons le lieu de naissance du Bouddha, Kapilavastou dans le Népal, à 200 km de Katmandou, à 350 km du mont Everest. L'endroit est marqué par une colonne portant une inscription du roi Ashoka.

Le Bouddha est le plus grand philosophe de l'Inde. Mais le terme de « philosophe » porte déjà la marque d'une définition typiquement européenne. Il serait donc plus exact de dire que le Bouddha a été le plus grand « sage » de l'Inde. Car en lui se trouve personnifié l'esprit de l'Asie, la multiplicité des vérités philosophiques, la profondeur de l'introspection religieuse. Il est la figure la plus humaine, l'être le plus admirable que l'Inde ait jamais produit. Et pourtant, on ne sait même pas exactement quelle a été la doctrine originelle du Bouddha historique. Elle différait certainement du bouddhisme d'aujourd'hui. Certains savants modernes — dont l'Anglaise C.A.F. Rhys Davids — sont d'avis que la doctrine authentique du Bouddha ne se distinguait guère de la morale des anciens Oupanishad hindous.

Les disciples du Bouddha nous ont laissé une biographie extrêmement imagée de leur maître. Si l'Asie n'avait que la légende de ce génie, riche de substance religieuse et transcendante, elle pourrait se vanter d'importantes acquisitions dans le domaine spirituel, même si le Bouddha n'avait jamais vécu. Mais il est impossible d' « inventer » des personnages tels que Zoroastre, Confucius, le Bouddha, Socrate, Jésus-Christ.

La mère de Bouddha, la princesse Mahamaya, fut transportée d'une manière miraculeuse sur le bord d'un lac dans l'Himalaya. C'est là qu'elle fut baignée par des gardiens célestes. En rêve, elle vit un grand éléphant blanc tenant dans sa trompe une fleur de lotus. La fleur de lotus est un des symboles les plus vénérés d'Asie : elle représente la naissance. Le lendemain, des sages interprétèrent son rêve. Elle avait mis au monde un fils qui serait le maître de l'univers, l'envoyé de Dieu.

*L'une des plus belles représentations indiennes de la naissance de Bouddha. C'est une « image continue » qui raconte toute l'histoire. Mahamaya dort et rêve d'un éléphant, blanc (à gauche, en haut) qui descend des hauteurs célestes. A droite, elle s'accroche à un arbre pour enfanter en position debout. Une sage-femme a déjà pris l'enfant, le futur Bouddha (photo Bulloz).*

L'enfant naquit réellement, non pas à Kapilavastou même, la capitale des Çakyas, mais à quelque distance de ce lieu. Car la mère était en train de rendre visite à ses parents. Lors d'une cérémonie baptismale très solennelle, comme il convenait à une famille princière, le fils obtint le nom de Siddhartha. Son nom de « Gotra » était Gautama. Nous apprenons que les devins prédirent à l'enfant une carrière de docteur de l'humanité. Le père de l'enfant, le roi Souddhodana, avait pris la résolution de mettre son fils à l'abri de la souffrance et des peines de l'existence. Il fut élevé dans un palais merveilleux, on écarta tout ce qui pouvait lui rappeler la mort, la maladie, l'angoisse, la peine. Son éducation fut soignée. Il épousa une de ses cousines. Il aurait pu s'esti-

*Scènes de la vie de Bouha. Le prince Gautama rencontre à cheval les trois misères de la vie terrestre, à savoir la vieillesse, la maladie, la mort. En bas, le sakyamuni enseignant. Trois moines écoutent attentivement son enseignement.*
*(photo Sir Aurel Stein).*

mer heureux. Mais son âme avait des aspirations plus élevées. Il vit les quatre signes comme on le lui avait prédit : à savoir, un vieillard misérable, un malade couvert d'abcès et grelottant de fièvre, un cadavre qu'on portait sur le lieu de l'incinération et, pour finir, un pieux mendiant habillé d'une tunique jaune. Ce dernier paraissait calme et même heureux. Siddhartha décida de suivre ce personnage, d'abandonner sa maison, sa famille, sa femme et son enfant, et de parcourir le monde à dos de cheval. Il avait, à ce moment, 29 ans. Le monde lui faisait horreur. C'est ainsi qu'il jeta loin de lui les habits de prince et revêtit la bure du moine mendiant. Comme l'enseignement des ascètes qu'il consultait n'éclairait nullement les problèmes qui l'agitaient, il se retira dans la solitude.

Gautama-Bouddha trouva le chemin de la philosophie par la méditation. A 45 ans, il fit serment de ne plus quitter l'ombre de l'arbre sous lequel il était assis même si son corps devait tomber en poussière. L'ascète ne voulait plus partir de là avant d'avoir résolu le mystère de la souffrance humaine. Il séjourna 49 jours sous l'arbre, résistant à toutes les tentations. Au 49e jour, la vérité se révéla à lui : il comprit le mystère de la souffrance. Il reconnut les raisons profondes des malheurs de ce monde et trouva le moyen de les surmonter. Il avait reçu l'illumination, il était un « bouddha ». Sept semaines encore il séjourna sous l'arbre de la sagesse, sous le Bodhitaru.

Siddharta n'avait pas l'intention de communiquer aussitôt aux hommes son expérience et sa vision du monde. Mais le dieu Brahma descendit du ciel et intima au Sage l'ordre de répandre sa doctrine, le « dharma ». Au début il n'eut que 5 disciples, mais à la fin leur nombre s'accrut à 60. Son nom et son enseignement s'implantèrent dans la plaine du Gange. Des moines vinrent le rejoindre. Il reprit le chemin de Kapilavastou, convertit son père, sa femme, son fils et beaucoup de courtisans — et même son méchant cousin Dêvadatta.

La vie du Bouddha est jalonnée de miracles. Mais les traditions les plus anciennes sont fort discrètes sur les miracles opérés par le Maître. Pendant les deux tiers de l'année, le Bouddha voyageait avec ses disciples à travers le pays, le reste du temps il se retirait dans un des nombreux bosquets que des sympathisants offraient aux bouddhistes. Pendant 45 ans, cet homme extraordinaire sillonne les routes de la vallée du Gange, mendiant, pauvre comme Job, mais souriant. A l'encontre du Christ, de saint Paul, de Socrate, le Bouddha ne fut pas persécuté à cause de sa doctrine. Quand il eut atteint l'âge de 80 ans, il prépara ses disciples à l'idée de sa mort. Seul son enseignement, le « dharma », devait rester. Aucun autre Maître ne devait prendre sa succession. Il est probable qu'il mourut comme Diogène, d'un genre de fièvre intestinale après avoir consommé de la viande de porc. Malade, il se traîna encore dans les faubourgs de Kousinagara. Là, il s'étendit sous un arbre et rendit l'esprit. Il faisait nuit. De l'avis des Cingalais le Bouddha mourut en 543 avant J.-C. Des savants européens tiennent 477 pour l'année de sa mort. Ses restes furent brûlés, à la manière hindoue, sur un bûcher.

Le bouddhisme et le christianisme naquirent indépendamment l'un de l'autre, bien que la religion chrétienne et la philosophie bouddhiste aient toutes deux leur source dans la croyance en un Dieu maître de toutes choses. Toutes les tentatives d'établir des rapports entre les soutras bouddhistes et les Évangiles sont condamnées à l'échec. Il y a, entre les deux doctrines, des similitudes, mais aussi de grandes différences. Même les analogies apparentes ne résistent pas à un examen plus approfondi. Dans leurs dogmes, des abîmes séparent bouddhisme et christianisme. Dans leurs morales, en revanche, ils sont très proches l'un de l'autre. C'est ce qu'a démontré le professeur A. Foucher, de l'université de Paris : « Il est certain que les valeurs morales chrétiennes et bouddhistes sont de même nature. Mais leur base doctrinale, leur climat intellectuel et spirituel est tout à fait dissemblable. » La différence entre les idées chrétiennes et les idées bouddhistes commence déjà à la notion de l'âme. Selon la théologie chrétienne, l'âme se forme en même temps que l'enfant. Elle est immortelle. Elle a donc un début mais pas de fin.

Les philosophes hindous trouvent cette pensée absurde, car à leur avis tout ce qui a un début doit avoir une fin. Ils disent que l'âme qui, grâce à la métempsychose, voyage de corps en corps, est immortelle. Comme elle existe de tout temps, elle n'a pas de commencement. Elle ne prend fin qu'exceptionnellement lorsqu'elle mérite, grâce à ses œuvres et à ses bonnes actions, le degré suprême de l'être, le Nirvâna, d'où on ne retourne plus sur terre.

Le chrétien ne peut trouver, après une vie unique, que le bonheur éternel ou la damnation éternelle. « L'Hindou vient de très loin et il a toute l'éternité devant lui. Sa vie n'est qu'un instant passager dans le cours d'une existence infinie. Il récolte les fruits de ses expériences antérieures et sème la semence de ses formes d'existence futures. Jamais la cloche funèbre ne lui annonce l'heure de son bonheur sans fin ou de sa perte irrémédiable. Lentement, à travers des milliers d'existences, il croit s'approcher du stade de la perfection. C'est ainsi seulement qu'il peut mériter le prix de la béatitude. C'est la béatitude que notre impatience occidentale espère après une seule vie. »

Les peuples orientaux ont une idée très différente de cette « béatitude ». L'homme occidental n'aspire qu'à vivre. S'il manque le bonheur éternel, il est tout disposé, dans sa soif insatiable de vie, à accepter les souffrances du purgatoire ou de l'enfer. L'homme de l'Extrême-Orient a l'éternité derrière lui. Après tant de vies, il ressent une lassitude infinie. Il est las de morts innombrables qui se répètent pour lui depuis toute éternité. Bref, l'homme occidental espère ne plus mourir. L'espoir de l'Orient porte l'homme à désirer ne plus renaître...

De même que le Christ ou Socrate, l' « Illuminé » de l'Inde n'a jamais écrit un seul mot de sa doctrine. Il n'est même pas un fondateur de religion au sens propre du mot. En tout cas, il n'avait pas l'intention de fonder une Église. Il ne songeait qu'à servir l'humanité par son enseignement et à la libérer de ses souffrances. Il ne tenait pas à résoudre des problèmes théologiques, tels que la nature des dieux, de l'âme, ou l'immortalité. Tout cela avait été traité avant lui. Le Bouddha était d'avis qu'il valait mieux ne pas naître que de vivre et de souffrir...

Malgré cela, le bouddhisme n'est pas restée une philosophie, il est devenu une religion universelle. Son fondateur avait simplement voulu donner à l'homme des règles de vie et de comportement. Deux cents ans à peine après la mort du Bouddha, on comptait déjà 18 sectes du bouddhisme. Les deux grandes tendances, le Mahayana et le Himayana, divisent ses nombreux adeptes. Les bouddhistes de Chine, du Japon, du Tibet (sous la forme de lamaïsme), du Bhoutan, du Sikkim, du Népal, de la Mongolie, ont adopté l'esprit du « Mahayana », c'est-à-dire du « Grand Véhicule », alors que les fidèles de Ceylan et de l'Indochine se réclament du « Himayana », du « Petit Véhicule ».

Mahayana implique le désir continuel de vivre de manière qu'on renaisse après sa mort comme « bouddha » (Bodhisattva) pour le salut et le bonheur de beaucoup de ses semblables, alors que les adeptes du Himayana ne cherchent que leur propre délivrance. Une des choses les plus curieuses dans l'histoire du bouddhisme est sans doute le fait que cette doctrine, qui vit dans d'énormes régions d'Asie, ait fait faillite dans le pays de Bouddha, aux Indes même. En Inde, le bouddhisme a été étouffé par la religion hindoue de beaucoup plus ancienne. Le peuple hindou est resté attaché, conformément à sa nature profonde, au polythéisme, aux miracles, aux mythes grandioses, aux sortilèges de la magie.

Le bouddhisme a repris à l'hindouisme beaucoup de légendes, de rites, de dieux. La pure doctrine de Siddhartha, sa pensée philosophique, a été adultérée. Le bouddhisme ne s'est pas éteint aux Indes aussitôt après la mort de son fondateur; il y a vécu environ mille ans, pour disparaître vers 750 après J.-C. Mais, en dehors des Indes, la doctrine reste vivante dans une grande partie de l'Asie, malgré les nouveaux seigneurs, les nouveaux enseignements, les méthodes nouvelles.

La moitié de l'humanité est attachée au bouddhisme. Elle ne suit plus le maître avec son cœur, comme les anciens disciples, mais il n'en reste pas moins que les bouddhistes sont restés des bouddhistes. Le bouddhisme a laissé au monde un merveilleux héritage — héritage périssable, mais né de la foi et — de ce fait même — grandiose : l'art bouddhiste. Partout en Asie on trouve des statues du Bouddha, des portraits du Bouddha, des reliefs du Bouddha. Est-ce qu'on sait quelque chose du physique de Siddhartha ? Reste-t-il une image de sa figure ? Y a-t-il une tradition sur son aspect extérieur ? Est-ce que les milliers de têtes représentent le Sage du Népal correspondent à la vérité historique ?

*A Sarnath, près de Bénarès, se trouve ce curieux Bouddha de la période de.. Goupta. Cette dynastie du nord de l'Inde régna de 320 à 480 après J.-C. La grande époque des rois Goupta commença lorsqu'ils eurent réuni sous leur couronne la plus grande partie de l'Inde. C'était, pour l'Inde, l'apogée de sa civilisation, l'époque des temples d'Ajanta. On y créa un art plastique qui allie l'austérité la plus dépouillée à la vérité la plus frappante dans le détail (photo Bulloz).*

# Gandhara
# et les statues
# du Bouddha

*Un lien de parenté unit toutes les images de Bouddha, dans toute l'Asie, que ce soit à Ceylan, en Indonésie, en Birmanie, en Chine, au Tibet, en Mongolie, au Japon. A quel endroit a-t-on songé pour la première fois à idéaliser le grand ascète de Kapilavastou? Comment se fait-il que 600 ans après la mort de Gautama, au premier siècle après Jésus-Christ, des artistes grecs et romains aient créé en commun avec les Hindous des sculptures représentant le Bouddha?*

*« Ces sculptures visent à glorifier le Bouddha. On représentait, à cette intention, des événements de sa vie ou de ses naissances antérieures, ou parfois, mais rarement, des scènes de l'histoire du bouddhisme. Les monuments les plus anciens sont placés sous le signe des récits de naissances antérieures du Bouddha, les Jatacas. Plus tard, on s'intéressait davantage aux événements des dernières années de son existence terrestre, et plus tard encore à son portrait, qui devint le symbole de tout l'art bouddhiste. »* (Sir John Marshall, *The Buddhist Art of Gandhara*, Cambridge, 1960, p. 7.)

A LA FRONTIÈRE nord-ouest de l'Inde, entre l'Indus et l'un de ses grands affluents septentrionaux, le Kaboul, s'étendait le vieux territoire de Gandhāra. Il est constitué par la pointe nord de ce qui est aujourd'hui le Pakistan et par la région limitrophe d'Afghanistan située dans la boucle du Kaboul. Ce pays, si intéressant au point de vue culturel et si riche de beautés naturelles, fut conquis par Alexandre le Grand en 327 et 326 avant J.-C. Il faisait partie de la Sogdiane et de la Bactriane, donc de la région de l'Usbekistan soviétique, au sud-est du lac d'Aral. Alexandre avait l'intention de découvrir un monde, d'atteindre la frontière est et sud de la terre habitée. Son armée ne se composait plus, depuis longtemps, que des seuls Macédoniens. C'était tout un peuple qui avançait, hommes de nombreuses nations, avec ces Macédoniens accompagnés de leurs femmes et enfants, sans compter les savants et spécialistes de toutes les branches, médecins, géographes, ingénieurs, constructeurs de ponts, experts en balistique, historiens, linguistiques, ethnologues et un immense cortège de marchands, d'auxiliaires, de marins, d'hommes de guerre appartenant à des princes hindous, 120 000 personnes en tout.

Alexandre avança donc dans la vallée du Kaboul en livrant des combats acharnés aux populations des montagnes environnantes. Il attaqua leurs villes avec sa lourde artillerie de balistes, il prit d'assaut leurs forteresses. Ainsi, il atteignit les rives de l'Indus. Les philosophes de l'Inde donnaient du fil à retordre à Alexandre le Grand, puisqu'ils blâmaient les princes qui passaient de son côté, les accusaient de félonie, les insultaient. Plusieurs de ces philosophes furent pendus par ordre d'Alexandre. Venu de Takshashila — la ville moderne de Taxila à 37 km à l'est de l'Indus — et accompagné de ses chefs de tribus, le roi de Ghandhāra se porta à la rencontre du conquérant et lui rendit hommage. Des troupes hindoues vinrent renforcer les rangs du Macédonien. Au printemps de l'année 326, il franchit l'Indus. On sait que le prince Poros l'attendit sur les rives de l'Hydaspe — aujourd'hui le Jhelum —, que ses hommes se défendirent avec le courage du désespoir, que le vieux guerrier dut prendre la fuite à dos d'éléphant. Poros fut blessé, son armée anéantie, ses deux fils faits prisonniers. Lorsque Alexandre lui demanda comment il voulait qu'on le traitât, le prisonnier répondit : « Comme un roi! » Il en fut ainsi fait. Poros devint l'allié d'Alexandre et put ainsi agrandir son royaume.

Lorsque le roi de Magadha avança à la rencontre d'Alexandre à la tête d'une armée de 600 000 fantassins, renforcée de cavalerie et d'éléphants, sa propre armée l'abandonna sur les rives de l'Hyphasis. C'était le bout du monde. Mais pour Alexandre c'était également la fin de sa carrière victorieuse. La mutinerie de l'armée se comprend après des marches si longues dans un pays plein de mystères et de dangers. De même qu'Achille, Alexandre se retira pendant trois jours dans sa tente. Il attendit que l'armée revînt à de meilleurs sentiments. Mais une immense fatigue s'était emparée de la troupe. Alors, Alexandre implora le secours des dieux ; il fit ériger douze autels. Il décida de battre en retraite. Il est intéressant de noter que le roi hindou Chandragupta vint offrir des sacrifices sur ces mêmes autels quelques années après le départ d'Alexandre le Grand. Nous voyons là les contacts qui existaient entre la civilisation hindoue et la civilisation gréco-hellénique.

Après le départ des armées d'Alexandre, après la mort du grand Macédonien, des troubles éclatèrent parmi les Grecs restés sur place. Poros fut assassiné par le Grec Eudemos. Les successeurs d'Alexandre, les

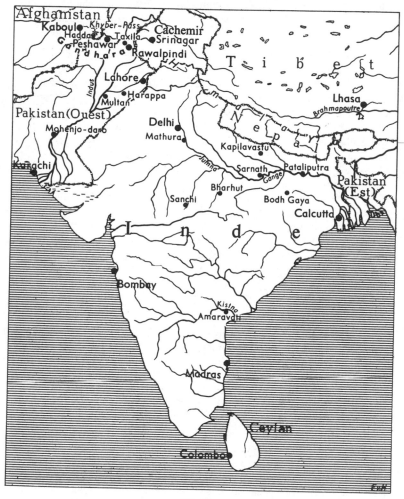

*L'Inde.*

diadoques, se disputèrent les différentes parties de son empire mondial. Un aventurier hindou d'une caste inférieure, qui n'avait pas bonne renommée sur le cours inférieur du Gange, à cause de ses louches entreprises, jugea le moment favorable pour réaliser ses ambitions. Chandragoupta se mit à la tête du mouvement hindou, qui avait pour but l'expulsion des envahisseurs. En 316 avant J.-C., il réussit à s'emparer du Pendjab. Bientôt, il se rendit maître de toute la région s'étendant de l'embouchure de l'Indus jusqu'à celle du Gange. Séleucus Nicator, souverain de Babylone et d'un empire immense, lui accorda la main de sa fille et renonça à l'Inde. Les Hindous envoyèrent des ambassadeurs à la cour de Babylone, les Grecs à Patalipoutra — aujourd'hui Patna. L'Occident doit à l'un des ces diplomates grecs, un certain Mégasthène, la première description rédigée par un témoin oculaire du pays et du peuple de l'Inde. Cet Ionien s'étend sur la géographie, la religion et les coutumes des Hindous. Ses écrits ont disparu. Mais les « Indica » d'Arrien contiennent certains détails sur la vie de l'Inde de ce temps dans l'empire de Madhagar. Mégasthène trouvait le peuple vigoureux, honnête, sincère, pacifique dans l'âme, mais toujours prêt à se défendre.

La mère de Chandragupta s'appelait Moura. C'est pourquoi on donna à sa dynastie le nom de Maurya. Son petit-fils Ashoka devint un des maîtres les plus puissants de l'Inde antique. Son règne s'étendait sur la plus grande partie de la péninsule, on l'aimait et on le respectait. De nos jours encore son souvenir est vénéré des rives de la mer Noire jusqu'aux îles japonaises, du cercle polaire jusqu'à l'équateur. Ashoka est une sorte de « Constantin » hindou, le roi qui épousa la doctrine de la charité fraternelle et de la compassion, bref la doctrine de Gautama, de même que 580 ans plus tard, le 22 mai 337, l'empereur romain Caesar Flavius Valerius Constantinus se fit baptiser. Constantin changea le nom de Byzance en « Constantinople » et en fit la capitale de l'empire romain. Il ordonna que le *dies solis*, le dimanche, fût un jour de repos, et se crut le treizième apôtre du Christ.

Ashoka se convertit donc au bouddhisme; tout le peuple de Gandhara adhéra également à cette doctrine. Le zèle religieux du roi Ashoka ne connut pas de limites. A partir de la treizième année de son règne, il fit graver des inscriptions de teneur religieuse sur les rochers, dans les grottes, sur les colonnes de son royaume. Ce sont les inscriptions indiennes les plus anciennes présentant une valeur historique. Ashoka se proposa de conquérir le monde, non pas avec les armes, mais grâce à la religion bouddhiste. Il était un vrai roi-apôtre, et il inaugura l'époque la plus brillante du bouddhisme indien. Ashoka doit toute sa gloire non pas à des guerres victorieuses, ni à sa puissance politique, mais à sa spiritualité bouddhiste. C'est sous la dynastie des Maurya seulement qui commença par Chandragupta que le Gandhāra eut un gouvernement indépendant. Auparavant, il était gouverné par les Achéménides et par les Grecs, et plus tard par les Bactriens, les Saces et les Kouchans de sinistre mémoire. Les Kouchans, venus d'Asie orientale, de la province de Kan-sou en Chine, s'étaient avancés jusqu'au Gandhāra. Ce sont les Youeh-Chi de l'histoire chinoise, un peuple de cavaliers d'origine scythe. Le plus célèbre des souverains kouchans était un homme du nom de Kanishka. L'empire immense s'étendant de Margiane jusqu'à Kothan, de la mer d'Aral jusqu'en Afghanistan — sans parler de la plus grande partie de l'Inde — lui appartenait.

Ce Kanishka, tout comme Ashoka, adhéra à la doctrine bouddhiste. Il fonda de nombreux couvents, fit fixer l'enseignement de Gautama par un Concile tenu au Cachemire, construisit de merveilleux « stoupas ». Des stoupas existaient aux Indes depuis très longtemps. C'étaient à l'origine des tertres vénérés par la population. Le bouddhisme s'empara de ce culte pour le renouveler et l'approfondir. Le « stoupa » s'élevait comme un dôme à même le sol; il contenait à l'intérieur une chambre centrale. La coupole intérieure était en briques non cuites au four, l'enveloppe extérieure en briques cuites au four, le tout couvert d'une couche de chaux. Une construction en forme de parapluie, en bois ou en pierre, couronnait l'édifice. On l'entourait d'une palissade de bois agrémentée de portes splendides; plus tard on élevait aussi parfois des clôtures de pierres. Un seul des stoupas construits par le roi Ashoka, au Népal, a été conservé sous sa forme originale. Les trois stoupas les plus intéressants se trouvent à Bharhut au Madhya Bharat, à Sanchi dans l'État de Bhopal, à Amaravati dans la vallée inférieure du Kistna.

Les stoupas les plus puissants furent élevés à Ceylan; ils ont parfois plus de cent mètres de diamètre. Dans les chambres intérieures des stoupas on conservait, depuis l'époque d'Ashoka, des reliques du Bouddha ou de saints bouddhistes.

Nous possédons un certain nombre de dates se rapportant à l'Inde de cette époque, ce qui nous permet de fixer les coordonnées de plus d'un événement. Le calendrier indien des Shaka commence par l'onction du souverain Kanishka. Selon la tradition indienne, elle eut lieu le 15 mars 78 après J.-C. Mais cette datation est peu sûre et contestée par les savants. Les différentes autorités en la matière citent l'époque entre 57 avant J.-C. et 278 après J.-C. Vincent A. Smith indique l'année 120 après J.-C. comme celle de l'intronisation de Kanishka. Harald Ingholt arrive, par ses calculs, en se fondant sur la chronologie de Girshman, à l'année 144 après J.-C. Nous verrons plus tard que cette datation est d'une importance primordiale pour la compréhension de l'art de Gandhāra.

Pendant vingt-sept ans, Kanishka régna sur l'empire des Kouchans. Le dernier souverain de sa dynastie, Vasudeva, fut vaincu par les maîtres de la Perse de ce temps, les Sassanides. Le fils d'Ardashir, Shapur I$^{er}$, prit le Gandhāra vers 241 après J.-C. La plupart du temps, les Sassanides confièrent le gouvernement du pays à des Kouchans. Si jamais l'un ou l'autre de ses mandatés avait des velléités d'indépendance, leurs seigneurs les ramenaient rapidement à une plus juste appréciation de la situation.

La nature même des hauts plateaux de l'Asie impose à ses habitants une existence itinérante. Les vastes plaines herbeuses, les immenses terres entrecoupées de collines et de chaînes montagneuses sont la patrie de peuples de bergers et de cavaliers. Lorsque les nomades arrivaient dans des vallées dont ils ignoraient la civilisation, ils prenaient les armes pour les conquérir.

L'année 460 fut marquée par une grande catastrophe : le Nord-Ouest de l'Inde, y compris le Gandhāra, fut envahi par les conquérants les plus dangereux de cette époque, par une branche du peuple des Huns. On les appelait « Huns Blancs » ou « Hephtalites ». D'origine et de race inconnue, ils se déplaçaient à cheval. En 562 seulement, les Turcs et les Perses ont exterminé ce peuple impétueux. Les « Huns Blancs » se sont acharnés sur les adhérents de la doctrine bouddhiste. Tous ceux qui se réclamaient de Gautama étaient cruellement mis à mort. Ainsi le Gandhara n'était plus, en 460, qu'un champ de ruines. L'art du Gandhāra prit également fin. Mais quelles sont les origines de cet art ? Qui a osé pour la première fois sculpter une figure de Bouddha ?

Cette question mérite qu'on s'y arrête, puisque le Gandhāra est le berceau de la sculpture bouddhiste, le berceau de toutes les représentations du Bouddha en Asie. Au Gandhāra, comme nous avons vu, le bouddhisme ne s'est vraiment imposé qu'au milieu du III$^e$ siècle avant Jésus-Christ, depuis le règne d'Ashoka. Les origines de la sculpture religieuse bouddhiste tombent également dans cette époque, entre 274 et 232 avant J.-C. Elle est le fait de sculpteurs grecs et gréco-persans, qui ont sans doute travaillé en étroite communion avec des artistes hindous. Les premières sculptures du Bouddha virent le jour bien plus tard, sous le règne des Kouchans. Quelques savants sont d'avis que les premières statues du Bouddha ont été créées sous le règne du plus important des souverains kouchans, Kanishka. Car nous possédons quelques pièces de monnaie datant de l'époque de ce Scythe. Sur l'une des faces, ont voit le roi Kanishka debout devant un autel ; sur l'autre, l'image du Bouddha. Ces pièces de monnaie constituent, selon certains spécialistes, les premières représentations de Gautama. Mais une analyse plus approfondie révèle qu'une statue avait dû servir de modèle au graveur. S'il est exact que Kanishka régnait entre 144 et 173 après J.-C., les premières statues du Bouddha auraient vu le jour un peu plus tôt entre 50 et 100 après J.-C.

Le Gandhara avait dû supporter la présence sur son sol d'Achéménides, de Grecs, de Bactriens, de Sakiens, de Kouchans qui infligeaient au pays de grandes souffrances avant de se retirer. Mais les Gandhāriens restaient des Hindous. Ils étaient attachés à leur civilisation, à leur langue, à la foi du Bouddha, qui était le lien entre tous les habitants de l'Inde.

Le Gandhara a souffert presque mille ans de la domination étrangère, mais il retira un très grand avantage du contact culturel avec les seigneurs étrangers. Venant de l'ouest, à la suite des conquêtes d'Alexandre et des influences gréco-romaines, un art s'était implanté dans le pays qui donna au monde les images du Bouddha. C'est un des événements les plus marquants de l'histoire de l'art humain, né de la foi des Gandhāriens — et sans doute des Indiens de Mathura, à 150 km au sud de Delhi —, né aussi de l'art des grands maîtres occidentaux et de la force créatrice du peuple indien, dont les dispositions artistiques sont évidentes.

Six cents ans environ s'étaient écoulés — depuis la vie terrestre du Bouddha vers 500 avant J.-C. jusqu'à l'an 100 de notre ère — avant que l'on songeât à créer les premiers portraits du grand saint d'Asie. A l'époque préchrétienne, il n'y avait pas la moindre image de Gautama, ni la moindre tentative de l'esquisser. Nous avons appris qu'Ashoka avait adhéré à la doctrine du Bouddha. Mais on ne voit nulle part sur les monuments de pierre qu'il nous a laissés — vers le milieu du IIIᵉ siècle — le portrait de son saint vénéré. Pendant la première période de l'art bouddhiste, environ 250 ans après la mort du maître, on ne représentait que les symboles de sa doctrine. La roue, par exemple, est un tel symbole. On lit, en effet, dans les écrits sacrés, que le Bouddha « tournait la roue de son enseignement ». Il est vrai que la roue, en tant que symbole moral, n'est pas une invention du bouddhisme. Elle remonte aux temps les plus reculés de la civilisation indienne. L'idée de la roue se trouve dans les poèmes védiques, 1 500 ans avant notre ère. A l'époque védique, la signification religieuse et symbolique de la roue était le soleil. Elle figurait le lever et le coucher du soleil ainsi que les changements continuels de l'existence humaine. Dans les œuvres d'art bouddhistes de la haute antiquité, nous rencontrons la roue, mais non le Bouddha. Un autre symbole également fréquent est le lion. Parfois on appelait le Bouddha, un descendant de la famille princière des Shakya, le « Shakaya-simha », qui veut dire « lion de Shakya » ; Simha, en effet, signifie « lion ». Dans les textes bouddhistes on parle parfois du « Simhanada », du « mugissement de lion du Bouddha ».

A Sanchi, dans l'État de Bhopal, se trouve un grand et célèbre stoupa datant du $II^e$ et du $I^{er}$ siècle avant J.-C. C'est un des plus beaux monuments de l'Inde ancienne, une sorte de représentation du cosmos. On a gravé au ciseau des images bouddhistes sur les quatre portes de la clôture entourant le sanctuaire; elles représentent des événements de la vie du Bouddha. Aucune de ces images ne nous présente la figure ou seulement la silhouette du Sage. Les portes datent de la fin du $I^{er}$ siècle. On reconnaît sur l'architrave du centre l'arbre de Bodhi — l'arbre sous lequel Gautama fut visité par l'inspiration. Des deux côtés se tiennent des personnages dans une attitude respectueuse. Au pied du Bodhi se dresse un trône. C'est le trône du maître. Ce trône est vide !

On est immédiatement saisi par le fait que le personnage le plus vénéré du bouddhisme n'a pas été représenté, qu'on a laissé à l'imagination des fidèles respectueux le soin de compléter le tableau. Dans tous les couvents, dans tous les lieux de culte, dans tous les stoupas édifiés *avant* notre ère, on a toujours volontairement omis de reproduire le fondateur du bouddhisme, le Bouddha.

Comment expliquer ce fait? Pourquoi le personnage du Bouddha n'a-t-il pas été reproduit? Pourquoi la religion la plus sublime de l'Inde — on devrait dire *la* philosophie de l'Inde — a-t-elle dû attendre la fin du $I^{er}$ siècle après J.-C. pour que le désir se fît sentir chez ses fidèles de contempler une image du Maître? Pourquoi un art étranger dut-il apporter au monde bouddhiste la représentation idéalisée de son idole? La réponse est aussi vieille que l'idée même de Dieu. Nous ne possédons aucune représentation de Dieu, du paléothique et du néolithique! La civilisation de Cro-Magnon ne représentait même pas l'homme. Les premières images humaines de cette époque sont les statuettes de Vénus qui remontent à 30 000, 40 000 ou 50 000 ans. Elles ne sont probablement que des symboles des débuts et de la continuation de la vie, des symboles d'immortalité. Les représentations des dieux sont une invention tardive de l'humanité, on serait tenté de dire une invention *païenne* qui eut ses débuts lorsqu'on se mit à scinder l'unité divine en images polythéistes. C'est ainsi que l'ancienne religion des Indes, le brahmanisme, ne tolérait pas lui non plus d'images de Dieu comme objets de culte. Le brahmanisme n'admettait en effet que des symboles.

Voilà pourquoi nous ne possédons pas de portraits du Bouddha au cours des premiers 600 ans du bouddhisme.

Il y a autre chose : le Bouddha avait été profondément ému par la souffrance des hommes, par la fragilité de toute chair, par la vanité de notre séjour sur terre. La tristesse que lui inspirait la futilité de toute chose lui fit dire que l'humanité, dans son cheminement, de la naissance à la mort, a versé plus de larmes que n'en contiennent les trois grands océans. Il avait conscience de la souffrance du monde. Il assista au spectacle d'êtres condamnés à souffrir et qui étaient dévorés par la soif de la vie et par les passions humaines. Il tentait de supprimer la souffrance par l'abnégation et l'abolition de tout désir de vivre. Il avait passé par tous les stades de l'ascèse pour se libérer de tous les malheurs terrestres. Mais il avait senti que cette violence contre soi-même n'allait pas sans dangers. Comme il connaissait, en tant que fils d'un prince, la vie mondaine, il recommandait la « voie du milieu ». Cette « voie » comporte huit « stades » : la juste vision des choses, la juste résolution, la juste parole, l'action juste, la vie droite, les aspirations droites, la vraie pitié, la vraie méditation. C'est là une philosophie, un enseignement moral, une religion, puisqu'elle n'exigeait pas la foi dans un Être Suprême et encore moins en lui, Gautama.

Dans l'esprit du Maître, sa doctrine n'était donc pas une religion, mais une construction philosophique. Le Bouddha voulait montrer à ses semblables comment vivre : il tenait donc aux symboles. Les symboles que le Maître avait choisis se justifiaient pleinement. Il n'en était pas de même d'une *image* de Gautama, qui aurait pu faire croire qu'il demandait à ses disciples une vénération religieuse. Il est évident que les adeptes du Bouddha ont respecté pendant quelques siècles ce désir du Maître. Gautama n'aurait jamais toléré le culte de sa personne. Il rejetait tout ce qui ne se rapportait pas exclusivement à sa doctrine. Au 1er siècle après Jésus-Christ, l'art du Gandhara crée une figure idéalisée du Bouddha. Par là même, sa philosophie fut changée en religion. Soudain, on possédait une image concrète à laquelle on rendait l'hommage d'un culte.

L'art religieux du Ghandara servait de foi bouddhiste : c'est ainsi que, sur le socle d'un stoupa qui se trouve actuellement au musée de Lahore, on a représenté, en treize reliefs, chaque fois un événement de la vie du Bouddha. Nous apprenons ainsi ce que pensaient les hommes de ce temps de la vie de Gautama. La pierre nous confirme ce que la légende rapporte sur son compte. Mais ce n'est pas seulement sa vie qui fut taillée dans la pierre. On commença bientôt à sculpter le Bouddha assis ou debout, en relief ou en statue. Quelques maîtres représentaient le Bouddha comme Bodhisattva — c'est-à-dire comme médiateur des hommes, qui a renoncé au Nirvâna.

L'archéologue anglais sir John Marshall, qui a mis au jour au Pakistan occidental, à Taxila, les ruines de trois villes du VIᵉ au VIIᵉ siècle après J.-C., a joué également un rôle important dans l'exploration de l'art bouddhiste du Gandhāra. Il découvrit une première école d'art allant du Iᵉʳ au IIᵉ siècle après J.-C., une deuxième entre 350 et 500 après J.-C. L'art de ces deux écoles est dissemblable quant à son caractère ; les deux écoles se servaient aussi d'un matériau différent. Pendant la première époque on utilisait la pierre, pendant la seconde le stuc. Les artistes de la première époque travaillaient dans la vallée du Peshavar et à l'ouest de l'Indus. L'art de la seconde école couvrait un territoire bien plus vaste, de Taxila à l'est de l'Indus jusqu'à l'ancienne Bactriane et jusqu'à l'Oxus (Amou-Daria), donc le Pakistan, l'Inde, l'Afghanistan. La première école se distingue par une certaine dureté et une certaine gaucherie, dans la seconde la matière est souvent transfigurée en esprit et en beauté.

La plupart des images nous montrent le Bouddha perdu dans la méditation, les mains posées l'une dans l'autre en forme de coupe. Il y a des représentations célèbres du Bouddha qui le montrent comme docteur, pensif et indulgent, les mains appuyées sur la poitrine. La position des mains, le « moudra », se transforma plus tard en symbolisme subtil et varié. L'attitude des doigts révèle ainsi la méditation profonde, l'enseignement, l'encouragement, la prière, l'intrépidité, etc. Le Maître est revêtu d'un habit qui descend jusqu'à terre ; cet habit est fixé à la taille et laisse souvent découverte l'épaule droite. C'est à vrai dire un vêtement grec ou même romain. Un certain Bouddha debout du musée de Peshavar — l'une des sculptures les plus anciennes — porte la même toge que l'empereur romain Auguste !

Le bouddhisme de Mahayana se développa au cours des premiers siècles de l'ère chrétienne. C'était l'époque où l'on ornait d'épisodes romantiques la vie d'Alexandre le Grand, où l'idée hellénistique du royaume de Dieu dominait le bassin méditerranéen et rayonnait même au-delà de ses limites en tant qu'idée concrète. La déification des souverains orientaux que leur puissance, leur gloire avaient fait passer pour des êtres supérieurs, les pharaons d'Égypte qui se considéraient déjà sur terre comme des fils du dieu Amon — tout cela n'avait pas manqué d'imprégner la pensée grecque et romaine. Lysandre, qui avait mis fin à la misère dans laquelle les vingt-sept années de la guerre du Péloponnèse avaient plongé la Grèce, fut fêté de son vivant comme un héros presque divin. Alexandre le Grand fut reconnu en Égypte comme pharaon, et en l'oasis de Siwa, salué par les prêtres d'Amon du titre de « Fils d'Amon ». Pour les Grecs, cet Amon était l'équivalent de Zeus. Les diadoques portèrent l'idée de la déification du grand Macédonide dans tout le Proche-Orient.

En 42 avant J.-C., les Romains avaient fait de César un dieu, le « divus Julius », le divin Jules. Auguste était vénéré en Orient comme un dieu. A la fin de sa vie, on le plaçait dans l'empire romain au-dessus de tous les autres mortels. Sous les successeurs d'Auguste, on vit se développer un culte de César qui donna à Caligula et à Domitien l'idée d'appartenir à la race des dieux. Au III⁰ siècle, Aurélien réclama pour lui le titre officiel de « Dominus et Deus », « Seigneur et Dieu ». Entre 42 et 37 avant J.-C., Virgile avait prédit, dans ses *Églogues* (ce sont des « poèmes choisis »), la naissance d'un enfant divin. Suétone, dans sa glorification d'Auguste, et d'autres écrivains romains parlent le même langage. Ils évoquent tous l'enfant divin, un père céleste, une certaine constellation astrologique au moment de la naissance divine, des signes mystiques, des miracles, le Sauveur, une ère de paix et de pardon. Buchthal mentionne plusieurs de ces faits qu'il met en parallèle avec le mahayana bouddhiste. La vie du Bouddha fut également entourée d'un grand luxe de légendes et de phénomènes miraculeux, pour mettre bien en évidence son origine divine et sa puissance surnaturelle.

Dans la phase ultérieure de l'art de Gandhāra, on constate tant de parallèles entre l'art chrétien des premiers âges et la sculpture bouddhiste, que l'idée d'une origine commune ou d'influences communes aux deux formes d'art s'impose. Le spécialiste anglais H. Buchtal a mis en évidence des similitudes étonnantes entre les représentations du Bouddha dans des sculptures exposées au musée de Lahore et les sarcophages des premiers âges chrétiens du Louvre à Paris. On peut affirmer sans erreur possible que certaines représentations du Bouddha sont fondées sur des modèles chrétiens. On trouve également des analogies entre les récits de l'Évangile et certaines descriptions d'écrits Mahayana, telle, par exemple, le repas de cinq mille personnes, ou saint Pierre marchant sur les flots. « Je ne connais qu'une seule région dans le monde occidental qui, à l'époque des Kouchans, ait produit un art comparable aux idées et aux réalisations des sculptures de Gandhāra : c'est le bassin méditerranéen avec son centre, Rome. » C'est l'Américain Alexander C. Soper qui écrivit cette phrase dans son étude : « The Roman Style in Gandhāra », 1951, publiée par *American Journal of Archaeology*. Les rapports existant entre l'Ouest et l'Est ressortent encore mieux de l'art de Hadda. Hadda, en Afghanistan, à 8 km au sud de Jélalabad, était un lieu de pèlerinage renommé du temps du bouddhisme. Les explorateurs français Foucher, Godard et Barthoux y mirent au jour, entre 1923 et 1928, des objets d'art de l'époque bouddhiste datant du IIIᵉ au VIIIᵉ siècle après J.-C. : on peut les admirer aujourd'hui dans les couvents de Hadda, au musée Guimet à Paris et au musée de Peshavar. Nous voyons là des têtes du Bouddha très fines — on les dirait européennes — la tête d'un Silène, des monstres cornus, des démons et des moines, proches parents d'œuvres italiennes et françaises du VIIIᵉ siècle. Le célèbre démon de Hadda, dont le masque souffrant porte tout le poids et toute la tension exprimés par l'allégorie, ne rappelle en rien l'art de Gandhāra, mais se compare plutôt aux réalisations grandioses de l'art religieux de notre Moyen Age.

Parmi les sculptures de Gandhāra, nous ne trouvons pas seulement des dieux bouddhistes ou hindous, Indra, Brahma et d'autres, mais aussi des dieux du Panthéon gréco-romain, tel l'Athéna-Roma. Il y a également un Harpocrate, un Centaure, un Silène, un Satyre. Gandhara a créé, de plus, des portraits de donateurs et de créanciers, ainsi que des moines, des ascètes, des lutteurs, des guerriers, des éléphants, des lions, des autels et des accessoires architecturaux.

Qui étaient les maîtres étrangers qui apportèrent aux Indiens le modèle du Bouddha? Qui étaient les maîtres qui enseignaient leur art à Gandhāra et probablement aussi à Mathura? Qui a su concrétiser dans la pierre cette figure sublime qui s'était transformée en pur idéal? Quels ont été les artistes qui ont réalisé des modèles grâce auxquels les Indiens ont pu créer des statues magnifiques, des reliefs, des peintures qui ont attiré tous les peuples d'Asie?

Jamais nous ne saurons leurs noms. Mais le génie d'Alexandre, l'hellénisme — l'esprit de l'art de la Grèce — et sans doute aussi les artistes romains traversent en filigrane les siècles : c'est ainsi que l'image de Gautama a été taillée pour la première fois dans la pierre. Ses traits ont fixé pour toute l'Asie les différents aspects de sa doctrine, le message de la pitié et la voie qui mène au Nirvâna.

# Le
# temple souterrain
# de Touen-houang

*Touen-houang, aux limites occidentales de la Chine, au Turkestan, est un des lieux les plus intéressants de la terre. Sir Aurel Stein y découvrit un trésor unique en son genre. La maîtrise des peintures d'inspiration bouddhiste qu'on y a trouvées n'a jamais été égalée par aucun peuple d'Asie, en aucun temps...*

*« En entrant pour la première fois dans le temple, on est frappé de stupeur : on a l'impression d'être en proie à une vision. Se trouver en ce lieu après un long et pénible pèlerinage doit être pour un bouddhiste croyant un événement enthousiasmant. Dehors, la lumière blafarde aveugle les yeux. On ne distingue que peu de couleurs, bien que leurs nuances soient très fines : le désert doré, des arbres verts, le ciel bleu semblable à une immense coupole en porcelaine. Mais l'intérieur du temple est frais et ombragé. L'œil est d'abord frappé par la grande statue de Bouddha, face à l'entrée. Elle semble perdue dans de graves pensées, devant une petite coupe d'encens que des fidèles y ont déposée. Dans la demi-obscurité du temple où les objets se montrent l'un après l'autre, la grande statue revêtue de bure brune a l'air d'avoir médité au long des siècles. Elle était plus qu'une simple sculpture en stuc aux bras cassés. Lorsque nous nous fûmes habitués à la pénombre, les peintures murales se révélèrent à nous! »* (Irène Vongehr Vincent, *The sacred Oasis*, London, 1953, p. 67.)

S HI HUANG TI était l'un des monarques les plus puissants de la terre. Il unifia les poids et mesures, normalisa l'écriture, le calendrier, les lois. Il fixa l'écartement des roues des véhicules et construisit des routes qui conduisaient toutes dans la capitale de son empire, Hsien-Yang, près de Hsian-fou. Il subdivisa son empire en 36 provinces dont il confia l'administration à des gouverneurs militaires. Il créa une hiérarchie de vingt échelons pour les fonctionnaires de sa cour. Il mena de grandes guerres, agrandit son empire vers le sud, jusqu'à Canton, protégea ses frontières septentrionales contre les « Hiang-nou », les Huns, par un système de fortifications sans précédent. Les forts répartis le long de la frontière furent reliés entre eux par des remblais de terre, entreprise titanesque qui a donné naissance, par la suite, à la grande Muraille de Chine. L'esprit d'entreprise de ce monarque et dictateur était tellement grand, qu'il fit dévier des rivières, qu'il mit en œuvre d'énormes projets d'irrigation, qu'il creusa un tunnel pour le fleuve Min, qu'il fit ériger pour lui-même un mausolée gigantesque — une réduction du globe avec des fleuves et des océans et même des planètes mobiles. L'empereur accorda à tous les paysans le droit de la propriété privée. Mais comme les réalisations impériales exigeaient une énorme main-d'œuvre, il ordonna que les paysans quittassent leurs fermes et il en fit des forçats et des esclaves, comme cela se produisait constamment dans l'histoire de la Chine.

Lorsque le monarque le plus puissant de la terre avait donné ses ordres, lorsqu'il apprenait que les produits de son imagination prenaient forme grâce à la sueur et aux gémissements de ses sujets, il montait dans sa chaise à porteurs et faisait le tour de son royaume. Il contrôlait lui-même la perception des impôts, l'administration de l'État et de l'Armée. Il ne voulait pas qu'il y eût quelque chose avant lui. Il s'appliqua donc à effacer le passé. Il se croyait le premier empereur du monde, puisqu'il était le premier de la dynastie des Ts'in. Pour effacer toutes les traces de l'époque antérieure, il jeta sur un brasier les annales et les livres des Sages, tout ce qui était écrit sur du bois, du bambou, du parchemin. Il était strictement interdit de critiquer les actes de cet ami des paysans. C'est pourquoi les épées qui détachaient la tête du tronc ne chômaient jamais...

Shi Huang Ti régna, conquit, construisit, administra et sévit douze ans en tout, de 221 à 209 avant J.-C. Il était donc un contemporain d'Annibal. Mais les deux hommes d'État, le Carthaginois aux confins occidentaux de la terre et le Chinois en Extrême-Orient, vécurent sans rien savoir l'un de l'autre.

La dynastie de Shi Huang Ti fut renversée sous le règne de ses successeurs, parce que les paysans, astreints à de pénibles corvées, se révoltèrent et que les héritiers de l'empire ne s'entendaient pas entre eux. Le règne des Ts'in fut donc remplacé par la célèbre dynastie des Han qui dura de 206 avant J.-C. jusqu'en 220 après J.-C. Elle inaugura une période puissante, riche, heureuse. Les deux empires les plus puissants de la terre étaient à cette époque Rome et la Chine. Le génie des Han est resté inoublié et les Chinois de nos jours s'appellent toujours avec fierté les « Han Yen », les « Hommes de Han ».

L'événement le plus important du règne des Han fut l'introduction de la doctrine du Bouddha. Venant de l'Inde, elle se répandit en Chine, avec le Bouddha et le Bodhisattva, les moines ascètes, les idées religieuses du Himayana et du Mahayana. Il est probable que les premiers missionnaires hindous se sont rendus en Chine dès 217 avant J.-C. Mais nous ne sommes pas bien renseignés sur ces événements. Ainsi, il n'est nullement sûr que ce fut, comme le veut la tradition, le deuxième empereur des Han orientaux, Ming Ti, qui envoya en 61 après J.-C. des messagers en Inde pour y faire chercher des livres et des prêtres bouddhistes. La religion étrangère — le bouddhisme — était déjà répandue en Chine lorsque l'empereur Ming Ti accéda au trône. Il y avait également, dans l'Empire du Milieu, des moines bouddhistes. Peu après, les premières images bouddhistes furent importées en Chine par voie terrestre, en passant par le Turkestan oriental. Tout au long des anciennes pistes pour caravanes, qui reliaient l'Asie occidentale à l'Extrême-Orient, des fondations monacales avaient vu le jour. Par-ci et par-là, on avait dressé des temples en bois, en brique, en argile.

Touen-houang était la porte de la Chine vers l'Occident. La ville entourée d'un emuraillec arrée, est située au milieu d'une oasis, à l'ouest du Kan-sou. L'eau descendant des montagnes d'Altyn-Tagh fertilisait les vastes pâturages et permettait l'élevage de grands troupeaux. Le Kan-sou est un pays de montagnes, de steppes désertiques, d'oasis fertiles. La célèbre « route de la soie » suit un collier d'oasis reliant l'Est à l'Ouest. S'établir le long d'une telle route, profiter des possibilités de troc et de commerce qu'elle offrait signifiait la richesse et le bien-être. On voyait passer les caravanes, on pourvoyait à leur ravitaillement, on pratiquait le troc et toutes sortes de commerces.

A 16 km au nord de la ville de Touen-houang, à l'extrême-ouest du Kansou, se trouve une véritable merveille : les « Grottes des Milles Bouddhas ». Elles ont pu être réalisées grâce à leur situation sur la piste pour caravanes menant aux Indes : la richesse de la dynastie des Han s'y manifestait; des missionnaires avaient voulu concrétiser ici la vision intérieure de leur Bouddha par des images et des sculptures de rêve.

*Voici à Touen-houang, l'endroit où des grottes artificielles ont été creusées dans le rocher. Les créations artistiques bouddhistes de Touen-houang comptent parmi les œuvres les plus admirables de la terre. L'Allemand Albert Grünwedel, l'Anglais sir Aurel Stein, le Français Paul Pelliot furent les explorateurs les plus importants de ces sanctuaires sur la « Route de la Soie » (photo mission Pelliot).*

Le bouddhisme avait introduit en Chine la coutume typiquement indienne de creuser à même le rocher naturel des cryptes et des temples. A la méditation des voyageurs entre deux mondes, qui venaient se reposer dans cette oasis, s'offraient ici les images du bouddhisme. Il est probable que les premières grottes artificielles furent creusées en ce lieu entre 257 et 384 après J.-C. On a découvert plusieurs régions riches en grottes sur les hauts plateaux de l'Asie, telle la région des grottes de Yun-Kang, de Lung-Men près de Loyang, de Lou Lan et de Qyzil ponr ne nommer que quelques-unes.

A Touen-houang il fallait traverser un corridor conduisant à une sorte de vestibule derrière lequel s'étendaient plusieurs salles importantes. Les grottes qui se trouvaient sur le même niveau étaient reliées entre elles par une corniche, ce qui permettait d'aller d'un sanctuaire à l'autre. A l'intérieur, dans les murs du fond, se trouvaient des niches où l'on avait placé des figurines d'argile. Les murs eux-mêmes étaient ornés de tableaux splendides.

La paroi rocheuse était d'abord couverte d'une couche d'argile. Sur cette couche était répandu un enduit fait d'un mélange de kaolin et de chaux. C'est alors que le peintre se mettait à l'œuvre. Il faut dire que les tableaux qu'on trouve dans les grottes d'Asie centrale ne sont pas, au sens propre du terme, des fresques : en d'autres termes, les peintres ne travaillaient pas sans autre liant sur la chaux encore humide. L'expression italienne « a fresco » veut dire « sur le frais »; ici, la couleur était portée sur un fond durci à l'aide d'un liant.

Il est facile de se rendre compte de la qualité d'exécution de ces peintures, quand on songe que certaines se sont conservées depuis plus de 1 500 ans. Mais la durée étonnante de ces travaux est due encore à d'autres causes. Les habitants des oasis et les prêtres entendaient attirer un courant intarissable de pèlerins. C'est pourquoi ils entretenaient leurs œuvres religieuses. Des tableaux délavés ou détériorés étaient restaurés. Sous la dynastie mongole des Yuang (1278 à 1368) on avait procédé à Touen-houang, à ce genre de remise en état. Mais tous les murs n'ont pas été repeints. Les Mongols avaient interdit aux Chinois d'apprendre la langue mongole, ils leur avaient interdit d'épouser des femmes mongoles, ils persécutaient les Chinois qui possédaient des armes ou des chevaux. Ils entravaient le commerce et l'économie de la Chine. Ils méprisaient le droit et introduisaient tant de papier-monnaie, qu'une inflation s'ensuivit. Mais ils ne touchaient pas aux merveilles de Touen-houang, ils respectaient les peintures vénérables, les abandonnaient à la protection des prêtres et s'occupaient même de la restauration de ces trésors irremplaçables.

Sur la grande piste pour caravanes entre l'Inde et la Chine, Touen-houang était un important lieu de transbordement de marchandises de toutes sortes et... pourrait-on dire, de religions. Taoïsme, Confucianisme, les idées théologiques de la Perse et du monde gréco-latin y convergeaient et fécondaient l'art religieux et la pensée mystique. Le fait que ces œuvres d'art se trouvaient en pleine nature a contribué à leur conservation. Des milliers de peintures tout aussi merveilleuses ont péri dans les villes des régions de la Chine à population très dense. Mais ici, l'éloignement des grands centres urbains, et surtout le climat, ont eu un effet bénéfique. L'air de Touen-houang est extrêmement sec.

L'accès resserré protégeait les tableaux du soleil, dont les rayons ne se répandaient jamais directement à l'intérieur du temple. D'autres accès s'étaient effondrés si bien que les œuvres d'art se trouvaient complètement isolées. Certaines grottes s'étaient remplies du sable qui envahit tout lorsque souffle la tempête sur les plaines d'Asie. On les a remises au jour seulement au cours des quarante dernières années. Basil Gray, qui visita Touen-houang en mai 1857 et qui examina soigneusement les grottes, raconte que des milliers de pèlerins venus du monde entier ont inscrit ou gravé leurs noms sur les murs — en chinois, en ouigour, en japonais et même en russe. Les tableaux muraux des grottes furent commencés pendant la dynastie des Wei postérieurs (384 à 550). Les peintres déposèrent leurs pinceaux au temps des Sung septentrionaux (560 à 1127). Nous pouvons donc admirer sur ces murs une période de 500 ans de peinture comme le monde n'en a jamais vu depuis! Il s'agit bien des sommets de la peinture chinoise!

Ces grottes ont été explorées pour la première fois par le célèbre archéologue et explorateur de l'Asie, sir Aurel Stein. Stein naquit à Budapest en 1862 et mourut à Kaboul en 1943. En 1900-1901, il dirigeait des fouilles dans le bassin du Tarim, dans la province du Sin-kiang, où il explora la ville de Khotan située sur la « Route de la Soie », et où il découvrit, à 1 406 mètres au-dessus du niveau de la mer, une civilisation antique très évoluée. Suivant le bord oriental du grand désert il mit au jour de nombreux lieux importants sur le plan archéologique et tomba, près de la frontière occidentale de la Chine, dans la province chinoise du Kan-sou, sur Tuen-houang. L'expédition de sir Aurel Stein avait quitté le Cachemire en avril 1906. En mars 1907 seulement il atteignit Tuen-houang...

On savait qu'il y avait à proximité de cette oasis des grottes sacrées, les « Grottes des Mille Bouddhas ». C'est la renommée de ces grottes qui stimula Stein dans ses recherches. En arrivant à Touen-houang il apprit d'un marchand mahométan qu'il y avait, caché dans les rochers où l'on avait creusé des alvéoles comme dans une ruche, un grand trésor. Un moine taoïste de service avait découvert, dans une grotte de dimensions assez grandes, une importante quantité de manuscrits. Le moine avait l'intention de rétablir le sanctuaire dans son ancienne splendeur. C'était un travail laborieux, car le sable avait envahi les lieux, des morceaux de rochers s'étaient détachés du plafond, l'entrée était obstruée.

Après avoir déblayé le sable et les pierres, on découvrit une fente dans le mur orné de peintures, entre le vestibule et le temple. Une ouverture, non loin de là, menait dans une pièce latérale bourrée de rouleaux de manuscrits.

*Dans la grotte n° 58 des sanctuaires de Touen-houang se trouve ce bel autel. Des disciples abîmés dans l'adoration, des génies bons ou mauvais regardent Bouddha endormi (photo mission Pelliot).*

Sir Aurel Stein constata qu'on en avait défendu l'accès par une porte en bois; un mois plus tard, les moines avaient même élevé un mur de pierre devant la chambre du trésor. Sir Aurel obtint au bout de patients efforts que le prêtre lui montrât quelques manuscrits et lui permît même plus tard d'en examiner le reste.

En ouvrant un paquet de manuscrits, l'explorateur anglais fit une trouvaille plus importante encore. Il contenait, en effet, des peintures sur soie, tombées en morceaux. On aurait dit que quelqu'un les eût cachées en toute hâte lors d'une subite alerte. C'étaient peut-être les Tartares ou les Tibétains qui avaient fait une incursion dans la région. Stein a pu établir que manuscrits et tableaux avaient été mis à l'abri vers la fin du xᵉ siècle.

# ASIE CENTRALE

L'explorateur français Paul Pelliot arriva une année plus tard à Touen-houang, visita les grottes et embarqua le reste des tableaux ainsi qu'une grande quantité de manuscrits. C'est ainsi qu'une partie de ce trésor d'une valeur inestimable se trouve aujourd'hui, soit à la Bibliothèque nationale et au musée du Louvre, à Paris, soit au British Museum, à Londres. A Londres, on ouvrit très soigneusement chaque paquet de manuscrits. La soie, durcie par l'âge, tomba en mille morceaux. On nettoya les moindres parcelles et l'on recomposa les morceaux, grâce à un travail minutieux qui exigea des années. Les couleurs avaient perdu leur éclat et leur profondeur. Un certain vert avait attaqué la fibre du tissu. Quelques dessins avaient disparu. Parfois, il n'en restait que les contours. Mais on se garda bien de procéder à des restaurations.

*Petit fragment — le coin gauche, en bas — d'une des plus belles peintures de Touen-houang. Il ne s'agit pas d'une peinture sur soie, comme c'est le cas des autres peintures, mais d'une fine broderie de l'époque des Tang, l'une des plus brillantes de l'histoire de la Chine. Sir Aurel Stein indique comme date de la création de cette œuvre l'an 800 après J.-C. Ce chef-d'œuvre est peint en rouge, brun et vert tendre et prouve une grande perfection sur le plan technique, ainsi qu'un goût parfait. Le tableau représente un groupe de bienfaitrices à genoux sur des nattes de jonc (photo Sir Aurel Stein).*

Par « votum » on désigne en latin une offrande ou un don fait à la suite d'un vœu. Une image « votive » est une offrande faite en remerciement d'une faveur reçue Certaines de ces peintures « votives » avaient plus de 2 mètres de haut après leur recomposition. Le bord inférieur porte parfois le portrait du donateur. C'est ainsi qu'on a pu déterminer l'époque de la création de ces œuvres, car les habits permirent certaines conclusions dans ce sens. Sur l'une de ces peintures, on a même trouvé une date, qui correspondait, dans notre calendrier, à l'an 864 après J.-C. Nous sommes là au cœur de la période la plus florissante de l'art chinois, période d'un niveau culturel qu'aucun autre peuple de la terre n'a jamais atteint. C'est l'époque des poètes Li Po et Tou Fou, l'époque de la grande sculpture chinoise, l'époque d'un art sans équivalent dans l'histoire de l'humanité.

A première vue, sujets et exécution de ces peintures paraissent similaires, presque monotones. Une étude plus approfondie révèle, au contraire, une grande variété et de passionnants mystères. Avant les découvertes de Tuen-houang on était peu renseigné, en Europe, sur la peinture bouddhiste, on ne connaissait que les célèbres tableaux muraux d'Ajanta (Inde) et les représentations bouddhistes des grands maîtres japonais au temps de Horiuji, à Nara. Les peintures de Tuen-houang révèlent des influences de l'Inde et du Népal. D'autres sont d'inspiration tibétaine. D'autres encore sont typiques de l'art chinois. Dans certains tableaux on trouve des traces des trois éléments réunis.

On savait depuis longtemps que le bouddhisme s'était introduit en Chine venant de l'Inde. Mais nous apprenons par ces trouvailles étonnantes qu'il y a eu une étape turkestanaise et comment l'art bouddhiste s'est transformé en pénétrant dans les régions orientales de l'Asie.

Au cours de sa première expédition de 1900-1901, sir Aurel Stein découvrit dans la ville de Khotan les restes d'une agglomération que les sables du désert de Taklamakan, soufflant en tempête, avaient envahie et qui avait été abandonnée par ses habitants au IIIe siècle après J.-C. Il mit la main sur un grand nombre de lettres et documents rédigés en langue indienne ancienne, gravés sur du bois, ficelés et scellés. Les sceaux étaient grecs et représentaient Athêna, Héraclès, et d'autres divinités.

A Miran, cité de ruines près de Lop-Nor, sir Aurel Stein trouva, lors d'une deuxième expédition, des sanctuaires bouddhistes avec des tableaux muraux datant du IVe siècle après J.-C., et qui portent la marque de la dernière époque artistique gréco-romaine. Ces traces de l'Occident en plein désert asiatique constituent une très grande découverte. Mais l'hellénisme n'était pas seul en cause : dans toute les civi-

*Représentation du paradis à Touen-houang. Amitabha trône sur une fleur de lotus,* ▶
*entre Avalokitesvara et Mahasthama. A droite et à gauche, des Bodhisattvas*
*de moindre importance. A l'arrière-plan, un groupe de disciples. En bas, à gauche :*
*une dame se tient à genoux sur un tapis, en adoration. Ce tableau date de l'an*
*800 après J.-C. (photo Sir Aurel Stein).*

lisations des oasis qui s'étirent comme un collier par les déserts de l'ouest de la Chine, apparaît toujours de nouveau le génie des Indes et le bouddhisme, source inépuisable d'inspiration. On dénote également des influences persanes. Certains manuscrits de Tuen-houang sont rédigés dans un dialecte iranien, le sogdien.

L'art du Turkestan est d'un très grand intérêt parce qu'il nous conduit au point de rencontre de toutes les grandes religions de l'Orient et de l'Occident. Les premiers siècles de notre ère étaient riches d'idées religieuses, aussi bien en Europe qu'en Asie! Jamais avant cette époque et jamais après, l'humanité n'a autant lutté pour définir les notions de ciel et d'éternité. Le Christianisme et le Mitraïsme se disputaient la prédominance dans l'empire Romain, alors que le Bouddhisme était parti à la conquête de l'Orient.

La nouvelle doctrine, originaire de l'Inde ne visait plus à sauver l'individu, mais voulait apporter le salut au monde entier par le Bouddhisme-Mahanaya. Les Bodhisattvas sont, pour cette raison, les figures les plus importantes sur les peintures de Tuen-houang. Ils sont parvenus au privilège d'être Bouddha, mais ils y renoncent en faveur de l'humanité souffrante. Il s'agit donc d'une évolution plus tardive du bouddhisme. Parmi les Bodhisattvas, Avalokitesvara est le personnage le plus éminent. Les Chinois le connaissent sous le nom de Kuan-yin, les Japonais sous celui de Kwannon. Ce sont sans aucun doute les figures les plus vénérées du Bouddhisme-Mahayana. Il est étrange de constater qu'elles se rencontrent aussi bien sous les traits d'hommes que de femmes. Les peintures de Tuen-houang nous montrent, outre les Bodhisattvas, des scènes du « paradis occidental ». Ces images du paradis, peuplées d'innombrables personnages, parsemées de pavillons, de terrasses, de lacs aux lotus, de fleurs animées d'êtres qui dansent et qui chantent, étaient un travail d'artiste admirable et un art de la composition comme on n'en trouve nulle part ailleurs au monde.

Au Turkestan oriental, l'iranien Manès avait fondé au IIIe siècle, le manichéisme, une religion gnostique universelle. Il naquit en 215 après J.-C. près de Ctésiphon, dans la province de Babylone, laquelle faisait à cette époque partie de la Perse; il prêcha sa religion en Perse, au Turkestan et aux Indes, au cours de longs voyages missionnaires. Mais le clergé zoroastrien le poursuivit comme hérétique. Il fut fait prisonnier et crucifié. Son corps fut coupé en deux, empaillé et exposé dans la ville résidence des Dzoundizabours. Manès était un vrai Iranien. Sa religion était un mélange d'éléments chrétiens, bouddhistes, iraniens. A quoi s'ajoutaient des idées babyloniennes et gnostiques. Selon que les Manichéens vivaient dans une communauté chrétienne ou bouddhiste, ils pouvaient se faire passer pour une secte de la religion en question. Le principe fondamental de la doctrine de Manès est la lutte du bien contre le mal, de la lumière contre les ténèbres. En réalité, chez lui, c'est plutôt la lumière qui succombe ; les ténèbres éclairées par quelques parcelles de lumière — image du monde tel qu'il est, image aussi de l'humanité — remportent la victoire.

Dans l'oasis de Turfan, au Turkestan oriental, Manichéens, Chrétiens, Bouddhistes vivaient en paix côte à côte. L'art de la peinture sur soie fut sauvé pour l'humanité par sir Aurel Stein. Car tout ce que lui et, après lui, l'explorateur français Pelliot n'emportèrent pas, a été dispersé sur les routes interminables et désertes des hauts plateaux asiatiques, a été volé et semé à tous les vents.

# La
# route
# de la soie

*La « grande route de la soie », qui s'étire de l'océan Pacifique jusqu'aux rives de la Méditerranée, a une longueur totale de 10 000 km. Elle a été l'artère la plus importante et la plus fréquentée du commerce mondial. Elle a véhiculé les idées européennes en Asie. Le bouddhisme s'en est servi pour pénétrer en Extrême-Orient. Elle a été la route de Gengis Khan, de Marco Polo, des explorateurs sir Aurel Stein, de Paul Pelliot, d'Albert Grünwedel. Sven Hedin la suivit par étapes journalières de 43 km en moyenne. En un seul jour il parvint à se rendre maître de la distance colossale de 160 km. Tout au long de la « Route de la Soie », dans les oasis du désert, on pouvait assister à l'échelon de civilisations que le sable a recouvertes depuis et que les hommes ont oubliées.*

*« Les chemins de la soie, qui servaient à l'échange des marchandises de Chine contre les produits de l'Inde, de la Perse et de l'Orient romain, traversaient le pays au nord et au sud ; dans toutes les villes vivaient des groupes de marchands actifs venus de tous les pays de l'Est. C'est ainsi que notre deuxième expédition du Turfan-Karakhodja a permis de ramener à Berlin des documents en 17 langues, et en 24 alphabets différents. »* (Albert von Le Coq, *Auf Hellas Spuren in Ostturkistan*, Leipzig, 1926, p. 29.)

L A ROUTE de la Soie a été la route la plus longue de la terre. Elle a été une artère reliant des empires puissants, des peuples parlant de nombreuses langues, la Méditerranée à l'océan Pacifique. Elle a été un rêve, un conte de fées, l'entreprise la plus hardie de l'humanité. Elle remonte à des temps immémoriaux, elle a été l'avenir du continent asiatique. Elle a véhiculé des informations de pays inconnus ainsi que d'autres trésors qui avaient, par surcroît, l'attrait de l'inaccessible.

La Route de la Soie entre Si-An-Fou, capitale de la province chinoise du Chen-si, et Palmyre et Antioche mesure 7 500 kilomètres à vol d'oiseau. Mais la route ne suit pas la ligne droite. Elle escalade les montagnes les plus élevées de la terre. Elle procède en mille lacets : 10 000 kilomètres entre l'Est et l'Ouest. C'est le quart de l'équateur!

Cette route commerciale est sans doute la liaison la plus importante de l'Histoire, car elle a permis les contacts économiques, culturels et religieux, les bouleversements les plus décisifs de l'humanité. Ceux qui se trouvaient au bout de cette grande route ignoraient l'origine des produits merveilleux qu'on leur offrait. A Sian, à Lo-yang, et plus loin, à Kalgan et à Pékin, les commerçants désiraient recevoir les produits rares que leur envoyaient les Phéniciens, les Grecs, les Romains. Aux nombreux relais les intermédiaires comptaient leurs pièces de monnaie, produit de leurs transactions avec les mondes : Tokhariens, Bactriens, Parthes, Mèdes, Syriens.

La soie a été le sang de cette artère interminable. Du temps des Shang déjà on distinguait plusieurs espèces de soie et l'on pratiquait une technique publicitaire très développée. Des trouvailles faites dans des tombes anciennes ont mis en évidence que les Chinois se servaient, entre 1766 et 1123 avant J.-C. — donc à l'époque des Shang —, d'ivoire ou de bronze pour y faire des inscriptions, qu'ils pratiquaient la pyrogravure d'oracles sur des os ou de l'écaille, qu'ils commençaient à écrire sur des copeaux de bambou et surtout... qu'ils élevaient des vers à soie sur des mûriers.

Des récipients en verre, des pierres précieuses, des diamants, l'ivoire, l'écaille, l'amiante, de fins vêtements en laine et en lin, des chevaux atteignaient l'Empire du Milieu par la route la plus pénible de l'univers. La soie, de son côté, était acheminée par les lacets interminables de la route, à travers steppes, déserts et montagnes solitaires, jusqu'à l'Empire romain.

En l'an 120 après Jésus-Christ des saltimbanques romains se rendirent peut-être dans la ville de Lo-yang. Une ambassade des pays limitrophes des frontières méridionales de la Chine les avait accompagnés dans

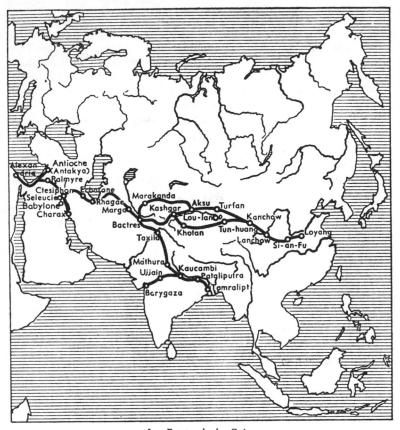

*La Route de la Soie.*

la dernière partie du voyage. Les « mages » déclarèrent en tout cas être originaires de l'Océan occidental, de Ta Ch'ien. En l'an 166 après J.-C., d'autres voyageurs couverts de poussière arrivèrent à Lo-yang, venant de Ta Ch'ien. Ils se disaient les envoyés du Roi. De quel Roi ? Ce Roi n'était autre que Marc Aurèle, empereur romain, le « Sage sur le Trône ». Certains indices permettent de penser que des Chinois de ce temps se sont également rendus dans l'Empire romain.

La soie traverse en filigrane toute l'Histoire de la Chine. Certaines classes n'avaient pas le droit de porter des vêtements de soie, tels les marchands, à certaines époques au moins. Elle servait de signe distinctif aux fonctionnaires. Le lé et la qualité des tissus étaient définis par des édits impériaux. Souvent, au cours de l'Histoire de la Chine, la soie a été utilisée comme moyen de paiement. Des ballots de tissus étaient parmi les impôts les plus importants du pays. L'effondrement de la production de la soie en Chine, l'invention de la soie artificielle sont les deux raisons principales de la misère économique actuelle du pays. Au cours de son histoire, la Chine a payé des tributs astronomiques en forme de soie : lorsque les Toungouzes étendirent leur royaume de Kin vers le sud et atteignirent Kai-feng, la capitale des Sung, ils exigèrent la remise de cinq millions d'onces d'or, de cinq cents millions d'onces d'argent, d'un million de ballots de soie. La Chine accepta ces conditions. La soie prit la route du Nord. Malgré ces livraisons phénoménales, les Toungouzes occupèrent le 9 janvier 1127 la ville de Kai-feng et emmennèrent dans le Nord inhospitalier l'empereur Hui-Tsung, lequel était le plus grand peintre qui eût occupé le trône de Chine. Un grand nombre de princes et de princesses durent l'accompagner, de même que de hauts fonctionnaires, qui prirent tous la route des plaines glaciales de la Mongolie. Pendant de nombreux siècles la fabrication de la soie est restée un secret jalousement gardé. Il y avait déjà à l'époque préchrétienne des espions économiques, des vols d'échantillons, des laboratoires d'essais dans le bassin méditerranéen. Tous poursuivaient le but de fabriquer la soie, considérée comme la reine de tous les tissus. La Corée, le Japon, l'Inde, l'Indochine et l'Indonésie occidentale apprirent l'art de l'élevage du ver à soie. La route de la soie a survécu à toutes les aspirations, à toute la convoitise, à toute la vanité humaine. Sur le dos des chameaux se balançaient des ballots de soie écrue et des tissus de soie, acheminés vers l'Ouest. C'est en Syrie que la soie était transformée. Plus tard, les Arabes sont passés maître dans l'art de travailler la soie, et plus tard encore, au temps de la Renaissance, les Italiens.

A Rome, la soie avait accès au trône depuis l'empereur Auguste. Les patriciens romains, leurs femmes gracieuses, leurs jolies filles choisissaient les meilleures soies pour leurs vêtements et s'admiraient dans des glaces inventées également en Chine. La soie, « séricum », et les tissus de soie, « sérica », étaient fabriqués par un peuple mystérieux aux confins du monde, en Orient. Mais les grandes dames romaines ignoraient tout de ce peuple lointain à la civilisation si raffinée.

Le marchand macédonien Maës Titanus avait sans doute un agent commercial en Extrême-Orient. En effet, un certain Marinos de Tyr lui envoya un rapport détaillé d'un voyage dans la partie orientale de l'océan Indien et des mers bordant le Pacifique. En l'an 125 après J.-C., le géographe grec Ptolémée utilisa ce rapport pour établir sa carte du monde. Nous ne saurons jamais où se trouvait le port énigmatique de Cattigara — à Nankin, à Canton, ou bien à Ha Tinh au Viet-Nam du Nord (ce que pensait Albert Herrmann)?

Le prix de la soie était extrêmement élevé. Du temps de l'empereur romain Aurélien (215 à 275 après J.-C.), on payait une livre de soie une livre d'or! Pour cette seule raison déjà, on fabriquait des tissus de soie extrêmement fins. L'île de Cos, qui fait partie des Sporades, ne fournissait pas seulement un vin renommé dans des amphores de grand prix, et les onguents « amaracinum » et « mélinum », mais aussi des longs vêtements légers et transparents, les « Coa vestis » comme les appelle Pline. Ces vêtements laissent transparaître les formes du corps. C'est pourquoi ils étaient très appréciés par les riches hétaïres. Au Musée du Louvre, à Paris, on peut admirer une statue d'Aphrodite dans un vêtement de Cos, probablement une copie antique de la célèbre « Aphrodite dans les Jardins » du sculpteur grec Alcamène qui était un élève de Phidias. On fabriquait également des couvertures, des coussins, des rideaux de soie — le tout d'un luxe indescriptible. Les femmes des empereurs portaient des vêtements de soie, mais on n'aimait pas que des hommes adonnés au luxe le plus efféminé se vêtissent de la même façon, au mépris des interdictions impériales. L'empereur Héliogabale offrait à tous ses invités des coussins de soie, quand il donnait ses trop fameuses fêtes d'été.

Caravanes après caravanes, les animaux tourmentés par la soif, les hommes poussés par la nostalgie des horizons inconnus se croisaient sur la route de la soie en s'orientant à l'aide de la boussole, autre invention géniale des Chinois. On portait vers l'Est de la pourpre de Tyr, de l'encens, des épices, de l'or, de l'ambre jaune du bord de la Baltique. Pendant quatre à cinq mois les caravanes se débattaient contre les embûches du bassin du Tarim. La mort par la soif les guettait dans les déserts et dans les marécages salés. Sur les cols du Pamir l'air était si raréfié que les hommes respiraient à grand-peine. Mais la soie les attirait comme un aimant. Toute l'Europe n'avait qu'un seul désir : s'en entourer! La soie brillait de la Perse jusqu'à Constantinople, d'Athènes jusqu'à Rome, jusqu'à Cadix au bord de l'océan Atlantique. Mais des milliers de ballots se perdaient dans les sables du désert, servaient d'offrande mortuaire aux marchands morts de soif.

Le Turkestan oriental n'est qu'un immense bassin rempli de sables mouvants, impraticable en grande partie à cause du manque d'eau, balayé de tempêtes de sables, les « bouran » redoutées dans toute l'Asie centrale, puisqu'elles apportent la mort! C'est un spectacle aussi passionnant que dangereux! Soudain, en un rien de temps, le ciel s'obscurcit! Le soleil n'est plus qu'un disque sanglant derrière le voile de sable. Quelques instants plus tard, les sables cachent tout à fait le soleil. Le bouran se met à hurler, son souffle dévorant force caravanes et conducteurs d'animaux à se terrer, à chercher un abri. Des masses énormes de sables, mêlés de cailloux, se roulent à la rencontre des voyageurs, forment des tornades. La nuit se fait, on n'entend plus que le hurlement de l'ouragan et certains bruits indéfinissables, amplifiés par la légende, qui sont provoqués par le choc des cailloux dans l'air. L'effet est fantomatique, même sans l'aigle des trépassés, dont parlent les Chinois.

Aucun poème ne chante la destinée des hommes audacieux qui ont payé de leur vie leur courage indomptable. De pieux pèlerins, des missionnaires, des commerçants, des explorateurs et même des réfugiés fuyant les envahisseurs japonais ou chinois pendant la dernière guerre mondiale ont trouvé une triste fin dans de telles tempêtes. Évidemment tout le monde sait ce qu'il faut faire en pareil cas : hommes, chevaux, chameaux doivent s'étaler par terre en attendant que la tempête s'apaise. Mais le sable est sans pitié. Il fouette et taraude, les cailloux s'abattent sur les voyageurs qui perdent la raison, se lèvent, s'en vont, s'égarent dans les dunes arides. On a trouvé ainsi d'innombrables cadavres momifiés. Mais la tempête de sable prend souvent soin — comme dit Le Coq — d'enterrer ses victimes.

Une expédition partie en 1905 de Pékin pour Turfan, chargée de lingots d'argent, a trouvé une fin horrible dans cette région : la tempête et le sable renversèrent les chariots à deux roues, 60 cavaliers chinois partirent au galop dans le désert, frappés de terreur. On en a retrouvé quelques-uns morts, les autres ont disparu à tout jamais sous les dunes. Les Turcs orientaux, les Dolanes, les Mongols de l'Ouest, les Kalmouks, les Kirghizes sont tous des peuples hospitaliers, aimables, magnanimes, formés par la vie nomade et par les vastes étendues. Les Tunganes, qui sont des mahométans parlant chinois, font peut-être exception. La nature est impitoyable. Mais la vie est facile dans ces régions comme nulle part sur terre. Malgré cela, de nombreux explorateurs y ont péri, tués souvent par des Chinois ou par des voyageurs étrangers. Adolphe von Schlatgintweit fut assassiné à Kachgar en 1857; le même sort frappa l'Écossais Dalgleish. D'autres savants encore payèrent de leur vie leur soif de connaissances : tel l'Anglais Hayward et le Français Dutreuil de Rhins et d'autres — tout récemment — qui nous disaient adieu à Kalgan ou à Paotou avant de pousser vers l'Ouest et de disparaître à jamais...

La Route de la Soie n'était pas seulement une route : des auberges isolées, faites de pierres non taillées et d'argile, des hôtelleries en excréments de chameau, des postes de garde, de petits forts pour la protection des troupes, des unités armées, des messagers à cheval, des pèlerins intrépides, tout cela composait l'épopée de la « route impériale », nom que les Chinois avaient donné à cette artère reliant deux mondes. On y voyait encore des transports d'eau sur les sections désertiques, des interprètes, des contrôles de douanes aux frontières. Des chariots à bœufs se traînaient péniblement, des ânes, des chevaux, des chameaux, des courriers à cheval animaient la route. A l'époque où l'on ignorait l'avion, on comptait les kilomètres, les jours, les mois avant d'atteindre le but toujours fuyant.

La Route de la Soie était tellement longue qu'on ignorait à un bout l'aspect des villes et des villages qui se trouvaient à l'autre. Qui sait si les paroles d'un saint Paul ou d'un Barnabé d'Antioche en Asie Mineure n'arrivaient pas déjà, aux premiers siècles de notre ère, jusqu'en Chine grâce à la Route de la Soie? Tadmor — aujourd'hui Palmyre — résidence de la reine Zénobie, qui régna pendant un court laps de temps sur un grand empire, porte encore aujourd'hui les traces de l'influence orientale dans les ruines qu'on y a mises à jour. La Route de la Soie menait ensuite à Ecbatane, aujourd'hui Hamadan, en passant par Ctésiphon, résidence des rois des Parthes et plus tard des Sassanides. Nous nous trouvons dans la capitale de Médie, dominée par son château fort, alors que se dressent sur une colline plus basse des palais, des colonnes, des toits en bois de cèdre et de cyprès. Les résidences estivales des Achéménides et des Parthes étaient si luxueuses qu'on avait enrobé les poutres de plaques d'argent et d'or. Rhagès, ville élamite, est déjà mentionnée au Livre de Tobie. Le printemps est particulièrement beau dans cette ville, aujourd'hui Rey, au sud de Téhéran, et l'on comprend fort bien pourquoi les rois parthes aimaient y séjourner surtout pendant les mois de mars, d'avril, de mai. En passant par Bactres, les caravanes faisaient le commerce de l'or. L'or de Bactres était aussi connu dans l'Antiquité que la soie de Chine. De là, on continuait sur Kashgar. On se trouvait alors au Turkestan chinois, à 1 500 mètres au-dessus du niveau de la mer, dans une oasis de loess arrosée par le Fleuve Rouge, le Qyzyl Sou. De là, il était possible d'atteindre en quelques jours la ville légendaire de Ferghana, en passant le col de Terek, d'une altitude de 4 000 mètres. Si l'hiver avait accumulé de grandes masses de neige dans la montagne, le dégel apportait de l'eau et avec elle l'abondance. Mais un été froid sur les hauteurs du Pamir avait pour conséquence le retard du dégel, ce qui était une calamité pour Kashgar dévorée par les chaleurs de la canicule.

## ASIE CENTRALE

L'Ouest apporte d'énormes nuages de sable venant du désert de Takla-Makan. L'oasis de Kashgar est obscurci, pendant 200 jours de l'année, par ces nuages. C'est là qu'est enterré, à l'intérieur d'un temple, Pan Chao, le célèbre chef de guerre chinois du $I^{er}$ siècle. Au $II^e$ siècle déjà, on transportait du vin en Chine, en passant par cette oasis. C'est par là également que le bouddhisme pénétra en Asie orientale. Les missionnaires de la nouvelle religion, les Yue Chi, apportèrent en Chine la pêche et la poire. En 1219, Gengis Khan, le conquérant de l'Asie, séjournait à Kashgar. En 1275 enfin, le grand commerçant vénitien, Marco Polo, s'arrêta ici et fut frappé par la fertilité du lieu et l'activité des habitants. En général, les tremblements de terre se produisent sur les bords des grands océans. Mais au fin fond de l'Asie, à Kashgar, la tradition parle de séismes dont le récit s'est transmis de génération en génération. Les caravanes continuent leur voyage en direction de Khotan, à 1 406 mètres au-dessus du niveau de la mer, dans le bassin du Tarim, et à Touen-houang, la célèbre oasis des sanctuaires rupestres. Il y a également une route plus septentrionale, qui passe par Turfan, à 15 mètres *au-dessous* du niveau de la mer, où l'on a remis au jour de nombreuses ruines.

Le célèbre indologue Albert Grünwedel, originaire de Munich, a fait des trouvailles très intéressantes au Turkestan chinois, entre 1905 et 1907; il a remis au jour des tableaux et sculptures bouddhistes provenant de grottes-temples. Mais il a fait mieux : il a découvert des restes de vêtements de soie et des chapeaux recouverts de soie — à 2 500 kilomètres de Pékin! La soie servait également de parure et de bannière dans les couvents des plateaux de la haute Asie.

A Turfan, raconte Grünwedel, le travail était fort pénible de juin à la mi-août, à cause de l'écrasante chaleur; à Karachar, on trouvait, en sus, le fléau des moustiques; à Kizyl il y avait des tempêtes et des tremblements de terre. Dans les grottes, les peintures murales n'étaient nulle part entièrement conservées, les sculptures étaient brisées, les inscriptions défigurées. Faisant preuve d'une patience infinie, il détacha les fragments de tableaux merveilleux, numérota les différents morceaux, les fit emballer et expédier par des caravanes. Il fallait faire sur place des esquisses et des plans pour pouvoir recomposer par la suite les tableaux ainsi démembrés. En hiver, le froid était si intense que l'encre gelait sur les pinceaux. Même l'adjonction d'alcool ne permettait pas de remédier à cet état de choses. Un autre fléau était le sable, qui s'infiltrait partout : il souillait l'encre et les pinceaux, abîmait les couleurs : « Quand on avait réussi à trouver un mélange de couleurs adéquat on devait craindre à tout moment l'arrivée d'une trombe de sable compro-

mettant tout. » Pendant des siècles, les grottes-temples avaient été utilisées par des chevriers comme abris. Leur feu avait noirci les murs.
D'autres grottes avaient été remplies de sables mouvants, il était très
difficile de les en débarrasser. Quand on contemple, de nos jours, les
peintures magnifiques dans les musées, par exemple au « Musée Ethnologique » de Berlin, on ne se fait pas la moindre idée des pénibles
efforts que leur remise au jour a coûtés. Mais on se rend bien compte,
devant ces créations artistiques, que les oasis semées tout au long de
la Route de la Soie ont été le point de rencontre de toutes les grandes
civilisations de l'Asie.

*A trente kilomètres de l'oasis de Turfan on découvrit, non loin de Kara-Khoja,
les antiques tombeaux d'Astana. Cette sculpture d'argile accompagnait un
mort. Le cheval est de couleur bistre et brun clair, la selle est rouge, jaune et
verte (photo Sir Aurel Stein, Innermost Asia).*

Le « Musée Ethnologique » de Berlin a envoyé en tout quatre expéditions en Asie centrale. La première, sous la direction du professeur
Grünwedel, avait pour but l'oasis de Turfan. On y a travaillé de novembre 1902 à mars 1903. L'expédition ramena 46 caisses de 37 kilos chacune, remplies de tableaux muraux découpés à la scie, de sculptures
et d'autres objets. La deuxième expédition était placée sous la direction

d'Albert von Le Coq (septembre 1904 à décembre 1905). Elle travailla à l'oasis de Turfan et dans la région de Komoul. Le résultat se composait de 103 caisses de 100 à 160 kilos chacune, que des caravanes amenèrent péniblement en Allemagne. La troisième expédition (de 1905 à 1907), conduite par Grünwedel et von Le Coq, concentra ses efforts sur les oasis de Koutchka de Karachahr, de Turfan, de Komoul. Elle rapporta 128 caisses de 70 à 80 kilos chacune. La quatrième expédition, sous la direction de von Le Coq (janvier 1913 à février 1914), se solda par 160 caisses de 70 à 80 kilos chacune.

On avait récolté des trésors immenses. Pourtant, il serait faux de parler de « butin », car les peintures murales, les reliefs, les sculptures dans les grottes-temples étaient en train de se décomposer et de se désagréger. Les tableaux d'inspiration bouddhiste peints sur le revêtement d'argile des grottes étaient fort mal vus des fervents de la religion islamique. Quand un musulman apercevait un tel tableau il tentait d'en oblitérer au moins la figure. Par ailleurs, la poussière de loess qui s'entassait dans les ruines et qui couvrait des morceaux de sculptures et de statues était considérée comme un engrais précieux : dans les oasis, on l'utilisait pêle-mêle avec les fragments d'œuvres d'art pour fertiliser le sol.

Grünwedel se plaint amèrement des Turkmènes qui brisaient les têtes de Bouddha, leur crevaient les yeux avec des piolets, abîmaient et lacéraient les fresques. « Les paysans viennent prendre les fresques comme engrais, démolissent les murs pour pouvoir mieux les ramasser, fouillent les ruines à la recherche de bois d'allumage, de morceaux de cuir, de bijoux et d'objets précieux : il n'en reste d'ailleurs plus à Idi-koutchari. Il est terrible qu'on ne puisse pas les empêcher! La bande de terrain est grande, il y a des accès de tous les côtés, un contrôle est à peu près impossible! L'arrivée d'un Européen met tout en branle; tout le monde veut trouver des objets et les vendre. Après le départ des Européens, on fouille encore pendant un certain temps. Peu à peu le zèle des chercheurs de trésors tiédit, les paysans se remettent à tout démanteler à des fins bassement utilitaires. »

Nous avions déjà mentionné les voyages d'exploration du géographe et philologue sir Aurel Stein, entrepris sous les auspices du gouvernement anglo-indien, particulièrement à Touen-houang, ainsi que les exploits du savant Paul Pelliot. Albert von Le Coq, professeur et conservateur du Musée d'Ethnologie de Berlin, écrivit en 1926 : « Depuis la mise au jour des ruines de Ninive par sir Austen Henry Layard, aucune expédition n'a été entreprise qui puisse se comparer aux expéditions en Asie centrale. » En effet, on y fit une découverte tout à fait nouvelle : au lieu de trouver une région peuplée de Turcomans

— car le terme de Turkestan ne signifie pas autre chose — les savants découvrirent, tout au long de la « Route de la Soie », des traces, remontant jusqu'au VIII^e siècle, de peuples de langues indo-européennes, d'Iraniens, d'Hindous et même d'Européens. On a découvert de nombreux manuscrits rédigés dans des idiomes inconnus. Ces manuscrits ont été déchiffrés à Londres, à Paris, à Berlin, et étudiés sous l'angle scientifique. Les spécialistes des langues indo-européennes et les turcologues n'examinèrent et déchiffrèrent pas moins de 17 langues et 24 alphabets. On apprit ainsi des détails importants sur le bouddhisme par des textes rédigés en sanscrit. On découvrit également de nombreux ouvrages sur la liturgie nestorienne-syrienne, en langue syriaque. Enfin, les Allemands réussirent à mettre la main, dans la région aride de Turfan, sur une grande partie de la littérature manichéenne qui passait pour disparue. On trouva des textes calligraphiés, à l'encre de différentes couleurs, sur de très bon papier. Cette curieuse religion révélait ainsi de nombreux aspects inconnus. On découvrit des feuillets de livres manichéens ornés de miniatures artistement exécutées. Le professeur allemand F.W. Müller traduisit ces textes rédigés en vieux persan et en d'autres dialectes indiens, et surtout en langue sogdienne. Ces trouvailles de littérature manichéenne sont très importantes, puisque partout ailleurs la haine des chrétiens et le vandalisme des mahométans ont voué ces écrits à la destruction. Il est impossible de surestimer l'importance des découvertes de Grünwedel et de Le Coq.

De Touen-houang jusqu'à Sian-fou, la capitale de la province chinoise de Shen-si, la Route de la Soie ne comporte pas d'autres étapes. En arrivant dans cette métropole, entourée d'une muraille rectangulaire, on a derrière soi, comme dit le grand explorateur de l'Asie, Sven Hedin, tout un monde d'expériences inoubliables.

La Route de la Soie ou « Route impériale », comme les Chinois appelaient cette grande voie commerciale, fournissait un échantillonnage du monde antique, à commencer par la Chine grouillant de populations, les oasis au bord du désert de Gobi, les vastes steppes entre Touen-houang et Lou-lan, où traînent de nos jours des chameaux sauvages, jusqu'aux villes féeriques des Mèdes, jusqu'aux civilisations évoluées de Babylone et de Tyr. La route est jalonnnée de mystère. Le 28 mars 1900, Sven Hedin découvrit à proximité du lac Lob-nor (qui à l'époque ne contenait pas d'eau), la ville disparue de Lou-lan. Une année plus tard, à l'intérieur d'une maison construite en briques séchées au soleil et dans un tas de déchets, chiffons, os de mouton, restes de poissons, on mit la main sur quelques centaines de manuscrits et 42 bâtonnets de bois couverts de symboles chinois. Hedin a découvert ainsi, parmi ce tas d'ordures, un vrai trésor. Les textes provenaient d'une garnison chinoise en résidence en cet endroit entre les années 265 et 313 après J.-C. Sur quelques papiers on avait mentionné le nom de Lou-lan. Ce fut seulement après la mort de Sven Hedin qu'on publia à Stockholm les résultats des expéditions de ce savant et de ses successeurs. Mais Sven Hedin avait reconnu aussitôt la valeur inappréciable de sa découverte. « Ces fragments de documents pourraient constituer la phase finale de mes recherches. Ils pourraient révéler quand le lac de Lob-nor a existé, quels hommes vivaient sur ses bords, dans quelles conditions, avec quelles régions d'Asie centrale ils étaient en rapport, quel était le nom de leur pays. Ce pays qui a été effacé de la surface de la terre, ces hommes dont l'histoire est tombée dans l'oubli et sur le sort desquels il ne reste aucune chronique, tout cela pourrait ressusciter! Je tiens là, dans mes mains, un passé qui pourrait ainsi revivre. » Les sculptures en bois de Lou-lan portaient la marque du style grec et du style de Gandhāra, et prouvaient ainsi les rapports de la ville avec le Sud et l'Ouest. Les documents en papier, tombés en petits morceaux, ont été recomposés : on y reconnut des textes en écriture chinoise parfaitement lisible. Sir Aurel Stein a déterré au cimetière de Lou-lan des morts dont l'habit et les traits de visage n'avaient pas été altérés par le séjour en terre. Dans les ruines d'un temple bouddhiste, on trouva de petites sculptures en bois d'une grande beauté, des statuettes, des ornements, la reproduction d'un stoupa, des cuillers, une petite pioche d'enfant. On découvrit même des pièces de monnaies percées d'un trou carré, un camée rouge portant l'image d'un Hermès, les restes d'un tapis de laine avec une tête de Bouddha très vivante, des tissus de soie avec de jolis dessins.

Les fouilles de sir Aurel Stein dans un autre champ de morts à Astana, à 30 kilomètres au sud-ouest de l'oasis de Turfan, remirent au jour des sculptures, datant du VIII<sup>e</sup> siècle, qui sont parmi les plus belles pièces de la grande époque artistique de la Chine, l'époque des Tang. Il s'agit d'offrandes données aux morts telles que statuettes humaines, chameaux, chevaux coloriés, têtes de démons, chevaliers revêtus d'habits multicolores, ainsi que de splendides peintures sur soie.

Tout au long de la Route de la Soie, on a remis au jour, en des centaines de copies, la philosophie de la doctrine ancienne de Mahayana, le « Prajnaparamita ». On a également découvert des textes tibétains du X<sup>e</sup> siècle sur la science militaire, ainsi que des textes médicaux, des registres de commerce, et d'innombrables écrits sur l'art vétérinaire appliqué aux chevaux.

Pendant la « grande époque » de la Route de la Soie, seules les marchandises vraiment précieuses étaient négociées. C'est ainsi qu'on appor-

*Autel bouddhiste dans la grotte n° 3 à Touen-houang; il a été mis au jour par le célèbre savant et spécialiste de l'Asie centrale Paul Pelliot (photo mission Pelliot).*

tait en Chine du jais, qui, à cette époque, y était inconnu. Les doctrines spirituelles telles que le bouddhisme,et le manichéisme occidental étaient en contact dans les oasis de la Route de la Soie et exerçaient l'une sur l'autre une influence fécondante.

Le commerce d'articles manufacturés en grandes séries, de « biens de consommation », est une trouvaille du XIXᵉ siècle, un phénomène lié à une époque qui a désappris à goûter l'objet « précieux » au sens ancien du terme. La richesse, les choses précieuses avaient en Orient un rayonnement presque magique. La « Route » travaillait, s'activait, vivait. Les grandes pensées de l'humanité prenaient d'autres formes dans ce creuset, le Bouddha indien y apparaissait avec des yeux en amandes, des yeux chinois, les pèlerins faisaient l'exégèse des écritures saintes, des voyageurs de l'Occident y apportaient des idées chrétiennes. La magie de ces terres désertes et immenses façonnait êtres et pensées.

La Route de la Soie est aujourd'hui en pleine décadence, sa vie est éteinte, son commerce n'existe plus. L'insécurité, la multiplication des « frontières », le paupérisme le plus révoltant, la méfiance s'acharnent contre les vestiges de cette grande voie. Mais en dépit de tout, elle continue à serpenter à travers toute l'Asie. De tout temps, des guerres ont troublé les pays et empires traversés par cette voie. Est-ce que les clochettes d'innombrables caravanes se sont tues à tout jamais ?

Je n'oublierai jamais les impressions de mon voyage en Asie centrale, je n'oublierai jamais le hurlement de la tempête, les tourmentes de neige en hiver, les rencontres avec des hommes solitaires marchand à pied ou conduisant des charrettes, avec les Mongols montés à cheval et revêtus de fourrures bigarrées, les longs défilés de caravanes silencieuses, les fières silhouettes tranchant contre le ciel lumineux de l'Asie ; je n'oublierai jamais le tintement des sonnailles portées par les chevaux, les villes brunes et jaunes entourées d'un mur d'argile, la solitude émouvante des déserts.

# Le trésor
# de
# l'Oxus

*Il n'a jamais existé de steppes ou de déserts dépourvus de civili-
sation. L'histoire de cette découverte est aussi excitante qu'un
conte oriental. L'art des peuples indo-iraniens de l'Asie ne fait que
depuis peu l'objet de recherches scientifiques et pose de nombreux
problèmes qui n'ont pas encore trouvé de solution.*

*« Quand on découvre un trésor important, on se pose immédiate-
ment la question de savoir qui a pu le cacher; on s'interroge aussi
sur les motifs qui ont amené les gens à l'enfouir. Il est rare qu'on
puisse satisfaire, dans ces cas, la curiosité des archéologues. En
essayant de reconstituer l'Histoire, on se fie généralement à sa seule
imagination. »* (O. M. Dalton, *The treasure of the Oxus*, London
1926, p. 17.)

I L Y A EU sur terre, des peuples et des empires qui ont laissé peu
de vestiges de leur civilisation matérielle. Beaucoup d'objets se
sont enlisés dans le sable; d'autres civilisations sont difficiles à
délimiter, nous ne savons pas exactement ce qui en faisait partie, ou
bien les objets de consommation courante, de luxe ou de culte, sont
dispersés sur d'immenses territoires dans le sol des steppes ou au fond
des rivières et des lacs.

Il y a cent ans environ, on a découvert un trésor qui nous mène au
bord de problèmes concernant des peuples dont la religion et la vie
quotidienne sont pour nous autant d'énigmes. Les objets précieux en
or que les peuplades du Moyen-Orient et d'Asie en général, jusqu'aux
frontières de la Chine, possédaient et transportaient dans leurs migrations interminables, n'ont attiré l'attention des archéologues que depuis
peu de temps. Il y en a dont on ne connaît pas encore, à l'heure présente,

l'exacte destination. Beaucoup sont perdus à tout jamais au fond des plaines sans fin. Pendant longtemps, les civilisations du Moyen-Orient, de la Russie méridionale, des hauts plateaux asiatiques étaient les parents pauvres de la science archéologique. Aujourd'hui on commence tout juste à s'y intéresser.

Étant donné que le « trésor de l'Oxus » a été trouvé en Bactriane, une satrapie de Perse, et qu'il date de l'époque des Achéménides perses — probablement du v$^e$ au iv$^e$ siècle avant J.-C. —, il nous faut jeter un coup d'œil sur l'Histoire de ce pays pour mieux comprendre le contexte de la découverte. Les siècles qui précédèrent et qui suivirent l'an 1000 avant J.-C. furent une époque de grandes migrations. Les peuplades d'origine « indo-européenne » de l'Ouest et de l'Est supplantaient partout les civilisations « préclassiques ». Des tribus indo-européennes pénètrent dans la Grèce d'aujourd'hui et en Italie, les Mèdes et les Perses indo-européens de l'Est chassaient les peuples établis entre le Moyen-Orient et le Proche-Orient. C'est ainsi que fut remplacée la domination des anciens peuples asiatiques. Le mot « aryen » dérive du sanscrit « arya » et désigne les peuplades d'origine indo-européennes appartenant à la branche indo-iranienne. L'exploitation de ce terme dans un sens racial — avec l'idée d'un jugement de valeur — telle qu'elle avait été proposée par Houston Steward Chamberlain et enseignée par les nationaux-socialistes avec les conséquences catastrophiques que l'on sait, est un véritable contresens sur le plan scientifique.

A maintes reprises, on a essayé de déterminer le « berceau » de telle ou telle tribu. Il est possible que les Indo-Iraniens soient originaires des grandes steppes d'Asie centrale, ou peut-être des vastes plaines de Russie méridionale, ou même des bords de la Baltique. De vieilles légendes évoquent un pays appelé « Aryanem-Vaejo », et des migrations interminables de nomades par Bachoura et Samarkand jusqu'en Perse et aux Indes. L'empire perse, l'une des plus grandes réalisations historiques de l'humanité, a été fondé sur les ruines d'un peuple indo-iranien que nous appelons les « Mèdes ». Ecbatane — aujourd'hui l'oasis de Hamadan — était la résidence du roi des Mèdes le plus important, Cyaxare. Aucun texte écrit, aucune pierre, aucun objet d'art ne nous est parvenu de ces Mèdes ! Au sud-ouest de ce qui est aujourd'hui l'Iran, au nord du golfe Persique, vivait la tribu des Perses apparentée aux Mèdes. Leur capitale était Suse, leur dynastie celle des Achéménides, qui tirait son nom d'Achéménès, lequel régna de 700 à 675 avant J.-C. environ.

L'empire perse est fondé sur un rêve. En effet, en 585 avant J.-C., Astyage prenait la succession de son père Cyaxare. Des devins ayant prédit au roi mède Astyage, à Ecbatane, que l'enfant de sa fille Mandane serait un jour le maître de toute la Médie, Astyage se livra à ce qu'il croyait une combinaison subtile. Très souvent, de tels projets ne mènent pas exactement au but visé. Ainsi, Astyage était décidé de prendre sous sa coupe le futur maître du monde. C'est pourquoi il ne donna pas sa fille à un Mède, puisqu'un Mède serait peut-être tenté de s'emparer du trône d'une manière illégitime. Un Mède comme époux de sa fille était donc un personnage dangereux. Il préférait accorder la main de Mandane à un prince d'un État tributaire. Il serait facile de se débarrasser du fils d'une telle union s'il devenait une menace.

Les Mèdes n'avaient pas, à l'époque, une très bonne opinion de la petite tribu des Perses, et c'est ainsi que Cyaxare donna sa fille au Perse Kambyse. Lorsque Mandane mit au monde un fils, qui reçut le nom de Cyrus, Astyage ordonna à son chancelier Harpage de tuer l'enfant sur-le-champ. On exécute toujours les ordres de tyrans autocrates, mais pas toujours dans le sens voulu. Harpage transporta donc le petit Cyrus dans la montagne, mais au lieu de le tuer, il le confia à un bouvier. Nous n'avons pas la place ici pour conter par le détail comment l'enfant élevé par de rudes bergers s'empara du gouvernement de l'empire des Mèdes et en fit l'empire des Perses. Cyrus était un prince de la lignée des Achéménides — et avec lui débuta donc le gouvernement de la célèbre dynastie.

Suse devint la capitale du nouvel empire. Cyrus installa une garnison importante à Pasargade, ce qui veut dire « camp des Perses ». C'était une forteresse que les Grecs appelaient Pasargadae. A Pasargade devait se trouver plus tard la tombe du grand Cyrus. Il avait conquis Ecbatane, et par la suite toute la Médie, ainsi que la Lydie avec la ville célèbre de Sardes, la Carie, la Lycie, l'Ionie. Cyrus livra d'âpres combats aux tribus des Saka. Ce sont les Scythes, peuple mystérieux et peu exploré, dont nous aurons l'occasion de reparler. La Bactriane, la Margiane et la Sogdiane devinrent des provinces perses. En 539 Cyrus, héros célébré du monde oriental, fit son entrée dans Babylone. La Perse était alors le plus grand État de l'époque préromaine. Cyrus mourut, les armes à la main. Sous la pression des Scythes, un peuple nomade apparenté, les Massagètes, avait poussé vers l'ouest. Il se rua maintenant vers le sud, dévalant de la Russie méridionale. Le fondateur de la dynastie des Achéménides fut tué, en été 530, au cours d'un engagement contre ce dangereux envahisseur.

Le fils de Cyrus, Cambyse, repoussa les limites de l'empire jusqu'aux bords du Nil. Il y eut une révolution et une contre-révolution, puis monta sur le trône Darius, le roi qui fut défait en 490 avant J.-C. par les Grecs à Marathon. Nous ne connaissons que Darius *vaincu* puisque nous avons été élevés dans l'esprit de l'antiquité classique, et qu'on ne nous a jamais appris les hauts faits de ce roi oriental. Lui aussi combattit les Scythes jusqu'au nord du Danube; il fonda la célèbre métropole de Persépolis, prépara la revanche de la défaite de Marathon en montant une campagne gigantesque contre la Grèce; mais la mort l'empêcha de mettre à exécution ce projet. Près de Behistun, il avait fait ériger en 520 avant J.-C., taillé à même la paroi rocheuse, au-dessus de la route, hors de portée de mains sacrilèges, un monument grandiose dont l'inscription disait les prouesses du grand roi. Ce puissant monarque avait également fait élever à Naksh-i-Rustam près de Persépolis son propre mausolée, adossé à la paroi rocheuse. C'est là qu'on peut admirer encore de nos jours le tombeau de Darius le Grand et de ses successeurs.

Le successeur de Darius est Xerxès, l'Assuérus du livre biblique d'Esther, qui régna à Suse et prit pour épouse la reine Esther. Xerxès fut également vaincu par les Grecs : sa flotte fut défaite à Salamine, son armée à Platées et à Mycale, où la lance remporta la victoire sur la flèche. Ces batailles refoulèrent pour toujours les Perses en Asie. La Perse dut renoncer à ses ambitions européennes. Sous le règne des successeurs de Xerxès, l'empire des Perses se disloqua à la suite de luttes intestines et sombra dans l'impuissance et la misère. La victoire d'Alexandre le Grand sur les Perses, vue de l'Occident, est un haut fait militaire; en réalité, le Macédonien n'a renversé qu'un édifice déjà en pleine décadence.

Sur la rive méridionale de la mer d'Aral se trouvent les embouchures de l'Amou-Daria, de l'ancien Oxus. Il prend sa source dans les massifs méridionaux du Pamir, se fraie un chemin à travers la région montagneuse du Bouchara méridional, se déverse dans la plaine turane. Sur des centaines de kilomètres, il marque la frontière septentrionale entre l'Afghanistan et la Russie, avant de départager, en Russie méridionale, le Turkménistan et l'Usbékistan. Cette rivière traverse ainsi des régions célèbres par leurs vieilles civilisations, tel l'empire disparu de Choresmie et la vieille Bactriane. Il est évident que les eaux de ce fleuve recèlent d'innombrables mystères, car l'Oxus était connu déjà dans l'Antiquité. Des recherches scientifiques ont prouvé que l'Oxus se déversait autrefois — en passant par le lac d'Aral — dans la mer Caspienne.

En mai 1880, un certain Captain F.C. Burton, officier anglais, se trouvait dans son poste de police dans la vallée de Tezin. Burton était en même temps résident de Seh Baba, à trois journées de marche de Kaboul, capitale de l'Afghanistan. Il était 9 heures du soir. Burton s'attendait à une nuit monotone, comme toutes les nuits dans cette solitude. Soudain, un musulman se présenta dans son camp et fit en haletant le récit de ce qui venait de se passer.

Qu'était-ce ? Trois marchands mahométans de Bouchara étaient partis de Kaboul avec l'intention de se rendre à Peshawar. Ne se doutant d'aucun danger, ils avaient devancé fort imprudemment leur caravane. Ces trois braves mahométans exerçaient leur commerce entre Khiva, Samarkand et l'Inde. Parfois, ils conduisaient leurs caravanes jusqu'à Amritsar. Ils achetaient de grandes quantités de thé, de soie, et d'autres objets, dans les régions nord des Indes occidentales, pour les écouler sur les marchés d'Afghanistan et de Russie méridionale. Cette fois, ils n'avaient pas emporté d'argent. La raison en était simple : Abderrahman, le futur Emir d'Afghanistan, qui avait sa résidence à Kunduz, faisait fouiller les caravanes et les délestait de fortes sommes d'argent dont il avait besoin pour son armée. Les trois mahométans avaient donc, ce coup-ci, pris des objets précieux et les avaient cousus dans des sacs de cuir, ce qui ne faisait pas tellement riche ! En réalité, ils transportaient un trésor inestimable à travers les steppes solitaires.

A un moment donné, ils furent attaqués par des bandits. Les bandits s'emparèrent des marchands, de leurs serviteurs et de leurs biens. Traversant le Tesinka Kothal, ils acheminèrent leurs prisonniers dans les montagnes de Karkatcha. Dans les grottes sauvages de cette région, ils s'arrêtèrent pour examiner tranquillement le trésor et pour le partager entre eux. Trompant la surveillance des bandits, l'un des serviteurs mahométans s'était enfui : il se tenait devant le Captain Burton et lui fit le récit du danger où se trouvaient ses maîtres. Burton prit seulement deux soldats et se dirigea en pleine nuit vers Karkatcha. A minuit, il réussit à surprendre les bandits. Le spectacle qui s'offrait à ses yeux était désolant : les bandits en étaient venus aux mains. Quatre d'entre eux gisaient par terre, blessés. Les mahométans se tenaient à côté, immobiles sous la menace des armes. Le trésor était répandu par terre.

Burton discuta avec les bandits et les força de lui remettre une partie du butin. A peine parti, il fut mis en garde : les bandits voulaient l'attirer dans un guet-apens et lui reprendre le trésor. L'Anglais se cacha donc dans la montagne et regagna son poste de police le lendemain seulement, vers 6 heures du matin. Burton fit expliquer aux bandits qu'il se lancerait à leur poursuite avec un détachement armé s'ils ne remettaient pas le reste du trésor. De fait, les bandits consentirent à se dessaisir des trois quarts du butin, qui fut remis à ses propriétaires, lesquels reprirent leur voyage à Peshawar.

Les mahométans avaient raconté qu'ils avaient acheté la plupart des objets précieux à *Kabadian*. Kabadian ou Kahndian était peut-être une localité engloutie par les flots de l'Oxus. Lorsque les eaux du fleuve étaient basses, les gens de la région organisaient des fouilles à la recherche de trésors. Dans les ruines de la ville disparue, on trouvait toujours de nouveau des objets en or très précieux. Mais personne ne savait où se situait exactement Kabadian. On désignait par là peut-être le village de « Kuad », qui ne se trouve pas au bord de l'Oxus, mais sur un affluent de la rive droite, le Karirnigan.

Les marchands mahométans avaient acheté des objets, produits de telles fouilles, pour les emporter aux Indes et s'en servir en guise d'argent. La valeur globale du trésor dépassait 80 000 roupies, ce qui en 1880 était une somme fantastique! Les bandits leur avaient rendu la contre-valeur de 52 000 roupies. Ils s'en défirent à Rawalpindi. Là, nous perdons la trace de ce trésor extraordinaire. A la fin, il échoua entre les mains du général sir Alexander Cunnigham. Sir A. W. Franks se porta acquéreur de ces objets au passé fabuleux, en même temps que des autres collections de sir Alexander. Aujourd'hui, il se trouvent au British Museum.

Les commerçants des Indes occidentales, qui vendaient couramment de ces antiquités et qui savaient que les archéologues occidentaux s'y intéressaient, contrefaisaient de temps en temps des bracelets, des coupes, des cylindres, des animaux en or. Sir A. W. Franks avait tout de suite compris qu'il s'agissait, en partie, de copies d'originaux. Il réussit à mettre la main sur quelques objets authentiques et constata qu'ils étaient bien plus beaux que les imitations. Malgré leur grande habileté, les orfèvres de Rawalpindi étaient incapables de copier des objets d'or, d'argent, de bronze, assez parfaitement pour qu'on ne remarquât point la supercherie.

Parmi ces objets se trouvaient 1 500 pièces de monnaie frappées par des satrapes perses, des tétradrachmes d'Athènes, des pièces de monnaie d'Acanthe, ville de Macédoine, ainsi que 200 pièces d'or du temps d'Alexandre le Grand, des pièces de Séleucus Nicator, d'Antiochus I$^{er}$, II, III, de Diodote, d'Euthydème. Toutes ces pièces de monnaies dataient d'une époque s'étendant du v$^e$ au II$^e$ siècle avant J.-C. Comme nous ne savons pas si elles avaient été trouvées au même endroit et dans la même couche que le reste du trésor, il ne nous est pas possible d'en tirer des conclusions quant à sa datation. Il faut donc comparer ces objets d'art avec d'autres : les recherches des savants ont mis en évidence que le trésor de l'Oxus datait de l'époque des Achéménides, donc du vi$^e$ au v$^e$ siècle avant J.-C., période du règne de Cyrus II, de Darius I$^{er}$, de Xerxès I$^{er}$ et de leurs successeurs.

On ne sait absolument pas *qui* a pu cacher ce trésor. Le général Cunningham était d'avis que le trésor avait appartenu pendant plus de 2 000 ans à une famille bactrienne. Lors d'une révolution ou d'une attaque de l'extérieur, un membre de la famille aurait caché en toute hâte ce trésor inestimable. La même personne avait probablement l'intention de se rendre sur les lieux, une fois le danger écarté, pour récupérer son bien. Mais elle n'en eut jamais l'occassion. Si les pièces de monnaie font partie du même lot, le dernier propriétaire du trésor a vécu vers 209 avant J.-C., car ces dernières pièces datent de cette époque, du règne d'Euthydème.

*Nécropole de Persépolis, Perse. Deux autels des adorateurs du Feu à Nak-e-Rustam (photo Roger-Viollet).*

# PERSE

On sait qu'Alexandre le Grand avait mis la main sur les énormes trésors de Suse, de Persépolis, de Pasargadae. Les trésors des réverves impériales avaient une valeur incalculable. Sous les successeurs d'Alexandre, ces trésors furent de nouveau dispersés. C'est ainsi que des objets précieux ont pu tomber dans les mains d'une famille bactrienne. Plusieurs objets du trésor de l'Oxus s'apparentent aux objets d'art scythe, trouvés en Sibérie occidentale. C'est ainsi que les objets d'art scytho-sibériens du trésor de l'Oxus forment un chaînon entre l'orfèvrerie perse sous les Achéménides et le métier d'art ouest-sibérien.

La plupart des objets avaient une destination cultuelle; ainsi, il y a des coupes d'or, des cruches du même métal, des statuettes cultuelles en or et en argent, des plaques avec le portrait d'Ahura-Mazda, des bagues à cachet à l'enseigne de déesses, de fleurs de lotus, d'oiseaux, de rois perses en train de faire offrande aux dieux, un poisson en ronde-bosse, symbole très ancien d'inspiration magique et religieuse, des chevaux pour chars de combat, des soleils, des médailles d'or représentant des hommes barbus revêtus d'un manteau et parés d'une couronne et de boucles d'oreilles. C'est là que nous voyons les premiers pantalons longs de l'histoire de l'humanité, une invention des Mèdes!

La religion à laquelle la plupart des objets cultuels étaient destinés avait été fondée par celui que les Grecs appelaient Zoroastre, et les Perses Zardoucht, qui vécut vers 600 avant J.-C. Il naquit probablement en Bactriane, donc en Iran oriental, région où fut découvert le trésor de l'Oxus. D'après les dernières recherches, l'année de sa naissance aurait été l'année 630 avant J.-C. Les disciples de Zoroastre fixèrent par écrit la doctrine et les commandements du maître : ce livre sacré fut appelé plus tard « Zend-Avesta », ce qui veut dire « exégèse » et « textes ». L'original de cet écrit fut la proie des flammes quand Alexandre le Grand détruisit le palais de Persépolis. On a retrouvé un livre entier et quelques fragments. Toutefois, les « Gatha » de l'Avesta contiennent les hymnes et méditations du prophète, en version originale.

Plus on avance dans la connaissance de Zoroastre, plus on se rend compte qu'il a été un des plus grands révélateurs de la vérité divine et de la connaissance religieuse. Il est vrai que les dieux antiques des peuples indo-européens étaient déjà des dieux invisibles, et il est probable que les Indo-Européens de l'Inde n'admettaient pas qu'on fît des représentations humaines ou animales de leurs divinités. Mais lorsque Zoroastre commença son magistère, il constata que ses contemporains adoraient plusieurs animaux en plus de leurs dieux. Zoroastre partit en guerre contre ce « paganisme » et aussi contre les « magiciens » qui, à partir de leur métropole, Raghae, à proximité de la ville moderne de

Téhéran, dominaient la liturgie, les rites sacrificiels et la moitié de la vie des Mèdes.

Zoroastre était le *seul personnage* qui enseignât aux Perses la doctrine d'un dieu invisible, unique, universel. Il s'opposa au culte sanglant des taureaux de Mithra. Pour Zoroastre, l'univers se divisait en deux mondes opposés dont l'un était dominé par l'esprit du bien, Ahura-Mazda, et l'autre par l'esprit du mal, Armian. Ces deux puissances hostiles luttent depuis l'éternité pour la domination du monde. Ariman — le diable indo-européen — est doté aussi d'une puissance créatrice. Zoroastre avait donc reconnu le problème du mal avec ses divers aspects et dangers, il avait distingué aussi les forces créatrices qui sommeillent dans le giron des puissances ténébreuses.

Mais l'homme est libre de se décider pour le bien ou pour le mal. Pour l'aider à trouver le chemin de la lumière, Ahura-Mazda a chargé Zoroastre de proclamer sa doctrine. Trois jours après sa mort, l'homme comparaît devant le tribunal suprême. Le méchant sera puni de tourments éternels, le juste obtiendra l'immortalité de l'âme. La doctrine de Zoroastre est une doctrine d'espoir, puisque le Bon Principe l'emportera et l'humanité sera rachetée.

Le roi Darius I$^{er}$ adopta définitivement l'enseignement de Zoroastre qui avait mis 200 ans pour s'imposer. Darius fit de la doctrine de Zoroastre la religion d'État. Quant au peuple, il resta fidèle à sa croyance primitive, et le règne des magiciens continua.

L'art persan se ressent de l'influence de cette religion, mais on y décèle aussi les traces des vieilles civilisations de Mésopotamie, des Hittites, des Égyptiens et même des Grecs. Le spécialiste anglais O. N. Dalton, auteur d'un ouvrage capital sur le trésor de l'Oxus, affirme que cet art était un art sans jeunesse. Il a pris naissance subitement après l'installation au pouvoir des Achéménides.

On ne saurait cependant nier que les architectes et les sculpteurs de Naksh-i-Rustam, de Persépolis, de Suse qui ont sublimé dans leurs œuvres une civilisation sauvage et itinérante, aient créé, eux aussi, un art miniature immortel. Cet art est singulièrement proche du nôtre, et il ne finira jamais, puisqu'une grande religion lui a insufflé son âme.

# Les Scythes

*Pendant plus de 1 500 ans, on avait perdu la trace des Scythes ; ils étaient morts dans la mémoire des hommes. Il y a cent ans seulement lorsqu'on découvrit les premiers tombeaux scythes, on commença de se pencher sur ce peuple mystérieux. Plus près de nous, on s'est mis à explorer la vie des peuples nomades qui sillonnent, longtemps avant la naissance de Jésus-Christ, à cheval ou en charrette, les steppes de la Russie méridionale et de la Sibérie.*

*« C'est au cours des cent dernières années seulement que la Russie méridionale et sa population est devenue une partie de l'Europe. Avant cette période, des tribus asiatiques y étaient plus chez eux que les Européens. »* (Ellis H. Minus, *Scythians and Greeks.* Cambridge, 1913, p. 1.)

« Q UAND on songe aux qualités humaines, les Scythes n'occupent la première place que sous un seul rapport. Hormis cela, je n'admire rien en eux. Mais ils dépassent tous les autres peuples par un fait : aucun de ceux qui les attaque ne leur échappe. S'ils ne désirent pas qu'on les trouve, personne ne peut s'emparer d'eux. »

Hérodote, le « Père de l'Histoire », né en 485 avant J.-C., avait visité personnellement le pays des Scythes. Ce pays se trouvait en Russie méridionale européenne, dans les régions de la mer Noire où s'étend aujourd'hui l'Ukraine. Le célèbre voyageur de l'époque préchrétienne avait visité l'ancienne fondation grecque d'Olbia — aujourd'hui Nicolaïev, à l'embouchure du Boug, dans la mer Noire —, il avait même entrepris un voyage sur le Borysthène. L'ancien Borysthène n'était autre que le Dniepr qui conduisait, à l'époque au cœur du pays des Scythes. Rarement témoin oculaire a exploré des régions plus intéressantes, car les Scythes sont un peuple énigmatique qui a fait son entrée

dans l'Histoire de l'humanité vers 700 avant J.-C., pour en sortir définitivement vers l'an 200 de notre ère.

Nous ne savons pas encore très bien aujourd'hui qui étaient les
Scythes, d'où ils étaient venus et à quels peuples ils s'apparentaient. Car
les Scythes n'avaient pas d'écriture, ils n'ont pas laissé de documents
écrits. On ignore d'une façon générale avec quelle rapidité les peuples
sans documents écrits se perdent dans le cours de l'histoire et combien
leur vraie importance disparaît derrière des peuples plus petits, mais
qui nous ont légué une abondante littérature. Vers 400 après J.-C., la
vie, les hauts faits et la gloire des Scythes avaient laissé si peu de traces
qu'ils s'étaient évanouis de la conscience du monde et que leurs tombeaux devaient attendre le siècle dernier pour qu'on se penchât de
nouveau sur leur cas. Nous savons aujourd'hui que les Scythes faisaient
partie, en ce qui concerne leurs mœurs, leur civilisation matérielle, leur
style de vie, des races les plus intéressantes qui aient erré sur ce globe.

Ce qui rend les recherches si difficiles est le fait que le terme de
« Scythes » ne délimitait pas, dans l'Antiquité, un peuple précis. Le terme
ne s'appliquait pas à un phénomène ethnographique : Hérodote voyait
dans les Scythes une puissance politique assez amorphe aux limites
changeantes. Mais nous avons dans l'Antiquité deux autres chroniqueurs
qui se sont occupés des Scythes. Le premier est le célèbre médecin grec
Hippocrate. Ce contemporain de Socrate, originaire de l'île de Cos,
s'intéressait davantage à la région géographique occupée par les Scythes
et à l'influence de la nature sur ce peuple.

Les Grecs appelaient les Scythes « Scythae ». Le nom se trouve pour
la première fois chez le poète Hésiode, au VIIIe siècle avant notre ère.
Les Scythes eux-mêmes s'appelaient « Scoloti ». Les Perses les désignaient sous le nom de « Sacae ». Nous ne savons rien de l'origine de
ce nom. Il est possible qu'il dérive du mot indo-européen « sequ »,
« poursuivre ». Il se pourrait aussi que le mot grec « Scythae » soit une
variante du nom hébreu d'Ashkenaz. Cet Askhenaz était, comme
nous lisons au livre de la Genèse (10, 3), un petit-fils de Noé. Selon
Jérémie (51, 27), on devrait chercher ce peuple dans la région occupée
par les Arméniens. Les Juifs ont désigné plus tard par « Ashkenaz »
l'Allemagne.

De fait, le mot de « Scythes » couvrait de nombreuses peuplades. On
voyait des Scythes partout, ils venaient et se retiraient, ils étaient par-ci
ils étaient par-là. Toutes les indications les concernant sont marquées
du signe bien oriental de l' « à peu près ». Les auteurs classiques de
l'Antiquité baptisaient du nom de « Scythes » tous les habitants barbares de la Russie d'aujourd'hui. Au Ve siècle avant J.-C., « Scythae »,

désignait les peuples de la Russie européenne. Lorsque Alexandre le Grand révéla l'existence de peuples analogues en Asie, on étendit ce terme également à la population asiatique. Hérodote distinguait entre les « peuples scythes » et les « Scythes authentiques », ce qui ressort nettement d'une phrase au IVᵉ livre de son *Histoire* (81) : « Il m'a été impossible d'avoir des renseignements sur le nombre des Scythes : j'ai recueilli des opinions divergentes, certains affirmant qu'il y en avait beaucoup, d'autres disant que les « *vrais* » Scythes étaient fort peu nombreux. »

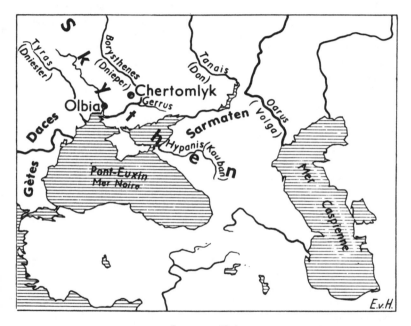

*La mer Noire.*

Pour cerner de plus près le problème, penchons-nous sur un texte d'Hippocrate où il décrit l'aspect extérieur des Scytheş. Dans son ouvrage sur *L'air, l'eau et les plantes*, le médecin grec raconte qu'ils étaient « gros et charnus, sans articulations apparentes, qu'ils se traînaient mollement, qu'ils avaient de gros ventres ». Hippocrate est d'avis que c'était la conséquence du manque d'exercices physiques et du fait qu'on ne les emmaillotait pas dans leur bas âge. Ils avaient un teint rouge « à cause du grand froid qui régnait dans leur pays ». Leur corpulence les empêchait d'être actifs.

Cette description cadre très mal avec les indications précises d'Hérodote. Pourquoi ne pouvait-on pas échapper à de tels individus ? D'autre part, Hérodote décrit les Scythes comme des voyageurs qui transportaient partout leurs tentes, comme des cavaliers et d'habiles tireurs. S'ils possédaient à la perfection l'art de monter à cheval, on ne peut guère supposer qu'ils étaient mous et pansus.

Hippocrate pense que la condition physique des Scythes était la conséquence d'une vie trop monotone. « Les hommes voyagent toujours à dos de cheval, les femmes ne quittent pas leurs charrettes. » Le teint rouge — peut-être rouge brique — pourrait s'appliquer aux Tartares. Kublai Khan, maître en 1260 de l'empire des Mongols, avait, nous le savons, un teint blanc et rouge. Gengis Khan, qui tenait sous la houlette des Mongols toute l'Asie centrale, de la Chine jusqu'à l'Oxus, s'étonnait d'avoir une peau bistre alors que la plupart des membres de sa famille avaient des cheveux roux et des yeux bleus. Le prince mongol Batou, qui, entre 1235 et 1246, soumit la Russie, dévasta la Pologne, la Silésie, la Hongrie, aurait été de teint rougeâtre. Le franciscain flamand de Ruysbroeck, qui entreprit entre 1253 et 1255, par ordre du pape Innocent IV et de Louis IX de France, une ambassade à la cour du prince mongol de Karakoum, et qui rédigea son rapport en langue latine, y mentionne le teint rougeâtre du Batou Khan. La phrase qui s'y rapporte doit être traduite ainsi : « Sa figure était couvertes de taches rouges. » En ce qui nous concerne, nous avons vu, sur les rives de la Volga, des Tartares dont la face était grise tirant sur l'olivâtre. Il ne faudrait pas oublier pourtant que la couleur de la peau peut changer au cours des siècles, et que 700 ans permettent à une race de se mélanger avec d'autres.

Hippocrate nous dit encore que les Scythes étaient tout à fait indifférents en amour. Ce serait, d'après lui, une conséquence de la vie de cavalier. Mais cela n'était vrai que pour la classe supérieure. Quant au peuple, il ne manquait nullement de tempérament. Pline mentionne dans son *Histoire naturelle* les Massagères, parmi les peuplades de la Russie asiatique. Chez eux, chaque homme avait une femme qui lui appartenait. Mais chacun partageait aussi sa femme avec les autres. Ce serait là une coutume des Massagètes, *mais non des Scythes*. Marco Polo nous raconte, en parlant des Tartares qu'on a souvent comparés aux Scythes, que l'infidélité conjugale était considérée, chez eux, comme un vice, vice non seulement condamnable mais universellement méprisé (I, chap. 47). Nous ignorons si les Scythes étaient vraiment monogames ou polygames. Dans la plupart des tombeaux scythes on a trouvé des femmes, obligées de suivre leurs maris dans la mort et enterrées séparément, bien que dans la même tombe. Dans les tombeaux scythes de Pazyryk, à l'est du cours supérieur de l'Ob, il y avait des femmes dans le même cercueil que les hommes. L'archéologue Tamara Talbot Rice en conclut que la femme ainsi inhumée avec son mari était une femme légitime et non pas une concubine. Il est certain que les femmes jouaient chez les Scythes un rôle secondaire. Mais on aurait bien tort d'interpréter la coutume qui voulait qu'une femme fût tuée à la mort de son mari comme un signe de mépris : c'était, tout au contraire, un honneur qu'on rendait ainsi à la femme.

Chez les tribus hamites des bords du Nil, en Afrique orientale, et plus spécialement chez les Nandis, il était d'usage, lorsqu'un homme se rendait dans une cabane avec la femme d'un autre qu'il plantât sa lance dans le sol, devant l'entrée. Hérodote nous rapporte des coutumes analogues chez les Massagètes, lesquels accrochaient leur carquois à leur roulotte, quand ils ne voulaient pas être dérangés pendant un rendez-vous avec une femme étrangère.

On est en droit de se demander si de telles amours de tente à tente étaient possibles chez les Scythes, car chez les peuples polygames d'Asie, chez lesquels la femme joue un rôle inférieur, elle doit bien partager le purdah avec les autres femmes, mais elle n'en est pas moins la propriété d'un seul homme.

On a révélé de nombreuses ressemblances entre les Scythes de l'Antiquité et les Russes. Elles sont dues au fait que les Russes ont hérité quelques acquisitions culturelles des Tartares, et qu'ils se sont mélangés depuis des siècles avec les Tartares. Ainsi, la ressemblance entre Russes et Scythes est fondée sur un chaînon intermédiaire : les Tartares. Grâce aux Cosaques, les Russes ont fait de nombreux emprunts aux tribus nomades de leur vaste empire. Les Cosaques, en effet, ont souvent copié leurs ennemis dans le domaine du cheval et de l'habit. Beaucoup de termes russes désignant des objets vestimentaires sont d'origine tartare. Hérodote rapporte — en parlant des « Argippaei » qui portaient des vêtements scythes — qu'ils avaient un nez écrasé et un grand menton; ces observations ont été confirmées au XVIIᵉ siècle par des récits de voyage de l'époque. On y dit la même chose en parlant des Tartares. Les Tartares de la Crimée sont souvent petits, corpulents et ont de grandes figures percées de petits yeux.

Tout comme les Tartares, les Scythes nomades ne semaient pas, ne labouraient pas, ne construisaient pas de maisons. Ils promenaient avec eux des roulottes habitables traînées par des chevaux. Ces roulottes se composaient d'une sorte de panier carré en osier, semblable à une caisse, et dont la partie supérieure était renforcée de feutre et passée au suif ou au lait de brebis, pour la rendre étanche à la pluie. Marco Polo nous dit la même chose des Tartares. Il croit savoir qu'ils se nourrissent exclusivement de viande et de lait, qu'ils changent souvent de résidence afin de disposer de nouveaux pâturages.

La langue ne permet pas de déterminer l'origine des Scythes. Beaucoup de savants optent pour une descendance mongole, d'autres les rangent parmi les peuples iraniens ou, d'une manière générale, indo-européens. V. T. Miller déclarait à Moscou, en 1887, que la langue scythe était apparentée à la langue iranienne mais comportait aussi de nombreux éléments de l'Oural et de l'Altaï. Le professeur T.I. Mishchenko, qui traduisit Hérodote en russe, défendait une thèse silimaire. L'Anglais Ellis H. Minns, auteur d'un voyage très important sur les Scythes et les Grecs, paru en 1913, croyait également reconnaître dans la langue scythe des éléments iraniens et des influences mongoles.

Comme il ne nous est pas possible d'isoler les Scythes des autres peuplades ayant habité la Russie méridionale, en nous fondant sur des sources historiques, sur des recherches linguistiques ou ethnologiques, il nous reste l'espoir de les caractériser par leur squelette. On a trouvé sous les tertres funéraires de la Russie méridionale, de l'Europe orientale et de l'Ouest sibérien, dans les célèbres « Kurganes », des vestiges d'ossements qui appartenaient sans doute à des Scythes. Si les crânes de ces squelettes étaient tous courts ou allongés, les anthropologues seraient à même de tirer certaines conclusions quant à l'appartenance raciale de ces individus. Hélas, il n'en est rien! C'est ainsi qu'on a trouvé, par exemple, dans le fameux tombeau de Chertomlyk, dans la vallée du Dniepr, cinq crânes datant du IV<sup>e</sup> siècle avant J.-C. K. E. von Baer nous en a donné une description. Deux étaient courts, deux allongés, un de dimensions moyennes. Il y eut de tout temps des peuples chez lesquels la classe régnante n'appartenait pas au même type ethnique que la classe inférieure. Mais les archéologues ne sont pas en mesure de déterminer qui étaient les maîtres, qui les serviteurs. Un savant russe, le prince Bobrinskoï, après de longues études et observations, déclarait qu'une partie des ossements scythes indiquait des origines mongoles alors que d'autres portaient des caractères européens. Aujourd'hui, les spécialistes sont d'avis que les Scythes étaient d'origine iranienne et faisaient partie, de ce fait, du groupe indo-européen. Ils parlaient tous la même langue, un dialecte iranien.

Même si nous ne pouvons plus déterminer avec précision les origines ethniques des Scythes, nous avons sous nos yeux les vestiges d'une

*Les perches que les Scythes utilisaient comme emblème pour les chefs de guerre ou pour les cérémonies d'enterrement, étaient surmontées de tels animaux. L'anneau sous la tête du chevreuil servait probablement à fixer des rubans multicolores faits de cuir, de paille ou de feutre. Ce bronze, recouvert d'une belle patine, date du VII<sup>e</sup> au VI<sup>e</sup> siècle avant J.-C. Il a été trouvé dans un kourgane, sur la rive sud de la rivière Kouban (photo Alfred Salmony, Sino-Sibirian Art).*

civilisation presque légendaire. Nos premières connaissances dans la matière remontent à l'époque où le général russe Melgounov découvrit, en 1763, les premiers tombeaux scythes, où Clarke, Peter Simon Pallas, Dubois de Montpéreux, Soumarokov et beaucoup d'autres, mirent la main sur les tertres mortuaires mystérieux qui dataient de 2 500 ans. Wilhelm Radloff fit une trouvaille particulièrement importante, en 1864, près de Katanda, dans l'Atlaï méridional : c'était une nécropole de dimensions impressionnantes. Radloff naquit en 1837 à Berlin, étudia la turcologie et voyagea depuis 1858 en Russie en qualité d'inspecteur des écoles tartares. Les découvertes de Radloff mirent en évidence qu'il y avait des tombeaux scythes même dans l'Atlaï méridional, en Sibérie occidentale, à 2 600 kilomètres du Dniepr, du Don et du Kouban, berceaux des premières trouvailles. Radloff avait mis la main sur des tombeaux qu'une épaisse couche de glace avait protégés pendant des millénaires à tel point que les morts s'y trouvaient encore revêtus de leurs habits. Le savant russe remit au jour également des offrandes qu'on avait données aux morts, de beaux objets de bronze : c'est ainsi qu'on assista à la résurrection d'une civilisation ensevelie depuis des siècles ! Quand la glace fondit, une partie des objets se décomposa avant qu'on pût la mettre à l'abri.

Un peu plus tard, le savant russe S. I. Rudenko découvrit dans la vallée du Pazyryk, dans l'Altaï, une quarantaine de tombeaux que d'épaisses couches de glace avaient conservés dans le sol sibérien. L'art, la vie, l'histoire des antiques habitants des steppes eurasiennes apparurent sous un jour tout à fait nouveau.

Le peuple disparu des Scythes a ressuscité grâce à la découverte d'innombrables tertres mortuaires. Nous voyons passer à cheval ces archers intrépides ! Nous admirons de près les rois et les chefs de tribus ! Nous nous penchons sur leurs tombes où ils reposent avec leurs chevaux et une suite nombreuse. Nous examinons leurs merveilleuses parures en or, leurs dieux, leurs sacrifices, leurs animaux, leurs devins, dont l'existence n'était pas une partie de plaisir...

# Les rois
# des Scythes et
# leurs compagnons

*Les Scythes, peuple de cavaliers, étaient supérieurs aux Cimmériens, qui combattaient à pied alors que les Scythes mettaient en ligne leur dernière invention, la cavalerie de guerre! Ce furent les Amazones qui scellèrent la perte des Scythes! Quand un roi scythe tombait malade, tous les hommes étaient en danger. Dans la mort, un roi scythe n'était jamais seul.*

*« Après s'être oint et lavé la tête, les Scythes procèdent de la façon suivante : Ils dressent trois perches l'une appuyée contre l'autre, les couvrent de bâches en feutre, les fixent solidement et lancent ensuite des pierres chauffées à blanc dans un vase placé à l'intérieur des perches et des bâches. Il y a du chanvre dans leur pays... Les Scythes prennent donc de la semence de chanvre, s'introduisent sous les couvertures de feutre et posent la semence de chanvre sur les pierres rougies au feu. Elle répand alors de la fumée et de la vapeur mieux qu'une étuve de Grèce. Et les Scythes hurlent de plaisir dans leur bain de vapeur. »* (Hérodote, IV, 73-75.)

V ERS 1200 avant Jésus-Christ, un peuple étrange venu d'Europe centrale pénétra en Russie. C'était, d'après les récits grecs les plus anciens, le peuple des Cimmériens, « un peuple originaire de l'extrême ouest, du bord de l'Océan, enveloppé de ténèbres et de brumes ». On ignore qui étaient ces « habitants des régions océaniques, près de l'entrée de l'Hadès, où le soleil ne brille jamais », dont parle Homère. Il est possible qu'il s'agît de peuplades d'origine sémitique. André Dazier (1651 à 1722) suppose que leur nom dérive peut-être de « kimmer » = « se noircir » ou du terme phénicien « kamar » =

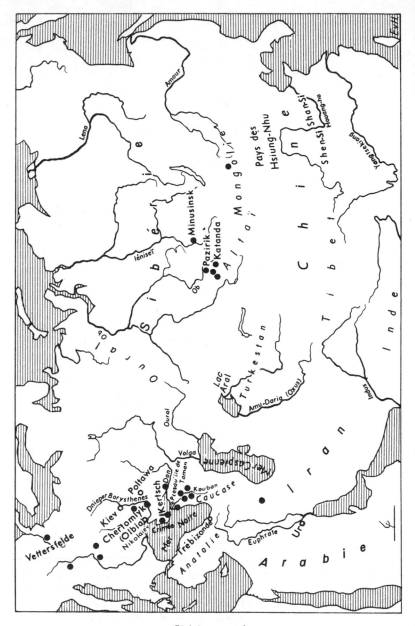

L'Asie centrale.

« sombre ». Les Cimmériens n'étaient pas un peuple scythe; on ne doit pas non plus les confondre avec les Cimbres, d'origine germanique. Les Cimmériens historiques étaient établis vers 1000 avant J.-C. sur les bords du détroit de Kertch, qui s'appelait dans l'Antiquité le « Bosphore cimmérien ». Étant donné que les historiens occidentaux ont toujours traité comme des unités séparées l'Histoire de l'Europe et l'Histoire de l'Asie, on a longtemps négligé de démontrer l'étroite corrélation entre les événements qui touchaient l'ensemble du continent eurasien. En réalité, il y a toujours eu interdépendance entre les faits historiques survenus dans les Balkans et en Europe centrale, mais aussi dans les immenses territoires s'étendant de la Chine à l'ancienne Rome, en passant par l'Asie centrale, la Russie, la Grèce. On a tant fait de découvertes, ces dernières années, entre le Dniepr et l'Iénisséi, entre l'Oural et le désert de l'Ordos, qu'on serait aujourd'hui en mesure d'écrire pour la première fois une Histoire de l'Eurasie. L'Histoire doit être réécrite à chaque moment, car chaque moment nous révèle de nouveaux aspects du passé. Un recul de plusieurs siècles est parfois nécessaire pour mesurer l'importance et les prolongements d'un événement historique. L'impulsion donnée par des peuples asiatiques aux grandes migrations européennes est le thème actuel de la réorientation historique moderne. Les événements de Chine ne sont pas restés sans influence sur les faits historiques européens. Les hordes d'Asie centrale observaient avec attention en Europe, les grands bouleversements dus à la disparition de l'empire romain, à la poussée des peuples germaniques vers l'ouest, à l'immigration des peuplades slaves en Europe centrale et méridionale, à la Renaissance et à la revalorisation des classiques de l'Antiquité, aux expéditions et voyages qui aboutirent à la découverte du Nouveau Monde. Le sinologue américain William Montgomery McGovern a pleinement reconnu ces faits en 1939 et les a expliqués.

L'empereur de Chine Hsuang Wang, qui régna de 827 à 781 avant J.-C., intervint indirectement dans l'Histoire de l'Europe. On avait vu apparaître en Chine, à l'époque de la dynastie des Chous à laquelle il appartenait, les Hsiung Nu, sorte de demi-nomades venus du nord et du nord-ouest de la Chine. Ce peuple guerrier, qui se déplaçait à cheval, est connu dans l'histoire européenne sous le nom de « Huns ». Lorsque ces Hsiung Nu firent irruption en Chine, l'empereur de Chine partit en guerre contre eux et les vainquit dans la région où se trouvent de nos jours les provinces de Chan-si du Nord. Il pourchassa ce dangereux adversaire jusque dans la montagne, base de départ des nomades pour leurs expéditions guerrières dans les plaines fertiles de la Chine.

Les Hsiung Nu se retirèrent donc vers l'ouest à la recherche d'autres pâturages, repoussant d'autres peuples nomades et déclenchant ainsi en Asie centrale des migrations qui s'étendaient jusqu'aux Massagètes, lesquels vivaient entre la mer Caspienne et le lac d'Aral. Ces puissantes peuplades qui, à en croire Strabon, tuaient leurs vieillards pour s'assurer une plus grande liberté de manœuvre, s'attaquèrent aux Scythes pour s'emparer de leurs pâturages. Les Scythes, qui occupaient à l'origine peut-être le Turkestan oriental, se retournèrent alors contre les Cimmériens orientaux. La vague de migrations qui s'empara de l'immense steppe asiatique était peut-être due en partie à la terrible sécheresse qui y sévissait vers 800 avant J.-C., et qu'ont évoqué Ellsworth Huntington et Tamara Talbot Rice. Les Scythes sortirent vainqueurs des guerres qui les opposaient aux Cimmériens. Pour quelles raisons?

Les hordes scythes fonçaient à cheval sur l'ennemi, le battaient quand l'occasion s'y prêtait, et se retiraient rapidement pour échapper ainsi à quelque retour offensif. Les Cimmériens, qui se déplaçaient à pied, n'étaient pas en mesure de se défendre efficacement. C'est ainsi que les Scythes avancèrent vers l'ouest, occupant la Russie méridionale et s'y établissant en partie comme nomades, en partie comme population sédentaire. C'est là que commença la vraie histoire du peuple scythe. Ils étaient certainement des adversaires dangereux sur le champ de bataille. En 512 avant J.-C., ils réussirent à repousser une tentative d'invasion du roi des Perses Darius. En 325, ils exterminèrent un corps expéditionnaire qui les attaqua sous la conduite d'un général d'Alexandre le Grand, Zopyrion. Après 300 avant J.-C., enfin, les Celtes les chassèrent des Balkans et de l'est de l'Europe centrale, plus tard les Sarmates les expulsèrent de Russie méridionale. On peut s'imaginer que les grandes conquêtes, les énormes butins en or et en esclaves ont transformé un peuple guerrier en sybarites. Mais il est concevable aussi que ce sont *les femmes* qui ont causé leur perte. Les femmes scythes étaient les esclaves des hommes. Au cours d'interminables migrations, on n'avait — paraît-il — pas le temps de traiter ses propres femmes autrement que les milliers d'esclaves féminines qu'on traînait de place en place. C'est ainsi qu'on enfermait les femmes scythes — de même que les esclaves étrangères — à l'intérieur de chariots, ce qui entamait à la longue leur santé — comme nous le rapporte le médecin Hippocrate.

Les vainqueurs des Scythes, les Sarmates, avaient des femmes d'une autre trempe. Elles prenaient part aux expéditions guerrières, se déplaçaient librement à cheval et fournissaient ainsi la base de la tradition antique des Amazones. D'après la légende, les Amazones étaient des femmes guerrières. Leur nom dérive du grec et veut dire « sans mamelles », car d'après Hippocrate elles avaient le sein droit mutilé pour mieux pouvoir tendre la corde de l'arc. Cette explication relève probablement de la plus haute fantaisie. Il est bien plus probable que leur nom s'apparente au terme « maza », qui, en langue tcherkesse, veut dire « lune », ce qui indiquerait quelque culte lunaire. Les Scythes appelaient les amazones sarmates : « oiorpata », de « oior » = homme et « pata » = tuer. On sait que des amazones vivaient sur les rives orientale et méridionale de la mer Noire, et dans le Causase, surtout dans la région de Trapézus, aujourd'hui Trébizonde, port sur la mer Noire, au nord-est de l'Anatolie.

*Cet objet scythe en bronze mesure 17 cm de long. Il s'agit peut-être d'une copie en miniature d'un décor de char ou d'un joug fabriqué pour être mis dans la tombe d'un mort illustre (photo Alfred Salmony, Sino-Sibirian Art).*

Les Grecs entendaient par Scythes exclusivement des nomades. Mais d'après Hérodote, il y avait aussi des « Scythes laboureurs », des « Scythes royaux », des « Scythes de charme », qui vivaient en Ukraine et qui, imposant leur joug aux populations autochtones, vendaient leurs excédents de blé aux Grecs des rives de la mer Noire. Ils acceptaient en échange des poteries et des objets en métal. Hérodote raconte encore que les Scythes, nomades et cavaliers, ne se nourrissaient pas, d'une manière générale, de plantes cultivées, mais de viande; qu'ils ne vivaient pas dans des villes ou des forteresses, mais dans des roulottes sans cesse en déplacement. Les plaines des Scythes étaient riches en pâturages, traversées de fleuves et, de ce fait, fertiles. Hérodote ajoute, d'un air mystérieux, que l'herbe de Scythie était aussi la nourriture qui donnait *« le plus de bile »* au bétail.

Nous apprenons également que les Scythes avaient des dieux aux noms étranges : le dieu suprême s'appelait Papaios, son épouse Api, leur fils Goitosyros; l'Aphrodite scythe avait pour nom Argimpasa, le Neptune scythe Thagimasadas. Les Scythes ignoraient statues, autels, temples. Hérodote raconte que leurs seuls autels et images étaient consacrés au dieu qui correspondait au dieu grec Arès.

On offrait des sacrifices aux dieux. On liait les pattes de devant des victimes ; le prêtre les tirait en arrière par une corde pour les faire tomber. Ensuite, le prêtre s'adressant au dieu, jetait un nœud coulant autour du cou de l'animal et l'étranglait à l'aide d'un garrot. Comme on « manquait terriblement de bois », les Scythes procédaient de la façon suivante : ils ôtaient la peau des bêtes et séparaient les os de la chair. S'ils avaient des chaudrons, ils y faisaient bouillir la viande. Ils utilisaient alors les os pour faire du feu. S'ils n'avaient pas de chaudrons, ils jetaient la chair dans l'estomac de l'animal, ajoutaient de l'eau et allumaient au-dessous un feu d'os. « Les os brûlent admirablement », ajoute Hérodote « et l'estomac de l'animal est assez grand pour contenir l'essentiel de la chair détachée des os. Ainsi le bœuf se cuit lui-même, et d'une manière générale tous les animaux sacrificiels ». On offrait de préférence des chevaux. Les Scythes avaient un rite spécial, qui consistait à jeter à terre les meilleurs morceaux de viande et les viscères des bêtes sacrifiées.

Quant à Arès, on lui vouait un culte différent. Les Scythes érigeaient partout des sanctuaires consistant en brindilles amoncelées en tas. Tout en haut, ils enfonçaient une vieille épée devant une image sacrée d'Arès. On offrait des chevaux et d'autres animaux à cette épée. Mais ce n'était pas assez. Un prisonnier sur cent était également sacrifié. Les Scythes arrosaient de vin la tête des prisonniers, les abattaient au-dessus d'un récipient et versaient le sang recueilli sur l'épée. Ensuite ils détachaient le bras droit des victimes et le lançaient en l'air. On le laissait à l'endroit même où il retombait. Hérodote explique que les porcs n'étaient pas sacrifiés, qu'on ne mangeait pas de viande de porc, et qu'on ne pratiquait pas l'élevage de cet animal.

Les mœurs de guerre des Scythes étaient cruelles. Quand un Scythe avait tué un ennemi il se mettait à en boire le sang. Il rapportait les têtes de ses victimes à son roi. C'est à la suite de ce geste qu'il avait droit à une part du butin. Il attachait le scalp de son ennemi aux rênes de son cheval « en façon de serviette », et « s'en glorifiait », toujours selon Hérodote. Celui qui avait le plus de scalps récoltait le plus d'honneurs. Les Scythes fabriquaient aussi des manteaux avec les peaux de leurs victimes, ou bien ils les empaillaient pour les promener sur leurs chevaux. On ne peut même pas citer tous les usages de ce peuple sauvage de guerriers, car certains offenseraient le bon goût. On sait toutefois qu'ils recouvraient de cuir les crânes de leurs pires ennemis et les utilisaient comme coupes, et s'ils étaient assez riches, ils les faisaient dorer.

Les mœurs étaient tout aussi rudes quand il s'agissait de disputes entre proches parents. Lorsque le roi avait prononcé son verdict, le vainqueur traitait la tête de son adversaire « selon l'usage établi ». Il invitait des amis, leur servait à boire dans des « coupes », tout en faisant le récit des offenses endurées et de la victoire finale du bon droit : « C'est ce qu'ils appellent des exploits de héros », ajoute Hérodote dégoûté.

Une fois par an, chaque prince scythe remplissait un grand cratère de vin. Tous ceux qui avaient tué au moins un ennemi sur les champs de bataille avaient le droit d'y boire. Cet honneur était refusé à « ceux qui étaient sans gloire ». Ceux qui avaient beaucoup de scalps avaient droit à deux coupes de vin. Il est probable qu'il y avait des Chamanes chez les Scythes. Car leurs « évocateurs d'esprits » étaient sans doute autre chose que de simples « devins ». Ils ramassaient de gros fagots de branches de saules, les déposaient sur le sol et les agitaient en tous sens. Ils reprenaient ensuite les badines une à une, prédisaient l'avenir et les réunissaient de nouveau en fagots. Ce jeu recommençait ensuite pour d'autres prophéties. Hérodote nous parle également des devins scythes, appelés Enarées. Ce terme est la traduction grecque d'un mot scythe inconnu qui désigne des hommes dont la virilité se perdait peu à peu. C'étaient donc des « hommes-femmes », qui disaient l'avenir en se servant d'écorces de tilleul.

Tous ces sages et tous ces mages jouaient un grand rôle chez les Scythes, surtout quand le roi tombait malade. On appelait alors à son chevet les plus célèbres. Ils déclaraient que l'un ou l'autre Scythe s'était rendu coupable de parjure devant l'âtre du roi. Ils nommaient le coupable. Il était d'usage de prêter serment, quand il s'agissait d'affaires importantes, devant « l'âtre du roi ». Le trône du roi, l'âtre circulaire évoquent bien la civilisation mycénienne, Nestor dans son palais de Pylos. Mais les Scythes étaient un peuple migrateur. J'ai passé moi-même de nombreuses nuits dans de grandes tentes mongoles, auprès de princes qui se tenaient sur un siège surélevé, face au feu ouvert, dont la fumée s'échappait par une ouverture ménagée dans la partie supérieure de la tente. Le Scythe accusé de parjure était donc appelé : les mages lui annonçaient que les augures le désignaient comme coupable, et cause de la maladie du roi. La personne ainsi incriminée niait et se mettait à pousser des lamentations. Le roi faisait alors appeler trois autres mages : si ceux-ci partageaient l'avis de leurs confrères, le coupable était immédiatement décapité. Les trois premiers mages se partageaient alors entre eux sa fortune.

Le jeu n'était pas tout à fait sans danger pour les mages scythes eux-mêmes : au cas où le deuxième « triumvirat » ne concluait pas à la culpabilité de l'accusé, d'autres mages étaient appelés à la rescousse.

On ne se fiait pas, chez les Scythes, comme c'est l'usage aujourd'hui chez nous, à l'avis d'un seul ou de quelques spécialistes. Si la majorité des mages acquittait l'accusé, les trois premiers mages étaient immédiatement exécutés. Cette exécution n'était guère agréable : on chargeait un chariot de brindilles, les « mauvais mages » étaient liés par les mains et les pieds, bâillonnés et attachés sur les fagots. On mettait alors le feu au chariot attelé de taureaux; les taureaux s'affolant prenaient la fuite en entraînant le chariot comme un flambeau emporté par les vents : « Beaucoup de taureaux périssent ainsi avec les mages », raconte Hérodote, mais d'autres s'en tirent lorsque le timon est brûlé — Hérodote parle évidemment des taureaux. Lorsque le roi avait décidé la mise à mort d'un homme, on tuait également tous les membres mâles de sa famille, mais on ne touchait pas aux femmes et aux jeunes filles.

Comme Hérodote s'était lui-même rendu sur les bords du Borysthène, nous n'avons aucune raison de mettre en doute le récit qu'il nous fait de l'inhumation des rois scythes. On creusait une fosse rectangulaire. Le corps du roi était embaumé : on retirait ses viscères, on les remplaçait par des épices, de l'encens, des graines d'ache et d'aneth. Ensuite on recousait le corps et on l'enduisait d'une couche de cire.

Pour prouver leur fidélité au roi décédé, les Scythes coupaient de petits morceaux de leurs oreilles, se rasaient le crâne, se tailladaient les bras, s'égratignaient le nez et le front, perçaient leur main gauche à l'aide d'une flèche. Ainsi arrangés, ils déposaient leur roi sur un chariot et le transportaient chez une tribu voisine, qui devait lui prouver son attachement de la même manière. Le cortège prenait alors le chemin de la tribu suivante, jusqu'à ce que tous les sujets du roi eussent prouvé leur fidélité au souverain de cette même manière si simple et si cordiale! Sur le lieu de l'inhumation, on déposait enfin le corps du roi sur une natte, on dressait des lances à droite et à gauche, on couvrait le tout d'un treillis de feuilles. Une des femmes du roi, au moins, était alors étranglée, de même que l'échanson, le maître queux, le grand écuyer, le valet de corps, le premier messager. Un grand nombre ( e chevaux suivait le roi dans la tombe. Toutes ces victimes étaient inhumées « dans le vaste espace de la tombe ». On ajoutait des objets sacrificiels et surtout des coupes d'or. Lorsque le caveau était suffisamment garni, tous s'appliquaient à entasser de la terre pour élever un tertre aussi grand et aussi haut que possible.

Tout cela n'était pas suffisant pour bien honorer le roi décédé. On attendait une année avant d'étrangler les jeunes serviteurs du roi — mais seulement les plus intimes — lesquels avaient ainsi la chance et l'honneur ineffables d'accompagner leur souverain dans l'au-delà.

Le nombre des serviteurs ainsi honorés ne devait pas dépasser cinquante! On vidait également cinquante des plus beaux chevaux, on les nettoyait, on les remplissait de balle et on les recousait. On dressait ensuite des catafalques sur les chariots. Les animaux abattus y étaient suspendus avec leurs harnais, leurs mâchoires, leurs rênes. On installait sur les cinquante chevaux les cinquante jeunes hommes tués, et l'on plaçait cette cavalerie terrifiante tout autour de la tombe du roi. A la suite de quoi les Scythes abandonnaient leur roi, réconfortés par le sentiment qu'ils avaient ainsi adouci quelque peu sa solitude.

Que ceux qui croient que ces récits écrits en 450 avant J.-C. et qui rapportent des faits déjà vieux de 300 ans à cette époque sont le produit d'une imagination fertile, aillent consulter les archéologues : ils les leur confirmeront par leurs dernières découvertes. Les tombeaux scythes mis au jour en Russie et les remarquables découvertes de ces nécropoles prouvent l'exactitude rigoureuse des observations d'Hérodote. Avant de les passer en revue, écoutons d'abord ce que nous disent Marco Polo et certaines annales chinoises des Mongols et des Turkmènes.

*Cercueil en bois trouvé en 1950 à Basadur, en Sibérie. Le cadavre se trouvait encore dans le cercueil. La gravure du tigre sur la paroi de bois, les 18 chevaux enterrés avec le prince, tout cela prouve que nous avons affaire à un peuple ayant des analogies avec les Scythes (photo Ermitage, Leningrad).*

# Rois,
# concubines,
# chevaux

*Les morts, dans les tombeaux scythes, étaient richement parés.*
*Il est impossible d'évaluer les quantités d'or enfouies sous les*
*tertres funéraires. Ce culte des morts prouve à quel point les*
*Scythes croyaient à la vie de leurs princes dans l'au-delà. Leurs*
*richesses, les réalisations de leur art, leurs vies elles-mêmes allaient*
*rejoindre les ténèbres des Kourganes.*
   *« Le récit fait par Hérodote des inhumations scythes s'accorde*
*si bien avec les trouvailles des archéologues que les deux sources*
*d'informations se complètent réciproquement. »* (Ellis H. Minns,
*Scythians and Greeks*, Cambridge, 1913, p. 87.)

E N L'AN 1300, Marco Polo raconte qu'on avait porté les souverains
turco-tartares décédés sur une montagne pour les inhumer :
« Je vous dirai des choses curieuses, écrit le Vénitien : quand ils
accompagnent leur souverain sur le lieu de la sépulture, ils tuent toutes
les personnes qui croisent le cortège mortuaire, en criant : « Vas-y,
et sers ton maître dans l'autre monde! » Ils font de même avec les
chevaux! Car lorsqu'un souverain vient à mourir, ils abattent ses
meilleurs chevaux pour qu'il puisse s'en servir dans l'autre monde.
Je ne vous rapporte que des faits vraiment établis : A la mort de Mangou
Khan, plus de 20 000 personnes furent ainsi abattues parce qu'elles
croisaient par hasard le convoi funèbre. » A la mort du Gengis Khan,
40 jolies filles durent accompagner le souverain dans sa tombe. Wilhelm
de Ruysbroek raconte, vers 1260, après son voyage à la cour du prince
mongol de Karakorum : « Ils dressaient un grand tertre sur la tombe
de leurs morts et y plaçaient leur image, une coupe à la main, le visage
tourné vers l'orient. Je vis la tombe fraîche d'un prince, entourée de

16 peaux de chevaux, 4 pour chaque coin du monde, suspendues sur de hauts échafaudages. Ils mirent dans la tombe des boissons et de la viande. Malgré tout cela, ils affirmaient avoir été baptisés au nom du Christ. »

L'auteur arabe Ibn Battuta, qui avait traversé, vers 1350, de vastes régions d'Asie centrale et du Proche-Orient, qui avait vu les Indes, la Chine, Sumatra, l'Afrique du Nord et de l'Est, nous fait le récit des funérailles d'un khan au cours d'une bataille. Le mort fut dressé sur une couche soigneusement préparée, dans une grande tombe. On lui donna ses armes, ainsi que tout l'or et tous les vases d'argent de sa maison. Quatre de ses femmes-esclaves et six de ses mameluks préférés, chargés de récipients, durent le suivre dans la tombe. On tua quatre chevaux et on les suspendit sur le tertre, à la manière décrite 1 800 ans plus tôt par Hérodote. On tua également les parents et les proches du Khan, et on les inhuma avec leurs vases d'or et d'argent. On accrocha aux portes de dix parents chaque fois trois chevaux, un seul cheval devant la porte des autres chambres mortuaires. Ceci eut lieu dans la province chinoise de Shen-si.

On a trouvé à Orkhon une inscription du 1er août 732 qui ne manque pas d'intérêt. C'est le premier texte en langue turque, rédigé par Jolygh Tigin à la mémoire de Bilgä ou Pitkia, khan des Turques. Nous y lisons : « Mon père le Khan mourut dans l'année du Chien, au trente-sixième jour du dixième mois. J'ordonnai ses funérailles au trente-septième jour du cinquième mois de l'année du Porc. Lisun-tai vint à moi, à la tête de 500 hommes. Ceux-ci apportèrent une quantité énorme de parfums, d'or et d'argent. Ils apportèrent aussi du musc et du bois de santal pour l'enterrement. Tous ces hommes en deuil s'étaient coupé les cheveux et avaient mutilé leurs oreilles. Ils donnèrent leurs meilleurs chevaux, leurs zibelines noires, leurs écureuils bleus en très grand nombre. »

Nous savons que les Huns se mutilèrent à la mort d'Attila et que cet usage resta vivant chez les peuples turkmènes jusqu'au XIXe siècle. La coutume de donner aux morts des chevaux sacrifiés existait chez les Avares, chez les Magyars, chez les anciens Bulgares, ainsi que chez les Koumanes, peuple turkème aujourd'hui disparu, et qui était complètement magyarisé au XVIIIe siècle. Chez les Yakoutes, les Vogoules les Yaks orientaux, les Tchouvaches, on empaillait les chevaux avant de les donner aux morts. Chez les Kirghizes, on fait don d'un cheval au moment de l'enterrement, mais on le sacrifie seulement le jour anniversaire de la mort. On sait également que les Chinois donnent toujours à leurs morts un cheval en bois, en carton-pâte ou en papier, qui accom-

*L'art scythe s'étend à l'est jusqu'en Mongolie. Ce morceau d'un tapis tissé a été découvert dans la tombe d'un prince mongol à Noin Ula, et date du I<sup>er</sup> siècle après J.-C. L'image du griffon attaquant un élan est un beau spécimen de l'art scytho-sibérien (photo Ermitage, Leningrad).*

*Dans le groupe des « sept frères » des kourganes du Kouban, le baron von Tiesenhausen découvrit le squelette d'un homme accompagné de cette plaque d'or et de beaucoup d'autres trésors. (photo Ellis H. Minns, Scythians and Greeks).*

pagne le convoi funèbre et qui est brûlé au moment de l'enterrement.

Les trouvailles archéologiques ont confirmé de façon étonnante tout ce que nous dit Hérodote sur les Scythes. Depuis plus de 70 ans, on remet au jour, surtout chez les Russes, des « kourganes » : Kourgane est un terme tartare, repris par les Russes et qui désigne un « tertre ». La région où l'on trouve des kourganes scythes est très étendue. Il y en a au bord de la mer Noire, dans le bassin fluvial du Kouban, sur le cours inférieur de la Volga, dans l'Oural, sur les rives du Don, du Dniepr, du Boug, en Roumanie, en Hongrie, en Bulgarie. Il y en a même à Vettersfelde, dans la Marche de Brandebourg, dans l'Atlaï, à Minusinsk sur l'Iénisséi, en Sibérie occidentale. Tous ces tombeaux scythes datent du VIe au IIIe siècle avant Jésus-Christ.

N. J. Weselowski nous a raconté en 1912 et 1923 ce qu'on a trouvé dans ces tombes. Ce savant russe avait mis au jour le kourgane de Solocha, dans la vallée du Dniepr, dans le district de Mélitopol. Il découvrit dans une tombe latérale le cadavre parfaitement conservé d'un prince scythe, la tête tournée vers l'est, avec toutes ses armes et toutes ses parures. A ses pieds se trouvait un poignard de fer muni d'une poignée en os. A la partie inférieure du squelette, on découvrit trois cents plaques en or façonnées à l'emporte-pièce de formes et de décorations diverses. La tombe contenait en outre un collier d'or, cinq bracelets d'or, une épée de fer longue de 50 cm, munie d'une poignée plaquée d'or et d'une gaine également plaquée d'or. A droite de la tête du mort se trouvait une cuirasse d'écailles en fer. Le casque avait glissé de la tête du mort, de même qu'un peigne d'or, portant l'image de Scythes au combat. Ce peigne est une des pièces d'orfèvrerie les plus remarquables découvertes en Russie méridionale. Il y avait encore, dans la chambre mortuaire, un sceptre, des pointes de flèches en bronze, une deuxième épée, six vases d'argent avec des représentations de Scythes, un récipient en bois plaqué d'or, une coupe d'or, sur la coupe un « goryt » plaqué d'argent contenant 180 flèches. Un « goryt » est un récipient destiné à l'arc et aux flèches. Il était en usage chez les Scythes, les Saces, les Perses. Contre la paroi nord de la chambre mortuaire se trouvait le squelette d'un homme qu'on avait donné au mort à titre de serviteur. Il était bien armé pour affronter l'au-delà : une épée courte, une cuirasse de fer, trois lances et des flèches. On n'a retrouvé que les pointes des lances en fer et les pointes des flèches en bronze, car le bois était tombé en poussière. Non loin de là se trouvait une chambre mortuaire contenant cinq chevaux.

Feu le professeur L. Rostowzew, de l'université de Yale, nous avait dressé, en 1931, une liste très intéressante des découvertes de kourganes faites en Russie, en Hongrie, en Roumanie, en Bulgarie; Ellis H. Minns avait fait un inventaire analogue en 1913.

Les archéologues russes divisent en différents groupes les trouvailles faites dans les kourganes. Ainsi, on distingue entre le groupe du Kouban, le groupe de Taman — d'après la presqu'île du même nom — le groupe de Crimée, le groupe des steppes du Dniepr, le groupe de la région de Kiev, le groupe de Poltava, du Don, de la Volga, de l'Oural. Dans toutes ces régions on a découvert des centaines, des milliers de kourganes.

C'est ainsi qu'on a vu se dresser dans leurs tombes les hommes d'un peuple qui n'est autre que le *peuple scythe*. Nous avons pu reconstituer une civilisation aux contours précis et dont les éléments scythes se détachent nettement sur le fond des influences iraniennes, grecques, mésopotamiennes, etc. On a mis la main sur les vestiges d'une civilisation unique et importante, s'étendant jusqu'aux frontières de la Chine. C'est ainsi que le « style animalier » de l'Eurasie est devenu une notion précise dans l'histoire des civilisations, bien que ses manifestations soient des plus variées.

Il n'y a guère d'endroit au monde où l'on ait mis au jour un art comportant autant d'objets en or que l'art scythe. Même Mycènes, qu'Homère qualifie de « riche en or », est dépassée. De pareilles quantités de ce précieux métal ne pouvaient être que le résultat d'exploitations minières ou de lavage de sable. Elles provenaient surtout de l'Oural et de l'Altaï. Nous ne saurons jamais combien de trésors se cachent encore dans la terre noire d'Ukraine et dans les steppes sibériennes. Au xviiie siècle, des milliers de tombes furent pillées par les Russes. Mais les trésors qu'on peut admirer de nos jours encore à l'Ermitage de Leningrad sont néanmoins impressionnants.

Ce furent les Scythes qui eurent l'idée d'enterrer leurs morts avec leurs chevaux et de construire pour eux une crypte en forme de tente en bois ou en pierre, protégée de tous les côtés. En tout cas, on n'a plus jamais découvert de vestiges de ce genre sur un si vaste espace. Pendant longtemps, l'art scythe n'avait pas été bien compris. Il est d'une extrême richesse, très personnel et moderne dans un certain sens, « impressionniste » avant la lettre, si bien qu'on n'arrive pas à le classer par catégories connues. Il a quelque chose de vivant, de palpitant, qu'il s'agisse de corps d'animaux, de certains membres, de têtes d'animaux, de pieds d'animaux, de formes stylisées et dérivées, d'une gueule' ouverte, d'un cerf à genoux, de chevaux, de bêtes fabuleuses, de fauves au combat, le tout agrémenté d'ornements très riches. Cet art est très impressionnant, mais en même temps il reste naïf. Ces formes animales tarabiscotées et contorsionnées ont été réalisées en or, en argent, en bronze, en fer, en bois, en os et même en pierre.

D. Schultz mit au jour, en 1903, dans la région du Kouban, près de la rivière Kelermes, un kourgane endommagé par des pillards, mais dans lequel le prince reposait encore, presque intact. Il portait un casque de bronze orné d'un ruban d'or et d'un diadème de roses, de fleurs et de faucons. Ce tombeau contenait d'autres trésors très précieux.

En 1904, Schultz mit au jour un autre tertre, sous lequel on avait enterré un homme et une femme. Tous les deux étaient richement dotés d'objets en or et en argent, de diadèmes, de miroirs, d'objets d'art. Dans deux autres kourganes, l'archéologue russe Weselowski trouva des restes humains et des ossements de chevaux; contre la paroi ouest on avait rangé dix squelettes de chevaux. Dans le même tombeau, on découvrit douze squelettes de chevaux avec leurs harnachements. Le harnais d'un cheval était en or : le frontal, les montants, les courroies plaquées d'or, des lanières en or enroulées autour de la poignée du fouet. En 1898, on examina un tertre mortuaire du groupe des kourganes du Kouban, à proximité du Oulsky Aul. L'un des kourganes mesurait 15 mètres de haut. On ignore si l'on avait abattu les chevaux ou s'ils avaient été enterrés vivants. Toutefois, on a découvert sur le kourgane une plate-forme sur laquelle plus de 50 chevaux avaient été tués. Ces sacrifices de chevaux étaient réglés par un cérémonial compliqué, ce que prouve l'installation en bois destinée à cet usage et dont on a trouvé les vestiges. On a dénombré plus de 360 chevaux dans le kourgane.

L'accessoire hippique trouvé dans le groupe du Kouban est extrêmement varié : des objets en fer se terminent par des têtes d'oiseaux et de griffons. Ailleurs, on trouve des sculptures de lions, de béliers, de cerfs, de lièvres, d'une antilope de montagne, d'un élan femelle. Des pommeaux en bronze représentant des motifs animaliers, des clochettes ornées de têtes de taureaux, des frontaux en travail incrusté voilà des objets qu'on donnait aux princes scythes. On a même trouvé des clochettes et des fragments de fer provenant de corbillards. Dans un tombeau du groupe d'Ielisawetovskaïa et de Marinskaïa Stanzia, on mit au jour un corridor, soutenu autrefois par des boiseries, dans lequel se trouvaient deux corbillards attelés de six chevaux chacun. Le corps du corbillard, en bois, était orné sur la paroi avant de boutons en or. Les quatre roues étaient ferrées, le timon était en bois, les chevaux portaient encore tout leur harnachement, les mors étaient en fer et les poitrinières en cuivre.

L'un des kourganes avait des murs de 16 mètres de long. Dans un groupe, il y avait, les têtes tournées vers l'est, cinq squelettes de femmes avec leurs bracelets, leurs bagues, leurs boucles d'oreilles. Deux autres squelettes de femmes étaient étendus les têtes regardant vers l'ouest. On n'a nulle part trouvé chez les Scythes de vestiges de sacrifices humains sur une très grande échelle, comme à Ur. Mais presque tous les princes étaient accompagnés de leurs femmes, de leurs esclaves, de leurs concubines.

Le tombeau le plus riche se trouve sans doute près de Khertomlyk dans la vallée du Dniepr. Les fouilles ont mis au jour les vestiges d'un fait divers dramatique. Des voleurs avaient poussé une galerie jusqu'au centre du kourgane et déposé dans un coin les trésors qu'ils comptaient emporter. C'est alors que le plafond avait cédé à l'endroit même où la galerie débouchait dans la chambre mortuaire. L'un des pilleurs était prisonnier des ténèbres avec les trésors convoités. C'est ainsi qu'il fut trouvé par les archéologues.

C'est une grande aubaine pour la science que cette tombe n'ait pu être entièrement pillée. Car elle contenait les plus beaux échantillons de l'art scythe, des restes de lances, des couteaux en fer, les vestiges d'un tapis, des plaques d'or, des rubans en or dont on festonnait les vêtements. Les vêtements avaient été accrochés aux parois et au plafond de la chambre mortuaire, à l'aide de crochets de fer, pour que les morts pussent les mettre sans peine. Les tissus étaient tombés en poussière, mais les ornements subsistaient.

Les personnes enterrées dans ces chambres étaient richement décorées d'or et d'argent, elles portaient des plaques décoratives finement ciselées des boucles d'oreilles, des bagues, des bracelets et des colliers en torsades. On découvrit aussi, près du crâne d'une femme, deux lourdes boucles d'oreilles, et, sur sa tête, 29 plaques en or en forme de fleurs, 20 rosaces et 7 boutons de fleurs. La tête et le buste étaient couverts d'un voile de pourpre avec 57 plaques d'or rectangulaires, sur lesquelles on voit une femme assise tenant un miroir, ainsi qu'un Scythe qui se tient debout devant elle. On a trouvé des ruines aussi richement entourées dans les tombes de Koul Oba, en Crimée, et de Karagodinachk au sud de l'embouchure du Kouban. Une dame de Kehrtomlyk avait à portée de sa main un miroir de bronze à poignée d'ivoire, sur laquelle se trouvaient des traces d'un tissu bleu. A ses côtés, un homme avec des bracelets de fer et de bronze, et un couteau à manche d'ivoire. Près de lui, des pointes de lances. Les couteaux se trouvent toujours à portée de la *main gauche*. Ce guerrier avait sans doute été donné à la reine pour la protéger dans l'au-delà.

*Vase en alliage d'or et d'argent (14 cm de haut) qui se trouve actuellement au* ▶
*Musée de l'Ermitage à Leningrad. Il fut découvert à Koul Oba. La frise montre*
*un traitement dentaire scythe. On est frappé par la ressemblance des Scythes*
*avec les vieux Russes (photo Ermitage, Leningrad, et Ellis H. Minns,* Scythians
and Greeks).

# EURASIE

Dans la même chambre mortuaire, on découvrit le célèbre vase de Khermolyk, chef-d'œuvre hors classe, qui soutient la comparaison avec les plus beaux sujets d'autres civilisations. L'archéologue fribourgeois, le professeur Adolf Furtwängler, pense qu'il date de la fin du v<sup>e</sup> siècle.

*Le célèbre vase de Chertomlyk. Il a 70 cm de haut. Il est fait d'un alliage d'or et d'argent et constitue un chef-d'œuvre d'une rare beauté. On suppose qu'il a été créé au IV<sup>e</sup> siècle avant J.-C. par un artiste scythe ou par un maître grec, pour le compte d'un Scythe. La frise supérieure montre comment les Scythes s'y prenaient pour apprivoiser et dresser leurs chevaux. Le dessin des vêtements, des mouvements et gestes, l'anatomie précise des chevaux, la décoration du vase trahissent une maîtrise peu commune (photo Ellis H. Minns*, Scythians and Greeks).

Il est très probablement plus récent. Il a 70 centimètres de haut. Au-dessous du col se trouve une frise très intéressante. Elle montre la domestication d'une jeune jument. Les lassos des hommes, ainsi que les rênes, étaient en mince fil d'argent qui faisait relief et qui s'était détaché au cours des siècles. Mais le bout des rênes est facilement reconnaissable dans les mains des figures représentées. On voit deux différentes races de chevaux. Les Scythes occupés à les dresser sont exécutés de main de maître : on reconnaît chaque objet vestimentaire qu'ils portent.

Un autre vase a été découvert à Koul Oba, à quatre milles à l'ouest de Kertch. Il est en électron, alliage d'or et d'argent, et montre en relief un traitement dentaire chez les Scythes, ainsi que le bandage d'un pied fracturé. Ici encore nous reconnaissons le détail du vêtement scythe.

Les dernières découvertes furent faites dans l'Altaï, dans la région des sources de l'Ob, ainsi que dans les kourganes de Pazyryk dans la vallée de l'Oulagan, à 1 600 mètres d'altitude. On a remis au jour entre 1927 et 1949, des kourganes d'un diamètre au sol de 58 mètres. Les Scythes s'étaient servi, pour les dresser, d'éboulis et de fragments de rocs, dont certains pèsent entre deux et trois tonnes. Franz Hanvar, qui s'est penché sur les découvertes russes dans cette région, nous décrit les énormes puits creusés il y a tant d'années, il nous parle des chevaux enterrés avec les morts, d'un immense cercueil en bois de mélèze, cinq mètres de long et cinq mètres de large, des morts embaumés dont la peau presque intacte porte encore de nos jours des tatouages aux bras, aux jambes, sur le dos et sur la poitrine. Dans cette région, le bois, le cuir, le feutre, les fourrures, la soie et même les cadavres sont conservés grâce au froid intense qui règne dans le sol. Il faut dire qu'on ne sait pas exactement si les seigneurs de Pazyryk étaient vraiment des Scythes, ou s'ils appartenaient à un peuple apparenté.

Le savant russe I. M. Zamotorine a essayé en 1959 de dater, l'un après l'autre, les kourganes de Pazyryk, en fondant ses estimations sur les anneaux des différents troncs d'arbres découverts dans les caveaux. Mais sa datation manque de rigueur. En revanche, quelques trouvailles faites dans les tombeaux de Pazyryk ont permis de vérifier quelques passages d'Hérodote dont les archéologues avaient jusque-là contesté l'exactitude. Il est rare que la science archéologique ait confirmé avec autant de rigueur et de précision des écrits vieux de 2 400 ans. En effet, les kourganes ont fait ressusciter la vie mouvementée, dangereuse, barbare des Scythes, qui ne manquaient pourtant pas de maîtrise artistique, et dont Hérodote nous a laissé la description. Une civilisation disparue depuis 1 700 ans a été remise au jour; elle nous conduira peut-être aux sources du peuple slave.

ARABIE

# Les
# fonderies
# du roi Salomon

« *A la fin du récit (au 1ᵉʳ Livre des Rois, chap. 9) sur les multiples constructions du roi Salomon en Palestine, on nous parle avec quelques détails de la mise en chantier d'une flotte à Eziongeber, en indiquant que cette flotte, montée par un équipage phénicien, allait à Ophir pour y chercher de l'or. Nous sommes d'avis que c'est là une information très importante! Pour une raison ou une autre l'auteur du récit ne nous dit pas que le roi Salomon transportait sur ses bateaux des lingots de cuivre et de fer, ainsi que d'autres objets de métal manufacturés pour les troquer, à Ophir, contre de l'or et d'autres marchandises. Le même récit ne mentionne pas non plus le fait que peu avant, ou peu après la construction de ces bateaux, ou en même temps, naissait le port et le centre industriel d'Ezion-geber.* » (Nelson Glueck, *The Second Campaign at Tell el-Kheleifeh*, Bulletin of the American Oriental Research, Nᵒ 75, 1939, p. 16, 17.)

L ES HISTORIENS sauront mieux dans cent ou deux cents ans que l'Histoire est faite d'événements étrangement imbriqués. Car la science archéologique découvre sans cesse de nouveaux maillons d'une chaîne qui va de peuple en peuple, de continent en continent, et qui enserre tout le globe terrestre.

Ainsi, il y avait sans aucun doute des relations culturelles et anthropologiques entre les Scythes, d'une part, et les peuples qui occupaient l'Arménie entre 1000 et 700 avant J.-C. de l'autre. L'Arménie est le pays de Noé. Nous avons vu que le petit-fils de Noé, Ashkenaz, et le peuple portant le même nom ont peut-être prêté ce nom aux Scythes. On voit que les noms et les événements cités dans la Bible ont parfois des prolongements lointains, dont les tenants et aboutissants ne nous apparaissent clairement que depuis peu. Il est vraisemblable que les influences bibliques s'étendaient jusqu'aux pays riverains de l'océan Indien. Cette affirmation a l'air quelque peu fantasque, mais elle se confirme un peu plus chaque jour.

Le plus grand roi d'Israël, David, qui régna entre 1000 et 960 avant J.-C. environ, chantre, psalmiste et joueur de luth, avait réuni les royaumes d'Israël et de Juda, brisé l'hégémonie des Philistins, transféré l'Arche d'Alliance à Jérusalem et inauguré pour les Juifs un âge d'or. David était sans doute un habile politicien et un grand homme d'État. Il est vraisemblable qu'il prenait modèle sur l'Egypte pour réorganiser son grand empire sur le plan interne. A la suite de nombreuses victoires, David était devenu roi de Jérusalem, roi de Juda, et d'Israël, roi d'Ammon, maître des provinces d'Aram (Damas) et d'Edom. Il était en outre le seigneur de l'État vassal de Moab. Cet ensemble politique ainsi créé, et comme on le voit, fort compliqué, ne devait son unité qu'à la forte personnalité du roi. La succession de tout homme d'État doué de génie pose toujours de graves problèmes : David a été aussi incapable de les résoudre que l'empereur Auguste, qui confia l'héritage du trône au sombre Tibère.

Le fils aîné de David, Ammon, fut assassiné par Absalom. Absalom tenta du vivant de son père de s'emparer du trône par la révolte. Le roi déjà âgé dut se retirer à Mahanaim, en Jordanie orientale, sous la pression de l'armée de son fils. C'est là, quelque part dans « la forêt d'Ephraïm », qu'eut lieu la bataille décisive. Absalon fut défait et tué pendant la fuite. Adonia était alors le plus âgé des fils de David. Or, il y avait à la cour, contre l'héritier du trône, une coalition qui réussit à gagner les bonnes grâces du roi David. La fameuse Bethsabée était une des femmes du souverain. David, conquis par sa beauté, l'avait prise chez lui après avoir fait tuer son mari, l'Hittite Uria. Bethsabée était intimement mêlée aux intrigues de la cour ; elle était la mère de Salomon. D'accord avec le prophète de la cour, Nathan, elle parvint à imposer Salomon comme l'héritier du trône. De ce fait, ce fut Salomon qui fut proclamé roi à Jérusalem. Parmi les hommes « nés dans la pourpre », Salomon n'était sans doute pas des plus intègres. Mais, dans l'entourage féminin du vieux roi, il avait pour lui la voix de sa mère Bethsabée. Cela ne pesait pas peu dans la balance. C'est ainsi qu'un des personnages les plus intéressants de l'Histoire de l'humanité accéda au trône !

Car, tout comme David, Salomon était un génie : le domaine de ses dons naturels étaient peut-être moins celui de la politique qui celui de la création artistique. Il sut maintenir les frontières de son grand empire sans l'agrandir. Il n'aimait pas les guerres. Son esprit immense étendait ses ailes sur une ère de paix. Était-il possible de surpasser David? La décomposition du grand empire de ce roi commença déjà sous son successeur Salomon. C'est au moins ce qu'on dirait en ne considérant que l'aspect politique du problème. Mais Bethsabée et les intrigues de la cour ont donné au monde le roi de la Sagesse, le roi des Proverbes, le poète du Cantique des Cantiques! Dans la tradition de l'Orient Salomon passe pour le modèle même du souverain sage et puissant; le nom hébreu Schelomoh veut dire « l'homme de la paix ».

Le roi Salomon acheva de construire les forteresses aux confins de son royaume, entretint des relations diplomatiques avec le reste du monde antique, tenta d'assurer la survie de ses États par des mariages, installa à sa cour un régime de gloire et de faste. Beaucoup de femmes étrangères faisaient partie de son harem, parmi elles une princesse égyptienne, probablement la fille d'un Pharaon de la 21e dynastie. Ce train de vie n'allait pas sans grosses dépenses. Il était impossible de trouver les fonds nécessaires dans un empire que la nature n'avait pas particulièrement béni de richesses. C'était là l'unique raison qui amena ce connaisseur de l'âme humaine, des faiblesses humaines et des voies du bonheur terrestre, ce philosophe de la Sagesse, à se lancer dans de vastes entreprises en vue de remplir ses caisses. De fait, il parvint à amasser d'immenses richesses grâce à des transactions hardies et profitables.

Le 10e chapitre du 1er Livre des Rois nous décrit le luxe extraordinaire de la cour de ce monarque. La Reine de Saba se rendit à Jérusalem avec une nombreuse suite, parce qu'elle avait eu connaissance de la grande sagesse du roi Salomon et de sa richesse fabuleuse. Elle apporta sur ses chameaux, beaucoup d'or et de pierres précieuses, de même que des épices. Elle voulait savoir si Salomon était vraiment le Sage dont parlait le monde entier. Elle proposa donc au roi Salomon des énigmes, que celui-ci résolut avec brio. La tradition est formelle : Salomon fit sa conquête, la Reine fut subjuguée par la magnificence de la cour, par le charme du roi, par la puissance de son esprit. Le palais royal, la vaisselle, les appartements des courtisans et des serviteurs, leur bonne éducation, leurs splendides vêtements, les holocaustes, tout cela l'étonnait. Elle s'écria : « Je n'avais pas cru ce que l'on me disait, jusqu'au jour où je suis venue moi-même et où j'ai tout vu de mes yeux. On ne m'en avait même pas dit la moitié. Tu possèdes plus de sagesse et plus de bien que je n'avais cru... » Et elle remit au roi cent vingt talents d'or et beaucoup d'aromates et de pierres précieuses... Jamais on ne vit arriver une telle quantité d'aromates.

Cependant, ce n'était pas la Reine de Saba qui avait apporté à Jérusalem les premiers lingots d'or. Le récit prouve qu'il y avait déjà des richesses immenses. Comment le roi Salomon avait-il fait pour amasser tout ces trésors, tout cet or? D'où venait ce pactole?

L'Ancien Testament nous en fournit deux indications. Nous lisons, au 9ᵉ et au 10ᵉ chapitre du Iᵉʳ Livre des Rois et aux 8ᵉ et 9ᵉ chapitres du IIᵉ Livre des Chroniques, que Salomon envoyait des marins phéniciens ou des bateaux phéniciens de la mer Rouge à Ophir, d'où ils lui rapportaient d'immenses trésors d'or. Un tel voyage durait trois ans! Salomon bénéficiait de l'appui du roi phénicien Hiram de Tyr, qui avait entretenu déjà avec son père David des relations très amicales. Les deux récits ne divergent que par un détail : au Livre des Rois, Hiram ne fournit à Salomon que des marins, alors que le Livre des Chroniques parle d'une flotte entière envoyée à Ophir.

La Bible nous donne des détails sur le lieu de départ de l'expédition. Le voyage à Ezion-geber, près d'Elath « au bord de la mer des roseaux », donc au bord de la mer Rouge, au pays de la tribu des Edomites. Eziongeber était un port sur l'ancienne rive nord du golfe d'Akaba — aujourd'hui à 45 kilomètres du bord de la mer. Tout cela, est-ce du domaine de la légende ou de la réalité? La réponse à cette question a été donnée il y a quelques années seulement!

De mars à mai 1938, l' « American School of Oriental Research » de Jérusalem entreprenait des fouilles à Elath, près de Tell el-Kheleifeh. Les révélations du chef de l'expédition, l'archéologue américain Nelson Glueck, sur le succès des fouilles, sont d'une très grande portée scientifique. Les Américains prouvèrent en effet qu'ils avaient mis la main sur l'Ezion-geber de la Bible. Les ruines d'une ville entière se cachaient sous les sables du désert. On avait mis au jour le port du roi Salomon!

La rive de la mer Rouge a toujours été, dans cette région, plate et sablonneuse, mais les petites embarcations à voiles avaient besoin d'un tel rivage, car on les tirait sur la plage. Les Américains découvrirent en plus tout un système de cubilots dans la partie la plus importante de la ville. L'organisation très raffinée des installations métallurgiques prouve le haut niveau technique des architectes et des ingénieurs du roi Salomon. Comme les vents soufflaient toujours du golfe vers l'intérieur des terres, les hauts fourneaux étaient disposés de façon que l'air s'engouffrât dans des canaux aménagés à cet effet, et activât le tirage. Plus tard, on apporta des changements techniques à ces constructions : on boucha les canaux d'aération et on les remplaça par un système de soufflets. Les émanations du cuivre finirent par verdir l'intérieur des fours. La pierre réfractaire se durcissait à tel point que certains de ces hauts fourneaux sont restés intacts au long des siècles. Les foyers étaient alimentés par du charbon de bois qui provenait des palmeraies environnantes.

Les fouilles mirent en évidence que le travail près des fournaises était accompli exclusivement par des esclaves. La fumée et les émanations délétères, sans parler de l'énorme chaleur du désert, eussent interdit à tout homme libre de séjourner longtemps près des hauts fourneaux. Les esclaves devaient succomber par milliers. On peut se faire une idée des conditions de vie précaires dans la région, quand on apprend par Nelson Glueck, que ses collaborateurs étaient au bord de l'épuisement physique au bout de trois années de travail. Pendant dix jours les tempêtes de sable sur Tell el-Kheleifeh bouchaient la vue à dix mètres de distance. Des puits au nord du lieu des fouilles qu'on mit trois ans à creuser s'étaient de nouveau remplis de sable.

Il est probable que les officiers de garde et les marchands avaient leurs demeures à quelque distance des hauts fourneaux. Quant aux esclaves, à qui incombait le gros du travail, on les gardait à l'intérieur d'une enceinte fortifiée dont les murailles de brique avaient 1,20 à 1,50 mètre d'épaisseur. La garde et les soldats de service se relayaient sans cesse. Elath — Ezion-geber — était aménagé en forteresse pour prévenir toute révolte : la ville dominait les grandes voies de communication entre l'Arabie, le Sinaï et la Palestine. De nos jours, la forteresse transjordanienne d'Akaba, ville bien moins importante, a pris le relais d'Elath.

Les fouilles ont montré qu'on transportait à Ezion-geber des minerais qui y étaient traités et transformés grâce à une technique métallurgique très évoluée. On construisait même des bateaux à Ezion-geber. Ces bateaux parcouraient toutes les routes de la mer. Des caravanes aboutissaient à Ezion-geber venant d'Égypte, de Judée, d'Arabie. L'époque la plus active de la ville se place au X$^e$ siècle avant J.-C. C'était l'époque de Salomon, qui régna de 965 à 926 avant notre ère.

Nelson Glueck, qui a travaillé pendant de longues années dans les ruines bibliques d'Elath, écrit : « A notre connaissance, un seul homme était capable, grâce à sa puissance et à sa richesse, de projeter et de mettre à exécution la construction d'une ville-usine telle qu'Ezion-geber. Dès ses origines, elle a été un système technique compliqué et hautement spécialisé. Cet homme était le roi Salomon. Lui seul disposait, à l'époque, des forces et des capacités nécessaires pour créer ce centre industriel et ce port à une si grande distance de Jérusalem. » Salomon pouvait faire préparer, fondre et transformer à Ezion-geber les minerais qu'il extrayait de ses mines de cuivre et de fer dans la Arabah. Il exportait

317

ensuite les produits finis et les troquait contre les aromates, l'ivoire, les bois exotiques et l'or de l'Arabie et de l'Afrique : « Le sage souverain d'Israël était un roi du cuivre, un magnat armateur, un commerçant royal, un grand bâtisseur. Il a été la bénédiction et le malheur de son pays : car l'accroissement de sa puissance et de sa richesse fit de lui un dictateur sans égards pour personne, et qui méprisait la tradition démocratique de son peuple. » Salomon régna seul pendant toute sa vie. Le vaste réseau de ses entreprises englobait les ports phéniciens de la péninsule ibérique, l'Arabie, la Syrie et les côtes orientales de l'Afrique. Mais la ville d'Ezion-geber est une de ses plus grandes réalisations, fait qui nous a été révélé par les fouilles américaines de 1938.

Nous connaissons donc le port d'où partaient les bateaux du grand roi! Mais où se trouvait Ophir? Ophir a excité l'imagination de générations entières. On a échafaudé d'innombrables hypothèses quant à sa situation. Une immense littérature a été consacrée à ce problème. Cette contrée énigmatique a été cherchée sur tous les continents... D'aucuns se sont même imaginé l'avoir trouvée.

Augustus Henri Keane, dans son ouvrage *The Gold of Ophir* paru à Londres en 1901, exprime l'opinion que cette ville se serait trouvée sur le territoire arabe de Dofar. Pour l'Anglais Richard Francis Burton (1878), Ophir aurait été le pays de Midian sur le golfe d'Akaba, mais on est en droit de se demander pourquoi il fallait une si grande flotte pour acheminer des marchandises dans un port voisin. Christian Lassen déclarait en 1844, à Bonn, qu'Ophir se trouvait dans le bassin fluvial de l'Indus, car il y a là une tribu du nom d'Abhira. Richard Henning avertit les savants (en 1925) de ne point se fier à de vagues ressemblances linguistiques telles que Dofar-Ophir ou Abhira-Ophir. L'Afrique n'a pas été oubliée au cours de ces recherches. En réalité le terme d' « Afrique » date de l'époque romaine et a été formé à partir d'une peuplade d'Afrique du Nord, les « Afer ». R. Mewes a cherché Ophir au Pérou, puisque le 3ᵉ chapitre du deuxième Livre des Chroniques mentionne « l'or de Parwaim ». L'historien juif Flavius Josèphe suppose, au 1ᵉʳ siècle après J.-C., qu'Ophir se trouvait aux Indes. Alexandre de Humboldt voyait dans le mot « Ophir » une notion géographique d'ordre général, qui ne se rapportait pas à un lieu précis. Le grand déchiffreur de l'écriture cunéiforme mésopotamienne, Jules Oppert, était d'un avis analogue.

Comme l'Ancien Testament déclare que les bateaux du roi Salomon apportaient de l'or, de l'argent, de l'ivoire, des singes, des paons, on a essayé de déterminer l'emplacement d'Ophir en se fondant sur l'énumération de ces trésors vivants ou morts. Richard Henning fait remarquer que le mot hébreu pour singes, « qôphîm », dérive du sanscrit « Kapi », et que les paons étaient également d'origine indienne. Mais le Français Etienne-Marc Quatremère traduit le mot hébreu « Tukkiyîm » par « perroquet » ou « pintade »; Karl Mauch pense qu'il s'agit d' « autruches ». Sur le plan strictement linguistique, le terme copte pour l'Inde : « Sophir », ferait penser à « Ophir ».

Il ne faut pas oublier cependant que d'antiques noms indiens se rencontrent également sur la côte sud-est de l'Afrique, car il y a depuis la Préhistoire des échanges culturels et commerciaux entre l'Inde et la côte orientale d'Afrique. Ainsi, il y a une côte de Sofola sur la côte occidentale de Malabar, aux Indes, et une côte de Sofola au Mozambique, en Afrique orientale. Il est intéressant de noter que Christophe Colomb était également parti à la découverte d'Ophir : « La splendeur et la puissance de l'or d'Ophir sont incommensurables ! Quiconque possède cet or peut accomplir en ce monde ce qu'il désire », s'écriait le Gênois.

Pour cerner de plus près le problème il faut nous souvenir qu'il n'y a que trois endroits dans la partie occidentale de l'océan Indien, où l'on produise de l'or. Ce sont l'Arabie, les Indes et l'hinterland du Mozambique, autrement dit la Rhodésie du Sud. Si Ophir se trouvait en Arabie, Salomon n'avait pas besoin de flotte pour transporter ses trésors. Il aurait choisi la voie terrestre, tout comme la Reine de Saba, qui venait du Yémen, au sud-ouest de l'Arabie. D'autre part, le trajet ⌐ller-retour dans la mer Rouge n'aurait jamais pris trois années.

Aux Indes nous trouvons des mines d'or à Mysore, à Madras, à Haïdérabad. Mais aux Indes, le roi Salomon aurait dû se battre pour s'emparer de l'or, car les souverains locaux lui auraient opposé une vive résistance. D'autre part, Richard Henning fait très justement remarquer que l'Inde utilisait de tout temps plus d'or qu'elle n'en produisait. C'est pourquoi on appelait les Indes « le tombeau de l'or ».

Il ne nous reste que l'hinterland de la côte de Sofala au sud-ouest africain : à l'ouest du Mozambique, à 1 000 kilomètres à l'intérieur des terres, en Rhodésie du Sud, où se trouvent les plus riches gisements d'or d'Afrique. Les deux savants Karl Mauch et Karl Peters ont été les premiers à situer Ophir dans cette région. On n'a nullement besoin de supposer que les Israélites y exploitaient leurs propres mines, à des milliers de kilomètres de leur pays, ou qu'ils s'avançaient avec les Phéniciens à l'intérieur du continent, car les indigènes apportaient l'or vers les côtes, quand ils y trouvaient leur intérêt.

Tout cela n'explique pas encore de quelle manière le roi Salomon entrait en possession de cet or. Le professeur Henning est d'avis que les Israélites se sont emparés de cet or, non point par des transactions commerciales ou par des exploitations minières organisées pour leur compte mais — comme si souvent au cours de l'histoire — par la guerre et la rapine. Il suffit de songer aux expéditions des Espagnols au Mexique sous Cortès, au Pérou sous Pizarro. Cette hypothèse expliquerait aussi le fait que les Phéniciens ont emmené de bonne grâce des Israélites. Les Phéniciens, en effet, n'ont jamais aimé la guerre, ils n'avaient aucune chance de mener à bien des expéditions de rapine. Ils se fiaient donc aux Israélites qui, à cette époque, étaient un peuple guerrier et expérimenté dans l'art militaire.

Cette théorie me paraît quelque peu tirée par les cheveux. Tout d'abord, il est inexact que le roi Salomon n'ait entrepris qu'une seule expédition à Ophir. La Bible nous apprend qu'il y a eu plusieurs voyages. Chaque voyage prenait trois années. Peut-on concevoir une expédition de rapine tous les trois ans ? L'Histoire ne nous offre guère d'exemples d'expéditions de ce genre préparées de si longue main. Il eût été impossible de respecter chaque fois un horaire aussi strict. La constatation de Richard Henning que les Phéniciens n'auraient pas aimé la guerre est démentie par les guerres puniques, les prouesses d'un Annibal, par la résistance acharnée de Carthage. Nous savons au contraire que les Phéniciens étaient d'excellents marins, de remarquables combattants, de brillants diplomates et des commerçants prévoyants.

La collaboration entre le roi Hiram de Tyr et le roi Salomon avait d'autres raisons que la guerre et le pillage : les Phéniciens avaient une grande expérience dans le domaine de la navigation, ils possédaient les meilleurs bateaux de l'époque, ils connaissaient les voies maritimes peu fréquentées, et en gardaient jalousement le secret. Leur amitié équivalait donc à une assistance très compétente en matière de navigation. Ils apportaient des bateaux et des équipages ! Quant au roi Salomon, il apportait un élément d'un autre genre : il pouvait fournir des marchandises de troc. Nous savons grâce aux fouilles américaines qu'Ezion-geber possédait les hauts fourneaux et l'industrie métallurgique les plus importants de l'Antiquité : le roi Salomon produisait donc des marchandises qui se prêtaient admirablement à l'exploration. Les bateaux d'Ezion-geber chargeaient des objets en cuivre et peut-être en fer. Ils se rendaient ensuite à Ophir ·pour les troquer contre de l'or, des esclaves, des singes, de l'ivoire, des paons et d'autres marchandises exotiques.

Nous devons à Nelson Glueck et à ses trouvailles à Ezion-geber l'explication de ce problème.

# A
# la recherche
# d'Ophir

*« Les ruines du Grand-Zimbabwe sont très imposantes. Elles n'ont pas l'étendue des ruines du nord d'Inyanga ni la beauté de celles de la région d'Insiza. Mais elles ont quelque chose de grandiose et de monumental. On distingue trois groupes de bâtisses reliées entre elles, le « Temple elliptique », la « Vallée des « ruines »,* l' *« Acropole ».* (David Randall-MacIver, *Mediaeval Rhodesia,* Londres, 1906, p. 61.)

Nous ABORDONS l'un des chapitres les plus obscurs du passé de l'Afrique Noire. Étienne-Marc Quatremère propose d'y rechercher la terre d'or d'Ophir, opinion qui est partagée par A. H. Heeren et le géologue allemand Karl Mauch. D'après ces savants, c'était le Mashonaland, au cœur de la Rhodésie du Sud, qui avait fourni l'or au roi Salomon! A ce jour, on n'a pas encore pu établir avec certitude qu'Ophir se trouvait réellement en Rhodésie du Sud. Mais il est à noter que le voyageur arabe Ibn Battuta — né à Tanger en 1304 — donne à la région aurifère dans l'hinterland de la Côte de Sofala le nom de « Yoûfi ». Le professeur Richard Henning, de Düsseldorf, qui a consacré toute sa vie à l'étude de l'histoire, de la géographie et des sciences naturelles, indique que le nom de « Yoûfi » rappelle fortement « Ophir ». Le passage d'Ibn Battuta dit : « De Yoûfi on apporte la poussière d'or à Sofala. »

Adam Renders découvrit en 1868 les ruines de Zimbabwe. Renders était chasseur; il n'attribua donc aucune importance à sa découverte,

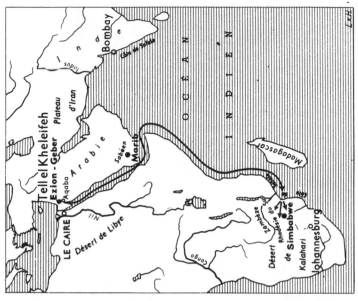

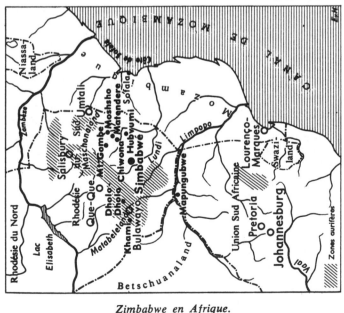

*Zimbabwe en Afrique.*

qui tomba bientôt dans l'oubli. Le 5 décembre 1871, le géologue allemand Karl Mauch examina de plus près les ruines, et se rendit compte
qu'il ne s'agissait pas de vestiges de kraals [1] africains de date relativement récente. En énonçant l'hypothèse qu'on pouvait se trouver en
face d'Ophir, les savants déclenchèrent, à la fin du siècle dernier, une
sorte de ruée vers l'or des « mines du roi Salomon » du Mashonaland
et du Matabeleland. On se mit à fouiller la terre et l'on découvrit même
de vieux creusets. On était convaincu d'avoir découvert une « mine
d'or phénicienne »; des aventuriers avides d'or pillèrent et saccagèrent
les ruines et les installations antiques. Zimbabwe est un mot bantou,
composé probablement des termes « zimba » = maisons et « mabgi »
= pierres. Grâce à un ouvrage de l'archéologue et explorateur anglais
James Theodore Bent, *Les Ruines de Mashonaland,* Zimbabwe
connut à la fin du siècle dernier une certaine célébrité. Mais la théorie
élaborée par l'auteur, d'après laquelle les ruines seraient les restes d'une
ancienne colonie phénicienne ou d'un peuple de l'époque préchrétienne
qui y aurait établi une civilisation méditerranéenne, n'a pas facilité la
datation exacte des ruines et les recherches d'archéologues plus récents
qui cherchaient à établir leur vraie origine. L'archéologue anglais
Richard Nicklin Hall s'était appliqué à défendre la théorie de la colonie
phénicienne avec de bons arguments scientifiques. Il avait fait lui-même
des fouilles, couronnées de succès, à Zimbabwe et dans d'autres ruines
de Rhodésie du Sud. Aujourd'hui encore il est difficile de se soustraire
à la fascination d'ouvrages rédigés en 1902 et en 1907. Mais l'égypto-
logue David Randall-MacIver examina par le détail les ruines de Rhodésie du Sud et en dégagea des conclusions personnelles, sans tenir
compte d'arguments et de « preuves » invoqués par les auteurs plus
anciens.

D'après ce savant, Zimbabwe est d'origine purement africaine et
date d'une époque bien plus récente qu'on ne le supposait auparavant,
à savoir de la fin du Moyen Age. La ville était florissante encore au
XV⁰ siècle. MacIver avait fait des recherches dans sept ruines. Nulle
part, il n'avait rencontré d'objets datant d'avant le XIV⁰ OU XV⁰ siècle
après J.-C. L'architecture de Zimbabwe ne recelait pas d'éléments
extra-africains, pas de traces de style européen ou oriental. L'ensemble
des puissantes bâtisses, le célèbre « Temple elliptique », l' « Acropole »,
les « Ruines de la vallée », les fortifications, les constructions cultuelles
et résidentielles sont d'inspiration purement africaine. Malheureuse-

---

1. Kraal : parc pour le bétail, dans un village, chez les Hottentots.

*Ruines de Zimbabwe, la Tour conique du temple elliptique
(Atlas photo, C. Lénars).*

ment, il n'y a pas une seule inscription à Zimbabwe. Les maîtres d'œuvre ignoraient l'art d'écrire. Mais MacIver trouva, à côté d'objets africains, un certain nombre d'ustensiles et d'œuvres d'art importés des Indes et d'Asie orientale. Comme ces objets se trouvaient insérés dans les différentes couches des ruines et comme on en connaissait par ailleurs la date de fabrication il a été possible de déterminer l'époque de la construction de toute la ville.

MacIver avait résolu le mystère Zimbabwe, en écartant l'idée d'une civilisation préchrétienne. En 1929, l'archéologue anglais Gertrude Caton-Thompson entreprit de nouvelles fouilles dans les ruines de Zimbabwe. Elle vérifia les constatations de MacIver, et précisa certaines dates se rapportant aux constructions merveilleuses de la Rhodésie du Sud.

Entre les rivières Sambesi et Limpopo ne se trouvent pas moins de 500 ruines dispersées sur un vaste espace. Il est intéressant de constater que ces constructions ne se situent pas, de manière générale, à proximité immédiate de filons aurifères. Caton-Thompson était d'avis qu'elles n'avaient pas été érigées en fonction d'exploitations minières. Il ne s'agit donc pas de « métropoles de l'or » mais de simples villes dues à l'activité de certaines tribus bantoues particulièrement évoluées. Il me semble pourtant qu'on ne devrait pas écarter l'hypothèse selon laquelle Zimbabwe aurait été un puissant centre de distribution et de préparation de l'or. Car on se demande sur quoi d'autre aurait pu s'appuyer la richesse et la puissance des métropoles de la Rhodésie du Sud ?

L'Arabe Mas'oudi, qui séjourna en Afrique en 916 ou 917, déclare qu'un peuple venu d'Abyssinie aurait fondé Zimbabwe, que Zimbabwe existait depuis quelques générations et que le royaume était puissant de son vivant. Il écrit textuellement : « C'est un pays qui produit en grande quantité de l'or et d'autres merveilles. » Les Ba-Roswi et les Ba-Venda sont aujourd'hui les deux tribus qu'on peut considérer comme les descendants directs des constructeurs de Zimbabwe. La découverte de nombreux colliers de fabrication indienne ou malaisienne permet une datation plus précise de ces constructions extraordinaires. Miss Caton-Thompson pense que Zimbabwe et d'autres villes ont eu un grand rayonnement entre le VIIIe et le Xe siècle après J.-C., et peut-être même au début du Moyen Age. La région est riche de granit. Les constructeurs l'avaient pour ainsi dire à portée de la main. Ce granit se clivait naturellement et n'avait guère besoin d'être travaillé avant son utilisation.

Au cours de leurs fouilles, les archéologues R. N. Hall, MacIver et Caton-Thompson n'ont pas mis au jour une grande variété d'objets : quelques pointes de lances et de flèches en fer, des haches, du fil de bronze, dont on se servait pour la fabrication des cercles pour les jambes, du fil d'or, des coupes en stéatite, des bagues, des colliers, des pesons de fuseau en grès et en stéatite, des haches de combat, des épées en fer, des tubes en os, des cruches à eau et à bière. Notons les célèbres colonnes en stéatite surmontées d'un oiseau. C'est R. N. Hall qui les découvrit le premier. Aujourd'hui, cet oiseau est devenu l'emblème de la Rhodésie du Sud.

Le pays cache encore beaucoup de mystères : ainsi, on ne sait même pas à quoi servait la « Bâtisse elliptique ». Beaucoup de savants la prenaient pour un temple. A l'intérieur de ce prétendu « temple » de Zimbabwe se dressent des monolithes, pierres plus ou moins pointues de quatre mètres de haut, qui pouvaient servir à quelque culte phallique.

Il est probable que la mystérieuse civilisation de Zimbabwe n'a point surgi d'une source unique, mais constitue le point de convergence de beaucoup d'influences diverses. G. A. Wainwright pense qu'un peuple originaire d'Abyssinie méridionale — peut-être les Gallas — immigra, avant l'an 900 de notre ère, en Rhodésie du Sud et y érigea les grandioses constructions de la civilisation de Zimbabwe. Par la suite, l'aristocratie des Gallas se serait mélangée au sang des tribus Bantoues (des environs). Le culte phallique joue un grand rôle en Abyssinie méridionale. Les découvertes phalliques en Rhodésie indiqueraient également un lien culturel dans ce sens.

Lorsque les premiers Européens pénétrèrent en Afrique du Sud, il y a 450 ans, ils se trouvèrent en face d'un musée vivant, rempli des vestiges de multiples périodes culturelles. Les civilisations suivant l'âge de la pierre se divisent, comme on sait, en période du bronze et période du fer. Les nègres de la brousse vivaient encore à l'âge de la pierre. Les Hottentots utilisaient déjà le cuivre et le bronze mais ignoraient le fer. Les Bantous de la côte orientale fabriquaient déjà des objets en fer. Le fer était utilisé en Rhodésie du Sud avant la construction de Zimbabwe! Toute l'Afrique, au sud du Sahara, se trouvait isolée pendant les IVe IIIe et IIe millénaires avant J.-C. par rapport au monde antique. C'est ce qui explique qu'en Afrique du Sud, certains peuples n'ont pas connu l'âge du bronze. En Rhodésie, l'âge du fer succéda directement à l'âge de la pierre, sans qu'il eût entre les deux un âge du cuivre ou du bronze.

Partant du bassin méditerranéen, le fer atteignit la côte occidentale d'Afrique dès le Xe siècle avant notre ère. Mais par quelle voie? La civilisation de Zimbabwe, dans la mesure où elle a été remise au jour, appartenait à l'âge du fer, mais on y trouve également des objets en bronze. Pourquoi n'a-t-on rien trouvé de plus ancien? Est-ce que les livraisons du roi Salomon n'ont pas laissé de traces en Afrique? Autant de problèmes que seules de nouvelles fouilles pourront tirer au clair.

Alors qu'à partir de 1906 on mettait l'accent sur l'apport africain dans les ruines rhodésiennes, probablement par réaction contre les hypothèses tant soit peu fantasques qui voyaient partout des vestiges phéniciens et méditerranéens, on commence depuis peu à rechercher les points de contact entre les civilisations africaines et méditerranéennes. C'est ainsi que G. Methew a prouvé, grâce à des découvertes archéologiques, l'existence de liens préislamiques entre l'Arabie et la côte orientale d'Afrique du Sud. Il n'est pas exclu que des navigateurs partis de Saba aient débarqué en Afrique et aient pénétré en Rhodésie. A la lumière de ces découvertes, nous voyons sous un jour nouveau l'hypothèse d'un lien maritime entre Tell el-Kheleifeh, l'ancienne Ezion-geber, et l'Afrique du Sud, en passant par la mer Rouge, en longeant la côte du pays de Saba, dont nous connaissons la Reine, ainsi que d'autres rivages jusqu'à la côte de Sofala. Le grand spécialiste de l'archéologie et de la civilisation sud-africaines, Roger Summers, remarque à ce sujet : « De temps en temps, on découvre des fragments de preuves indiquant des liens entre l'Afrique et la périphérie du monde antique. »

L'exploration des ruines de Zimbabwe n'a pas encore fourni la clef d'Ophir! Mais certains indices rendent infiniment probable l'hypothèse selon laquelle le roi Salomon envoyait ses bateaux montés d'équipages phéniciens sur les côtes du Sud-Ouest africain. C'est un fait établi que là se trouvent les gisements d'or les plus importants d'Afrique. Nous savons que la flotte du roi Salomon apportait d'Ophir d'énormes quantités de ce métal. Mais Ophir garde son secret car les navires ne laissent pas de traces à la surface des océans.

# Les
# bronzes
# du Bénin

*Les sculptures sur ivoire et les œuvres en bronze du Bénin dépassent de loin tout ce qu'a produit l'art du continent noir. Nous ignorons encore à l'heure présente la destination de beaucoup de ces objets. Mais les grands explorateurs du Yorouba et du Bénin, Félix von Luschan, Josef Marquart, Bernhard Struck, Eckart von Sydow, Kurt Krüger et les frères William et Bernard Fagg, ont tiré au clair plusieurs mystères de ces civilisations extraordinaires. Les plus beaux fragments du Bénin se trouvent au Musée Ethnologique de Berlin, au British Museum de Londres et à Lagos.*

SUR LA COTE occidentale du continent africain, là où l'Afrique se rétrécit, à la hauteur du golfe de Guinée, se trouve le Nigéria, pays de 35 millions d'habitants, creuset d'innombrables races et tribus africaines. On y trouve ainsi les Ibo, les Haussa, les Fulbe, les Yourouba, 4 millions d'individus de chaque tribu. Le Nigéria est un pays qui ne s'est pas imposé à l'attention du monde par son histoire politique ou son économie. Mais sa civilisation a fasciné l'humanité contemporaine. La ville du Bénin et la civilisation du Bénin font partie intégrante de l'histoire des civilisations, depuis que les Anglais pénétrèrent de force (en 1897) dans la capitale du royaume de même nom, située dans les alluvions du delta du Niger, depuis que l'ethnologue et archéologue Léo Frobenius a révolutionné nos connaissances des civilisations de l'Afrique Noire à la suite de ses fouilles de 1911. Bénin n'est pas seulement une ville, c'est un pays situé à l'ouest du delta du Niger, aux bords de la rivière Bénin, habité par des Soudanais, qui avaient installé sur ce territoire un empire puissant et redouté, le Grand-Bénin, l'une des régions les mieux organisées d'Afrique occidentale. Léo Frobenius croyait avoir trouvé en Fé les descendants et héritiers du « Continent disparu d'Atlantide », mais de son temps les recherches de Tartessos n'étaient pas aussi avancées qu'aujourd'hui. La côte du Bénin fut découverte en 1472 par les Portugais et devint, au XVIII⁰ et au XIX⁰ siècle, un des centres les plus actifs de la traite des Noirs. Depuis la découverte du pays par les Portugais jusqu'à l'invasion des Anglais, en 1887, ce royaume noir avait été perdu de vue. Pendant quatre siècles, il fut pratiquement impossible de s'informer des civilisations locales. Mais en 1897 eut lieu un événement qui coûta au Bénin son indépendance. Le consul général anglais du « Niger Coast Protectorate », Philips, poussa jusqu'à Bénin lors d'une expédition et eut la malchance de s'approcher de la capitale alors que s'y déroulait une cérémonie commémorative et un sacrifice en l'honneur des aïeux. Philips fut assassiné dans la brousse avant même d'avoir atteint Bénin. Les Anglais envoyèrent alors une expédition punitive en Nigéria. L'État se trouvait déjà en pleine décadence. L'arrivée des Anglais le disloqua complètement. Les Européens eurent l'occasion d'étudier l'histoire de la civilisation sanglante, mais nullement « primitive », de l'empire énigmatique du Bénin. Le butin ramené par les Anglais suscita l'étonnement du monde. Les bronzes étaient d'une si grande valeur artistique qu'on se perdait en hypothèses sur les maîtres européens, égyptiens ou islamiques qui étaient supposés les avoir créés.

L'intérêt suscité par ces bronzes s'explique par le fait qu'ils constituent un cas unique dans l'art plastique des peuplades nègres. Les sculptures du Bénin sont plus accessibles à la sensibilité européenne que le restant de l'art africain.

Nous savons aujourd'hui que les voisins du nord-ouest du Bénin, une tribu soudanaise, le peuple des Yourouba, possédait des villes de plus de cent mille habitants avant même l'arrivée des colonisateurs européens, que les Yourouba étaient d'habiles agriculteurs et éleveurs de bétail, qu'ils pratiquaient le commerce sur une vaste échelle. En effet, leurs produits manufacturés leurs tissus, leurs poteries, leurs objets en bronze et en laiton se répandaient au-delà des frontières de leur pays. On trouve encore de nos jours de vieilles cités de Yourouba au Dahomey et au Togo. Les seigneurs du Dahomey, les Fon, avaient hérité, de sources difficiles à déterminer, une grande tradition artistique. Yourouba devint ainsi la nation mère du royaume de Bénin. Bénin doit aux Yourouba non seulement son existence mais une maîtrise artistique peu commune. Depuis des millénaires l'Afrique a été le continent de la traite des nègres : en fondant Bénin, les Yourouba avaient l'intention de créer un centre de transactions, d'achats et de ventes d'esclaves. On exporta du seul Angola 1 389 000 esclaves, entre 1486 et 1641. On achemina vers le Brésil 10 000 esclaves africains par an entre 1580 et 1680. Entre 1783 et 1793, 900 bateaux quittèrent Liverpool, grand centre de la traite des Noirs, avec un chargement total de 300 000 esclaves, d'une valeur de 15 millions de livres sterling!

Tout cela était considéré en Afrique comme une « évolution normale », car il n'y a qu'un petit pas à franchir de l'esclavage domestique au commerce des esclaves, comme le fait remarquer très justement Basil Davidson.

L'art Yourouba était très florissant à Ile-Ife, capitale religieuse, centre culturel et siège du chef spirituel de tous les Yourouba. Ile-Ife, à 85 kilomètres environ d'Ibadan, en Nigéria, signifie « pays de l'origine ». La ville compte aujourd'hui 50 000 habitants. On connaît de l'époque « Ife » de belles œuvres d'art en pierre, en quartz, en granit, en bronze, en terre cuite. Les objets en bois ont souffert des conditions climatiques. Au cours des vingt dernières années on a découvert des sculptures Yourouba qu'il est impossible de classer dans les catégories connues de l'art africain. En 1938 et en 1939 on a remis au jour, dans l'enceinte du palais de l'Oni d'Ife, des objets précieux en laiton. Il s'agit surtout de sculptures en « fonte jaune ». Le laiton est un alliage de cuivre et de zinc d'une couleur plus ou moins rouge selon le pourcentage de cuivre employé. La « fonte jaune » contient jusqu'à vingt pour cent de zinc. Une figure de bronze de Tada, sur le Niger, représentant un homme, et d'autres découvertes d'Ife sont tellement naturelles et pleines de vie qu'on est tenté de conclure à des influences venues de l'art antique classique.

Il est parfaitement possible que des maîtres étrangers aient travaillé comme professeurs dans les académies d'art à la cour des rois de Bénin. Un ensemble de 401 divinités trouvé chez les Yourouba évoque des chœurs d'anges d'inspiration chrétienne, des premiers âges du christianisme. Il est difficile de dire si nous avons affaire à des influences datant de la fin de l'Antiquité ou du Moyen Age. Eckart von Sydow, grand connaisseur et spécialiste de l'art des peuples primitifs et de leur sculpture, est d'avis que les travaux du Bénin ont subi des influences extérieures grâce aux longues pistes de caravanes qui parcouraient le Soudan du nord au sud et de l'ouest à l'est. Car l'habilité technique des fondeurs du Bénin soutient parfaitement la comparaison avec les fondeurs européens. La fonte du bronze et du laiton produisit, entre les mains des Noirs d'Afrique occidentale, de vrais chefs-d'œuvre. Mais le mystère des contacts et des influences reste entier. Aucune des innombrables plaques et statues de bronze n'est l'œuvre d'un artiste européen. Elles sont toutes africaines, quant au style et à la conception artistique, même si elles dépassent de loin tout ce qui a été fait ailleurs sur le continent africain. C'était l'avis du grand ethnologue Felix von Luschan, c'était l'avis du professeur berlinois Josef Marquart, qui publia, en 1913, un important ouvrage sur les collections du Bénin de la ville de Leyde. Des traits typiquement africains sont les proportions inhabituelles des statues, les jambes très courtes, le traitement schématique des traits du visage, l'importance relative donnée aux mains et aux pieds, les soins apportés à la reproduction des parures, avec tous leurs détails, des vêtements, des armements, la préférence donnée à la représentation de face des personnages.

*L'art du Bénin : représentation en bronze d'un indigène — peut-être d'un roi — à cheval. La plaque se trouve au Musée Ethnologique de Berlin (photo Paul Swiridoff).*

# CIVILISATIONS MYSTÉRIEUSES

Il est très difficile d'établir une chronologie de l'histoire de l'art du Bénin, parce qu'ignorant l'écriture on exprimait toutes les impulsions de la vie, tous les désirs et toutes les pensées, tous les concepts religieux par le seul art plastique. Malgré ces difficultés, l'ethnologue Bernard Struck, de Heidelberg, a pu établir cinq périodes dans l'art du Bénin, entre 1140 et 1887 après Jésus-Christ. Le xvi<sup>e</sup> et le xvii<sup>e</sup> siècle ont vu l'éclosion la plus merveilleuse de l'art du Bénin. Les fameuses plaques de bronze fournissent quelques indications fort précieuses : quelques-unes représentent aussi des Européens : les vêtements, les couvre-chefs, les fusils de ces Européens indiquent comme date l'époque entre 1530 et 1585. C'est à peu près tout ce que nous livrent ces images. Les plaques ont de 30 à 52 cm de longueur; même les parties les plus finement ciselées des images sont creuses à l'intérieur. Les indigènes sont incapables de dire à quel usage ces plaques étaient destinées. On les avait fixées aux piliers du palais royal. On voit encore les trous pour les clous. Pourquoi fabriquait-on des plaques avec tant de soins? Toute la vie des hommes du Bénin a été fixée sur ces images : c'est ainsi que les plaques se présentent aujourd'hui à nous comme des « documents » variés et grandioses.

Nous possédons le récit d'un Hollandais du xvii<sup>e</sup> siècle qui nous brosse un tableau vivant de la splendeur de la cour de Bénin. D'après ce Hollandais, la ville était vaste, les rues larges, les maisons pourvues de vérandas que des esclaves nettoyaient avec beaucoup de soin. A l'intérieur du palais royal il y avait des cours rectangulaires bordées de galeries. Le roi possédait de beaux chevaux et de grandes écuries; il disposait également d'une troupe bien entraînée, et la noblesse de son royaume lui était fort attachée. « Le roi a beaucoup d'esclaves mâles et femelles. On voit partout des femmes-esclaves portant de l'eau, des ignames, de l'huile de palme. Les gens disent que c'est pour les femmes du roi. Le roi a de nombreuses femmes et organise tous les ans deux cortèges. Il y montre sa puissance, sa richesse, ses parures, Il y est accompagné de ses femmes, au nombre de six cents. Les nobles du royaume ont également beaucoup de femmes, les uns 80, les autres 90. Aucun homme d'un certain rang n'est si pauvre qu'il ne puisse entretenir 10 à 12 femmes, si bien qu'on trouve plus de femmes que d'hommes. »

Selon une tradition indigène, le roi Overami Eduboa, destitué par les Anglais en 1897, était le vingt-troisième souverain de sa dynastie. Le dixième roi s'appelait Esige Osawe et se vantait d'avoir été un « homme blanc » à sa naissance. Avant sa mort il aurait envoyé des ambassadeurs chargés de présents au pays des Blancs « de l'autre côté de la grande eau ». On prétend qu'il avait aussi fait venir des Blancs dans son royaume. Ceux-ci s'établirent à Gwatto comme commerçants. Parmi eux se serait trouvé un homme du nom d'Ahammangiwa, c'est-à-dire « Mohammangiwa » = « Mahomet aux Eléphants ».

*Une des célèbres plaques de bronze du Bénin. La population du Nigéria ne se souvient plus à quel usage ces plaques étaient destinées. On sait encore moins ce qu'elles représentent (photo Paul Swiridoff).*

Ce musulman était un fondeur de bronze, peut-être un homme de la tribu des Haussa, qui s'était rendu au Bénin et qui avait représenté sur les plaques de bronze des Européens agrémentés d'ornements d'un genre nouveau. Il resta pendant longtemps auprès du roi. Il avait « beaucoup de femmes mais pas d'enfants ». Le roi lui envoya de nombreux jeunes apprentis. « Nous savons faire des objets en bronze, disaient plus tard les hommes du Bénin, mais pas aussi bien que lui, puisque lui et ses élèves sont morts. » Le professeur Joseph Marquart, de Berlin, qui a examiné le problème des origines de l'art du Bénin, pense que ce « Ahammangiwa » pourrait être une réminiscence assez vague de Portugais venus pour christianiser le pays. Il est possible que ses « nombreuses femmes » dont parle la tradition aient été des religieuses. Ahammangiwa était peut-être le chef de la mission. De fait, on a trouvé un calice d'ivoire finement décoré qui pourrait être l'indice de la présence, au Bénin, d'une mission catholique : c'était l'œuvre d'un sculpteur en ivoire de Sierra Leone. Ce calice, ainsi que des défenses d'ivoire ornées de précieux reliefs, se trouvent à présent au Musée ethnologique national des Pays-Bas.

Nous ne savons pas si les plaques de bonze décorées de reliefs se rattachent à quelques œuvres d'art européennes. Mais nous savons à quelle époque vécut Mohammangiwa. C'était sous le règne de l'Oba (roi) Esige Osawe, en 1485, l'année de la découverte du Bénin par le Portugais Joâo Alfonso de Aveiro.

Il est difficile de savoir si la civilisation mère, l'art des Yourouba à Ife, est plus vieux que l'art du Bénin. On peut supposer que l'époque la plus féconde de la statuaire et de la métallurgie d'Ife s'étendait du XII<sup>e</sup> au XIV<sup>e</sup> siècle après J.-C. Sous le dernier Oba indépendant, Overami, la fonte du bronze fut interdite pour des raisons inconnues. C'est pourquoi les Anglais s'étonnaient, en pénétrant dans le Bénin, de trouver les merveilleux objets de bronze amassés dans des cabanes. Après la conquête et l'incendie de la ville en 1897, après la déposition du roi, les artistes noirs se remirent au travail. Dans un certain sens, on peut dire que leurs ambitions et leurs capacités artistiques sont encore bien vivantes de nos jours, bien que le niveau de l'art ait baissé à la suite de l'industrialisation de leur pays.

L'explorateur anglais Bernard Fagg a mis en évidence des liens fort intéressants entre la vieille civilisation de Nok — qui comporte des outils en fer à côté d'ustensiles en pierre — et l'art des tribus de Nigéria. Fagg fournit en 1956 la description détaillée d'une tête grandeur nature, en terre cuite, découverte en 1954 dans le sud de la province de Zaria (Nigéria septentrionale). L'importance de cette trouvaille vient de ce qu'elle date de l'époque préchrétienne. La coiffure finement modelée, les yeux vivants et bien dessinés, la bouche très expressive : tout rappelle les plus belles œuvres d'art d'Ife et du Bénin. On n'a pas encore pu dater la civilisation de Nok, mais on suppose qu'elle avait atteint son apogée au I<sup>er</sup> millénaire avant Jésus-Christ. Fagg fait remarquer que la coiffure de la tête sculptée en question ressemble aux coiffures en usage aujourd'hui encore chez les tribus Kachichiri et Numana, qui vivent à 50 km au nord de Nok. On est donc en droit de supposer que les origines de l'art du Bénin sont beaucoup plus anciennes qu'on le supposait jusqu'ici!

Quel était donc le sens profond des bustes de reines, des statues, des têtes et de mille autres objets? Le principal ressort de l'art bénin était le culte des aïeux. C'était la base même sur laquelle se dressait l'art du bronze du Bénin, sur laquelle les familles royales bâtissaient la religion de leur État. Le culte des aïeux exigeait des autels dressés en honneur des aïeux, des rois et des dynasties. Sur quelques autels on trouve un groupe de reines mères, des tête de bronze, des coqs, des défenses d'ivoire sculptées.

Il est vrai que le culte des aïeux au Bénin n'avait pas le même haut niveau spirituel qui caractérise certaines civilisations d'Asie orientale. Ici, les liens qui unissaient les morts et les vivants étaient de nature *utilitaire*. Le chef de la tribu agite des baguettes, piétine le sol, fait sonner des clochettes, invoque l'esprit des aïeux. Les esprits des aïeux prennent possession de la tête qui se trouve au milieu de l'autel et écoutent là la prière de la tribu. Pendant la prière, on broie des noix de kola. Le prêtre les prend dans la bouche, les mâche, les crache sur les baguettes. Après quoi commence le sacrifice. L'offrande principale était une panthère qu'on offrait au génie du roi du Bénin de son vivant. La cérémonie était inaugurée par le rite du glaive. On offrait un coq, une chèvre, une vache. On posait de la nourriture devant les baguettes et la tête de l'aïeul sur l'autel : un banquet de toute la famille terminait la cérémonie.

L'arrivée de la civilisation occidentale a porté dommage à *l'esprit* de l'art nègre : le culte des aïeux se vide de sens, les traditions des tribus se perdent, le commerce des « souvenirs » pour touristes remplace de pieux usages. Pourquoi l'art moderne des Noirs paraît-il si vide de signification? William B. Fagg a mis le doigt sur la plaie : « Tous ceux qui comparent cet art à l'intention des touristes avec celui des traditions anciennes, se rendent immédiatement compte du fait qu'avec les formes extérieures quelque chose de plus important s'altère : la force vivante qui fait défaut n'est autre que la base même de la vie de la tribu, une certaine conception philosophique du monde. »

Seuls l'esprit et la foi des hommes du Bénin ont pu donner à leurs figures de bronze cette force vivante, cette puissance de l'expression qui fait la beauté unique de ces œuvres d'art incomparables.

# NOUVELLE-GUINÉE

# La rivière
# aux mille
# yeux

« *Les civilisations de la vallée du Sepik, si remarquables par leur vie culturelle et artistique, sont toutes sur le point de s'éteindre. Dans un pays où les caractères extérieurs n'ont presque pas été touchés, le genre de vie traditionnel des indigènes a pratiquement disparu ou se désagrège... Tous ces changements ont leur cause dans les contacts avec la civilisation moderne. Confrontés avec la supériorité qui s'y exprime, les indigènes ont souvent perdu leur soutien intérieur et extérieur. C'est pourquoi leurs civilisations se meurent.* »
(Alfred Bühler, *Sepik*, Stuttgart-Bern-Wien, 1958, p. 23.)

L'OCEAN PACIFIQUE est plus étendu que tous les continents ensemble, il est entouré d'une ceinture de volcans éteints ou en activité. C'est la partie la plus récente du globe. Il est toujours en état de formation, ses îles et ses rivages viennent et disparaissent. D'Hawaï à la Nouvelle-Zélande, de la Nouvelle-Guinée aux îles de Pâques, les eeux scintillantes de la mer du Sud baignent plus de 30 000 îles. Tous les peuples de la mer du Sud ont pris possession de leurs îles à une époque reculée et inconnnue, venant du continent ou des îles asiatiques. A maintes et maintes reprises, ces hommes se lancèrent à l'assaut de l'Océan à bord de bateaux à voiles, s'y noyèrent ou atteignirent des rivages sauveurs.

Dans l'immense univers de l'océan Pacifique, on distingue trois mondes, la Polynésie, la Micronésie, la Mélanésie. Ces trois mondes sont très différents. Ils ont en commun l'absence d'écriture, de métaux et d'autres matières premières qu'on ne trouve que sur les continents. Ils ont en commun aussi la décadence générale, la menace d'extinction, car à l'exception des Maori en Nouvelle-Zélande et de quelques autres tribus, le nombre des indigènes décroît sans cesse depuis l'arrivée des étrangers dans la région.

« Polynésie » est un mot de formation grecque et signifie : « Pays des nombreuses îles ». L'immense triangle entre Hawaï, la Nouvelle-Zélande et les îles de Pâques pourrait contenir des continents entiers, quatre fois l'Australie, trois fois les U.S.A. et le Canada. Pourtant les innombrables îles de ces régions n'hébergent que 1,1 million d'individus, dont 100 000 sont des Polynésiens. Leurs légendes ont gardé le souvenir de leurs migrations de l'ouest, et du pays fabuleux de leurs ancêtres, le Hawaiki.

Ils s'installèrent d'abord à Samoa et à Tonga et abordèrent dans les îles de la Société au XVIIIᵉ siècle après J.-C. Partant de l'île de Raiatea, centre politique et religieux de Polynésie, ils colonisèrent le Pacifique oriental jusqu'aux îles de Pâques. Les premiers Polynésiens prirent d'assaut l'Océan, à bord de bateaux à voiles, à l'époque de la naissance du Christ ou quelques siècles plus tôt. D'après les dernières recherches fondées sur le carbone radioactif, Hawaï était habité quelques siècles après la naissance de J.-C. D'où venaient les Polynésiens ?

Nous ne le savons pas avec précision, mais selon certaines hypothèses ils sont d'origine indonésienne. Nous savons que la langue polynésienne et la langue indonésienne sont proches parentes, qu'elles ont toutes deux un tronc commun, la langue « austronésienne primitive ». Comme le sanscrit hindou a pénétré en Indonésie vers 350 après J.-C. et comme la langue polynésienne ne contient *pas* d'éléments sanscrits, on peut en conclure que les Polynésiens ont quitté leur patrie d'origine *avant* cette date. Mais les migrations polynésiennes les plus importantes eurent lieu aux XIᵉ, XIIᵉ et XIIIᵉ siècles après J.-C. Vers 1350, la Nouvelle-Zélande fut colonisée à partir des îles de la Société et des îles Cook. La traversée des immenses étendues d'eau à bord de fragiles embarcations munies de voiles en matière nattée est une des plus grandes aventures de l'humanité, dont nous parlent encore les vieilles traditions, les mythes et les chants des insulaires.

Comme l'humanité a un penchant marqué pour les hypothèses hardies et les théories audacieuses, d'aucuns ont prétendu, au cours de ces dernières décennies, que les Polynésiens seraient venus d'Amérique du Sud. Ce conte de fées n'a jamais été pris au sérieux par la science, car les migrations polynésiennes à partir de l'ouest sont prouvées par d'innombrables traditions, par des faits d'ordre ethnologique et anthropologique. « C'est une des thèses les mieux prouvées de la recherche ethnologique en Océanie, que les îles ont été colonisées *à partir de l'ouest*, à partir de l'Asie. Il est impossible de soutenir que cette colonisation s'est faite à partir du continent américain. » Voilà ce qu'en dit Herbert Tischner, le célèbre explorateur des peuples de la mer du Sud, et son avis est partagé par toute la science moderne.

La Micronésie, « le pays des petites îles », comprend quelque 1 458 îles, parfois très petites, d'une population totale de 170 000 âmes. La plupart de ces îles sont des atolls constitués par des récifs coralliens. 97 000 Micronésiens seulement vivent encore sur les îles Mariannes, Palau, Carolines, Marshall, Nauru et Gilbert. La race des Micronésiens, avec ses curieuses réminiscences de l'ancienne Mongolie, disparaîtra sans avoir fait l'objet de recherches scientifiques, comme tant d'autres peuples primitifs avant eux. Il suffit de songer aux Tasmaniens, aux Indiens de la Terre de Feu et à d'autres.

Le nom de « Mélanésie » dérive du grec « melas » = noir et « nesos » = île. Sur le plan tectonique, la région fait partie de l'Australie. Dans les temps préhistoriques, elle formait le bord extérieur de l'Australie, avant que d'immenses parties de ce continent n'eussent disparu sous les flots. La deuxième île de la terre, par ordre de grandeur, la Nouvelle-Guinée, l'archipel Bismarck, les îles Salomon, Santa-Cruz, les Nouvelles-Hébrides, la Nouvelle-Calédonie font partie de la Mélanésie, dans la partie sud-est de l'océan Pacifique.

Tous ceux qui ont visité les îles de l'océan Pacifique savent que seuls les Polynésiens sont bien bâtis et de haute stature, qu'ils ont une peau claire et de longs cheveux noirs, en quoi ils ressemblent aux Chinois et aux Japonais. Il n'y a pas de Japonais ou de Polynésiens à la chevelure naturellement bouclée. Par la chevelure, ils se distinguent immédiatement des Micronésiens et des Mélanésiens, qui ont des cheveux crépus. Parmi les Micronésiens, on rencontre des individus à la peau plus ou moins foncée, mais jamais aussi foncée que celle des Mélanésiens, qui sont parfois franchement noirs. Les habitants des îles Salomon sont des Mélanésiens tout à fait noirs.

La Mélanésie a été la première à être colonisée. C'est pourquoi on y trouve encore les anciennes civilisations. La Nouvelle-Guinée constitue comme un des derniers parcs ethnologiques. C'est pourquoi cette île est une des régions les plus intéressantes de la terre. Beaucoup de problèmes n'ont pas encore trouvé de solution : dans le bassin fluvial du Sepik, nous rencontrons sans doute l'art le plus parfait de toute la région du Pacifique.

La population de la Nouvelle-Guinée pose de nombreux problèmes. C'est ainsi qu'on y trouve des individus de haute taille, à tête oblongue, et des nains appelés « pygmées » : certains groupes s'apparentent à la population indigène australienne ou tasmanienne éteinte depuis

*A gauche : un siège rituel à l'effigie d'un ancêtre, et à droite : un bouchon à figure d'ancêtre trouvé sur les bords du fleuve Sepik. (photo Giraudou).*

longtemps, d'autres ressemblent aux Mélanésiens ou sont des Mélanésiens. Presque toute la population des côtes est mélanésienne, en opposition à la population de l'intérieur, qui parle la langue papoue. La plupart des individus sont négroïdes, noirs de peau, aux cheveux crépus. Mais on rencontre en Nouvelle-Guinée des gens qui évoqueraient plutôt les races mongoles. Les populations les plus anciennes appartiennent au groupe linguistique papou. Mais les habitants de l'île parlent de nombreux idiomes. Le massif central de l'île, arête longue de 2 000 km, avec des sommets atteignant 5 000 mètres, est couronné de glaciers malgré la proximité de l'équateur. Déchiquetée en de multiples districts, isolée par de nombreuses chaînes de montagnes, l'île ressemble encore de nos jours à une véritable tour de Babel : chaque district a sa langue et sa civilisation. Lorsque les Blancs débarquèrent pour la première fois dans l'île, les indigènes ignoraient encore les métaux. La situation n'a pas changé depuis; les peuples de la Nouvelle-Guinée vivent encore de nos jours à l'âge de la pierre.

Cela ne les empêche pas d'avoir un *niveau culturel* très élevé, pour peu que nous renoncions à leur appliquer nos critères européens et occidentaux. Nous sommes tellement ancrés dans nos idées chrétiennes et morales, que nous considérons le cannibalisme comme l'expression même de l'absence de toute civilisation. En Nouvelle-Guinée et dans d'autres îles mélanésiennes, le cannibalisme était l'apogée d'un rite magique aux prolongements spirituels, et constituait, *dans la perspective mélanésienne*, le point culminant de leur civilisation.

La principale rivière de l'île, le Sepik, prend sa source dans le massif central; elle a la même longueur que le Rhin, mais les précipitations tropicales lui amènent d'énormes masses d'eau. En d'innombrables boucles et méandres, elle serpente dans les basses plaines au nord de l'île et en constitue la porte d'entrée. Quand l'astronome Carl Schrader s'engagea sur le fleuve, en 1886 et 1887, les indigènes adoptèrent à son égard une attitude tellement hostile que l'explorateur dut renoncer à son voyage sans avoir atteint la limite de navigabilité du fleuve. Les ethnologues Poech, Dorsay, Friederici lui emboîtèrent le pas. En l'an 1908, l'expédition hambourgeoise des mers du Sud ramena un riche butin ethnologique.

A cette époque, déjà, le monde occidental s'étonna du « sens artistique » des « sauvages » du Sepik : de beaux vases en poterie, de belles sculptures, de magnifiques constructions, tout cela suscita intérêt et admiration. Mais la Nouvelle-Guinée a toujours été et reste encore un territoire difficile à étudier. Les raisons en sont la structure du pays, les marécages et forêts vierges, le climat chaud et humide, les difficultés de se procurer de la nourriture, la volonté des indigènes de garder *leur* style de vie et de s'opposer aux influences occidentales, volonté qui a cédé peu à peu à la pénétration de l'Ouest; tous ces obstacles, et mille autres, ont découragé les explorateurs qui ne manquaient pourtant ni de courage ni de persévérance. Quand on contemple aujourd'hui dans les musées tous les objets d'usage en provenance de ce pays, on se rend immédiatement compte du puissant ressort spirituel qui a suscité ses créations étonnantes.

Ce ressort est ancré dans la conviction que le monde suprasensible, le monde spirituel et métaphysique, est plus important que notre existence terrestre. Les hommes de la Nouvelle-Guinée — comme d'ailleurs tous les autres peuples primitifs — sont incapables d'expliquer les catastrophes cosmiques, la maladie et la mort, les mauvaises récoltes, par des considérations scientifiques. Ils cherchent donc les causes de ces phénomènes dans le monde suprasensible. Cela leur permet d'intervenir dans le déroulement des phénomènes naturels, de conjurer les catastrophes et, dans certains cas, de les prévenir. Car, pour eux, tout dans la nature a une âme. Rien n'existe qui ne soit habité par une âme ou un principe de vie. Une telle croyance s'appelle « animisme », du latin « anima » (âme). Un principe de vie habite dans les animaux, les hommes, les plantes, les objets matériels. Il s'agit donc de l'utiliser au mieux, en évitant de le blesser ou de l'offenser. Cette croyance est essentiellement religieuse, car elle est fondée sur l'idée encore vague d'un élément divin, sacré, surnaturel, qui se manifeste dans tous les phénomènes, dans toutes les parties de notre monde. L'homme est par excellence le lieu de séjour de la force vitale, de l'âme. Quand l'homme expire, sa force magique ne fait que s'accroître. On craint donc le mort, on lui présente des offrandes, pour lui prouver son affection et sa dévotion.

Le monde entier est ainsi rempli d'âmes d'aïeux; elles habitent dans tous les objets en possession de l'homme. Tout ce qu'il fait de ses mains a été inventé par les aïeux. Les ustensiles de travail, les coutumes, les rites, tout vient des aïeux; partout se trouve répandu quelque chose de l'animisme du Créateur. Si les aïeux s'y opposent, l'homme n'aura même pas de progéniture.

Pour s'assurer les bonnes grâces des morts, il faut construire des demeures pour leurs âmes. La meilleure résidence pour l'âme d'une personne décédée est évidemment sa tête. Le crâne est rempli d'une force magique; déjà sur le plan anatomique, il offre une résistance remarquable à la décomposition. C'est pourquoi on déterre les morts quelque temps après leur inhumation, on nettoie le crâne et on remodèle un visage conforme à celui que le défunt avait de son vivant.

Nulle part dans la mer du Sud on n'a jamais su surmodeler les visages comme dans la vallée du Sepik. A cet effet, on couvre la tête d'une couche d'argile. Les yeux sont marqués par des coquilles d'escargots. On repique même les cheveux. Mais on a fait mieux : les moments les plus pathétiques dans la vie du mort sont toujours les fêtes cultuelles, les prouesses de guerre. A ces occasions, on avait l'habitude de se peindre la face. Le crâne surmodelé est donc décoré des mêmes dessins. C'est alors seulement que l'on considère comme achevée la « résidence de l'âme ».

Les crânes des aïeux ainsi préparés sont rangés côte à côte sur des planches finement sculptées. On les entrepose dans de grandes maisons d'esprits où ont lieu les réunions des hommes et les commémorations des morts. Si l'on ne peut pas mettre la main sur le crâne du mort, on taille des statues en bois susceptibles d'accueillir les âmes. Nous voyons ici un curieux parallélisme entre la civilisation de la Nouvelle-Guinée et les menhirs d'Europe occidentale, sans qu'il y ait eu nécessairement de contact entre les deux.

La croyance dans la puissance vitale de la tête humaine a mené jusqu'au cannibalisme et à la chasse aux têtes. Car si le crâne possède un pouvoir spirituel, on peut se rendre maître aussi de ce pouvoir détenu par des personnes qui ne font pas partie de la famille. Il suffit de s'en emparer. Pour cette raison, les Guinéens, s'attaquaient aux villages voisins. Dans tout le Pacifique, la chasse aux têtes n'était pratiquée qu'en Mélanésie.

Avec la tête, on s'emparait aussi du nom de la personne tuée. Le nom avait une grande importance, car il possédait un pouvoir intrinsèque : on pouvait le donner à un enfant et investir de la sorte ce dernier de la puissance spirituelle de son premier possesseur. C'est pourquoi les chasseurs de têtes tentaient toujours de savoir par quelque stratagème le nom de leurs victimes, avant de les achever.

Paul Wirz, qui a rassemblé une importante documentation sur l'archipel indien et la Nouvelle-Guinée, nous a laissé le récit d'un chasseur de têtes : « Au milieu de la nuit, nous cernâmes le village dont nous avions examiné les abords pendant la journée; nous appelâmes les dormeurs au combat. Cinq sont restés entre nos mains. J'ai tué celui-ci, expliqua l'homme, en me tendant un cubitus où pendait encore la chair. Il s'appelait Rawi; c'était un homme jeune encore! Monai, mon frère, le tenait pendant que je lui demandais son nom. Il hurlait comme un écorché. Mais cela ne servait à rien. Je lui ai coupé la tête avec mon couteau de bambou. » L'homme sortait la langue jusque-là, ajouta mon interlocuteur avec un geste horrible. Ensuite, il sortit de sa cabane et revint l'instant d'après. Il déposa devant mes pieds les trophées munis de longues tresses de cheveux fraîchement peintes. « Tu peux les avoir pour ton enfant s'il n'a pas encore de nom, hurla l'homme, si tu me donnes deux haches, dix couteaux et dix paquets de tabac. Retiens bien son nom! Il s'appelait Rawi! Rawi! »

Les forces et les puissances actives dans tout être humain sont désignées par le mot mélanésien de « mana ». Codrington est le premier à avoir rapporté ce terme des îles Salomon. Il existe aussi dans d'autres régions du Pacifique, et désigne les forces magiques opérant dans les animaux, les objets et les hommes. Plus un homme est important, plus il contient de force magique, de « mana ». D'après l'idée de plusieurs tribus mélanésiennes, on peut s'emparer du « mana » en consommant de la chair humaine. La chair d'un chef de tribu est plus chargée de « force vitale » que la chair d'un simple sujet. C'est pourquoi on faisait la chasse aux personnages haut placés.

Le cannibalisme n'est nullement la marque d'une civilisation décadente, on le rencontre rarement dans les débuts d'une civilisation. En Polynésie, il est au contraire le fait d'une civilisation évoluée. En Polynésie comme en Mélanésie, les hommes aussi bien que les femmes étaient les victimes du cannibalisme. On sacrifiait même des membres de sa propre tribu ou de sa famille. Le chef de tribu était le premier ou le seul à manger de la chair humaine. Certains prisonniers étaient engraissés avant d'être dégustés.

Il y avait des occasions spéciales, qui donnaient lieu à des repas cannibalesques : la maladie du chef de tribu, la consécration d'une maison d'esprit, le lancement d'un bateau, la conclusion d'une guerre, la consécration des jeunes hommes. Tischner raconte que les vieux habitants de l'île de Viti, de l'archipel des Fidji, étaient connus pour leurs mœurs cannibalesques. Il y avait parmi eux aussi des chefs qui détestaient cette coutume. Mais d'autres chefs de tribus finissaient par manger de grandes quantités d'individus. Le fameux héros Ra Unreundre est dit avoir mangé plus de 900 personnes. A Viti, on avait même des fourchettes et des assiettes spéciales pour les repas de ce genre.

Walter Behrmann, ancien professeur de géographie à l'université de Berlin et l'un des premiers explorateurs de la vallée du Sepik, remarque que nous devons juger la civilisation des indigènes en nous plaçant à *leur* point de vue et non pas au *nôtre*. En Nouvelle-Guinée on manquait de viande. Il n'y a guère de grands mammifères, à l'exception des porcs et des chiens. « Qu'on s'imagine un adversaire tué au combat, et qui, aux yeux des insulaires, ne se distingue en rien d'un animal : « Le désir de manger de la viande me dévore, j'ignore la morale européenne, j'ignore la religion chrétienne. » Dans cette perspective, la dégustation de l'adversaire paraît une action presque logique. Car, de sa nature, l'homme n'est pas végétarien, il ressent le besoin de manger de la viande, l'homme plus encore que la femme. C'est ainsi que nous expliquons le cannibalisme sans d'ailleurs l'excuser. » L'opinion de Behrmann qu'en Nouvelle-Guinée, on aurait tué les hommes faute de viande animale n'est point partagée par la plupart des savants. La vrai mobile du cannibalisme était d'ordre *cultuel* et non diététique. Je n'en veux pour preuve que telle fête, pendant laquelle les Guinéens ont tué et mangé 500 porcs, ce qui ne les a pas empêchés de se livrer par la même occasion au cannibalisme.

Nous trouvons à l'intérieur de la Nouvelle-Guinée une civilisation très fermée caractérisée par la chasse aux têtes et le cannibalisme, par les plus beaux masques de la mer du Sud, par des parures très remarquables, qui se distinguent par d'habiles compositions de couleurs, par des sculptures et des peintures d'un niveau nulle part atteint ailleurs, dans les îles du Pacifique. Des crocodiles magiques, des masques faîtiers, les statuettes d'hommes travaillées en proues de pirogues, les constructions puissantes des maisons de « tambaran », tout cela est l'expression d'une pensée spirituelle et même religieuse.

Les objets d'art de la Nouvelle-Guinée ont toujours l'air de nous regarder! Partout, en effet, nous rencontrons des yeux — les yeux sont l'élément prépondérant des hommes de la vallée du Sepik : on les trouve sur les crânes des morts, sur le fond blanc ou sombre des masques, sur le faîte des maisons, sur la proue des pirogues, sur les boucliers des guerriers. Lorsque l'artiste veut décorer une surface, le motif de l'œil prédomine presque toujours. Si une seule paire d'yeux ne fait pas l'affaire, l'artiste en ajoute d'autres. Les yeux sont très impressionnants : c'est que toutes les courbes, tous les ornements, tous les motifs soigneusement balancés se groupent autour des yeux. Le haut pignon de la maison des esprits est transformé en masque. A l'intérieur habite l'esprit, le « tambaran ». Sous le toit couvert de feuilles de palmier, l'esprit regarde par deux yeux lugubres et vigilants pour éloigner tout ennemi et toute influence néfaste.

Je suis enclin à croire qu'il y a un lien entre le T'ao-t'ieh des Chans de la Chine antique et le motif des yeux en Nouvelle-Guinée. Les récipients de bronze ornés du masque du T'ao-t'ieh servaient au culte des aïeux. Il est possible que le T'ao-t'ieh chinois dérive lui-même d'un ancien culte du crâne — il suffit de penser aux crânes de Chou-Koutien près de Pékin —, de même que le motif des yeux chez les Guinéens dérive du culte du crâne surmodelé des aïeux.

Aucun tenant de l'art abstrait ne saurait égaler la polychromie des hommes du Sepik. Les masques merveilleusement coloriés du cours moyen du Sepik, les peintures dans les maisons des esprits, les statues cultuelles et les sculptures sont un réservoir inépuisable d'inspiration pour nos peintres abstraits modernes. Sur les rives du Sepik, les indigènes savaient assembler des compositions de couleur d'une beauté bouleversante! Un régal pour les yeux!

Jamais on ne vouait un culte aux œuvres d'art elles-mêmes. Mais la vallée du Sepik, les régions montagneuses de Washkuk et de Maprik sont, selon le grand spécialiste Alfred Bühler, de vrais centres artistiques. Les hommes de la Nouvelle-Guinée se sont opposés à la colonisation européenne avec plus d'acharnement que d'autres peuples primitifs. Car la civilisation occidentale signifiait la fin des centres sacrés, la fin du « mana » qui succombait à la divinité sans pitié de l'Occident qui a nom « technique ». Tout art prend sa source dans la religion. En Nouvelle-Guinée, l'art n'a jamais été que l'humble serviteur d'une haute spiritualité, qu'un dispensateur de force spirituelle. Mieux qu'ailleurs nous voyons ici que l'art véritable plonge ses racines dans le monde supraterrestre et qu'un peuple est voué à la décadence lorsque la civilisation moderne sape les constructions de l'esprit et la force de l'âme.

*Masque provenant de Mélanésie en Nouvelle-Guinée* (collection Viollet).

*Ile de Pâques, Moaï (grandes statues) dans le volcan Rano Raraku situé au sud-est de l'île (photo Quillard-Viollet).*

# Les statues

*« Au cours des trois semaines que nous avons vécu au milieu des statues, nous les avons vues sous le soleil, au clair de lune et par des nuits d'orage. Chaque fois, comme au premier jour, nous avons éprouvé le même saisissement, le même malaise. C'est moins leur taille que la confusion dans laquelle elles se présentent qui oppresse.* (Alfred Métraux, *L'île de Pâques*, Paris, 1941, p. 127.)

L E DIMANCHE de Pâques de l'an 1722, le navigateur hollandais Roggeveen découvrit une île. Du haut de son bateau *Arena*, il remarqua que cette île était habité. Mais ce n'est que le lendemain qu'il entra en contact avec sa population. En effet, les insulaires montèrent à bord sans montrer la moindre peur. Ils examinèrent la voilure, mesurèrent le pont, regardèrent les cordages, les mâts, les canons. Lorsque la musique de bord se mit à jouer, l'enthousiasme des visiteurs ne connut plus de limites et ils se mirent à danser de joie.

D'autres habitants de l'île vinrent inspecter le bateau. Ils s'y plaisaient et semblaient bien s'entendre avec les Hollandais. Mais tout à coup, un certain nombre d'insulaires sautèrent à l'eau coiffés de couvrechefs qu'ils avaient volés aux matelots. La nappe de la table du capitaine disparut également à travers le hublot. Depuis cette époque, de menus larcins ont toujours caractérisé les rapports entre les indigènes de l'île et leurs visiteurs.

Jean-François de La Pérouse, illustre navigateur, qui explora l'océan Pacifique, fut un homme extraordinaire. Il voyagea dans la mer du Sud, explora les côtes d'Amérique du Nord et d'Asie. Il visita les îles Hawaï et Alaska. Il poussa jusqu'en Chine et à Macao. Il traversa la mer du Japon. Il découvrit le détroit entre Hokkaido et Sakhaline. On le revit aux îles Samoa, à Tonga, aux îles Norfolk. Il fit ensuite une apparition à Port-Jackson, en Australie. Une lettre d'Australie, datée du 7 février 1788, est le dernier message qu'on reçut de lui. En 1826, le capitaine Peter Dillon découvrit les épaves des bateaux de ce hardi navigateur. C'étaient *la Boussole* et *l'Astrolabe*, brisés sur les récifs volcaniques de l'archipel de Santa-Cruz. Ce même La Pérouse a étudié en détail les mœurs et habitudes des naturels de l'île de Pâques. Ses observations sont d'autant plus précieuses que, à son époque, certaines traditions ancestrales de ce peuple mystérieux étaient encore bien vivantes. La Pérouse raconte que les habitants de l'île avaient « une autre idée de la notion du vol » que nous. Leurs traits ne trahissaient jamais les moindres émotions. Il trouva les insulaires curieux, éveillés, intéressés par tout ce qui se rapporte à la navigation. Ses bateaux furent également arpentés par les indigènes qui examinèrent avec attention et compétence les cordages, l'ancre, la boussole, le gouvernail. Ils étaient les plus grands navigateurs de l'océan Pacifique et peut-être de l'humanité.

On ignore ce que sont devenus les douze hommes et douze femmes qu'un capitaine américain inhumain et brutal enleva en 1808 sur son bateau *Nancy*. Il fit enchaîner les vingt-quatre Pascuans au fond de la cale avec l'intention de les conduire dans l'île Mas Afuera, à 600 kilomètres à l'ouest de Santiago, capitale du Chili, et de les y vendre comme esclaves. On avait besoin d'hommes et de femmes pour la chasse aux phoques.

L'habile capitaine n'avait pas tenu compte du fait que les insulaires étaient — à cette époque au moins — d'excellents nageurs. Lorsqu'il les fit venir sur le pont, à trois journées de voyage de l'île de Pâques, hommes et femmes sautèrent tous à l'Océan. L'Américain pensant que les insulaires renonceraient bientôt à leur tentative insensée de regagner leur île à la nage, donna l'ordre de mettre en panne. En vain. Les captifs ne songèrent pas à revenir.

Une observation des Américains mérite d'être rapportée ici. Les Pascuans eurent une discussion sur la direction à prendre. Après quoi, un groupe se dirigea vers l'île de Pâques alors qu'un autre s'éloigna vers le nord. Le capitaine fit mettre à l'eau des embarcations pour reprendre sa « marchandise », mais les insulaires plongèrent avec tant d'adresse qu'il était impossible de les reprendre. On ignore si les fugitifs ont jamais atteint une terre ferme, mais on suppose qu'ils se sont noyés.

Ici comme partout ailleurs, les Européens ont fait en sorte que l'amitié et la gentillesse des indigènes se sont transformées peu à peu en haine et aversion. D'après leur race et leur langue, les Pascuans sont des

Polynésiens. On note cependant que leurs crânes sont plus allongés que ceux de tous les autres Polynésiens. Ceci est peut-être dû à un mélange d'éléments mélanésiens.

Aujourd'hui on réussit à établir l'origine de beaucoup de peuples en examinant leur groupe sanguin. Vus sous cet angle, les Pascuans sont des Polynésiens. Il est probable qu'ils se sont mélangés avec les Mélanésiens avant leur arrivée dans l'île. En 1722, lorsque Roggeveen débarqua dans l'île, il y avait environ quatre mille indigènes. Actuellement la population est en augmentation rapide. Il n'y a pas lieu de craindre que cette race ne s'éteigne.

On a écrit beaucoup de livres sur l'île de Pâques. Mais malgré cette abondante littérature, de nombreux mystères attendent encore d'être élucidés. Heyerdal a répandu de nombreuses erreurs sur l'île et ses habitants bien que ses travaux citent — et confondent — tout ce qui a été écrit sur la matière. Limitons-nous au mystère qui entoure les figures qu'on trouve dans l'île. Disons tout de suite que le voile sur leur origine n'a jamais pu être entièrement levé!

L'île basaltique se dresse, solitaire et dénudée, au milieu des flots. Elle constitue l'élément le plus oriental du monde polynésien. Il n'y a aucun cours d'eau, pas d'arbres, peu d'animaux, peu de végétation.

Les statues qui se dressent dans l'île de Pâques ont nourri l'imagination des navigateurs, des explorateurs, des savants depuis le jour de leur découverte. Il n'y a guère de sujet en archéologie qui ait si bien gardé son secret.

En effet, ces statues gigantesques se dressent muettes et énigmatiques! Quelques-unes portent sur la tête un objet cylindrique. A quoi servent-elles? Pourquoi les a-t-on sculptées? L'ombre de leurs créateurs disparus plane encore sur cette terre. Quoi qu'on fasse, il est impossible de les oublier : elles exercent une sorte de fascination sur ceux qui les contemplent. On est pris de saisissement. Aucune information n'existe sur leur origine et leur signification.

Les indigènes qui habitent l'île aujourd'hui n'ont pas la moindre idée de l'origine de ces statues. Les différents monuments possèdent bien des noms, comme tout a un nom polynésien dans l'île de Pâques. Parfois, les habitants de l'île adressent à leurs visiteurs cette question mêlée d'étonnement :

« Vous n'avez donc pas dans vos pays de telles statues? »

La création de ces gigantesques statues n'a été possible que grâce au volcan Rano Raraku dont le tuf servait de matière première aux sculpteurs. Il faut établir une distinction entre les statues de Rano Raraku qui doivent leur existence extrinsèquement ou intrinsèquement au volcan, et les « Ahu ». Les « Ahu » étaient, en effet, des murs érigés parallèlement à la côte, longs de 100 mètres et hauts de 5 mètres environ. Sur ces murs se dressaient des statues, parfois jusqu'à quinze à la file. Il est probable que ces statues servaient au culte des morts et que les ossements étaient enterrés à leurs pieds. Notons encore un fait curieux : toutes les statues faisant partie du groupe des « Ahu » avaient été renversées et souvent brisées. Mais au XVIII$^e$ siècle, une partie en était encore debout.

Chaque statue représente un buste avec une face dirigée vers le haut et munie de longues oreilles. Les « chapeaux » ou « couronnes » cylindriques faits d'une matière rouge se détachent déjà par leur teinte du reste de la statue. On les sculptait dans une pierre recueillie dans un autre cratère. Le Rano Raraku se dresse sur la pointe nord-est de l'île. C'est là que se trouvaient d'immenses ateliers à ciel ouvert. On peut supposer que cette sculpture mégalithique a occupé une grande partie de la population de l'île.

On a trouvé des statues et des « Ahu » se dressant librement sur le sol dans toutes les parties de l'île. Selon l'avis des savants, les statues qui s'élèvent sur les pentes intérieures et extérieures du cratère du Rano Raraku seraient postérieures aux mégalithes « Ahu ». Une autre différence les caractérise : les statues du Rano Raraku ont des crânes plus étroits, ce qui ne permettait pas de les adorner d'une couronne.

Parmi les énigmes les plus troublantes sont les statues renversées sur les vieux chemins. De nombreuses théories ont été échafaudées à leur sujet. Quelques savants sont d'avis que ces statues auraient été accidentées pendant leur transport et abandonnées sur place. D'autres pensent que ces statues servaient d'ornements aux sentiers.

Toutes les statues créées dans l'île sont sorties des ateliers au pied du Rano Raraku. Elles sont toutes taillées dans le tuf volcanique. Mais on connaît quelques exceptions. Ainsi, certaines statues se trouvant actuellement à Londres et à Bruxelles sont en pierre douce ou en basalte.

On trouve sur l'île de Pâques des statues « Ahu » qui se dressaient sur de grandes aires d'inhumation. On rencontre aussi des statues debout ou couchées sur les pentes extérieures et intérieures du Rano Raraku. D'autres sont dispersées dans l'île comme indiqué plus haut. On a même trouvé des statues dans les niches au pied du volcan où elles étaient taillées. Les statues « Ahu » tournaient toujours le dos à la mer. En 1878 déjà, toutes étaient renversées — de main d'homme. Sur quelques-unes de ces statues, on a pu constater des traces de couleurs. Mais les intempéries ont détruit la peinture. Aujourd'hui, on trouve encore 40 mégalithes sur les pentes extérieures et 20 mégalithes sur les pentes intérieures du Rano Raraku. Quelques-unes se sont enfoncées dans le sol jusqu'à la hauteur du menton. Aucune de ces statues ne porte une couronne. Les yeux ne sont marqués que par un pli sous les sourcils. Les statues « Ahu », par contre, ont des trous à la place des yeux.

Pourquoi les Polynésiens de l'île de Pâques ont-ils abandonné les statues au pied du Rano Raraku? Pourquoi les a-t-on rangées là, adossées la plupart du temps contre la paroi de la montagne? Attendaient-elles d'être transportées ailleurs? ou bien était-ce là leur emplacement définitif? La plus grande statue qu'on ait jamais déplacée dans l'île, haute de douze mètres, a été abandonnée sur le « sentier septentrional ». A en croire la tradition qui s'est maintenue parmi les indigènes, toutes ces statues auraient été victimes d'accidents au cours de leur transport. On les abandonnait. Les rainures sur la partie inférieure de ces statues permettent pourtant de penser qu'elles aussi avaient été debout autrefois. Il est possible que les routes n'aient servi qu'au transport des statues « Ahu » et à des processions. On ne possède aucun renseignement précis à cet égard. Scoresby Routledge a indiqué en 1920 que le nombre des statues presque terminées et entreposées sur les pentes du Rano Raraku s'élève à 150.

Quels événements avaient donc marqué l'histoire de l'île de Pâques? Quelle catastrophe a mis un terme à son activité? On a découvert dans les niches de travail sur les pentes du volcan des centaines de ciseaux abandonnés dans un grand désordre. Étant donné que beaucoup des statues découvertes n'étaient terminées qu'à moitié, on doit en conclure que l'activité des sculpteurs mégalithiques a trouvé une brusque fin. Quel cataclysme a amené les artistes à jeter leurs outils, à quitter les lieux et à ne jamais reprendre leur activité de statuaires? Pourquoi ont-ils laissé 150 statues à moitié terminées dans leurs niches? Aucune source ne nous renseigne sur ces événements!

Peut-être des guerres entre tribus ont-elles mis un terme à la grande activité des artistes, peut-être un raz de marée a-t-il balayé l'île!

Compte tenu des 150 statues inachevées, on a dénombré dans l'île environ 600 monuments mégalithiques. Quand ces monuments de l'art polynésien ont-ils été créés? Il est à peu près impossible de le déterminer. La méthode du carbone 14 est inopérante ici puisqu'on n'a pas trouvé de particules de carbone. Quoi qu'il en soit, les statues sont de date beaucoup plus récente que certains récits fantaisistes ne le laissent supposer. L'art mégalithique florissait sans doute entre 1610 et 1730. On peut avancer ces dates en se fondant sur la corrosion du tuf volcanique qui permet quelques conclusions quant à leur âge. D'après certains calculs, les statues ont entre 300 et 400 années d'existence. D'autre part, on peut affirmer que les statues « Ahu » sont plus anciennes que les statues du grand volcan.

Avant les statues « Ahu », il y avait, semble-t-il, des stèles de pierre rectangulaires et dressées sur leurs bases. Quelques savants pensent que ces stèles avaient été les prédécesseurs des statues mégalithiques.

Est-ce que les indigènes ont appris l'art de la statuaire seulement dans l'île ou bien l'ont-ils apporté de leur patrie polynésienne ? Comme on a trouvé très peu d'objets comparables dans le reste de la Polynésie, on doit en conclure que les statues de l'île de Pâques sont une création originale des insulaires.

L'une des statues inachevées dont seul le buste est terminé et dont la partie inférieure fait encore corps avec le roc volcanique mesure 20 à 23 mètres de haut. Il est probable que les insulaires étaient dans l'impossibilité de déplacer cet énorme bloc de roche.

L'île de Pâques a été le théâtre de nombreuses luttes de tribus qui opposaient les soi-disant « courtes-oreilles » aux « longues-oreilles ». On suppose que les statues étaient l'œuvre des ennemis. Il est bien possible que les luttes intestines aient été la conséquence d'autres immigrations polynésiennes.

Ainsi, les pierres monumentales de l'île de Pâques recèlent de nombreux mystères. Pourquoi prolongeait-on les lobes d'oreilles jusque sur les épaules ? Pourquoi le cou, le front, les joues des statues portent-ils des traces de tatouages ? Qui passait commande aux statuaires de ces énormes sculptures ? D'après une vieille tradition, les artistes étaient payés en nature. La création de monuments toujours plus gigantesques eut pour conséquence qu'à la fin, les insulaires se trouvaient dans l'impossibilité de les déplacer. On peut imaginer que ce gigantisme a mené à la décadence de l'art mégalithique. Certains savants ont avancé l'hypothèse que les indigènes auraient créé ces immenses œuvres d'art à seule fin de satisfaire leur besoin d'activité dans l'île désolée, puisqu'il n'y avait rien d'autre à entreprendre. Cette explication ne semble pas très plausible. Quand on connaît tant soit peu les Polynésiens, on sait fort bien qu'ils sont parfaitement capables de pratiquer le « dolce far-niente », de jouir du spectacle de l'eau et du soleil, sans inquiétude et sans énervement — et cela pendant longtemps !

# Les
# ultimes
# mystères

« *Notre soif d'explications plausibles ne doit pas nous faire perdre de vue les difficultés incroyables que les Pascuans ont surmontées pour transporter leurs statues. On comprend leurs interprétations magiques lorsqu'on voit l'ahu Rikiriki perché entre une pente abrupte et une falaise vertigineuse!* » (Alfred Métraux, *L'île de Pâques*, Paris, 1941, p. 138.)

O N S'EST LANCÉ dans de savantes spéculations pour savoir comment étaient transportées les statues de l'île de Pâques du volcan Ranо Raraku jusqu'à leur lieu de destination. On sait qu'on peut déplacer des fardeaux énormes à l'aide d'outils primitifs tels que rouleaux, leviers, cordes. Mais l'île de Pâques était dépourvue d'arbres. D'autre part, il est impossible que les habitants aient pu recueillir assez de bois flottant sur les plages. Ainsi, on voit mal comment on aurait pu fabriquer des patins ou des rouleaux pour traîner les statues pardessus champs de lave et arêtes rocheuses, nombreuses dans l'île.

Quelques statues pèsent jusqu'à 5 tonnes. La tête d'une statue que Pierre Loti a amenée jusqu'à Paris, où elle se trouve actuellement au musée de l'Homme, pèse 1 200 kg. Les grandes statues inachevées qui sont encore ancrées dans le rocher volcanique auraient eu un poids tellement extravagant qu'on ne pouvait même pas songer à les déplacer. Elles ressemblent à d'immenses gisants.

A défaut de patins et de rouleaux, comment les indigènes auraient-ils transporté leurs monstres de pierre? Ce problème n'a jamais trouvé de solution. Les théories énoncées n'ont eu que la valeur de vagues suppositions. Les insulaires avaient l'habitude de fabriquer des cordes avec les fibres d'un certain mûrier. Mais il ne pouvait être question de propulser les blocs de pierre à l'aide de seules cordes. Car le tuf volcanique de Rano Raraku est une matière très friable et fragile. Or, il fallait déplacer ces œuvres d'art sur de nombreux kilomètres sans les casser. Mystère que tout cela !

Alfred Métraux, l'un des explorateurs les plus méticuleux de l'île de Pâques, appelle les statues « des bustes géants, des infirmes sans jambes et munis d'une tête bien trop longue pour leur tronc massif ». Il est d'avis que les « chapeaux de pierre » ou « couronnes » qu'on fabriquait sur la montagne Punapau à quinze kilomètres du Rano Raraku étaient des imitations de chevelures ramenées en nœuds sur la tête. Autrefois on prenait ces objets cylindriques pour des turbans, des panaches de plumes, des symboles mortuaires. Nous ne savons pas si ces statues étaient des monuments dressés en l'honneur des morts, des idoles ou des habitacles d'esprits. L'hypothèse d'après laquelle elles auraient eu pour tâche de veiller sur l'île semble peu plausible parce que leurs figures étaient toujours tournées vers l'intérieur des terres et non pas vers la mer. C'est ainsi qu'elles gardent leur secret, majestueuses, les minces lèvres retroussées dans un regard de mépris.

La carrière du Rano Raraku laisse aux visiteurs une impression grandiose et inoubliable. On est saisi à la vue de ce désordre gigantesque, de ces titans aux nez puissants, à la nuque plate, de ces statues inachevées. Les sculptures abandonnées paraissent plus vivantes dans leur raideur que les œuvres terminées. Métraux raconte qu'il avait l'impression de visiter un chantier un jour de fête pendant que les ouvriers s'affairaient au proche village, prêts à revenir le lendemain. Il entendait en esprit les coups des marteaux sur le rocher, le rire et les chants des artistes à l'œuvre.

Il est manifeste que le chantier a été abandonné en plein travail car pour certaines statues il aurait suffi de quelques coups de ciseau pour les détacher du bloc rocheux. Rien de plus simple, dirait-on, que de reprendre l'outil jeté au pied de l'ouvrage.

La plus grande fête de l'île était consacrée au culte du dieu Makemake. A cette occasion, les notables de l'île se rassemblaient sur la pente abrupte de l'Orongo, l'arête du volcan Rano Kao. Auparavant, ils avaient envoyé leurs serviteurs dans la proche île de Motu Nui chercher le premier œuf pondu par l'oiseau frégate. Cet oiseau peuple les mers tropicales et pond sur les îles désertes. Il dépose un seul œuf

blanc dans un nid construit sur la falaise. Seul un homme « guidé par
le dieu » pouvait découvrir le premier œuf que l'oiseau frégate pondait
dans l'île de Motu Nui. Le maître de l'heureux « inventeur » était
sacré « homme-oiseau ».

Au mois de juillet donc, tout le monde se dirigeait vers l'Orongo :
on y voyait arriver de nombreux pèlerins surmontés de belles coiffures,
la face barbouillée de rouge et de noir. La recherche de l'œuf de la frégate était un événement tellement important que toute la population
était prise d'une sorte de transe. Car l'homme-oiseau était investi de
la puissance politique, gouvernementale, divine. L'homme-oiseau avait
le droit de donner ou de retirer aux autres habitants de l'île ce qu'il
jugeait expédient. Il était entouré de nombreux tabous. Il devait vivre
à l'écart des autres, il n'avait pas le droit de se baigner, il devait pratiquer la chasteté.

La chasse à l'œuf n'était pas une entreprise de tout repos. Les serviteurs chargés de cette mission devaient traverser à la nage la distance
les séparant de Moto Nui. Il fallait s'armer de courage car les parages
fourmillaient de requins. L'escalade de la falaise était la deuxième
prouesse car les abords de l'île étaient parsemés de récifs et de rochers.
Dans l'île, la vie des chargés de mission était des plus précaires, car
ils vivaient dans des grottes et se nourrissaient des provisions qu'ils
avaient apportées à la nage. Ils observaient en silence le vol des frégates.
Pendant ce temps, on chantait jour et nuit des chants sur les pentes
de l'Orongo. Les prêtres exécutaient certains rites. Début septembre
voyait s'approcher le moment solennel. L'homme qui avait trouvé
l'œuf convoité sautait dans l'eau du haut du rocher et annonçait la
bonne nouvelle à son maître. Le retour était tout aussi dangereux et
l'œuf était fixé au front de l'intrépide nageur. L'homme-oiseau était
désigné. L'œuf gardait son pouvoir magique pendant un an seulement.
C'est pourquoi la cérémonie se répétait annuellement. Il n'existe pas,
dans le monde entier de coutume qui puisse être rapprochée de cette
curieuse tradition des insulaires.

L'art religieux de l'île comporte également des statues d'ancêtres.
Ce sont des hommes à la physionomie expressive, aux oreilles longues,
à la barbe courte, au corps long et décharné qui laisse voir la colonne
vertébrale et les côtes au sternum voûté. Ces « Moai Kavakava » sont
très appréciés des collectionneurs d'art polynésien et il est à peu près
impossible de mettre la main sur des pièces authentiques. Ces statues
sculptées dans du bois ramassé sur les plages représentaient les « âmes »
des trépassés. On était fier d'avoir achevé une telle œuvre d'art, on la
fixait au corps et on se mettait à danser.

C'est ainsi qu'on voyait pendant les fêtes certains personnages qui portaient dix à vingt de ces statuettes. Comme ces sculptures contenaient de secrètes puissances, elles en communiquaient aussi à leurs propriétaires. Malheureusement, la fabrication de ce genre de statuettes est devenue une industrie dans l'île, mais personne n'est plus capable d'égaler le métier des artistes d'autrefois.

Le plus grand mystère de l'île de Pâques est sans doute son écriture.

*Tablette gravée, musée de Papeete, Tahiti (photo Roger-Viollet).*

Car les insulaires possédaient une écriture hiéroglyphique dont le déchiffrement a tenté beaucoup de savants et de profanes. Comme les tablettes de bois portaient la plupart du temps des textes cultuels, celles-ci ont souvent été détruites par des missionnaires chrétiens animés d'un zèle mal compris. Il subsiste 21 de ces tablettes. Elles sont conservées à

Bruxelles, au British Museum de Londres, dans les musées de Berlin, de Vienne, de Leningrad, de Santiago. L'artiste traçait le signe à l'aide d'une dent de requin ou d'un stylet en obsidienne. La tablette était confectionnée en bois de Toromiro qui se trouvait en maigres quantités dans l'île ou bien en bois trouvé sur les plages. On écrivait de façon qu'on devait retourner la tablette à la fin de chaque ligne, de gauche à droite, en commençant par la ligne inférieure.

Les artistes ont taillé ces légères tablettes avec tant de sens esthétique que toutes les imitations modernes et toutes les copies n'en sont que de pâles reflets. Comme les 21 tablettes authentiques ont une valeur inappréciable, les faussaires ont mis au point des méthodes toujours plus perfectionnées pour les contrefaire, mais les contrefaçons ne résistent pas à l'examen des spécialistes.

Les chantres de l'île qui récitaient les textes cultuels s'appelaient des « rongorongo ». Ils étaient recrutés parmi la noblesse et savaient par cœur des hymnes et des anecdotes ayant trait à l'histoire des familles royales, qui se transmettaient oralement de génération en génération. Ces hymnes furent fixés sur des tablettes qui servaient peut-être d'aide-mémoire lors de leur récitation.

Les tablettes elles-mêmes s'appelaient « Kohau rongorongo », ce qu'on traduisait autrefois par « bois qui parlent » ou « hibiscus qui parlent ». Primitivement, les bardes de l'île utilisaient des bâtonnets portant des inscriptions. « Kohau » veut dire « bâtonnet, bâton, tige, jonc ». On a retrouvé de tels bâtonnets de forme cylindrique, dont un exemplaire d'un mètre de long se trouve au musée de Santiago au Chili. Si l'on accepte la traduction de « bâtonnet » « pour « kohau », « kohau rongogongo » peut se rendre par « bâtonnet pour la récitation des chants ».

Quelle est l'origine de l'écriture mystérieuse de l'île de Pâques ?

Wilhelm von Hevesy — un linguiste hongrois — a essayé d'établir des analogies entre les hiéroglyphes de l'île de Pâques et l'écriture non encore déchiffrée de la civilisation des Mohenjo-Daro dans la vallée de l'Indus. Cette piste semble insoutenable, parce que la civilisation de la vallée de l'Indus date de l'année 1700 avant J.-C. alors que les tablettes de l'île de Pâques remontent à quelques centaines d'années seulement.

Le spécialiste viennois Robert von Heine-Geldern pense que les origines de la civilisation polynésienne doivent être cherchées en Chine et il croit reconnaître certaines ressemblances entre l'ancienne écriture chinoise et les hiéroglyphes de l'île de Pâques. Il est incontestable qu'on peut déceler une certaine analogie entre trois signes chinois datant du

II<sup>e</sup> millénaire avant Jésus-Christ et qu'on a trouvés sur des carapaces de tortue et des osselets, des symboles de l'île. Ce sont les symboles désignant le cercle, la montagne et la terre.

L'Argentin Imbelloni a comparé dix symboles de l'écriture pascuane aux caractères indiens du système Brahmi. Ce n'est qu'après l'inventaire et la classification des symboles de l'écriture de l'île qu'on put cerner de plus près le mystère. Métraux a dénombré un total de 960 signes. Il a retrouvé 183 fois le symbole de l'hirondelle marine qu'il interprète comme le signe du dieu Makemake. Un cinquième de la tablette était ainsi couvert des mêmes symboles. Une figure dont la tête est de forme rhomboïde revient 94 fois. Il est à noter que les tablettes sont toujours entièrement couvertes de signes et qu'on ne trouve jamais la moindre surface vide. On peut en conclure que le caractère cultuel de l'écrit est déterminant et qu'il ne s'agissait pas seulement de reproduire un texte d'une longueur donnée.

En 1958, le savant allemand Thomas S. Barthel, de l'université de Hambourg, publiait un ouvrage extrêmement intéressant sur l'écriture de l'île de Pâques, ouvrage qui nous apporte de nombreuses lumières. Nous savons maintenant qu'il n'est pas possible de reproduire à l'aide de l'écriture pascuane une phrase parlée dans sa totalité. L'écriture représente une sorte de « style télégraphique », série de mots clefs pour les récitations cultuelles. Cependant il ne s'agit pas, comme le pensent Métraux et quelques autres, de simples aide-mémoire mais d'une véritable écriture, assez primitive il est vrai. L'écriture de l'île de Pâques est un système de communication fondé sur un nombre limité de symboles. Les textes sont d'ordre cultuel, cantiques à la gloire de Makemake et d'autres dieux, chants pour les cérémonies mortuaires, incantations aux puissances fécondantes. Barthel a donné quelques traductions de ces « récitations » en 1960. Bien que plusieurs textes admettent des interprétations poétiques différentes, Barthel a néanmoins réussi à en pénétrer l'esprit et le sens pour autant que l'admet l'état actuel de la science. Les textes ainsi déchiffrés ont un charme très prenant : « Deux jeunes filles se promènent au fond de la nuit. Ce sont Tuhia et Romi-Renga. » Ou bien : « Façonne un arc, redresse-toi, arc-en-ciel. Envoie-nous ta bruine en plein soleil. » Ou bien : « C'est là que se dirige l'esquif. Ta proue est rouge, Oho-kero! » On croit voir marcher devant soi la petite Tino-Rere quand on lit : « Elle marche, elle sautille, elle se laisse aller, la petite Tino-Rere. Vas-y, saute, promène-toi, cligne des yeux ! »

L'invention d'un système d'écriture et d'une poésie aussi pénétrante place les peuples de l'île de Pâques bien au-dessus des civilisations primitives. Les habitants de l'île avec leurs statues de pierre, leurs sculptures sur bois, leur écriture et leur littérature se trouvaient sur le seuil d'une grande civilisation dont nous ignorons toujours les origines. Le polynésien Hotu-matua qui débarqua au XIIᵉ siècle avec son peuple dans l'île déserte y apporta certainement une civilisation évoluée. Mais nous en ignorons les éléments. Comme l'île est isolée en plein océan Pacifique, à 2 000 kilomètres de Pitcairn, à 3 500 kilomètres du Chili, comme elle est entourée d'immenses étendues liquides, les insulaires pensaient en toute logique qu'ils étaient seuls au monde et ne donnaient jamais de nom à leur pays. Les noms sont là pour établir des distinctions. Quand on se croit l'habitant de l'unique île de l'Océan, il est inutile de lui trouver un nom. Rapa-nui est un nom récent et Te-Pitote-henua ne désigne qu'un cap de l'île de Pâques.

L'ancienne civilisation de l'île pleine de mystère s'est éteinte en 1870. Quand on débarque aujourd'hui dans la baie merveilleuse d'Anakena qui garde tout le charme du paysage polynésien, quand on laisse vaguer le regard sur la mer aux reflets verts et vitreux, quand on monte sur la pente sablonneuse et parsemée de coquillages vers les volcans rouges, on peut se faire une idée de la vie qui animait l'île au temps jadis. Mais aucune savante recherche ne parviendra à lever le voile sur les mystères qui y sont ensevelis à tout jamais.

# L'homme
# de maïs

« *Le but de toute recherche est, comme l'exprime Laurence Hous-*
*man, de reculer les frontières des ténèbres. Pourquoi s'occuperait-*
*on de la civilisation des Mayas ? Il y a encore tant de ténèbres*
*même dans le domaine de la connaissance de l'homme. Je crois*
*qu'il faut répondre ceci : La civilisation maya n'a pas seulement*
*produit des génies, elle les a créés dans une atmosphère qui nous*
*semble incroyable. Quand on se penche sur la civilisation des*
*Mayas, on ne doit jamais s'attendre à l'évident. Dans le domaine*
*de l'inutile, ils étaient des maîtres, dans le domaine de l'utile, ils ont*
*échoué.* » (John Eric S. Thompson, *The Rise and Fall of Maya*
*Civilization*, Norman, 1954, p. 13.)

APRÈS LES PHÉNICIENS, les Polynésiens étaient sans doute les plus
grands navigateurs de l'Histoire. Les innombrables îles du Pacifique attiraient les hardis aventuriers bien plus que les étendues
marines de l'Atlantique. Les Mélanésiens ont entrepris des expéditions
marines dignes d'admiration. Ainsi, on sait que les indigènes de Manok-
wari, peu au-dessous de l'équateur, allaient de la Nouvelle-Guinée occidentale jusqu'à Ternate, dans les Moluques, à bord de leurs bateaux
à voile... 800 kilomètres ! A bord de leurs pirogues à balanciers les
habitants de Nouvelle-Guinée se déplaçaient le long de leur plus
grande rivière, le Sepik, mais ils connaissaient également les secrets
du cabotage. Les Polynésiens ont sillonné les étendues maritimes du
Pacifique sur leurs radeaux ou leurs barques à bouts-dehors. On fris-
sonne à la pensée de ces petites embarcations qui voyageaient parfois
pendant cinq mois sur les abîmes, de 4 300 mètres de moyenne, de
l'océan Pacifique, et dont l'équipage ne se nourrissait que de fruits de

mer, de requins et d'eau de pluie. En cas de tempête violente on immergeait le bateau pour empêcher la rupture des commandes, tandis que l'équipage nageait en s'accrochant à l'esquif.

Les Polynésiens ne sont pas seulement allés d'île en île, ils ont aussi parcouru d'énormes distances, qui ne leur permettaient pas de voir la côte pendant des semaines et des mois. C'est un fait prouvé qu'ils couvraient parfois des parcours de 5 000 milles marins, soit la distance de Tahiti à Hawaï : 9 260 kilomètres! Ils connaissent tous les récifs, tous les abîmes, tous les courants, tous les ressacs, tous les vents. Leurs connaissances astronomiques étaient si poussées qu'ils savaient calculer la dérive provoquée par des courants maritimes. Les habitants des Marshall ont sans doute dressé les premières cartes maritimes, pourvues d'annotations, pour la navigation à la voile. Leurs bateaux à bouts-dehors étaient rapides et maniables. Tischner remarque à ce propos que les caravelles des explorateurs européens étaient, en comparaison, des bateaux « lourds, lents et indociles ». Les habitants des îles de Chatham dans le Pacifique Sud se rendaient vraisemblablement à bord de radeaux jusqu'en Nouvelle-Guinée. Il faut se souvenir que ces « Miriori » ne se servaient que de radeaux faits de tiges de lin liées en bottes et assemblées par un cadre de bois. Le trajet jusqu'en Nouvelle-Guinée était une belle performance sur une embarcation aussi fragile, car il y a 400 kilomètres entre les deux îles. Les pirogues doubles des Polynésiens avaient souvent de 30 à 40 mètres de long, et pouvaient contenir entre 200 et 300 hommes. Les Mélanésiens et les Micronésiens construisaient également de tels « géants des océans » qui existaient déjà avant les expéditions d'un Frenâo de Magalhaes, d'un Francis Drake, d'un James Cook. Les migrations maritimes se faisaient toujours de l'ouest vers l'est. Il n'y a jamais eu de migrations *américaines* en direction du Pacifique. Les Indiens d'Amérique n'ont jamais eu le courage de se lancer à l'assaut des océans comme le faisaient couramment les Polynésiens. Il est certain que des tribus d'Amérique du Sud connaissaient également des radeaux à voiles munis d'une quille, mais elles ne s'en servaient que pour le cabotage. Alexandre de Humboldt a vu lui-même de telles embarcations sur les côtes de l'Equateur. C'étaient des radeaux en balsa — le bois le plus léger de la terre — garnis de huttes de bambou et de voiles primitives. Mais Adalbert von Chamisso, page de la reine de Prusse, plus tard poète et homme de science, avait raison de dire que la langue des Micronésiens et des Polynésiens s'apparente au malais et non pas aux langues américaines. Chamisso avait fait le tour du monde à bord du brick russe *Rourik*, de 1815 à 1818. Il avait étudié les idiomes des Malais et des peuples de la mer du Sud, et avait noté 22 grammaires différentes rien qu'aux Philippines. Des analogies découvertes récemment entre les sculptures de Tiahuanaco, sur la rive méridionale du Titicaca, en Bolivie, et les monuments en pierre dans les îles de Pâques, ne résistent pas à un examen scientifique. Ici et là, on a trouvé d'énormes monolithes. Mais là s'arrête la ressemblance! Les « dérivations » et les « analogies » sont la plupart du temps du domaine de l'imagination. La langue polynésienne plonge ses racines dans l'archipel Malais, et non pas dans l'espace américain. Un habitant des îles de Pâques peut se faire comprendre facilement d'un Maori de Nouvelle-Zélande ou d'un Polynésien de Mangarève, mais l'idiome et le mode d'existence de l'Indien d'Amérique lui sont étrangers. « L'origine de la civilisation polynésienne doit être cherchée dans le Sud-est asiatique mais non en Amérique » (Hans Plischke, 1957).

En revanche, la théorie des migrations de l'ouest vers l'est s'appuie sur de nombreuses preuves. D'innombrables peuplades traversèrent au cours des millénaires le détroit de Behring et pénétrèrent en Amérique. Ces premiers colons de la terre américaine ne font pas partie de la race mongole. Ils sont d'origine européenne-caucasienne. Ils ont été suivis, à la fin de la période glaciaire, par la race de Lagoa Santa, découverte par le Danois Lund. Les immigrations mongoles eurent lieu bien plus tard, peut-être depuis l'an 2000 avant J.-C. Des tribus mongoloïdes arrivaient en partie seulement par la Sibérie. Il est fort possible que d'autres aient traversé à la voile l'océan Pacifique. Ces immigrants mongols, de date relativement récente, sont la cause d'une légère influence mongole qu'on rencontre chez tant de tribus du continent américain. Ce fait ne permet pas de classer les peuples indiens dans la race mongole, car l'élément européen-caucasien est prédominant et beaucoup plus ancien. Pendant des millénaires, les indigènes d'Amérique ont été des descendants de l'Ancien Monde. L'élément mongol, chez eux, ne remonte qu'à 4 000 ans. L'époque antérieure se perd dans la nuit des temps : il y eut, pendant de très longues périodes, une immigration du vieux Continent. Plus la science avance, plus la première colonisation de la terre américaine recule dans le temps. On peut supposer aujourd'hui que les premiers hommes touchèrent le sol américain il y a 100 000 ans, ce que j'ai essayé de prouver dans mon ouvrage *Dieu était déjà là.*

On est mieux renseigné sur les liens plus récents entre la Chine et l'Amérique centrale, qui remontent à l'époque s'étendant de l'an 2000 avant J.-C. à l'an 1000 après J.-C. Ils sont également l'objet de divergences de vues entre savants. Certains dessins sur les vases cultuels chinois de la dynastie des Shang, du II<sup>e</sup> millénaire avant J.-C., ressemblent à certains symboles religieux d'Amérique centrale de la période précolombiènne. Dans le même ordre d'idées, il existe des points d'analogie avec les dessins de certains vases péruviens et de certains tissus péruviens. Le savant viennois Robert Heine-Geldern tente depuis des années d'établir l'existence de contacts entre la Chine et l'Amérique centrale, à l'époque préchrétienne. Il cite la pyramide à gradins, le parasol comme symbole de dignité, l'importance du chiffre 4, etc. Il ne faut pas oublier cependant que les Espagnols, en arrivant en Amérique, n'y trouvèrent ni la roue, ni la charrue, ni le chariot si primitif fût-il, ni le tour de potier, ni le verre, ni les instruments à cordes, ni le blé, ni l'orge, ni le riz! On s'explique difficilement l'absence de ces choses essentielles dans l'hypothèse de liens existant entre l'Asie et l'Amérique.

Avant l'arrivée des Espagnols en Amérique, on n'y connaissait pas non plus les animaux de trait. Il n'y avait pas d'animaux domestiques, hormis le chien. Il est néanmoins inexact de dire que la charrue, la roue, le chariot n'ont pas été introduits en Amérique à cause de l'absence d'animaux de trait. Le spécialiste de l'Histoire américaine, Hans Dietrich Disselhoff, réplique de manière fort logique que les hommes sont parfaitement capables de traîner un véhicule. Ce faisant ils auraient dépensé moins d'énergie qu'en portant de lourds fardeaux! D'autre part, Disselhoff cite un relief du Yucatan et un autre d'Amaravati, en Inde méridionale, dont la similitude iconographique est frappante. Il est difficile d'admettre que de nombreuses analogies dans des domaines religieux et idéologique des deux côtés de l'océan Pacifique soient le fait du hasard!

Le premier homme Maya était « fait avec du maïs ». Les Mayas considéraient le maïs comme un cadeau des dieux. Ils vouaient à cette céréale une vénération religieuse. Nous ne savons pas exactement si le berceau du maïs et du potiron est la haute plaine péruvienne ou le pays des Mayas. On suppose que les maïs, les haricots et le potiron sont originaires d'Amérique centrale, et que ce sont les peuples civilisés de ces régions qui les ont améliorés à partir de la plante sauvage. Richard Stockton Mac-Neish a découvert, lors de ses expéditions de Tamaulipas, dans les grottes de La Perra, du maïs mexicain vieux de 4 500 ans. Sylvanus Griswold Morley, de la Fondation Carnegie (Washington), déclare, après avoir étudié péndant des années les Mayas modernes, que 75 % de leurs pensées gravitent autour du maïs.

Le terme anglais pour le potiron : « squash », est d'origine indienne. Le coton a également été cultivé par les peuples d'Amérique centrale. Il y a, en Amérique, 50 espèces d'agaves. La sève de l'agave fournit la plupart des boissons nationales mexicaines, tel le « pulque », à fort

*Yucatan.*

pouvoir enivrant, qu'on fait fermenter dans des écorces de potiron. Les Mayas se servaient beaucoup d'agaves. Ils furent les premiers à fabriquer du sisal tiré des feuilles d'agaves. Les Mayas sont probablement aussi les inventeurs du cacao. Les termes de « cacao » et de « chocolat » sont d'origine aztèque, mais il dérivent du mot maya « chacau haa ».

Dans toute l'Amérique centrale on utilisait les fèves de cacao comme monnaie. L'Anglais John Eric S. Thompson s'est demandé si les Mayas n'ont pas pris l'habitude des grands nombres en comptant des fèves. Parmi tous les peuples de la terre les Mayas ont certainement produit la civilisation la plus curieuse. Bien des choses, chez eux, nous paraissent étonnantes, contradictoires, inexplicables; tout nous paraît étrange et exotique! Ils comptaient dans leurs rangs des génies dont nous ne saurons jamais les noms, mais ces penseurs sagaces se perdaient en projets vraiment curieux. Les Mayas ignoraient toujours les choses évidentes, nécessaires et même indispensables que l'esprit humain a partout découvertes en premier lieu. Ils traînaient leurs fardeaux à l'aide de courroies frontales, mais ils n'eurent jamais l'idée d'inventer la roue ou des véhicules. Ils construisaient de magnifiques bâtisses pour les prêtres et les dieux, sans en tirer aucun avantage pour leur confort de tous les jours. Les Mayas savaient calculer par millions, mais ils étaient incapables de peser de petites quantités de fruits.

On subdivise l'ancien territoire des Mayas en trois zones. La *zone septentrionale* comprend la presqu'île mexicaine du Yucatan, la plus grande partie de Campeche et la région de Quitana Roo. Le cœur de la *zone centrale* est le district de Petén, au Guatemala, ainsi que le territoire limitrophe mexicain et une partie du Honduras britannique. La *zone méridionale* se compose des hautes plaines du Guatemala et d'une partie du Salvador.

La civilisation des Mayas a connu sa plus belle éclosion dans la zone centrale. C'est dans les plaines basses que s'étendent d'immenses forêts tropicales, avec des spécimens de diverses essences atteignant cinquante mètres de hauteur. Ce territoire est aujourd'hui pratiquement inhabité! On y voit de puissants acajous, des cèdres espagnols, des ceibas — l'arbre sacré des Mayas —, d'innombrables espèces de palmiers, ainsi que des sapodillas dont la sève laiteuse fournit pendant la période des pluies la matière première du chewing-gum. Des centaines de « chicleros » traversent pendant la période des pluies ces forêts tropicales pour collecter le « chicle ». Ce sont ces « chicleros » qui ont montré aux archéologues d'innombrables ruines de cités disparues. Florès, la capitale du district de Petén, n'est qu'une petite ville de 4 000 habitants. La solitude des forêts alentour est immense...

C'est dans cette zone centrale que se trouvaient les villes mayas les plus anciennes et les plus importantes, Tikal, Uaxactún, Copán, Palenque et Piedras Negras. On pourrait en citer d'autres, et toutes n'ont pas encore été retrouvées au fond des forêts qui recouvrent pyramides, terrasses, palais, qui envahissent les places, qui rongent la pierre et effacent des villes entières.

La civilisation des Mayas, leur vie était essentiellement fondée sur l'agriculture. Pour gagner des champs arables, il leur fallait incendier la forêt. Après deux ou trois années de culture, on laissait le sol en friche, parçe qu'il ne rendait plus. Aussitôt, la forêt vierge reprenait ses droits et s'emparait des terres abandonnées. On se demande pourquoi la civilisation des Mayas se développa justement dans cette région d'une façon si étonnante. Car le sous-sol ne cachait pas de richesses, la couche d'humus était mince. Les Mayas se servaient uniquement d'outils en bois et en pierre. Leur seule ressource était le feu. Ils menaient une lutte interminable contre la forêt envahissante. C'est dans un tel milieu qu'ils construisaient leurs villes, qu'ils pratiquaient des cultes religieux sophistiqués, qu'ils semaient et qu'ils récoltaient pour se nourrir. L'historien anglais Toynbee croit pouvoir expliquer ce mystère dans son ouvrage intitulé *Study of History*. Pour que de hautes civilisations puissent éclore, les conditions matérielles de l'existence ne doivent être ni trop dures, ni trop favorables. C'est là une « explication » qui ne nous mène pas bien loin. Car d'une façon générale, les grandes civilisations ont vu jour dans les vallées fertiles des grandes rivières, donc dans des conditions *extrêmement favorables*. A supposer que des conditions de vie très dures favorisent l'éclosion de civilisations, il n'en reste pas moins vrai, comme le dit très justement le célèbre explorateur de la civilisation Maya, l'Anglais Thompson, que la vie était si dure dans les basses plaines des Mayas qu'on voit mal comment une civilisation pouvait s'y développer.

Au sud de la zone centrale, sur les hauts plateaux guatémaliens, le climat est beaucoup plus favorable. Les températures y sont moyennes, il n'y fait ni trop chaud ni trop froid. De nos jours encore, on y cultive le blé, la canne à sucre, les haricots. Du temps des Mayas, on y plantait du maïs, des melons, des patates douces, des cacaoyers. On y trouvait de l'obsidienne, dont on faisait des couteaux et des pointes de lance. A la fin de la période des Mayas, on y trouvait même des pépites d'or, dans le sable des rivières. Le nord-ouest du haut plateau était surtout un excellent terrain de chasse, où les Mayas chassaient le quetzal. Les Mayas fabriquaient leurs parures bien connues avec les longues plumes, généralement rouges ou jaunes, du ventre de cet oiseau, qui devint par la suite l'emblème du Guatemala.

Malgré les richesses des territoires méridionaux, les Mayas n'y ont jamais déployé la même activité spirituelle que dans la zone centrale. Dans la partie la plus riche du pays, la sculpture et l'architecture n'atteignirent jamais un très haut niveau. Nous en ignorons la cause, mais il est possible que les multiples tremblements de terre aient paralysé l'effort des artistes. Il est étonnant qu'on n'ait pas trouvé, dans la zone méridionale, une seule stèle portant des inscriptions hiéroglyphiques. Les stèles ont joué un très grand rôle dans la civilisation des Mayas. Ce sont des colonnes de pierre, des monolithes couverts d'inscriptions. Ce sont de véritables « monuments de pierre ». Elles servaient à graver les divisions du calendrier, dont on marquait la fin d'une entaille. Les stèles portaient en outre des alignements de signes sacrés, des reliefs représentant des princes-prêtres, plus tard des groupes de personnages et — surtout à Tikal — des scènes représentant des prisonniers et des esclaves. Autrefois, les stèles brillaient de mille couleurs, car les Mayas soulignaient l'effet de leurs reliefs par la polychromie. Les personnages sont généralement exécutés en profil, au ciseau. Les stèles ont deux à quatre mètres de haut. A Quirigua on a découvert une stèle datant de l'an 731 après J.-C. et qui mesure *dix mètres de haut*. A Calakmul on a dénombré 103 stèles. A Tikal, il y a 86 stèles, dont 65 ne portent pas d'inscription. Il est possible que les pluies tropicales en aient effacé les signes. En l'an 790 après J.-C., on a érigé à différents endroits du pays des Mayas 19 stèles chronométriques. C'était l'apogée de la civilisation maya. Il y avait probablement à certaines dates des cérémonies de « consécrations de stèles ». Le culte des stèles a dû jouer un rôle très important dans cette civilisation qui établissait un lien étroit entre l'astronomie et la religion.

Dans les villes mayas se déroulaient des cérémonies religieuses. Les villes étaient aussi des centres administratifs et des marchés. On n'a pas l'impression que des citadins ou des paysans vivaient à l'intérieur de ces agglomérations. Les pyramides étaient couronnées de temples qui se trouvaient sur les plates-formes supérieures et dont les murs étaient beaucoup trop épais. On se souciait apparemment de leur solidité. Il était impossible de vivre dans les constructions de pierres, car elles n'avaient ni portes, ni fenêtres, ni cheminées, Elles étaient des plus humides, et mal aérées. La lumière y pénétrait par d'étroites lucarnes. Les prêtres officiaient dans la pénombre ou dans l'obscurité complète. Les pyramides des Mayas ne sont pas des sépultures comme celles d'Egypte, mais des constructions cultuelles. On a néanmoins trouvé sous le sol des traces de tombeaux, peut-être des restes de sacrifices ou de chefs de tribus.

Étant donné que les pyramides mayas ne sont pas des sépultures, une découverte faite en 1952 a fait sensation dans le monde : dans les ruines de Palenque dans l'État de Chipias (Mexique), on avait remis au jour en 1950 une tombe à l'intérieur du « temple des inscriptions ». Du temple, qui se dresse sur la plate-forme d'une pyramide, un escalier secret

conduisait au cœur de la substruction. On remit au jour d'abord 46 marches, ensuite deux galeries d'aération horizontales, qui menaient à l'air libre, ensuite treize autres marches au fond d'un tunnel. Ce tunnel avait été obstrué par ses constructeurs, moyennant un bouchon d'argile et de pierres. Pendant les fouilles de 1952, l'archéologue Alberto Ruz, de l'Institut National d'Anthropologie et d'Histoire de Mexico, découvrit huit autres marches et aboutit à une galerie. La galerie était bloquée par un mur épais. Au bout de la galerie, Ruz trouva une caisse en pierre remplie d'offrandes, de potiches, de coquillages, de perles de jade. Vers le milieu de la base de la pyramide, on découvrit une autre caisse en pierre contenant cinq squelettes de jeunes hommes et un squelette de femme. Ces six personnages faisaient sans doute partie de la suite d'un prince. On les avait tués pour qu'ils pussent servir leur maître dans l'eau-delà. En écartant une plaque de pierre on se trouvait dans un local voûté, à 23 mètres au-dessous du temple de la pyramide. Aux murs, il y avait neuf reliefs en stuc représentant des dieux, peut-être les neuf divinités des enfers. C'est là que se trouvait un gigantesque sarcophage en pierre. Le couvercle finement décoré pesait cinq tonnes. Les hiéroglyphes indiquaient que les funérailles avaient eu lieu en l'an 700 après J.-C. Dans le sarcophage se trouvait le squelette d'un prince maya, richement paré de jade et d'autres trésors. Une perle piriforme mesurait presque trois centimètres!

En 1953, le mystère de la pyramide n'avait pas encore trouvé de solution. Le professeur E. Noguera écrit à ce sujet : « Il est possible que la base sur laquelle repose la plaque avec les reliefs soit une grande caisse en pierre contenant les restes d'un haut personnage. » Le savant mexicain avait raison. On avait découvert la première pyramide d'Amérique centrale qui était en même temps un tombeau de prince! Il est cependant certain que la crypte avait été construite *avant* la pyramide — peut-être du vivant du prince. On a donc toujours raison d'affirmer que la pyramide maya est un temple et non pas une sépulture...

◀ *Art Maya au Guatemala : monolithe de Quirigua* (*collection Viollet*).

# GUATEMALA

# Les villes
# dans la jungle

*« Les monuments des Mayas sont les « sphinx » américains.*
*Lorsque je me trouvais à Copán je me sentais tous les jours attiré*
*par les grands monuments dont l'effet est hypnotique, et que l'on*
*contemple sans savoir pourquoi et sans pénétrer leur mystère. »* —
(E. P. Dieseldorff, *Kunst und Religion der Maya-Völker*, tome II,
Berlin, 1931, p. 1.)

L ES MAYAS — et plus spécialement ceux du Yucatan, ont les faces
les plus larges de tous les peuples de la terre. Ils accentuaient
le profil de leur crâne par des déformations volontaires. Cette
déformation des têtes, qui passait aussi chez les anciens habitants de
Teotihuacan pour un idéal de beauté, était obtenue par des cadres de
bois qu'on appliquait aux têtes des bébés. Les descendants des Mayas
au Yucatan et au Guatemala ressemblent tellement aux portraits des
anciens Mayas, qu'on peut se faire une idée assez précise de leur aspect
physique. Ils étaient, d'une manière générale, plus petits que les Européens, mais plus larges d'épaules et de poitrine. Ils avaient les bras
plus longs mais les mains et les pieds plus petits. Ils avaient probablement de très bonnes dents mais creusaient leurs incisives en les limant.
Les Mayas modernes ont également une excellente denture. Morlay
raconte que 50 % des Mayas vivants ignorent les caries jusqu'à l'âge
de 20 ans, alors qu'aux États-Unis 90 % des enfants ont besoin d'un
traitement dentaire avant l'âge de 14 ans. Les cheveux foncés ou noirs,
des yeux marron foncé, un nez recourbé, sont les marques de cette race
au teint de cuivre et à l'aspect agréable.

# GUATEMALA

*Les descendants des Mayas ressemblent très fort aux portraits des anciens Mayas (photo Roger-Viollet).*

Les Mayas portent jusqu'à l'âge de 10 ans la « tache des Mongols », marque claire dans la région du sacrum, qu'on observe chez tous les peuples mongols. On la trouve également chez les Japonais : 99 % de tous les enfants japonais d'un an ont ce qu'on appelle la « tache bleue », qui est bien visible et disparaît vers 10 ans. Les Malais, les Esquimaux, la plupart des Indiens d'Amérique portent également cette « tache sacrale ». Les jeunes filles mayas se marient vers l'âge de 16 ans, les jeunes gens à 21 ans. Le célèbre évêque Diego de Landa, qui rédigea, en 1560, une Histoire du Yucatan (véritable mine de renseignements sur les Mayas), raconte que les jeunes filles se mariaient autrefois à 20 ans, mais de son temps à 12 ou 14 ans. Le moine franciscain Landa était arrivé au Yucatan quelques années après la conquête du pays par les Espagnols. Nous devons quantité de précieux renseignements sur les Mayas au fait que Landa fut par la suite traîné devant les tribunaux sous l'inculpation d'avoir transgressé ses pouvoirs dans le Nouveau Monde. Emprisonné, ce prêtre d'une rare compétence rédigea son ouvrage pour se disculper.

La race humaine est une race complexe. Il faut évoquer de nombreuses particularités pour en dessiner le contour. Les Mayas ont un sens de la famille très prononcé. Ils sont pacifiques, peu inventifs et n'ont pas peur de la mort. Ils sont d'excellents observateurs, possèdent une bonne mémoire, et l'on peut affirmer qu'ils sont intelligents. Quelques explorateurs leur ont accolé le qualificatif de « superstitieux », et cela est vrai pour les Mayas d'aujourd'hui. Mais on serait mieux inspiré en appelant « religieux » un peuple dont toute l'activité est déterminée par la pensée de Dieu. Les anciens Mayas étaient très religieux. Mais la tradition ancestrale leur a laissé un fort penchant au fatalisme. La raison en est qu'on a toujours sacrifié des êtres humains aux dieux, en leur arrachant le cœur sanglant, en noyant hommes, femmes, enfants, dans les étangs sacrés, plus tard également en les crucifiant.

Les Mayas sont économes et extrêmement honnêtes. Dans un pays sans portes ni fenêtres, il n'y avait pas de voleurs. Malheureusement, les Mayas, comme la plupart des Indiens d'Amérique, s'adonnent facilement à la boisson. Les femmes sont d'excellentes maîtresses de maison. Les Mayas sont généreux et hospitaliers. On ignore chez eux les mendiants et les assassins. Un trait caractéristique des Mayas est leur propreté physique extraordinaire. Comme les Japonais, ils prennent un bain matin et soir.

Diego de Landa, qui vécut de 1524 à 1579, et qui fut vénéré comme un saint ou abhorré comme un persécuteur impitoyable des Indiens, raconte que les femmes du Yucatan sont généralement plus agréables à regarder que les Espagnoles. Elles n'étaient pas blanches mais d'un teint jaune brunâtre provoqué par le soleil et les bains en plein air. Leur thorax portait des tatouages, les seins exceptés. Ce tatouage était plus beau que celui des hommes. Elles se parfumaient et se frictionnaient avec la sève rouge d'un arbre, portaient les cheveux longs ou artistement coiffés. Les mères veillaient à ce que leurs filles eussent des cheveux bien soignés. Les toutes petites filles portaient trois ou quatre nattes raides comme des cornes, ce que Diego de Landa trouvait très gracieux. Les femmes se couvraient en général d'un vêtement en forme de sac ouvert sur les côtés, la « manta ». Landa ajoute qu'elles avaient bon cœur et « qu'elles étaient remarquablement chastes avant d'avoir fait la connaissance de notre nation, ce que déplorent maintenant les hommes âgés ». Le capitaine Alfonso Lopez de Avila s'empara d'une jeune femme maya très belle et très aimable. Elle avait juré fidélité à son mari. Toutes les avances de l'Espagnol restaient sans succès. Elle préférait mourir. Les Espagnols la jetèrent aux chiens qui la mirent en pièces. Les jeunes filles mayas étaient si pudiques qu'elles tournaient toujours le dos aux hommes, même quand elles leur tendaient à boire. Lorsqu'elles rencontraient un homme, elles s'écartaient pour le laisser passer. Elles désiraient mettre au monde de nombreux enfants, adressaient des prières aux dieux dans ce sens et leur offraient des sacrifices. Landa les dit raisonnables, polies, avenantes, aimables envers les gens qui les comprennent, très généreuses. Elles étaient pieuses, dévouées aux dieux, auxquels elles offraient des tissus, des boissons, de la nourriture. Mais elles ne leur offraient pas de leur sang, coutume réservée aux hommes et qui avait donné lieu à des excès qu'il est impossible de reproduire ici.

Les Mayas étaient convaincus de l'immortalité de l'âme : « Ils y croient plus fermement que tous les autres peuples », explique Landa. Ils savaient qu'un monde meilleur était réservé aux âmes lorsqu'elles auraient quitté le corps. Les ancêtres des Mayas sont arrivés dans leur pays entre 2000 et 1000 avant J.-C. John Eric Thompson est d'avis qu'ils imposèrent leur domination à la population autochtone et formèrent une caste supérieure. 500 ans plus tard, de nouvelles peuplades pénétrèrent dans le pays, qui finirent par dépasser la population indigène. Elles apportèrent, du fond de l'Asie, la poterie, le filage, le tissage ainsi qu'une certaine connaissance dans le domaine agricole mais elles n'avaient pas réussi à emporter des graines de leur pays d'origine. Les derniers immigrants, aux environs de la naissance du Christ, importèrent certaines idées religieuses, tel le dragon du ciel et les quatre coins du monde. Ces derniers envahisseurs ont dû également oublier ou perdre leurs provisions de graines dans leurs longues odyssées. Mais ce ne sont que des hypothèses! Nous ignorons absolument l'origine des Mayas!

On subdivise l'Histoire des Mayas en trois grandes époques : la période de sa formation, de 500 avant J.-C. à 325 après J.-C.; l'époque classique, de 325 à 800 après J.-C. (l'apogée se plaçant entre 625 et 800); et la période de la décadence, de 800 à 925 après J.-C. A cette période succède la conquête par les Mexicains et une brève renaissance de la civilisation maya.

On attribue aux anciens peuples d'Amérique centrale quelques inventions importantes, mais on ignore généralement auquel d'entre eux en revient le mérite. Toutefois, un grand nombre d'inventions sont dues sans doute possible aux Mayas, tels la fabrication du caoutchouc, les balles de caoutchouc, les semelles de caoutchouc, l'mprégnation des imperméables, le « bleu maya », élaboré à partir d'un sel alumineux, le bleu indigo, un genre de pourpre à base de mollusques, une baliste mécanique et l'utilisation de « nids de guêpes vivantes » comme projectiles de guerre. Les mayas ont cultivé de nombreuses plantes sauvages; ils étaient d'excellents observateurs de la nature et de bons constructeurs de routes.

Cependant dans ce dernier domaine les Incas leur étaient supérieurs. Nous avons, pourtant, chez les Mayas, une voie de 100 kilomètres reliant la ville de Cobà, dans le district de Quintana Roo, à Yaxunà,

*Chichen-Itza, Yucatan, la pyramide et le temple des Guerriers*
*(photo Roger-Viollet).*

à quelques kilomètres de Chichén Itzà. La route a environ 10 mètres de large, elle est bordée des deux côtés de murailles de pierres assez primitives et elle est constituée d'une couche ·de ciment bien tassée. Dans les régions marécageuses, elle est construite en remblai, et s'élargit en plate-forme avant de localité de Cobà. C'est sur la route de Cobà à Yuxunà qu'on a fait une découverte sensationnelle. On y a, en effet, trouvé un véritable rouleau compresseur en calcaire d'un poids de 5 tonnes, cassé au milieu. Quinze hommes étaient nécessaires pour actionner ce rouleau. On a pu établir que la route avait été construite en commençant par l'est, donc par Cobà. Les routes mayas servaient en principe à des processions, leur construction demandait, dans un pays qui ignore véhicules et animaux de trait, des efforts surhumains. Sur le plan technique, ces routes trahissent toujours une grande maîtrise. On ne sait pas comment les Mayas procédaient pour tracer des routes à travers la jungle sans jamais se tromper.

Dans le domaine de l'architecture, les Mayas dépassaient de loin toutes les autres civilisations d'Amérique, y compris les Aztèques et les Incas. Copán dans le Honduras était le centre scientifique des Mayas. C'était également un haut lieu religieux. C'est là que travaillaient les meilleurs astronomes. C'est là probablement que fut introduit pour la première fois le calendrier de 260 jours, qu'il y avait un temple consacré à la planète Vénus, qu'on calculait les dates des éclipses du soleil. C'est à Copán qu'on a trouvé, sur les gradins du temple n° 26 la plus longue inscription hiéroglyphique, d'environ mille signes. Une bâtisse appelée « Acropole », plusieurs pyramides, des terrasses et des temples, des autels et des stèles, une « plaza » ouverte, un jeu de balle ornait cette « Athènes du Nouveau Monde. » Le jeu de balle était une cérémonie religieuse : le terrain de jeu de Copán avec ses créneaux, ses perroquets de pierre, ses oiseaux-soleil était l'un des plus renommés du pays des Mayas.

Chichén Itzà était une sorte de Mecque. L'apogée de cette ville se situe seulement aux XI$^e$, XII$^e$ et XIII$^e$ siècles. C'est là que se trouvent les temples-pyramides avec les colonnes du « serpent à plumes ». On y a mis au jour — comme aussi à Piedras Negras — une installation de bains-vapeur, ainsi que sept terrains de jeux. Il s'agissait de lancer la balle de caoutchouc à travers un des anneaux de pierre fixés sur les bords du terrain. La difficulté consistait à donner à la balle l'impulsion décisive du coude, du poignet ou de la hanche. Il était si rare qu'un joueur réussît cet exploit, que les spectateurs étaient obligés de remettre au vainqueur leurs vêtements et leurs bijoux. Pour éviter cette calamité, les spectateurs se sauvaient à toute allure après un coup heureux! Les amis du joueur victorieux se lançaient à la poursuite des fuyards, pour les obliger à leur remettre la récompense qui revenait au vainqueur.

On a découvert aussi des trônes dans les grandes colonnades de Chichén. Des colonnades entouraient la cour dite des « mille colonnes », sorte de « plaza » géante, peut-être la place du Marché de la vieille ville. La grande tour ronde, l' « observatoire » appelé « Caracol » (coquille de limaçon) a plus de 15 mètres de hauteur et surplombe deux puissantes terrasses rectangulaires. Près de la fontaine sacrée de

Chichén Itzà on a trouvé de nombreuses offrandes, des bijoux, du jade, de l'encens, les ossements de 50 personnes noyées en l'honneur des dieux, dont 8 femmes. Les villes de Palenque, Yaxchilàn et Piedras Negras sont des sommets de l'architecture, qui n'ont pas d'égales sur le continent américain. Morley a raison de dire que les stucs de Palenque n'ont nulle part été surpassés dans le pays des Mayas. Les plaques en calcaire ornées de reliefs sont exécutées de main de maître, et composées avec un art qui permet de les comparer aux plus beaux reliefs de l'ancienne Egypte. Les terrrasses magnifiques, les pyramides, les temples, les escaliers, les couloirs, les galeries souterraines, les autels, la perfection des œuvres d'art, la richesse et la puissance de Palenque n'ont pas seulement suscité l'admiration des Espagnols quand ils vinrent la première fois dans cette cité de l'ancien empire des Mayas, mais, après eux, de tous les visiteurs depuis 1553. Frans Blom, archéologue danois, écrit en 1923 : « La première visite à Palenque est extrêmement impressionnante. Après un séjour prolongé dans la ville-ruine on est comme envoûté... »

A Yaxchilàn, il y avait quatre temples grandioses, richement décorés, soutenus par douze linteaux devenus célèbres. Deux de ces linteaux portent de remarquables sculptures en relief. Les sculptures murales de Piedras Negras, de l'année 761, taillées dans le calcaire, sont sans doute l'œuvre la plus extraordinaire produite sur le continent américain. On peut les considérer comme le sommet de l'art maya. A Piedras Negras, les Mayas avaient l'habitude de fêter avec un éclat particulier la fin de chaque période de 1 800 jours, appelée « Hotun ». Entre 608 et 810 après J.-C. toutes les 22 conclusions d'un « Hotun » ont été célébrées par l'inauguration d'un monument. Tous ces monuments, avec leurs reliefs, sont conservés. L'astronomie des Mayas n'était pas seulement une science pure, mais elle devait aussi influencer le cours du destin. On se demande comment les prêtres mayas, qui faisaient leurs observations à l'œil nu, ont pu établir la période de révolution de Vénus. Ils essayèrent d'accorder l'année du calendrier de 365 jours avec l'année astronomique tropicale de 363,24 jours. La durée de l'année solaire a été calculée à Copán en 700 après J.-C. Deux cents ans avant tous les peuples d'Europe, les Mayas avaient établi la valeur « zéro » et s'en servaient dans leurs calculs. Les Mayas n'alignaient pas leurs chiffres en commençant par les unités les plus petites, de droite à gauche, comme nous, mais de bas en haut. Ils avaient calculé comme début de leur calendrier une date mystique qui correspond à l'an 3113 avant J.-C. Mais leur système chronologique n'était utilisé que depuis le IV$^e$ ou le III$^e$ siècle avant J.-C.

*Palenque, Mexique, la grande pyramide dite Temple des Inscriptions
(photo Roger-Viollet).*

# CIVILISATIONS MYSTÉRIEUSES

Il n'est certainement pas sans intérêt de nous pencher sur les idées d'un homme qui a consacré toute sa vie à l'étude des Mayas. Il s'agit de Sylvanus Griswold Morley. Dans sa marche à travers la Préhistoire et l'Histoire, l'homme a passé par cinq étapes. D'abord, il s'est rendu maître du feu. Ensuite il inventa l'agriculture, il domestiqua les animaux sauvages, fabriqua des outils en métal et découvrit le principe de la roue.

Les Mayas s'étaient rendus maîtres du feu, ils savaient semer et récolter dans une région qui s'y prête très peu. Ils avaient domestiqué la dinde sauvage et connaissaient l'apiculture, mais, en dehors du chien, ils n'avaient aucun animal domestique, aucun animal de trait ou de somme. Ils ignoraient les outils en métal ainsi que le principe de la roue. Ils n'avaient donc escaladé que les deux premiers paliers de l'Histoire alors qu'Egyptiens, Sumériens, Babyloniens, Assyriens, Perses, Chinois, Phéniciens, Etrusques, Grecs et Romains avaient atteint les cinq stades que l'on considère comme préliminaires à toute civilisation évoluée.

Pour apprécier à sa juste valeur la civilisation des Mayas, pour établir des parallèles, il faut remonter dans l'Histoire de l'humanité, exactement au néolithique, dans lequel les Mayas vivaient si on considère qu'ils n'avaient que des outils de pierre. Si l'on compare leurs manifestations culturelles avec celles des civilisations préhistoriques on peut affirmer qu'aucun peuple du néolithique n'a atteint les sommets des anciens Mayas d'Amérique centrale.

GUATEMALA

# L'énigme
# de Tikal

« *Jour après jour nous travaillons entre les temples et monuments qu'on vient de déterrer, nous creusons des galeries, des tun-
nels, des puits à travers planchers et escaliers, nous prenons
des notes dans nos calepins et nous enregistrons sur des films
les constructions étrangement imbriquées, lès destructions et les
reconstructions. Des dizaines de milliers de tessons et d'autres
objets sont examinés au laboratoire, étudiés, catologués. Tous
ces travaux avancent dans l'espoir qu'on arrivera à tirer au clair
la chronologie des constructions, des objets d'art, des sculptures,
des inscriptions, et que les croquis du site et l'étude des environs
jetteront quelque lumière sur ces mystères.* » (William R. Coe,
Tikal, 1959, *Expédition 1959*, vol, I, n° 4, p. 17.)

L'EXPLORATEUR anglais de la civilisation maya, John Eric Thompson,
estime la population précolombienne de tout le territoire habité
par les Mayas vers 800 après J.-C. à 2 à 3 millions d'individus.
A l'encontre de tant de peuples primitifs disparus ou en voie de disparition il y a de nos jours encore de nombreux descendants des Mayas. Il
n'y a pas le moindre danger qu'ils disparaissent. Karl Sapper pense
que le nombre de ceux qui parlent des langues mayas s'élevait, il y a
50 ans, à 1 250 000 personnes environ.
  On parle en tout 15 langues ou dialectes mayas, deux viennent de
disparaître. On divise ces langues en deux groupes : celui du haut
plateau et celui de la basse plaine. A l'intérieur de ces groupes, on parle
des dialectes. Il est à noter que la langue maya ne s'apparente à aucun
autre idiome du Mexique ou d'Amérique centrale.

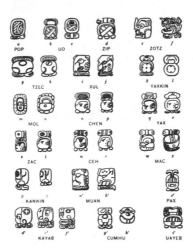

*Hiéroglyphes mayas : signes pour vingt noms de jours. On voit que certains jours ont des signes similaires (à gauche).*
*Hiéroglyphes mayas représentant les noms des mois. L'année était divisée en 19 parties dont voilà les noms (à droite).*

# GUATEMALA

Parmi tous les peuples d'Amérique le peuple maya est le seul à avoir inventé et utilisé l'écriture. On trouve des hiéroglyphes sur les stèles, les autels, les terrains de jeu, sur les gradins, les revêtements des murs, sur les poteaux de pierre et de bois, sur les linteaux de porte. On en a gravé dans le stuc, dans les bijoux de jade, dans les poteries, on en a dessiné dans les livres. On distingua deux sortes de glyphes : les uns sont à forme de tête, les autres ont un dessin symbolique. La plupart des hiéroglyphes ne sont pas encore déchiffrés, car on n'a pas trouvé un seul texte accompagné d'une traduction dans une autre langue. Les Mayas se servaient de leur écriture pour fixer des chronologies, pour noter le nom et l'action des dieux régnants, pour conserver à la postérité les découvertes de leurs prêtres-astronomes.

Les Mayas ont également laissé des livres entiers, rédigés sur un papier de figuier sauvage imprégné d'une solution caoutchouteuse et recouverte d'une couche de chaux. Les volumes étaient de l'espèce pliante, comme les manuscrits chinois. A la suite de la destruction, par le fanatisme religieux des Espagnols, d'innombrables écrits mayas, il ne nous reste que trois livres en tout. Le plus ancien, le plus précieux, le *Codex de Dresde* contient avant tout des précisions astronomiques. Le *Codex de Madrid* est un catalogue d'horoscopes pour faciliter aux prêtres l'exercice de la divination. Le *Codex de Paris* cite des rites en relation avec certaines dates du calendrier. Tous ces livres sont agrémentés de peintures polychromes de dieux, d'événements mythologiques, de séries de chiffres et d'hiéroglyphes, le tout très soigneusement exécuté à l'aide d'un pinceau très fin. On a déchiffré un tiers à peu près de ces hiéroglyphes. Les textes se rapportent au calendrier, à la rose des vents, à des faits astronomiques, à certains dieux et à des rites religieux. Heureusement, on est à même de déchiffrer toute la numérotation. L'étude des hiéroglyphes mayas n'est pas des plus faciles. Car un glyphe a souvent plusieurs significations. Les chiffres mayas de 0 à 19 sont des têtes vues de profil, d'un dessin différent : nulle part au monde on n'a trouvé une graphie aussi étrange. Tout aussi bizarres paraissent les hiéroglyphes représentant les 19 mois. Une figure vue de côté, les jambes repliées, les bras noués autour des genoux, doit probablement être interprétée comme une personne morte. Les signes qui désignent des dieux sont la plupart du temps des têtes humaines. Il y a des hiéroglyphes de formes différentes : des têtes d'animaux, des limaçons, des têtes d'oiseaux, des lézards, toute une série d'offrandes. Les savants qui déchiffrent ces symboles méritent notre admiration. Parmi les plus méritants nous citons : Paul Schellhas, Ernst Förstemann, Eduard Seler et, plus récemment Thomas Barthel et Günter Zimmermann. En

◀ *Partie du grand calendrier Maya en pierre rose découvert à l'extérieur du temple de Palenque, au pied du mur de la deuxième cour (photo Roger-Viollet).*

Amérique, J. T. Goodman, C. P. Bowditch et Cyrus Thomas ont fait un travail très important. Dans ces dernières années, les Américains Morley et Spinden, et l'Anglais Thompson ont réussi à saisir le sens d'un tiers des hiéroglyphes. L'ouvrage en 5 volumes de Sylvanus Griswold Morley sur les inscriptions de Petén, est une prouesse scientifique sans précédent!

Quelle est la date la plus ancienne de la civilisation des Mayas qui nous soit connue? L'objet le plus ancien qu'on ait daté avec certitude a été pendant longtemps la célèbre plaque de Leyde, morceau de jade de 21,59 centimètres sur 7,62 centimètres qui a été découverte dans le port du Puertos Barrios, sur la mer des Caraïbes, au Guatemala en 1864. On a réussi à déchiffrer sur cette plaque une date qui est celle de l'année 320 après J-.C. Le dessin de cette plaque rappelle tellement les reproductions de prisonniers sur les monuments de la ville de Tikal que Sylvanus Griwold Morley en conclut que cette pièce si intéressante a été fabriquée à Tikal. Tikal est située au centre nord de Petén et peut être considérée comme la plus grande de toutes les villes cultuelles des Mayas.

Morley réussit à déterminer, le 5 mai 1916, une autre date sur une stèle d'Uaxactùn, celle qui porte le numéro 9 du catalogue établi par les fouilleurs, dont la numérotation suit la chronologie de la découverte. Uaxactùn, à 17 kilomètres au nord de Tikal, est une filiale de la grande ville cultuelle de Tikal, et elle existait depuis 328 après J.-C.

La ville la plus étendue et la plus intéressante des Mayas, Tikal, est en train d'être remise au jour par les soins du « University Museum of Pennsylvania ». On pense aujourd'hui que cette ville marque le début de l'apogée de la civilisation maya. C'est là aussi que se trouvent les plus hautes pyramides, constructions fascinantes de plus de 40 mètres de hauteur — la plus élevée atteignant 70 mètres. Les formes élancées marquent de façon saisissante le mouvement ascensionnel de ces chefs-d'œuvre architecturaux. Des deux côtés de la cour rectangulaire destinée aux cérémonies religieuses s'élèvent en terrasses d'énormes pyramides à gradins. Au sommet se trouve un temple aux murs particulièrement épais, des sanctuaires munis de chambres de cérémonies, où il fait très sombre comme dans tous les lieux de culte mayas. Dans les sanctuaires, on a trouvé les tables de pierres en maçonnerie, peut-être les autels des prêtres mayas.

Pour officier, ces prêtres revêtaient des habits somptueux. Les parures en jade, les panaches de plumes de quetzal sur la tête, les entrées et sorties des prêtres par les orifices sans portes surmontés de linteaux en bois superbement sculptés, l'encens, la gravité du rite, tout cela ne laissait pas d'impressionner profondément le peuple rassemblé sur la place et les gradins de l'édifice. Il ne faut pas oublier que les fêtes des Mayas étaient précédées de longues périodes de jeûne. Prêtres, novices, et peut-être même les fonctionnaires se rendaient dans les chambres de pierres mal éclairées et s'y préparaient aux cérémonies religieuses en s'imposant de multiples macérations. Des serviteurs — peut-être aussi les femmes et les mères — apportaient de l'eau. La nourriture était très strictement rationnée. Toutes ces personnes n'avaient pas le droit de pénétrer à l'intérieur des temples. Elles déposaient leurs modestes offrandes à l'intention des prêtres et s'éloignaient. Les prêtres n'absorbaient pas de sel.

Les veillées interminables, le feu sacré, les prélèvements de sang par la langue et les oreilles, les sacrifices, l'encens de copal — tout cela faisait partie de la vie cultuelle des Mayas. Comme dans toutes les civilisations d'un haut niveau, l'homme était toujours à la recherche de son Dieu. Toutes les ambitions matérielles passaient après ses aspirations spirituelles, sa souffrance, ses jeûnes, les désirs de son âme, l'édification des temples. Les hommes s'élevaient ainsi au-dessus des contingences terrestres. Quand on se promène la nuit sur les ruines de ces constructions grandioses, on est vivement impressionné, de nos jours encore, par la proximité de Dieu et la sainteté de l'enceinte.

Sur le côté sud de l'esplanade de Tikal se trouvaient, sur un socle peu élevé, des bâtisses divisées en nombreux compartiments. Il a été impossible de préciser le but de ces constructions. Était-ce des palais ? Des couvents ? Des salles de réunion ? Tikal est encore un lieu plein de mystères, avec des réservoirs d'eau, des rues pavées, des pyramides avec et sans temples, seize temples près de l'Acropole du nord, et d'innombrables stèles.

Sous la conduite de l'archéologue Edwin M. Shook, qui a fait de nombreuses fouilles à Uaxactùn, Kaminaljuyù et Mayapàn, l' « University Museum of Pennsylvania », en collaboration avec le gouvernement du Guatemala, est en train de remettre au jour, pièce par pièce, cette importante cité « Tikal est la révélation incomparable de la civilisation des Mayas, création unique qui constitue le sommet du Nouveau Monde. Isolée dans la jungle, la basse plaine des Mayas et Tikal posent de grands problèmes aux savants désireux d'étudier l'éclosion d'une civilisation. D'autres aspirent à atteindre Mars pour voir ce qui s'est passé loin de notre planète. Nous préférons rester à Tikal pour connaître les motifs qui ont poussé les Indiens d'Amérique à braver les difficultés d'une nature peu généreuse, pour étudier leurs temples et autres bâtisses, pour apprendre qu'ils embrassaient, dans leurs spéculations, un ordre de grandeur de cinq millions d'années mayas. Pendant 2 000 ans, ils se sont manifestés pour nous laisser les sculptures, les hiéroglyphes, les tessons, les différentes couches de ruines qui nous permettent de nous pencher sur leur passé grâce à un travail minutieux et interminable. » C'est ainsi que s'exprimait, en 1959, l'un des meilleurs explorateurs de la civilisation Maya, l'Américain William R. Coe.

Au cours des fouilles de 1958 on remit au jour le « Temple de la stèle rouge ». Il se compose de trois compartiments, chacun ne comportant qu'un orifice au milieu. Dans le compartiment le plus reculé, les savants américains découvrirent — en faisant enlever les monceaux de débris — la « Stèle 26 ». Comme elle portait encore les traces d'un coloriage rouge, on donna au temple le nom de « Temple de la stèle rouge ». Ce temple est un bel exemple de l'architecture maya classique : à une époque impossible à déterminer il a été volontairement détruit. Après cette démolition, les prêtres semblent avoir fait une tentative pour apaiser les dieux : des feux cultuels ont noirci l'un des autels. On ignore cependant combien de temps on s'est encore servi du temple. Mais à la fin de cette période se place la destruction totale de l'édifice. L'autel fut démantelé, les monuments coloriés de rouge, avec leurs offrandes océaniques de coraux, de petites pierres, anéantis. Sur le sol du compartiment, les Américains découvrirent des entailles circulaires. Dans les trous ainsi créés se trouvaient de grandes quantités d'éponges, de coraux, d'algues marines, de coquillages, d'arêtes de poissons et d'autres épaves de l'Océan. De plus, on remit au jour des objets en obsidienne joliment travaillés. Il est difficile de se faire une idée du sens de ces offrandes. Certaines trouvailles venaient de fort loin, de l'océan Pacifique, d'autres de la proche côte atlantique. On ne s'explique pas pourquoi on a offert ici aux dieux des fruits de mer, puisque nulle part ailleurs dans la civilisation maya on n'a trouvé de telles offrandes.

L' « University Museum of Pennsylvania » fit en 1959 la découverte la plus importante. A 200 mètres seulement de la grande « Plaza » de Tikal on mit la main sur une stèle brisée, le monument le plus ancien de la jungle de Guatemala qu'on ait réussi à dater. La stèle porte le numéro scientifique 29. Les trois savants Linton Satterhwaite, Mary Ricketon et Benedicta Levine déchiffrèrent sa date : le 6 juillet 292 après J.-C. L'une des énigmes les plus impénétrables est la fin de la civilisation des Mayas! Pourquoi la civilisation des Mayas s'est-elle éteinte? Pourquoi a-t-on abandonné des villes cultuelles construites avec tant de peine et tant d'efforts? Quelle catastrophe s'est abattue sur le peuple maya?

# GUATEMALA

Tous les explorateurs de la civilisation maya se sont posé la question de savoir pourquoi ce peuple disparut ainsi subitement, à un moment où sa civilisation avait atteint un si bel épanouissement ? Pourquoi l'activité architecturale, la science, la vie religieuse se sont-elles si brusquement arrêtées ? Pendant longtemps on avait pensé que les Mayas abandonnèrent leurs villes de la zone centrale pour aller s'établir dans le Yucatan, ou bien dans le Sud, sur le haut plateau guatemalien. Cette hypothèse n'est pas viable, car l'apogée de la civilisation maya se place au même moment pour les trois régions. On a énoncé de nombreuses théories pour expliquer l'abandon des villes mayas. Il est possible que l'exploitation des champs en pleine jungle ait demandé un trop grand effort aux populations indigènes. Les Mayas jugeaient peut-être qu'il n'était pas rentable de brûler les forêts, d'irriguer les terres pour les abandonner au bout de deux ou trois ans et recommencer ailleurs ! 

La savane — terme indien — désigne une prairie de hautes herbes, parsemée d'arbres isolés ou de groupes d'arbres. Après la destruction des forêts on voyait se former de telles « savanes » que les Mayas devaient abandonner. Dans l'humidité tropicale, ces savanes se transformaient peu à peu en jungle. On a rendu responsable du départ des Mayas le paludisme, la fièvre jaune, l'ankylostomiase. Mais le paludisme et la fièvre jaune étaient les « cadeaux » des Espagnols. Avant leur arrivée il n'en était pas question au Nouveau Monde. La même chose est vraie du hamulaire, qui a causé la mort de tant de pharaons d'Egypte. D'ailleurs, toutes ces raisons expliqueraient un lent départ des Mayas mais les recherches ont permis d'établir que les villes mayas ont été abandonnées *du jour au lendemain*. Ainsi la ville d'Uaxactùn tomba en ruine avant même que ses constructions ne fussent terminées. 

Copán cessa en 800 après J.-C. d'élever des monuments à hiéro-glyphes. A Quiriguà, Piedras Negras et Etzna toute vie disparut en 810 de notre ère. Tila se tut en 830. A Tikal et à Seibal, les dernières stèles furent érigées en 869. Uaxactùn, Xamantùn et Chichén Itzà ne vécurent que jusqu'en 889. Une stèle de San Lorenzo, près de La Mùneca, porte la dernière date maya, qui correspond, dans notre calendrier, à 928 après J.-C. Les grands centres religieux se turent comme sur un signe convenu, mais au XVIe siècle plus d'un endroit ressuscita à une vie nouvelle. C'est ainsi qu'il y avait une nombreuse population autour de Copán. A l'époque de la conquête espagnole, beaucoup de gens vivaient dans la zone centrale, mais bien moins que 800 ans plus tôt. Cette population avait regagné la jungle ou bien elle était constituée de descendants des Mayas primitifs restés sur les lieux. Nous savons que la civilisation de la jungle a connu une fin très brusque, tellement brusque que même une guerre ne saurait l'expliquer. Sauf à Tikal, on a trouvé très peu de traces de destructions violentes.

L'Anglais Thompson est d'avis qu'il n'y eut pas, chez les anciennes populations mayas, d'invasions violentes; mais un phénomène bien plus dangereux se produisit : la pénétration, dans les territoires mayas, d'une *idéologie étrangère*. La civilisation maya a disparu d'abord dans la presqu'île du Yucatan. Cette région est facile à atteindre depuis la mer, soit par des hommes armés, soit par des idées « révolutionnaires ». Ainsi, on peut supposer qu'il y eut de sanglantes révoltes de paysans contre la caste des prêtres. La mort de la foi maya sonnait en même temps le glas de la civilisation maya, car une civilisation ne survit jamais à la perte de ses bases religieuses. Sans foi, les paysans n'acceptaient plus de donner leur travail et leurs offrandes. Nous savons par l'Egypte, mais aussi par la Renaissance, que les œuvres éternelles de l'Humanité ne sont pas le fruit de la contrainte, mais de la foi! La caste régnante des prêtres fut peut-être chassée de ville en ville, ou exterminée. Les chefs des paysans, ou bien des chamanes, les remplaçaient. On n'édifiait plus de temples, on ne dressait plus de stèles. La forêt tropicale s'empara des cours et des parvis, envahit les terrasses, les toits des maisons.

L'abandon d'une région de 600 km de long et de 200 km de large, avec de nombreuses villes et centres culturels dont l'essor ne montrait aucun signe de lassitude, échappe à toute explication. L'américaniste allemand Franz Termer a proposé de l'énigme une solution qui mérite d'être prise en considération : dans un pays régi par une caste théocratique, l'abandon de la partie peut être la conséquence d'un ordre divin. Dans ce cas, la population aurait quitté son pays sous la conduite des prêtres, pour obéir au commandement des dieux Le grand exode des Mayas, au IXe siècle de notre ère, la brusque fin de leur civilisation est une des nombreuses énigmes de ce peuple mystérieux entre tous. Il y a d'autres problèmes : par exemple, nous ne savons pas ce que cache la partie non déchiffrée des hiéroglyphes mayas. Nous ignorons tout des institutions de ce peuple, nous ne savons pas s'il y eut un grand royaume de la jungle ou si le régime politique comportait des villes-États. Nous sommes peu renseignés sur la vie quotidienne des Mayas, malgré les travaux d'un Thompson, d'un Morley, d'un Shook et de beaucoup d'autres. Nous tâtonnons quand il s'agit de préciser les bases de la religion maya. Nous ignorons les origines et la fin de ce peuple. Sa langue nous offre peu d'analogies avec d'autres langues.

Mais nous avons les témoins muets d'une civilisation extraordinaire, vestiges d'un peuple particulièrement doué. Les lieux sacrés se décomposent et se désagrègent sous les coups de boutoir de la forêt tropicale.

*Stèle hiéroglyphique découverte à Copán dans le Honduras*
*(collection Viollet).*

# L'ancien a disparu,
# du nouveau
# s'est produit

« On peut se demander si les aptitudes artistiques des hommes d'aujourd'hui sont plus grandes que celles des hommes des dernières périodes préhistoriques. » (William Foxwell Albright, From the Stone Age to Christianity, Baltimore, 1946.)

Q UE SIGNIFIENT le crépuscule, la décacence, la fin tragique d'une civilisation?

Elle n'est jamais qu'une éclipse apparente, qu'un recul qui cède la place — d'une manière mystérieuse et inexplorée — à un renouveau, ailleurs et en d'autres temps. Rien en ce monde ne se perd définitivement. La chute d'une civilisation n'est pas un événement de la nature. Sans causes librement provoquées, sans le contentement explicite ou implicite des hommes, aucune forme vivante ne s'étiole. Toutes les théories évoquant des « lois naturelles » ou des « lois de l'Histoire » qui détermineraient prétendument la course de l'Histoire, toutes les « saisons », « spirales » et « vagues » de l'histoire, sont dépourvues de tout sens, pour la bonne raison que l'avenir est fait des pensées, des décisions, des actes des hommes, de leurs travaux et de leurs œuvres passés ou présents! Il est tellement difficile de comprendre que la liberté humaine est une réalité! Il y a toujours eu interaction entre les grandes civilisations. Plus une civilisation s'isole, plus elle vit enfermée dans ses propres formes, plus elle se spécialise, plus elle aura de peine à rencontrer les autres civilisations. Les civilisations les plus spécialisées ont toujours été les plus menacées. L'homme en fournit une analogie : parmi tous les animaux de la terre, il a le plus de chances de survivre, parce qu'il est l'être le moins spécialisé. Les civilisations qui se ferment en des

rites immuables et des habitudes indéracinables, succombent facilement
à quelque choc de l'extérieur ou de l'intérieur, comme un mouvement
d'horlogerie très sensible. Les événements extérieurs tels que cataclysmes,
épidémies, révolutions sociales, invasions, ne sont jamais que la goutte
qui fait déborder le vase. Une civilisation est prête à mourir, quand
elle a « rendu l'esprit », quand elle a perdu sa foi, son idéal.
Un exemple grandiose nous est fourni par le déluge, au livre de la
Genèse. Il y eut d'abord le « trouble » parmi les peuples, c'est ensuite
seulement que le déluge effaça les hommes et leurs œuvres. Quelque
chose s'était brisé dans la foi des peuples du Déluge, pour une raison
ou une autre, ils avaient répudié leurs dieux ou leur Dieu. Ce n'est pas
un hasard si la tradition de tant de peuples fait état de cette vérité fonda-
mentale qu'une catastrophe naturelle n'est que la conséquence de la
perte d'un idéal! La légende du « grand déluge » existe chez les Babyloniens, les Assyriens, les Syriens, chez les Égyptiens et les Grecs, en
Australie, en Chine, dans la mer du Sud, chez tous les Indiens d'Amérique. Le récit du Déluge est un excellent exemple de la transmission
d'un élément culturel d'un peuple à un autre, de sa diffusion sur toute
la terre. Si cette catastrophe a un caractère historique, ce qu'on peut
supposer étant donné la concordance des récits et le luxe de détails qui
reviennent un peu partout, on doit considérer que la tradition s'en est
maintenue chez tant de peuples à cause de l'immense valeur symbolique
qu'elle renferme. On a souvent abusé d'une théorie qui veut qu'il y
ait partout chez les humains des « idées analogues », des « pensées
parallèles », en d'autres termes, des « pensées élémentaires » qui
reviennent partout. Le Déluge ne confirme en rien cette théorie. Seule
la vérité contenue dans la légende est universelle!
En examinant les différentes civilisations, nous avons souvent remarqué que les invasions sont fondées sur le fait que la foi la plus solidement implantée balaie une foi branlante. C'est ce qui arriva à Jéricho
dont les murs bibliques tombèrent entre 1375 et 1300 avant J.-C.!
8 000 ans avant la naissance du Nazaréen, à une époque où l'homme
ne connaissait pas encore la poterie, cette ville avait été construite pour
la première fois — la forteresse la plus ancienne de la terre!
Tout homme sensible comprend en contemplant les temples mis au
jour, les tablettes vieilles de plusieurs millénaires, les pierres qui expriment d'une manière si émouvante l'éternelle prière des hommes, que la
force d'une civilisation, que ses belles œuvres d'art sont toujours le
point de rencontre de ce monde et d'un monde transcendant. Les valeurs
éternelles, les valeurs artistiques ne sont pas nées du désir de l'homme
d'avoir une maison, une ferme, des vêtements et de la nourriture, mais

de ses aspirations spirituelles. Le savant américain A. V. Kidder, qui a voué sa vie entière à l'étude des Mayas et de l'archéologie du Sud-Ouest des États-Unis, constate à juste titre que le genre humain a toujours été disposé à tout sacrifier pour gagner des valeurs culturelles.

*Boro Borudour dans l'île de Java. En haut, Bouddha méditant sous l'arbre de l'Illumination. En bas, Bodsattva lavant son linge de chanvre (photo Giraudon).*

Quand une œuvre semble dépasser en élévation et en splendeur les forces humaines, les ressorts agissants ont toujours été la foi, la religion, la grandeur d'un idéal. On le sent de manière presque palpable devant la sainteté du Nara japonais ou dans les grottes-temples chinois de Lung-Men, Yün-Kang et Touen-houang, dans les grottes de Lu Lan et Gyzil, sur la « voie des esprits », près de Nankin, avec ses animaux géants et ses figures tutélaires.

On s'en rend compte devant les grands stoupas hindous, devant les fresques d'Ajanta, les reliefs de Borobudur à Java, les sphinx et tombeaux royaux d'Égypte, les pyramides des Mayas. Ce n'est pas un hasard que l'apogée de la civilisation grecque, de 470 à 400 avant J.-C. coïncide avec la vie de Socrate, père spirituel de tous les philosophes de l'Occident.

Dans les civilisations moins connues et souvent mystérieuses, nous voyons également l'esprit et les aspirations de l'âme à la base d'efforts inimaginables. Prenons l'hypogée près de Hal Saflieni, dans l'île de Malte : cette construction souterraine de la civilisation mégalithique n'est-elle pas le témoignage d'une foi qui savait déplacer des montagnes! Il n'est autre chose que le sanctuaire et l'oracle d'un peuple inconnu, qui a entrepris des œuvres immortelles pour rendre hommage aux valeurs spirituelles de l'existence. Avebury, Stonehenge et d'autres monuments mégalithiques du IIe millénaire avant J.-C. étaient également des sanctuaires. Le mystère des menhirs ne saurait s'expliquer que par des préoccupations religieuses, car ses menhirs avaient une signification magico-religieuse.

Les statuettes que les habitants de Mari faisaient sculpter en 3000 avant J.-C. sur l'Euphrate moyen servaient de lien entre l'homme et Dieu. Les mains jointes, elles contemplaient leurs dieux. De même est-on en droit de dire que la civilisation du bronze en Sardaigne, qui donnait vie, il y a 2 500 à 3 000 ans, à des figurines d'une rare beauté, avait sa source dans la foi. Les images étaient destinées au temple, à l'adoration de la divinité. C'est la foi ardente des Gandhāriens et des Hindous de Mathura qui les incitait à consulter les maîtres grecs de l'art plastique et à créer avec leur aide l'image du Bouddha qui se répandit dans les autres plaines de l'Asie et dans tout l'Extrême-Orient. La « Route de la Soie », trait d'union gigantesque de toutes les religions d'Asie, est en partie l'œuvre des missionnaires, car cette route sans fin a été foulée par les sandales des manichéens, des bouddhistes, des musulmans, des chrétiens. Les sculptures de bronze de la civilisation du Bénin étaient destinées aux autels, à Dieu, à l'esprit des aïeux.

Comment une civilisation périt-elle? Pour que sa dernière heure approche, il suffit de retirer les sculptures des autels, de ranger l'art sur les rayons des musées ou dans les boudoirs des citoyens athées. C'est ainsi qu'on porte au cimetière toutes les civilisations du monde!

# CIVILISATIONS MYSTÉRIEUSES

Il y a quelque chose de mystérieux dans les œuvres d'art dont nous ne voyons plus le ressort spirituel. Nous avons essayé de tirer au clair quelques-uns de ces mystères. Mais tous les problèmes sont loin d'être résolus. Pourquoi la civilisation du bronze en Chine apparaît-elle brusquement, revêtue des prestiges de la perfection? Nous sommes incapables d'expliquer l'origine ou les sources de cet art. Nous ignorons l'aspect physique des hommes qui ont créé la civilisation mégalithique occidentale. Quel laps de temps a été nécessaire aux Mayas pour créer leur calendrier et leur système d'hiéroglyphes? Nous ne pouvons même pas faire d'estimations! Pourquoi, en 1400 avant J.-C., les palais de Cnossos, en Crète, sont-ils tombés en ruine? Nous ignorons si Nestor, Agamemnon, Ulysse ou Télémaque savaient lire! Qui étaient les habitants indo-européens de Troie? Étaient-ils des Dardaniens? Enée et Anchise étaient originaires de Thrace. Mais Priam et son harem ne portaient pas des noms indo-européens. D'où venait le roi de Troie? Le berceau de son nom en Orient restera probablement un mystère! Tout aussi mystérieuse est l'histoire de l'omphalos de Delphes. Pourquoi les vases de bronze de Dodone se sont-ils tus? Le passé tartessien d'Andalousie et sa civilisation sont sur le point d'être élucidés. Mais la ville de Tartessos n'a pas encore livré son secret. Nous savons peu de choses des Cimmériens, rien du tout de la divinité centrale de l'époque des Shang, peu du symbole lunaire du T'ao-t'ieh; nous sommes incapables de lire des signes sur les rochers de Las Palmas et de Hierro; les Guanches, aux îles Canaries, restent pour nous un peuple peu exploré.

Les peuples ont disparu; des villes et des villages ont été ensevelis, beaucoup de textes antiques gardent leur secret. Des couches de ruines, souvent superposées, des légendes et des traditions nous sont restées. Ce manque de vestiges n'implique pas nécessairement un manque de civilisation, de vie spirituelle. Car le peu de renseignements que nous avons indique toujours des époques de lumière et de splendeur. Si nous nous intéressons tant aux civilisations inaccessibles et impénétrables, c'est que l'Histoire de l'humanité connue ou inconnue, que toutes les civilisations, fussent-elles mortes ou enterrées, survivent en nous. Notre soif de connaissances notre désir d'aller au cœur des mystères s'explique par le sentiment que nous avons d'être nous-mêmes une partie de toutes les civilisations.

Comme l'avenir est difficile à deviner, les historiens, les archéologues, les ethnologues s'efforcent de puiser des connaissances dans le passé et de les projeter dans l'avenir. Mais les explications trop schématiques, les théories de « cycles » et de répétitions à intervalles réguliers dans le cours de l'Histoire ont fait naufrage, car ce sont toutes des explications fondées sur des lois naturelles et non pas sur l'esprit vivant. Malgré toutes les recherches et toutes nos connaissances accumulées au cours des siècles, le passé a pâli dans l'esprit des hommes. On fait bien de les inventorier et de les résumer le plus souvent possible, car autrement nous perdrions de vue les civilisations de nos ancêtres dont les contours s'estompent, car autrement nous brûlerions nos ailes dans la flamme toujours vacillante que nous n'aurions pas reconnue. La vision de l'avenir nous fait peur. Cette peur est fondée sur notre conviction rarement extériorisée que le progrès uniquement matériel — dans la mesure même où il s'éloigne des grands idéaux de notre vie et ne vise qu'à la destruction — se tient comme un fossoyeur sur la route de toutes les civilisations vivantes. Notre époque, qui en a le pressentiment, s'égare dans le scepticisme, dans la peur de vivre, dans la hâte de profiter de l'instant présent. L'homme fait des progrès dans l'art de dominer la nature extérieure. Sur le plan du caractère, de la morale, de l'esprit, aucun progrès n'est visible. La foi dans le progrès spirituel et le concept puéril d'une évolution de l'esprit sont le produit des miracles techniques et physiques de notre époque. Sur le plan extérieur, nous faisons des conquêtes, mais notre âme en souffre. Notre mode de vie spirituel, nos relations d'homme à homme, le comportement caractériel et moral de l'individu, tout cela est en pleine décadence. Notre époque n'est pas caractérisée par la science atomique, mais par l'absence d'une foi vivante, par un sentiment de culpabilité, par le manque d'un humus sur lequel l'œuvre d'art puisse fleurir...

Finis les temps de l'hospitalité qui était la marque de tous les peuples primitifs, de toutes les grandes civilisations; finis les signes amicaux qu'on adressait au voyageur; fini le sens de l'entraide, finie la générosité du vainqueur. Notre niveau moral ne s'est pas élevé. Les grandes époques des oracles, des offrandes données aux dieux, des constructions pour l'esprit, de la piété envers les morts et de la survie éternelle sont terminées.

Saint Paul avait mis son espoir dans un monde bien différent. Il pensait, en 58 après J.-C., qu'on ne jugerait plus jamais l'homme d'après ses œuvres matérielles et charnelles. Il tenait pour assurée la victoire de l'élément spirituel chez l'homme. De Macédoine, il envoyait une lettre personnelle aux Corinthiens, dans laquelle il écrit : « L'ancien a disparu, du nouveau s'est produit! »

# TABLE
## DES MATIÈRES

# CIVILISATIONS MYSTÉRIEUSES

# BIBLIOGRAPHIE

*Jéricho, la ville la plus ancienne du monde*

ALBRIGHT, W. F. : From the Stone Age to Christianity, Baltimore, 1946. — GARSTANG, J. : Jericho : City and Necropolis, Annals of Archaeology and Anthropology, Liverpool 1932, Vol. 19, p. 3 sq., p. 35 sq.; 1933, Vol. 20, p. 3 sq.; 1934-35, Vol. 21-22, p. 99 sq., p. 143 sq.; 1936-37, Vol. 23-24, p. 67 sq., p. 35 sq. — KENYON, K. M. . Excavations at Jericho, Palestine Exploration Quaterly, 1953, pp. 81-95. Jericho, Oldest Walled Town, Archaeology 1954, Vol, 7, pp. 2-8. Digging up Jericho, Londres 1957. Earliest Jericho, Antiquity 1959, Vol, 33, No. 129.

*On vivait bien à Ugarit*
*C'est un Cananéen qui a inventé l'alphabet*

DUSSAUD, R. : Les Découvertes de Ras Shamra [Ugarit], Paris 1937. — SCHAEFFER, C. F. A. : Ugaritica, Paris, 1939, tome 3. Le Palais Royal d'Ugarit, Mission de Ras Shamra, Paris 1955, tomes 3, 4. — VIROLLEAUD, C. : The Gods of Phoenicia, Antiquity, 1931, Vol. 5, pp. 405-414. La déesse Anat-Astarté dans les poèmes de Ras Shamra, Paris 1937.

*Tyr et Sidon, voulez-vous me résister ?*

AUTRAN, C. : Phéniciens, Paris 1920. — CONTENAU. G. : Mission Archéologique à Sidon, Paris 1921. — POIDEBARD, A. : Un grand port disparu Tyr, Paris 1939. — POIDEBARD, A. und LAUFFRAY, J : Sidon, Beyrouth 1951.

# CIVILISATIONS MYSTÉRIEUSES

*Carthage au bord de la mer était une ville puissante*

CINTAS, P. : Contribution à l'étude de l'expansion Carthaginoise au Maroc, 1947. La Céramique Punique, Tunis 1950. Fouilles à Utique, Karthago, Bd. 2 und 5. — EHRENBERG, V : Karthago, Leipzig 1927. — FREND, W.H.C. : The Donatist Church, Oxford 1952. — GARCIA Y BELLIDO, A. : Fenicios y Carthagineses en Occidente, Madrid 1942. Phönizische und griechische Kolonisation im westlichen Mittelmeer, Karthago, Historia Mundi, Munich 1954, Bd. 3. — GAUCKLER, P. : Nécropoles Puniques de Carthage, Paris 1925. — GSELL, S. : Histoire ancienne de l'Afrique du Nord, Paris 1928, I-VIII. — HARDEN, D. B. : The topography of Punic Carthage, Greece and Rome, 1939, Vol. IX, No. 25. — LAPEYRE, G. und PELLEGRIN, A. : Carthage Punique, Paris 1942. — MELTZER, O. : Geschichte der Karthager, Berlin 1879, Bd. 1; 1896, Bd. 2; Kahrstedt, U. : 1913, Bd. 3. — PICARD, G. : Le Monde de Carthage, Paris 1956. — VOGT, J. : Rom und Karthago, Leipzig 1943. — WARMINGTON, B. H. : Carthage, Londres 1960.

*Les pierres silencieuses de Malte*

BRADLEY, R. N. : Malta and the Mediterranean Race, Londres 1912. — BREA, L. B. : Malta and the Mediterranean Antiquity, 1960, Vol. 34, No. 134, p. 132. — BUXTON, L. H. D. : The Ethnology of Malta and Gozo, Journal Royal Anthrop. Inst. 1922, Vol. III, p. 164 sq. — CESCHI, C. : Architettura dei templi megalitici di Malta, Rome 1939. — GJERSTAD, E.: Studies on Prehistoric Cyprus, Uppsala Universitets Arsskrift 1926, Stockholm 1926. — LEOPOLD, H. M. R.: Malta, Ex Oriente Lux, Leyde 1943, pp. 341-344. — MURRAY, M. A.: Excavations in Malta, Londres 1923, Part I, II, III. — PEET, T. E. : The Prehistoric Period in Malta, Papers of the Bristish School at Rome, Londres 1910, Vol. V, p. 141 sq. — UGOLINI, L. M. : Malta 1934. Malta Antica, Vol. 1-5. — ZAMMIT, T. : Prehistoric Malta, The Tarxien Temples, Londres 1930. The Prehistoric Remains of the Maltese Islands, Antiquity, 1930, p. 55 sq.

*Leur foi déplaçait des montagnes*
*Les signes gravés sur les mégalithes du Morbihan*

BAGGE, A. und KAELAS, L. : Die Funde aus Dolmen und Ganggräbern in Schonen, Schweden I und II Stockholm 1950 und 1952. — DANIEL, G. E. : The Dual Nature of the Megalithic Colonisation of Prehistoric Europe, Proceedings of the Prehistoric Society, 1941. Vol. VII. The Prehistoric Chamber

# BIBLIOGRAPHIE

Tombs of England and Wales, Cambridge 1950. The Megalith Builders of Western Europe, Londres 1958. — FORDE, C. D. : The Early Cultures of Atlantic Europe, American Anthropologist, 1930, Vol. 32. — GARCIA, L. P. : Los Sepulcros Megaliticos Catalanes y la Cultura Pirenáica, Barcelone 1950. — HAWKES, C. F. C. : The Prehistoric Foundations of Europe, 1940. — KIRCHNER, H. : Die Menhire in Mitteleuropa und der Menhirgedanke, Akademie der Wissenschaften und der Literatur, Wiesbaden 1955. — LEISNER, G. und V. : Die Megalithgräber der Iberischen Halbinsel, Madrider Forschungen, Bd. 1, Berlin 1956 und 1959. — MONMARCHÉ, G. : Bretagne [La France illustrée], Paris 1950. — NORDMAN, C. A. : The Megalithic Culture of Northern Europe, Finska Fornminnesföreningens Tidskrift, 1935, Vol. 39. — PÉQUART, M. und S.-J., LE ROUZIC, Z. : Corpus des Signes Gravés des Monuments Mégalithiques du Morbihan, Paris 1927. — PIGGOTT, S. : Recent Work at Stonehenge, Antiquity 1954, Vol. 28, No. 112, p. 221. — RÖDER, J. : Pfahl und Menhir, Studien zur westeuropäischen Altertumskunde, Neuwied 1949.

## La ville-miracle de Mari

DOSSIN, G. : Les archives épistolaires du Palais de Mari, Syria XIX, 1938, pp. 105-126. Les archives économiques de Mari, Syria XX, 1939, pp. 97-113. Inscriptions de fondation provenant de Mari, Syria XXI, 1940, pp. 152-169, Correspondance de Samsi-Addu, Archives Royales de Mari, Paris 1950, Bd. 1, und Paris 1951, Bd. 4. — Jean, C. F. : Lettres diverses, Archives Royales de Mari, Paris 1950, Bd. 2. — KÜPPER, I. R. : Correspondance de Kibri-Dagan, Archives Royales de Mari, Paris 1950, Bd. 3. — PARROT, A. : Le Temple d'Ishtar, Mission Archéologique de Mari, Paris 1956, Bd. 1. — Le Palais, Mission Archéologique de Mari, Architecture, Paris 1958, Peintures murales, Paris 1958, Documents et Monuments, Paris 1959. — SODEN, W, VON : Das altbabylonische Briefarchiv von Mari, Die Welt des Orients, Göttingen 1948, p. 187 sq.

## Les 8 000 tours des Sardes
### Une déesse mère et son enfant, 800 ans avant Jésus-Christ

DESSY, N. : I. Bronzetti Nuragici, Milan 1957. — KUHN, A. : La posizione del Sardo fra le lingue Romanze, Atti del V Convegno internazionale di Studi Sardi, Cagliari 1954. — LILLIU, G. : Il Nuraghe di Barumini e la stratigrafia Nuragica, Studi Sardi XI-XIII, Sassari 1, 1955. I Nuraghi della Sardegna, Realtà Nuova, 9, 1956. Illustrated London News, March 8, 1958, p. 388 sq. The Nuraghi of Sardinia, Antiquity, Vol. 33, March 1959, No. 129, p. 32 sq. The Proto-Castles of Sardinia, Scientific American 1959, Vol. 201, No. 6.

Primi Scavi del Villaggio Talaiotico di ses Païsses [Arta, Maiorca], Rome 1960. — PAIS, E. : Storia della Sardegna e della Corsica, Vol. I, II, Rome 1923. — PITTAU, M. : Studi Sardi di linguistica e storia, Pise 1958. — RASPI, R. C. : La Sardegna Nuragica, Cagliari 1955. Il Volto della Sardegna, Cagliari 1956. — STEINITZER, A. : Die vergessene Insel, Gotha 1924. — ZERVOS, C. : La civilisation de la Sardaigne, Paris, 1954.

*L'écriture « Linéaire B »*
*La vie à l'époque mycénienne*

BENNETT, E. L. jun : The Pylos Tablets : texts of the inscriptions found 1939-54, Princeton UP. for University of Cincinnati, 1955. — BLEGEN, C. W. : Excavations at Pylos, Amer. J. Archaeol. 1952 und 1953, Bd. 57 und 58. The palace of Nestor excavations of 1954, Amer. J. Archaeol. 59. — CHAD-WICK, J. : The Decipherment of Linear B, Cambridge 1958. CHANTRAINE, P. : Le déchiffrement de l'écriture Linear B à Cnossos et à Pylos, Revue de Philologie 29, 11-33. — COOK, J. M. : The cult of Agamemnon at Mycenae, Geras, Athènes 1953, pp. 112-118. — EVANS, A. J. : Scripta Minoa, The Hieroglyphic and Primitive Linear Classes, Vol. I, Oxford 1909. The Palace of Minos Oxford 1935. — FIMMEN, D. : Zeit und Dauer der kretisch-mykenischen Kultur, Leipzig und Berlin 1909. — GOLTZ, G. : La civilisation égéenne [L'évolution de l'humanité], Paris 1923. — KANTOR, H. J. : The Aegean and the Orient in the Second Millenium B. C., The Archaeological Institute of America, Monograph Number 1, Bloomington, Ind., 1947. — MARINATOS, S. : Zur Entzifferung der mykenischen Schrift, Minos [Revista de Filologia Egea], Salamanque 1956, Vol. IV, p. 11 sq. — NILSSON, M. P. : The Minoan-Mycenaean Religion and its Survival in Greek Religion, Lund 1950. — SEVERYNS, A. : Grèce et Proche-Orient avant Homère, Bruxelles 1960. — SNIJDER, G. A. S. : Kretische Kunst, Versuch einer Deutung, Berlin 1936. — VENTRIS, M. und CHADWICK, J. : Documents in Mycenaean Greek, Cambridge 1956.

*Le culte d'Apollon*
*L'oracle de Delphes*
*Les réponses de la Pythie*

AMANDRY, P. : Dédicaces Delphiques, Bulletin de Correspondance Hellénique 1940 à 1941, Paris 1942, LXIV-LXV, p. 60 sq. La mantique apollinienne à Delphes, Essai sur le fonctionnement de l'Oracle, Paris 1950. — BOURGUET, E. : Les Ruines de Delphes. — BOUSAUET, J. : Delphes, comptes du quatrième siècle, Bulletin de Correspondance Hellénique, LXVI-LXVII, 1942-1943, Paris 1944, p. 84 sq. — COSTE-MESSELIÈRE, P. DE LA : Les Trésors de Delphes, Paris 1950.

# BIBLIOGRAPHIE

Au Musée de Delphes, 1936. — Courby, F. : Fouilles de Delphes, Vol. II. — Festugière, A. J. : La Révélation d'Hermès Trismégiste, Paris, 1954. — Finley, J. H. : Thucydide, Cambridge 1947. — Flacelière, R. : Le fonctionnement de l'Oracle de Delphes, Annales des Hautes Études de Gand, Gand 1938, Bd 11, p. 69 sq. — Heinevetter, F. : Würfelund Buchstabenorakel in Griechenland und Kleinasien, Breslau 1912. — Holland : The Mantic Mechanism at Delphi, Amer. J. Archaeol, 37, 1933, p. 201 sq. — Nilsson, M. P. : Geschichte der griechischen Religion, Handbuch der Altertumswissenschaft, 5. Abt., 2. Teil, 1. Bd., Munich 1955. — Oppé, A, P. : The Chasm at Delphi, jhs, xxiv, 1904, p. 214 sq. — Parke, H. W. : The Delphic Oracle, Oxford 1939. — Patzer, H. : Gnomon, Bd. 27, 1955, Heft, 3, p. 1 sq. — Persson, A. W. : Die Exegeten und Delphi, Lund Universitets Arsskrift, Lund et Leipzig 1918. — Poulsen, F. : Delphi, 1920. — Schneider, C. : Gnomon, Bd 27, 1955, Heft 3, p. 167 und Bd. 27, 1955, Heft 1, p. 21. — Schober, F. : Delpho, Realenzyklopädie der klassischen Altertumswissenschaft, Supplementband v, 1931, p. 62 sq.

## Olympias, Zeus et Alexandre
### Ce que nous savons aujourd'hui de Dodone

Bürchner, L. : Dokimion bibliographikon ton peri tes Epeiru kata tus neoterus chronus demosieuthenton, Epeirotika Chronika 1, 1926, pp. 7-38. — Centlivres, M.-C. und Eiche, H. : in : Reallexikon für Antike und Christentum, Stuttgart 1959, pp. 746-763. — Cook, A. B. : Zeus, Jupiter and the oak, in : The Classical Review, Vol. xvii, Londres 1903, April, p. 174 sq.; June 1903, p. 268 sq.; November 1903, p. 403 sq.; Vol. xviii, London 1904, February, p. 75 sq.; July 1904, p. 325 sq.; October 1904, p. 361 sq. — Detering. A. : Die Bedeutung der Eiche seit der Vorzeit, Leipzig 1939. — Dyggve, E. : Dodonaeiske Problemer, in : Poulsen, F. : Arkaeologiske og Kunsthistoriske Afhandlinger, Copenhague 1941. — Evangelides, D. E : He anaskaphe tes Dodones, Praktika tes Archaiologikes Etaireias, Athènes 1952, pp. 279-325. Anaskaphe en Dodone, Praktika tes Archaiologikes Etaireias, Athènes 1954, pp. 188-193. — Jacobsohn, H. : Dodona, Zeitschrift für vergleichende Sprachforschung auf dem Gebiete der indogermanischen Sprachen, Göttingen 1928, pp. 35-37. — Nilsson, P. M. : Zeus Naios in Dodona, in : Geschichte der griechischen Religion, Bd. 1, Munich 1955, pp. 425-427. — Preller : in : Real. Encyclopädie dex klasaischen Altertumswissenschaft, Stuttart 1842, pp. 1190-1195. — Warde Fowler, W. : in : Archiv für Religionswissenschaft, Leipzig und Berlin 1913, pp. 317-320. — Weniger, L. : Altgriechischer Baumkultus, Leipzig 1919.

# CIVILISATIONS MYSTÉRIEUSES

*L'Atlantide*
*La ville disparue au bord de l'Océan*
*La civilisation Tartessienne*

ALY, W. : Strabons Geographica in 17 Büchern; Text, Übersetzung und erläuternde Anmerkungen, Bonn 1957, Bd. 4. — AVIENUS : Avieni Ora Maritima, Periplus Massiliensis saec. VL. A. C. edidit A. Schulten, Barcinone-Berolini 1922. — BACO OF VERULAM, F. : Nova Atlantis, Londres 1638. — BAILLY, J. S. : Lettres sur l'Atlantide de Platon et l'ancienne histoire de l'Asie, Londres 1779. — BÄR, F. C. : Essai sur les Atlantiques, Paris 1762. — BARTOLI : Essai sur l'explication historique donné par Platon de sa République et de son Atlantide, Paris 1780. — BLANCO FREIJEIRO, A. : El vaso de Valdegamas [Don Benito, Badajoz] y otras vasos de Bronce del mediodia Español, Consejo Superior de investigaciones científicas, Instituto de Arqveologia y prehistoria « Rodrigo Caro » Madrid 1953. Orientalia [Estudio de objetos y orientalizantes en la peninsula], Consejo Superior de investigaciones científicas, Instituto Español de Arqveologia y prehistoria « Rodrigo Caro », Madrid 1956. — BLANCO DE TORRECILLAS, C. : El tesoro del cortijo de « Evora », Archivo Español de Arqveologia, 32, 1959. — BONSOR, G. : Tartessos, New York 1922. Tartessos, Excavaciones del cerro del Trigo, Junta Superior de excavaciones y Antiguedades, Núm. 5 de 1927, Madrid 1928. — BORI DE ST-VINCENT : Essai sur les îles fortunées et l'atlantique Atlantide, Paris 1803. — BOSCH-GIMPERA, P. : Fragen der Chronologie der phönizischen Kolonisation in Spanien, Klio, Bd. 22, 1928, pp. 345-368. Etnologia de la Peninsula ibérica, Barcelona 1932. — CADET : Mémoires sur les jaspes et autres pierres précieuses de l'île de Corse, Bastia 1785. — CHRIST, W. : Avien und die Ora maritima, Leipzig 1865. — CONWAY, R. S. : Italy in the Etruscan Age, A. The Etruscans, The Cambridge Ancient History, Vol. IV, 383-432. — DIODORUS SICULUS : V, 35, 36. — DONNELY, I. : Atlantis, the antediluvian world, Londres 1882. — FROBENIUS, L : Und Afrika sprach, Leipzig 1911. — GAFFAREL, P. : La mer des Sargasses, Paris 1872, p. 600. — GARCIA Y BELLIDO, A. : La Dama de Elche, Consejo Superior de investigacione scientífica, Instituto Diego Velázquez, Madrid 1943. Phönizische und griechische Kolonisation im westlichen Mittelmeer, Historia Mundi, Bd. 3, pp. 328-356. — GOMARA, F. L. DE : Historia de las Indias, Saragosse 1553. — HENNIG, R. : Von rätselhaften Ländern, Munich 1925. Das Rätsel der Atlantis, Meereskunde, 14. Jahrgant, Berlin 1925, Heft 161. Die Erreichung der Azorengruppe durch die Karthager, Archäologischer Anzeiger, Beiblatt zum Jahrbuch des Deutschen Archäologischen Instituts, Bd. 42, 1927, pp. 12-19. — HUMBOLDT, A. VON : Vue des Cordillères, Paris 1810. — HERRMANN, A. : An den Ufern einer versandeten Meresbucht, Die Woche, Jahrgang 33, 1931, Nr. 35. Unsere Ahnen und Atlantis, Berlin 1934. — JESSEN, O. : Südwest-Andalusien, Petermanns Mittelung, Ergänzungsband

# BIBLIOGRAPHIE

40, Heft 186, 1924. Tartessos-Atlantis, Zeitschrift des Gesellschaft für Erdkunde, Berlin 1925, p. 184. Zur geographischen Seite der Tartessos-Frage, Jahrbuch des Deutschen Archäologischen Instituts, Bd. 40, 1925, pp. 346-355. — KIRCHMAIER, G. C. : Exercitatio de Platonis Atlantide, Wittenberg 1685. — KNÖTEL, A. F. R : Atlantis und das Volk der Atlanten, Leipzig 1893. — KRÜMMEL, O. : Die nordatlantische Sargassosee, Petermanns Mitteilungen, 1891, p. 129. — KUKAHN, E. und BLANCO, A. : El tresoro de « El Carambolo », Archivo Español de Arqveologia 32, 1959. — LAMMERER : Gedanken zum Tartessos-Problem, Jahrbuch des Deutschen Archäologischen Instituts, Bd. 40, 1925, pp. 356-364. — MEYER, E : Tartessos, in : Geschichte des Altertums, Bd. 2, 2. Abteilung Stuttgart und Berlin 1931, pp. 94-105. — OPPERT, G. : Tharshish und Ophir, Zeitschrift für Ethnologie, Berlin 1902, Bd. 35, p. 50 und 212. — PEMAN, C. : El Pasaje Tartessico de Avieno, Consejo Superior de investigaciones científicas, Instituto Diego Velázquez, Madrid, 1941. — PLATON : Timaeus-Critias, Collection des Universités de France, Paris 1956. — PLONGEON, A. LE : Sacred mysteries among the Mayas and the Quichas, 11 500 years ago, New York 1886. — REDSLOB, G. M. : Thule, die phönizischen. Handelswege nach dem Norden, insbesondere nach dem Bernsteinlande, Leipzig 1855. — RUDBECK, O. : Atlantica, Upsala 1675. — SAAVEDRA Y PÉREZ DE MECA : Mastia y Tarteso, y los pueblos litorales del sud-este de España en la Antigüedad, Murcia 1929. — SCHULTEN, A. : Forschungen nach Tartessos, Jahrbuch des Deutschen Archäologischen Instituts, 1923, 1924. Bd. 38, 39, Beiblatt I, II, 1-10 und Bd. 40, 1925, pp. 342-345. Forschungen nach Tartessos, Archäologischer Anzeiger, Beiblatt zum Jahrbuch des Deutschen Archäologischen Instituts, Bd. 42, 1927, pp. 12-19. Die Etrusker in Spanien, Klio, Bd. 23, 1929, pp. 365-432. Tartessos, Hambourg 1950. — SCHLUTEN, A. und JESSEN, O. : Tartessos und anderes Topographische aus Spanien, Jahrbuch des Deutschen Archäologischen Instituts, Bd. 37, 1922, Beiblatt I, II, pp. 18-55. — STRABO : III, 1, 6; 2, 14; 1, 9. — WIRTH, H. : Das Geheimnis Arktis-Atlantis, Die Woche, Jahrgang 33, 1931, Nr. 35.

## Le secret des îles Canaries

BROWN : Madeira, Canary Islands and Azores, Londres 1903. — DE CAMPOS, C.M. : Canarias en la Brecha, Las Palmas de Gran Canaria, 1953. Las Virgenes Canarias, in : Revista de Estudios Politicos, Bd. 81, Mai-juin, Madrid 1955, pp. 83-132. — DELGADO, J. A. : Excavaciones Arqueológicas en Tenerife [Canarias], Nr. 14, Madrid 1947. — GLAS, G. The History of the Discovery and Conquest of the Canary Islands, Londres 1764. — GSELL, S. : Histoire Ancienne de l'Afrique du Nord, tome VIII, Paris 1928, p. 296 sq. — JUBA MAURITANIS : in : Fragmenta historicorum Graecorum, Bd. 3, Paris 1849. — PARKER-WEBB, P. und BERTHOLOT, S. : Histoire naturelle des Iles Canaries, tome II, Paris 1839. — PLINIUS SECUNDUS, GAIUS : Naturalis Historia, VI, 37. — SHOR,

J. und F. : Spain's " Fortunate Isles ", the Canaries, in : The National Geographic Magazine, June 1955, Washington, pp. 485-522. — Torriani, L. : Die Kanarischen Inseln und ihre Urbewohner, in : Quellen und Forschungen zur Geschichte der Geographie und Völkerkunde, Bd. 6, Leipzig 1940. — Warmington, E. H : The Ancient Explorers, Londres 1929, p. 52 sq.

## Les bronzes de la vieille Chine

D'Ardenne de Tizac, H. : Les Animaux dans l'Art Chinois, Les Arts de l'Asie, Paris 1922. — Bushell, S. W. : Chinese Art, Londres 1914. — Ecke, G. : Frühe chinesische Bronzen aus der Sammlung Oskar Trautmann, herausgegeben von Gustav Ecke, Pékin 1939. — Hajek, L. : Chinesische Kunst in tschechoslowakischen Museen, Prague 1954. — Hentze, C. : Frühchinesische Bronzen und Kultdarstellungen, Anvers 1937. — Koop, A. J. : Early Chinese Chinese Bronzes, Londres 1924. — Sammler : Sammlung Lochow, Chinesische Bronzen, herausgegeben von Sammler, Pékin 1944. — Tch'ou To-yi, M. : Bronzes Antiques de la Chine, Paris-Bruxelles 1924. — White, W. C. : Bronzes Culture of Ancient China, Toronto 1956.

## Un certain Siddhartha

Basham, A. L. : The Wonder that was India, Londres 1954. — Foucher, A. : La Vie de Bouddha, Paris 1949. Les Vies Antérieures du Bouddha, Paris 1955. — Glasenapp, H. von : Buddha, Geschichte und Legende, 1950. — Kern, M. : Das Licht des Ostens, Stuttgart-Berlin-Leipzig 1922. — Oldenberg, H. : Buddha, 1923. — Renou, L. und Felliozat, J. : L'Inde classique, Paris 1947 und 1953. — Thomas, E. J. : The Life of Buddha, Londres 1927. — Waldschmidt, E. : Die Legende vom Leben des Buddha, 1929.

## Gandhara et les statues du Bouddha

Adam, L. : Buddhastatuen-Ursprung und Formen der Buddhagestalt, Sttutgart 1925. — Buchthal, H. : The Western Aspects of Gandhara Sculpture, Proceedings of the British Academy, Londres 1945, pp. 151-176. — Bussagli, M. : L'irrigidimento formale nei bassorilievi del Gandhara in rapporto all' estetica indiana, in : Archeologia Classica, Vol. v, 1953, pp. 66-83. Osservazioni sulla persistenza delle forme ellenistiche nell'arte del Gandhara, in : Rivista dell' Istituto Nazionale di Archeologia e Storia dell'Arte, N. S. anni v-vi, 1956-57, p. 149. L'Arte del Gandhara in Pakistan e i suoi incontri con l'Arte dell'Asia

# BIBLIOGRAPHIE

Centrale, Rome 1958. — DEYDIER, H. : Contribution à l'Étude de l'Art du Grandhara, Paris 1950. — FOUCHER, A. : L'Art Gréco-Bouddhique du Gandhara, Paris, Bd. I 1905, Bd. II 1918. — FOUCHER, A. und BAZIN-FOUCHER, E. : La Vieille Route de l'Inde de Bactres à Taxila, Paris 1942. — GHIRSHMAN : Journal Asiatique, Nr. 234, 1943-1945, pp. 59-71. Mémoires de la Délégation Archéologique Française en Afghanistan, XII, 1946, pp. 99-108. — HARGREAVES, H. : The Buddha Story in Stone, Calcutta 1914. — INGHOLT, H. und LYONS, I. : Gandharan Art in Pakistan, New York 1957. — KEMPERS, B. : Die Begegnung der griechisch-römischen Kunst mit dem indischen Kulturkreis, Handbuch der Archäologie, II, Munich 1954. — MARSHALL, sir J. : Taxila, 3 Vols., Cambridge 1951. The Buddhist Art of Gandhara, Cambridge, 1960. — MONNERET DE VILLARD, U. : Le monete dei Kushana e l'impero romano in : Orientalia, Vol. 17, 1948, pp. 205-245. — NARAIN, A. K. : The Indo-Greeks, Oxford 1957. — ROWLAND, B. : Gandhara, Rome and Mathura. The Early Relief Style, in : Archives of the Chinese Art Society of America, Vol. X, 1956, pp. 8-17. — SALMONY, A. : Notes on a Stone Sculpture from Gandhara, in : Artibus Asiae, XVII, 1954, pp. 29-99. — SCHLUMBERGER, D. : Le temple de Surkh Kotal en Bactriane, I, II, III, in : Journal Asiatique, 1952, pp. 433-453; 1954, pp. 161-205 und pp. 269-279. — SOPER, A. C. : Aspects of Light Symbolism in Gandharan Sculpture, in : Artibus Asiae XII, 1949, pp. 252-283 und 314-330; XIII, 1950, pp. 63-85. The Roman Style in Gandhara, American Journal of Archaeology, 1951, Vol. 55, pp. 301-319. — WALDSCHMIDT, E. : Gandhara, Kutscha, Turfan, Leipzig 1925. Die Entwicklungsgeschichte des Buddhabildes in Indien, Ostasiatische Zeitschrift 1930, pp. 265-277.— WHEELER, sir M. : Rome beyond the Imperial Frontiers, Londres 1954.

## Le temple souterrain de Touen-houang

CHAVANNES, E. : Les Documents Chinois découverts par A. Stein, Oxford, 1913. — GILES, L. : Dated Chinese MSS in the Stein Collection, Bulletin of the School of Oriental Studies, Londres 1933-46. Six Centuries at Touen-houang, Londres 1944. — MASPERO, H. : Les Documents de la troisième expédition de Sir A. Stein, 1953. — PELLIOT, P. : Les Grottes de Touen-houang, Paris 1920-24. Les Fresques de Touen-Houang et les Fresques de M. Eumorfopoulos, Revue des Arts Asiatiques v., 1928, p. 143 und 193. STEIN, A. : Ruins of Desert Cathay, 2, Londres 1912. A Catalogue of Painings recovered from Touen-houang, Londres 1931.

## La Route de la Soie

LE COQ, A. : VON : Auf Hellas Spuren in Ost-Turkistan, Leipzig 1926. — FUCHS, W. : Huei-ch'ao's Pilgerreise durch Nord-west-Indien und Zentral-Asien um

726, Berlin 1939. — GRÜNWEDEL, A. : Bericht über archäologische Arbeiten in Idikutschari und Umgebung im Winter 1902-1903, Abh. d. Akad. d. Wiss., Munich 1906. Altbuddhistische Kultstätten in Chinesisch-Turkistan, Berlin 1912. — HEDIN, S. : Sidenvägen, Stockholm 1936. — HERRMANN, A. : Die alten Seidentsraβen zwischen China und Syrien, 1910. Lou-lan, Leipzig 1931. — MARSHALL, sir J. : A Guide to Taxila, Calcutta 1921. Taxila, Vol. 1-3, Cambridge 1951. — STEIN, M. A. : A Journey of Geographical and Archaeological Exploration in Chinese Turkestan, The Geographical Journal, December 1902. — YULE, sir H. : Cathay and the Way thither, new edition, revised by H. Cordier, Vol. 1-4, Londres 1915.

## Le trésor de l'Oxus

ALCOCK, A. W. u. a. : Report on the Natural History Results of the Pamir Boundary Commission, Calcutta 1898. — BARTOLD, V. V. : Istorija Turkestana Taschkent 1922. — COBBOLD, R. P. : Innermost Asia, Londres 1900. — CURZON, G. N. : The Pamirs and the Source of the Oxus, The Geographical Journal Vol. VIII, London 1896, pp. 15-54, 97-119, 239-264. — DALTON, O. M. : The Treasure of the Oxus with other Examples or early Oriental Metal-Work, Londres 1926. —, Fox, R. : People of the Steppes, Londres 1925. — GRIESBACH, C. L. : Geological Field Notes, No. 3, Afghan Boundary Commission, 1885. — KROPOTKIN, P. : The Old Beds of the Amu-Daria, The Geographical Journal, Vol. XII, Londres 1898, pp. 306-310. — MICHELL, R. : The Regions of the Upper Oxus, Proceedings of the Royal Geographical Society, Vol. VI, Londres 1884, pp. 489-512. — REGEL, A. : Journey in Karateghin and Darwaz Proceedings of the Royal Geographical Society, Vol IV, Londres 1882, pp. 412-417. In : Izvestija imp. Russkago Geografitscheskago Obschtschestva, Bd. XIII, Saint-Pétersourg 1882. — YATE, C. E. : Northern Afghanistan, Londres 1888.

## Les Scythes
### Les rois des Scythes et leurs compagnons
### Rois, concubines, chevaux

BOROVKA, G. : Scythian Art, Londres 1928. — CLEMEN, C. : Einige religionsgeschichtlich wichtige skythische Denkmäler, Festschrift zum sechzigsten Geburtstag von Paul Clemen, Bonn 1926. — FRYE, R. N. : Treasures of the Hermitage Museum, Archaeology, 1958, Vol. II, pp. 105-110. — GIMBUTAS, M. : Timber-Graves in Southern Russia, A Pre-Scythian Culture, Expedition 1961, Vol. 3, pp. 14-22. — GINTERS, W. : Das Schwert der Skythen und Sarmaten in Südryβland, Berlin 1928. — GRJAZNOV, M. P. : Pervyj Pazyrykskij kurgan, Leningrad 1950. — HANCAR, F. : Altai-Skythen und Schamanismus,

# BIBLIOGRAPHIE

Ethnologica, Actes du IV<sup>e</sup> Congrés international des Sciences Anthropologiques et Ethnologiques, tome III, 1956, p. 183 sq. Aus dem Arbeitsbereich der sowjetischen Ur-und Frühgeschichte, Saeculum, Jahrgang 1961, Bd. 11, Heft 1, 2, pp. 83-85. — HARMATTA, J. : Studies on the History of the Sarmatians, Budapest 1950. Hérodote, Histoires, livres IV. — JUNGE, J. : Saka-Studien, Leipzig 1939. — KRETSCHMER, P. : Zum Balkan-Skythischen, Glotta Bd. 24, 1935, pp. 1-56. — MAKARENKO, N. : La civilisation des Scythes et Hallstatt, Eurasia Septentrionalis Antiqua, Helsinki 1930, Bd. 5, pp. 22-48. — MCGOVERN, W. M. : The Early Empires of Central Asia, Chapel Hill 1939. — MINNS, E. H. : Scythians and Greeks, Cambridge 1913. — NIEDERLE, L. : Manuel de l'antiquité slave, Bd. 2, Paris 1926. — ROSTOWZEW, M. : Skythien und der Bosporus, Bd. 1, Berlin 1931. — RUDENKO, S. I. : Gornoaltajskie nachodki i Skify, Moskau-Leningrad 1952. Kultura naselenija gornogo Altaja v skifskoe vremja, Moskau-Leningrad 1953. — SALMONY, A. : Sino-Siberian Art, in the Collection of C. T. Loo, Paris 1933. — TALBOT RICE, T. : The Scythians, London 1957. — TALLGREN, A. M. : Zum Ursprungsgebiet des sogenannten skythischen Tierstils, Acta Archaeologica, Bd. 4, pp. 258-264. — VAMBERY, H. : Reise in Mittelasien, Leipzig 1865.

## Les fonderies du roi Salomon
### A la recherche d'Ophir

CATON-THOMPSON, G. : The Zimbabwe Culture, Oxford 1931.— DAVIDSON, B. : The Lost Cities of Africa, Boston-Toronto 1959. — GLUECK. N. : The First Campaign at Telle el-Kheleifeh [Ezion-geber], Bulletin of the American Schools of Oriental Research, No. 71, 1938, pp. 3-18. The Second Campaign at Tell el-Kheleifeh, Bulletin of the American Schools of Oriental Research, No. 75, 1939, pp. 8-22. The Third Season of Excavation at Tell el-Kheleifeh, Bulletin of the American Schools of Oriental Research, No. 79, 1940, pp. 2-18. — HALL, R. N. : Great Zimbabwe. Londres 1907. — HALL, R. N. und NEAL, W. G. : The Ancient Ruins of Rhodesia, Londres 1902. — HENNIG, R. : Von rätselhaften Ländern, Munich, 1925, p. 65 sq. — J. L. M. : The Rhodesia Ruins, Mediaeval Rhodesia by David Rendall MacIver [Review], The Geographical Journal, Vol. 28, 1906, pp. 68-70. — MACIVER, D. R. : Mediaeval Rhodesia Londres 1906. — NOTH, M. : Geschichte Israels, Göttingen 1954, p. 187 sq. — SALZBERGER, G. : Die Salomo-Sage in der semitischen Literatur, Berlin 1907. — SUMMERS, R. : Possible Influences of the Iron Age in Southern Africa, South African Journal of Science, Vol. 52, 1955, pp. 43-46. — WAINWRIGHT, G. A. : The Founders of the Zimbabwe Civilization, Man, No. 80, 1949, pp. 62-66. — WHITE, F. : Notes on the Great Zimbabwe Elliptical Ruin, Journal of the Anthropological Institute, Vol. 35, 1905. pp. 39-47.

# CIVILISATIONS MYSTÉRIEUSES

## Les bronzes du Bénin

BLAKE, J. W. : Europeans in West-Africa 1450-1560, Vol. I und II, Londres 1942. — BRADBURY, R. E. : Benin, Londres 1957. — BRYANT, A. T. : Olden Times in Zululand and Natal, Londres 1929. — BURNS, sir A. : History of Nigeria, Londres 1951. — CORBEAU, J. : L'empire du Bénin, Lyon 1950. DIKE, K. O. : Trade and Politics in the Niger Delta 1830-1885, Oxford 1956. — DITTEL, P. : Die Besiedlung Südnigeriens von den Anfängen bis zur britischen Kolonisation, Wissenschaftliche Veröffentlichungen des Deutschen Museums für Länderkunde zu Leipzig, Leipzig 1936, p. 71 sq. — EGHAREVBA, J. : Some stories of ancient Benin, Lagos 1951. The city of Benin, 1952. — ELISOFON, E. und FAGG, W. : The Sculpture of Africa, Londres 1958. — FAGG, W. : On the Nature of African Art. Memoirs and Procs. of the Manchester Lit. and Phil. Soc., 1953. The Study of African Art. Allen Memorial Museum Bulletin XIII, No. 2, 1955-1956. A Life-Size Terracotta Head from Nok, Man 1956, Vol. 55, p. 89. — FAGG, W. P. und FORMAN, W. u. B : Afro-Portuguese Ivories, Londres 1959. — FORDE, D. : The Yoruba-Speaking Peoples of South-Western Nigeria, Ethnographic Survey of Africa, Londres 1951. FORDE, D. und JONES, G. I. : The Ibo and Ibibio-Speaking Peoples of South-Eastern Nigeria, Ethnographic Survey of Africa, Londres. New York, Toronto 1950. — FORMAN, W. und DARK, Ph. : Die Kunst von Benin, Prague 1960. — FORMAN, W. und FAGG W. : Vergessene Negerkunst. Afro-portugiesisches Elfenbein, Prague 1959. — GLÜCK, J. F. : Die Kunst Neger-Afrikas, Kleine Kunstgeschichte der Vorzeit und der Naturvölker, Stuttgart 1956. — GOODWIN, A. J. H. : Metal Working among the early Hottentots, The South African Archaeological Bulletin, Vol, XI, 1956, p. 47. — HAILEY, L. : An African Survey, Londres 1938. — JEFFREYS, M. D. W. : The origin of the Benin bronzes, Afr. Stud., 1951, pp. 87-91. — LUSCHAN, F. v. : Die Altertümer von Benin, 3 Bände, Berlin 1919. — MARQUAT, J. : Die Beninsammlung des Reichsmuseums für Völkerkunde in Leiden, Leyde 1913. — MEEK, C. K. : The Northern Tribes of Nigeria, Vol. I, Londres 1925. — SMITH, H. F. C. : The Benin study, J. hist. Soc. Nigeria 1956, 1 Ded., pp. 60-61. — SUMMERS, R. : Possible Influences of the Iron Age in Southern Africa, South African Journal of Science, Vol. 52, 1955, p. 43 sq. — SYDOW, E. von : Ancient and modern art in Benin city, Africa, 11, Jan. 1938. Kunst und Kulte von Benin Atlantis, 10. Jahrgang, 1938, p. 53. Afrikanische Plastik, herausgegeben von G. Kutscher, Berlin 1954. — TALBOT, P. E. : Peoples of South Nigeria, Vol. 1-4, Oxford 1926. — TONG R. : The ancient city of Benin, Corona, 3, Jan. 1951, pp. 30-32. Figures in Ebony, Londres 1958. — UGHULU, E. : Short history of [Esan] islan-Benin, Lagos 1950.

# BIBLIOGRAPHIE

## La rivière aux mille yeux

BEAVER, W. N. : Unexplored New Guinea, Londres 1920. — BEHRMANN, W. : Der Sepik und sein Stromgebiet, Mitteilungen aus den deutschen Schutzgebieten, Ergänzungsheft Nr. 12, Berlin 1917. Im Stromgebiet des Sepik, Berlin 1922. — BÜHLER, A. und GARDI, R. : Sepik, Bern, Stuttgart, Vienne 1958. — CHAMPION, I. F. : Across New Guinea from the Fly to the Sepik, Londres 1932. — DETZNER, H : Ergebnisse von Reisen in Neu Guinea, 1914-1918. — TISCHNER, H. : Kulturen der Südsee, Hambourg 1958. — WICHMANN A. : Nova Guinea, Vol. I 1909; Vol. II, 1 1910; Vol II, 1912; Vol. III 1907; Vol. IV 1917, Leyde. — WIRZ, P. : Im Herzen von Neuguinea, Zürich 1925. Däamonen und Wilde in Neuguinea, Stuttgart 1928.

## Les statues de l'île de Pâques
## Les ultimes mystères de l'île de Pâques

BARTHEL, T. : Rezitationen von der Osterinsel, Anthropos 1960, Vol, 55, p. 841 sq. — BARTHEL, T. : Grundlagen zur Entzifferung der Osterinselschrift, Abhandlungen aus dem Gebiet der Auslandskunde Bd. 64, Reihe B., Völkerkunde Bd. 36. — BASTIAN, A. : Bemerkungen zu den Holztafeln vo Rapa-Nui, Zeitschrift der Gesellschaft für Erdkunde zu Berlin, tombe VII, 1872, pp. 81-89. — BELTRÁN Y RÓZPIDE, R. : La Isla de Pascua, Boletin de la Sociedad geográfica de Madrid, tome XV, 1883, pp. 153-167. — BUCK, P. H. : An introduction to Polynesian anthropology, Bernice P. Bishop Museum, Honolulu, Bulletin 187, 1945. — CARROL, A. : The Easter Island inscriptions and the way in which they are translated or deciphered, and read, The Journal of the Polynesian society, Londres, Vol. 1, 1892, pp. 102-106, 233-253; Vol. 6, 1897, pp. 91-93. — EYRAUD, Le Frère Eugène : Rapports et lettres sur son séjour à l'Ile de Pâques, Annales de la Propagation de la Foi, Lyon, Vol. 38, 1866, pp. 47-71, 124-145; Vol. 39, 1867, pp. 250-259; Vol. 41, 1869, pp. 322-325. — GÜNTHER, K. : Zur Frage der Typologie und Chronologie der großen Steinbilder auf der Osterinsel, Wissenschaftliche Zeitschrift der Friedrich Schiller Universität, Iéna. Jhg. 3, 1953-54, p. 81 sq. — GUSINDE, M. : Bibliografia de la Isla de Pascua, Publicaciones del Museo de etnologia y antropologia de Chile, Santiago, tome II, 1920, pp. 133-163; tome III, 1922, pp. 261-383. — HEINE-GELDERN R. VON : Die Osterinselschrift, Anthropos, St. Gabriel-Mödling, tome XXXIII, 1938, pp. 815-909. — HELFRITZ, H. : Die Osterinsel, Zürich 1953. — IMBELLONI, J. : Los misterios de la Isla de Pascua. Estado actual del problema que plantean las tabletas de Islas de Pascua, Revista geografica americana, Buenos Aires, Vol. No. 1, oct. 1933, pp. 13-37. — LAVA-

# CIVILISATIONS MYSTÉRIEUSES

CHERY, H. : Les Pétroglyphes de l'Ile de Pâques, Anvers 1939. — LAVACHERY, H. : Ile de Pâques, Paris 1935. — MARTIN, P. S., QUIMBY, G. I., COLLIER, D. : Indians before Columbus, Twenty Thousand Years of North American History Revealed by Archeology, Chicago 1948. — MÉTRAUX, A. : L'Ile de Pâques, Paris 1941. — MÉTRAUX, A. : Die Oster-Insel Stuttgart 1957. — MÉTRAUX, A. : La culture sociale de l'Ile de Pâques, Anales del Instituto de etnografia americana, Universidad nacional de Cuyo, tome III, 1942, pp. 119-158. — MOULY, R. P. : L'Ile de Pâques, Ile de Mystère et d'Héroïsme, Paris 1957. — OLDEROGGE, D. A. : Die parallelen Texte einiger Hieroglyphentafeln von der Osterinsel, Sowjetwissenschaft 1948, 2, pp. 85-90. — ROGGEVEEN, J. : Dagverhaal der Ontdekkings-Reis van Mr. Jacob Roggeveen met de schepen der Arend, Thienhoven en de Afrikaansche Galei, in den jaren 1721 en 1722, Middelburg, de Gebroeders Abrahams, 1838. — SCHULZE-MAIZIER, F. : Die Osterinsel, Leipzig. — THOMSON W. J. : Te Pito te Henua, or Easter Island, Annual Report Smithsonian Inst., Washington, 1891, p. 447 sq. — THOMSON, J. O. : History of Ancient Geography, Cambridge 1948.

*L'homme de Maïs*
*Les villes dans la jungle*
*L'énigme de Tikal*

COE, W. R. : Two carved lintels from Tikal, Archaeology, Vol. 11, Nr. 2, 1958, p. 75 sq. Tikal 1959, Expedition 1959, Vol. 1, p. 7 sq. — DIESELDORFF, E. P. : Kunst und Religion der Mayavölker, Berlin 1926, Bd. 1; 1931, Bd. 2; 1933, Bd. 3. — DISSELHOFF, H. D. : Geschichte der altamerikanischen Kulturen, Munich, 1953. — GANN, T. : Maya Cities, London 1927. — JOYCE, T. A. : Mexican Archaeology, 1914. — KELEMEN, P. : Mediaeval American Art, New York 1956. — LENTZ, F. J. : Aus dem Hochlande der Maya, Stuttgart 1930. — MACNEISH, R. S. : Ancient Maize and Mexico, Archaeology, 1955, Vol. 8, p. 108 sq. — MALER, T. : Explorations in the Department of Peten Guatemala, Cambridge Mass., 1911. — MORLEY, S. G. : An Introduction to the Study of the Maya Hieroglyphs, Washington 1915. The Inscriptions of Petén, Vol. 1-5, Washington 1937-38. The Ancient Maya, Londres 1946. The Ancient Maya, 3. Auflage, Stanford 1956. — PLISCHKE, H. : Vom Ursprung der polynesischen Kultur, Saeculum, Bd. 8, 1957, pp. 404-408. — SAPPER, K. : In den Vulcangebieten Mittelamerikas und Westindiens, Stuttgart 1905. Mittelamerikanische Reisen und Studien, Braunschweig 1902. — SCHROEDER, A. H. : Ball Courts and Ball Games of Middle America and Arizona, Archaeology, Vol. 8, 1955, pp. 156-161. — SELER, E : Gesammelte Abhandlungen zur amerikanischen Sprachund Altertumskunde, Bd. 1, 1902, Bd. 2, 1904, Bd. 3, 1908, Berlin. — SELER-SACHS, C. : Auf alten Wegen in Mexico und Guatemala, Stuttgart 1925. — SHOOK, E. M. : The Temple of the Red Stela, Expedition 1958, Vol. 1, p. 27 sq. Tikal Stela 29, Expedition 1960, Vol. 2, p. 29 sq. — TER-

# BIBLIOGRAPHIE

MER, F. : Die Mayaforschung, Nova Acta Leopoldina, Bd. 15, Nr. 105, Leipzig 1952. — THOMPSON, J. E. S. : The Rise and Fall of Maya Civilization, Norman 1954. — TISCHNER, H. und KRICKEBERG, W. : Australien-Amerika, Die große Völkerkunde, herg. v. Hugo A. Bernatzik, Leipzig 1939, p. 187 sq. — TISCHNER, H. : Südsee. Völkerkunde, Fischer Lexikon, Frankfurt a. M. 1959. Kulturen der Südsee, Hambourg 1958. — TOZZER, A. M. : A preliminary study of the prehistoric ruins of Tikal, Guatemala. A report of the Peabody Museum Expedition 1909- 1910, Cambridge 1911. Landa's Relación de las Cosas de Yucatan, Papers of the Peabody Museum of American Archaeology, Vol. 18, Cambridge Mass. 1941. — TRIMBORN, H. : Indianische Welt in geschichtlicher Schau. Iserlohn 1948. — ZIMMERMANN, G. : Kurze Formen-und Begriffssystematik der Hieroglyphen der Mayahandschriften, Hambourg 1953. Die Hieroglyphen der Mayahandschriften, Universität Hamburg, Abhandlungen aus dem Gebiet der Auslandskunde, Bd. 62, Reibe B, Hambourg 1956.